La Femme au portrait

Greg Iles

La Femme au portrait

Traduit de l'anglais (Etats-Unis)
par Thierry Arson

FRANCE LOISIRS

Titre original : *Dead Sleep*

Edition du Club France Loisirs,
avec l'autorisation des Presses de la Cité

France Loisirs,
123, boulevard de Grenelle, Paris
www.franceloisirs.com

© Greg Iles, 2001
© Presses de la cité, 2005, pour la traduction française
ISBN : 2-7441-8643-0

A la mémoire de Silous Marty Kem

1

J'ai cessé de photographier des gens il y a six mois, juste après avoir reçu le Pulitzer. J'ai toujours eu un don pour saisir les expressions, mais j'en avais plus qu'assez longtemps avant de remporter le prix. Et pourtant je continuais de mitrailler, dans une sorte de quête aveugle dont je n'étais même pas consciente. C'est dur à admettre, mais le Pulitzer a été pour moi un jalon différent de ce qu'il est pour la plupart des lauréats. Voyez-vous, mon père l'a eu deux fois. La première en 1966, pour une série sur McComb, dans le Mississippi. La deuxième en 1972, pour un cliché pris à la frontière cambodgienne. Mais il n'a jamais savouré cette seconde récompense. La pellicule qui devait lui valoir le Pulitzer a été récupérée par des marines, du mauvais côté du Mékong. Ils n'ont retrouvé que l'appareil. Les vingt prises en Tri-X expliquaient très clairement le déroulement du drame. En mitraillant la scène avec son Nikon F2 à entraînement par moteur, au rythme de cinq prises à la seconde, mon père a enregistré l'exécution brutale d'une prisonnière par un Khmer rouge, puis il a capturé sur la pellicule le visage du bourreau alors que celui-ci tournait son arme vers l'homme courageux bien qu'imprudent qui le photographiait. J'avais douze ans et je me trouvais à quinze mille kilomètres de là, mais cette balle m'a brisé le cœur.

Jonathan Glass était une légende bien avant ce jour, mais la célébrité n'est d'aucun réconfort contre la solitude d'une enfant. Je n'avais que très rarement vu mon père dans ma prime enfance, et suivre ses pas avait constitué une manière d'apprendre à mieux le connaître. J'ai toujours son vieux Nikon éraflé et bosselé dans mon sac. Si l'on s'en tient à la technologie actuelle, c'est un dinosaure, mais c'est avec lui que j'ai remporté le Pulitzer. Mon père me taxerait sans doute de sentimentalisme s'il me voyait utiliser son vieil appareil, mais je sais aussi ce qu'il dirait à propos du prix « Pas mal, pour une fille. »

Et ensuite il me serrerait dans ses bras. Cette étreinte me manque plus que je ne saurais le dire. Comme celle d'un gros ours, qui m'enveloppait complètement et me protégeait du monde. Cela fait vingt-huit ans que je n'ai pas goûté au contact de ses bras, mais l'impression demeure en moi, aussi familière que le parfum de l'olivier qu'il a planté devant la fenêtre de ma chambre pour mon huitième anniversaire. A l'époque, j'avais trouvé qu'un arbre n'était pas un cadeau très approprié, mais après la disparition de mon père cette fragrance hypnotique qui flottait par ma fenêtre ouverte durant la nuit fut un peu comme son esprit veillant sur moi. Cela fait bien longtemps que je n'ai pas dormi près de cette fenêtre.

Pour la plupart des photographes, décrocher le

Pulitzer représente une validation triomphale de leur talent, et un départ capital. A partir de ce moment, le téléphone se met à sonner et l'on vous propose des boulots dont vous n'osiez même pas rêver. Pour moi, cette date a marqué un coup d'arrêt. J'avais déjà eu le Capa Award à deux reprises, et c'est ce prix qui compte pour les gens avertis. En 1936, Robert Capa a réalisé le cliché immortel d'un soldat espagnol frappé par une balle fatale, et son nom est synonyme de bravoure sous le feu. Capa avait offert son amitié à mon père alors jeune homme, en Europe, peu après avoir fondé l'agence Magnum Photos avec Cartier-Bresson et deux autres amis. Trois ans plus tard, en 1954, Capa posait le pied sur une mine dans ce qui était encore appelé l'Indochine française, et créait un précédent tragique que mon père, Sean Flynn – le fils turbulent d'Errol – et une trentaine d'autres photographes américains allaient imiter d'une façon ou d'une autre pendant les vingt années de la guerre du Vietnam. Mais le grand public ne connaît pas le Capa Award. C'est du Pulitzer que tout le monde parle, et c'est ce qui rend ses lauréats incontournables sur le marché.

Après le Pulitzer, les missions ont afflué. Et j'ai décliné toutes les offres. J'avais alors trente-neuf ans, j'étais toujours célibataire, quoique courtisée, et je m'étais usée à force de travail cinq ans avant de poser le prix sur mon étagère. La raison en était simple. Mon boulot avait essentiellement consisté à établir la chronique sinistre de la mort de par le monde. La mort peut certes être naturelle, mais je la vois le plus souvent comme la manifestation du

Mal. Et comme d'autres professionnels qui connaissent ce visage de la mort, qu'ils soient flics, soldats, médecins ou prêtres, les photographes de guerre vieillissent bien plus rapidement que les gens normaux. Ces années en plus ne se voient pas toujours, mais on les ressent au plus profond de son être, dans la moelle de ses os et dans son cœur. Elles nous écrasent d'une façon que peu de gens peuvent comprendre en dehors de notre petite fraternité. Je dis fraternité, parce que les femmes sont rares dans ce milieu. Il n'est pas difficile de deviner pourquoi. Comme l'a dit un jour Dickey Chappelle, une consœur qui a photographié les conflits de la Seconde Guerre mondiale et du Vietnam : « Ce n'est pas un endroit pour la gent féminine. »

Et pourtant ce n'est rien de tout cela qui m'a finalement fait arrêter. On peut marcher dans un champ de bataille jonché de cadavres, arriver devant un orphelin gisant sur sa mère morte et ne pas éprouver le dixième de ce que l'on ressentirait en perdant un être cher. La mort a marqué mon existence d'un deuil presque insupportable, et je la déteste. La mort est mon ennemie mortelle. C'est peut-être de l'orgueil, un orgueil démesuré même, mais je l'admets avec honnêteté. Quand mon père a braqué son objectif sur ce Khmer rouge assassin, il a certainement su qu'il allait le payer de sa vie. Il a quand même pris cette photo. Il n'a pas survécu au Cambodge, sa photo si, et elle a largement contribué à changer la vision de l'Amérique sur cette guerre. Toute ma vie j'ai suivi le code d'honneur jamais écrit qui régissait les actes de mon père. Voilà pourquoi personne n'a été aussi choqué que moi lorsque, quand la mort a frappé à nouveau ma famille, cette nouvelle rencontre m'a brisée.

Je me suis traînée pendant sept mois de travail, j'ai eu un éclair de créativité qui m'a valu le Pulitzer, et puis je me suis écroulée, dans un aéroport. Je suis restée hospitalisée six semaines. Les médecins m'ont déclarée atteinte de ce qu'ils appellent une névrose traumatique. Je leur ai demandé s'ils espéraient être payés pour un tel diagnostic. Mes amis les plus proches, et même mon agent, m'ont annoncé sans détour que je devais arrêter de travailler pendant quelque temps. J'ai accepté. Le problème, c'est que je ne savais pas comment faire. Débarquez-moi sur une plage à Tahiti, et je cadre des photos mentalement, je scrute le regard des serveurs ou des touristes, à la recherche de la vie derrière la vie. Il m'arrive de penser que je me suis métamorphosée en appareil photo, afin d'enregistrer la réalité, et que les outils sophistiqués que j'emmène quand je travaille ne sont qu'une extension de mon esprit et de mon œil. Pour moi il ne peut y avoir de vacances. Dès que j'ai les yeux ouverts, je travaille.

Heureusement, une solution s'est présentée à moi. Plusieurs éditeurs de New York m'avaient sollicitée pour réaliser un album. Et tous voulaient le même : celui de mes photos de guerre. Après m'être effondrée, je me suis retrouvée coincée, et j'ai passé un marché avec le diable. En échange de mon accord pour la réalisation par Viking d'une anthologie de mes clichés sur les différents conflits que j'avais couverts, j'ai accepté une double avance : une pour cet ouvrage, et une pour celui de mes rêves. L'album de mes rêves ne contiendra aucun être humain. Aucun visage, en tout cas. Pas une seule paire d'yeux emplis d'effroi ou hantés par l'horreur. Son titre provisoire est : *Le temps qu'il fait*.

Le temps qu'il fait était la raison de ma présence à Hong Kong cette semaine-là. J'y étais déjà venue quelques mois auparavant pour y photographier le déferlement de la mousson sur une des cités les plus congestionnées du monde. J'avais pris Victoria Harbor à partir du Peak, et le Peak de Central, en m'émerveillant des multiples façons dont riches comme pauvres endurent des pluies constantes et si massives qu'elles ont rendu alcoolique ou pire plus d'un Européen. Cette fois, Hong Kong n'était qu'une étape avant la Chine continentale, bien que j'eusse prévu d'y passer deux jours pour terminer mes clichés. Mais lors de ce deuxième jour, tout mon projet d'album est tombé à l'eau. Il n'y a eu aucun signe avant-coureur, je n'ai pas eu l'ombre d'un pressentiment de ce qui allait se passer. C'est ainsi que les événements décisifs arrivent dans votre vie.

Un ami travaillant à Reuters m'avait convaincue de visiter le musée d'art de Hong Kong, pour y admirer en particulier certaines aquarelles chinoises. Il m'avait raconté que les artistes chinois de l'ancien temps avaient atteint à une sorte de pureté parfaite dans leur rendu de la nature. Je n'y connais rien en art, mais je m'étais dit que ces peintures valaient le déplacement, ne serait-ce que pour me donner une perspective différente. J'ai donc embarqué sur le vénérable *Star Ferry* en fin d'après-midi, et j'ai traversé le port jusqu'à Kowloon. Ensuite je me suis rendue au musée à pied. Après vingt minutes à l'intérieur, une nouvelle perspective était le dernier de mes soucis.

Le garde à l'entrée a été le premier signe, mais je me suis complètement trompée dans son interprétation. Quand j'ai franchi le seuil du musée, ses lèvres se sont très légèrement entrouvertes, et le blanc de ses yeux s'est étiré sur une expression qui ressemblait fort à du désir. Il arrive que je provoque cette réaction chez les hommes, mais cette fois j'aurais dû y prêter plus d'attention. A Hong Kong je suis une *kwailo*, une diablesse étrangère, et mes cheveux ne sont pas blonds, la couleur que prisent tant les Chinois.

Puis une petite Chinoise rondelette m'a loué des écouteurs et un baladeur pour me permettre d'écouter un commentaire de la visite en anglais. Elle a levé les yeux vers moi en souriant, et soudain ses lèvres ont pris une expression figée et elle a blêmi. Instinctivement je me suis retournée pour voir si un malfrat quelconque ne se tenait pas juste derrière moi, mais non, il n'y avait que moi, avec mon mètre soixante-quinze pour un corps mince et raisonnablement musclé, mais qui ne constituait en rien une menace. Quand je lui ai demandé ce qu'il y avait, elle a secoué la tête et s'est affairée derrière son comptoir. J'ai réprimé un frisson devant ce comportement étrange, puis j'ai chassé cette impression de mon esprit, mis le baladeur en marche et me suis dirigée vers les salles d'exposition avec dans les oreilles un commentaire récité par une voix anglaise sonore et précise qui me rappelait le timbre de Jeremy Irons.

Mon ami de chez Reuters avait dit vrai. Les aquarelles m'ont ébahie. Certaines avaient plus de mille ans, et le temps les avait à peine affadies. Les images délicatement rendues convoyaient la petitesse de l'être humain sans aliéner celui-ci à son environnement. L'arrière-plan n'était pas séparé des sujets, à moins qu'il n'y ait pas d'arrière-plan ; là résidait peut-être la leçon. Tandis que je passais d'un tableau à un autre, les ténèbres intérieures qui sont mes compagnes constantes ont commencé à s'adoucir, comme lorsque j'écoute un certain type de musique. Mais le répit a été de courte durée. J'étais en train d'étudier une aquarelle représentant un homme sur une rivière, manœuvrant à l'aide d'une perche une embarcation assez semblable à une pirogue cajun, quand j'ai remarqué une Chinoise sur ma gauche. Pensant qu'elle aussi désirait contempler la toile, je me suis écartée d'un pas vers la droite.

Elle n'a pas bougé. Dans ma vision périphérique, j'ai vu que ce n'était pas une visiteuse mais une femme portant l'uniforme du service d'entretien et tenant à la main un petit balai à épousseter. Et ce n'était pas la peinture qu'elle regardait fixement, comme si elle était figée dans l'espace, mais moi. Quand je me suis tournée pour lui faire face, elle a cligné deux fois des paupières, puis a filé en hâte dans la pénombre de la salle voisine.

Je suis passée à l'aquarelle suivante, en me demandant pour quelle raison je l'avais ainsi captivée. Je n'avais pas passé beaucoup de temps à me coiffer ou me maquiller, mais après avoir vérifié mon apparence dans le reflet d'une vitrine, j'ai décidé que rien ne justifiait une telle attention. Je suis passée dans la salle suivante, celle-ci dédiée à des œuvres du XIXᵉ siècle, mais avant de pouvoir m'intéresser à la plus proche, j'ai vu qu'un autre gardien de musée en uniforme bleu me dévisageait. J'ai eu l'étrange certitude que je lui avais été désignée par son collègue de l'entrée. Il y avait dans ses yeux un mélange de fascination et de peur, et quand il s'est rendu compte que je lui retournais son regard, il a battu en retraite derrière une arche.

Il y a quinze ans, j'aurais pris cette attention comme un compliment. Ces regards à la dérobée et ces manœuvres d'approche quelque peu singulières étaient monnaie courante en Europe de l'Est et dans l'ex-Union soviétique. Mais je me trouvais dans le Hong Kong d'après la rétrocession, et au XXIᵉ siècle. Assez perturbée, j'ai rapidement traversé les quelques salles suivantes sans presque regarder les toiles exposées. Avec un peu de chance, je trouverais tout de suite un taxi et pourrais reprendre le ferry à temps pour aller faire quelques clichés du coucher de soleil dans Happy Valley avant de prendre mon avion pour Beijing. Je me suis engagée dans un petit couloir où s'alignaient des statues dans l'espoir de trouver un raccourci vers la sortie. Au lieu de quoi, j'ai débouché dans une autre salle emplie de monde.

Je marquai un temps d'hésitation sous l'arche d'entrée, me demandant ce qui les avait tous attirés là. Le reste du musée était pratiquement désert. Les peintures exposées ici étaient-elles tellement supérieures à toutes les autres ? Ou s'agissait-il de quelque réunion sociale ? Rien ne l'indiquait. Les visiteurs se tenaient isolés les uns des autres, silencieux, et étudiaient les toiles avec une intensité qui me mit mal à l'aise. Au-dessus de l'arche était apposée une plaque métallique rédigée en anglais et en pictogrammes chinois, qui disait :

Femmes nues au repos
Artiste inconnu

Reportant mon attention sur la salle, je me suis rendu compte qu'il n'y avait là que des hommes. Pourquoi uniquement des hommes ? Lors de mon dernier passage, j'avais séjourné une semaine entière à Hong Kong, et je n'avais noté aucune raréfaction de la nudité, si c'était là ce qui les avait attirés. Tous ces visiteurs étaient chinois, et en costume d'homme d'affaires. J'ai eu l'impression que chacun avait cédé à une pulsion irrépressible et avait quitté son bureau, couru jusqu'à sa voiture pour se précipiter ici et contempler ces peintures. Je fis défiler l'enregistrement du baladeur jusqu'au commentaire relatif à cette salle.

« *Femmes nues au repos*, a annoncé la voix dans les écouteurs. *Cette exposition provocante compte sept toiles réalisées par un artiste inconnu, l'ensemble étant communément connu sous le nom de la série des* Femmes endormies. *Ces* Femmes endormies *demeurent un mystère dans le monde de l'art moderne. On a recensé dix-neuf de ces peintures, toutes des huiles sur toile, et la première est apparue sur le marché en*

1999. Ces œuvres progressent d'un style vaguement impressionniste à un réalisme saisissant. Les dernières peintures sont presque photographiques dans le souci du détail. Quoique toutes aient été à l'origine estimées représenter des femmes nues endormies, cette théorie est aujourd'hui remise en question. Les premières sont si abstraites que la question ne peut être éclaircie avec certitude, mais ce sont les œuvres ultérieures qui ont fait sensation parmi les collectionneurs asiatiques, car certains pensent qu'elles représentent non des femmes endormies, mais des femmes mortes. Pour cette raison, le conservateur du musée a préféré intituler cette série Femmes nues au repos *plutôt que* Femmes endormies. *Les quatre toiles apparues sur le marché dans les six derniers mois ont atteint des prix record. La dernière en date, simplement intitulée* Numéro dix-neuf, *a été vendue à l'homme d'affaires japonais Hodai Takagi pour la somme de un million deux cent mille livres sterling. Le musée est très reconnaissant à M. Takagi d'avoir prêté trois toiles de l'exposition actuelle. Quant à l'artiste, son identité reste inconnue. Ses œuvres ne sont disponibles que par l'intermédiaire de Christopher Wingate, LLC de New York, Etats-Unis. »*

J'ai éprouvé une poussée d'anxiété d'une intensité surprenante sur le seuil de cette salle pleine d'hommes, des Asiatiques silencieux, aussi immobiles que des statues devant des toiles que je ne pouvais pour l'instant pas voir. Des femmes nues endormies, peut-être mortes. J'ai pour ma part vu plus de femmes mortes que la plupart des médecins légistes, nombre d'entre elles nues, leurs vêtements arrachés par des obus, consumés par les flammes ou déchirés par des soldats. J'ai pris des centaines de photographies de leurs cadavres, créant méthodiquement mes propres images de la mort. Pourtant l'idée de ces peintures dans cette salle me troublait grandement. J'avais fait ces clichés pour montrer les atrocités de la guerre, dans l'espoir d'aider à stopper ce massacre insensé. L'artiste dont les œuvres étaient exposées là avait un tout autre objectif, je le sentais.

J'ai pris une profonde inspiration et je suis entrée.

Mon arrivée a déclenché des murmures parmi les hommes, comme lorsqu'une nouvelle élève pénètre dans une salle de classe. Une femme, et spécialement une Occidentale, les mettait mal à l'aise, à croire qu'ils avaient honte de leur présence ici. J'ai répondu à leurs coups d'œil fugitifs d'un regard calme et me suis avancée vers la toile devant laquelle les hommes étaient les moins nombreux.

Après la douceur apaisante des aquarelles, ç'a été un choc. Typiquement occidentale dans sa facture, la peinture représentait une femme nue dans une baignoire. Une Occidentale comme moi, mais avec dix ans de moins. La trentaine, approximativement. Sa pose, un bras pendant mollement sur le rebord de la baignoire, m'a rappelé Marat assassiné, que je ne connaissais que par le puzzle que j'en avais fait enfant. Mais l'angle de vue était plus élevé, de sorte que les seins et le pubis étaient visibles. Le sujet avait les yeux clos, et malgré l'indéniable impression de quiétude que convoyait ce détail, je n'aurais pu dire si c'était là le repos du sommeil ou celui de la mort. La couleur de la peau n'était pas tout à fait naturelle, mais plutôt semblable à celle du marbre, et j'ai eu la sensation effrayante que si j'avais pu l'atteindre dans la peinture et la retourner, j'aurais découvert qu'elle avait le dos ensanglanté.

J'ai senti que les hommes derrière moi se rapprochaient, et je me suis déplacée vers la peinture suivante. Dans celle-ci, la femme reposait sur un lit de paille brune recouvrant des planches, comme sur le plancher d'une batteuse. Ses yeux étaient ouverts et avaient cet éclat mat que j'ai vu dans trop de morgues improvisées et autres fosses creusées à la hâte. Pour celle-ci, le doute n'était pas permis : elle avait été peinte pour sembler morte. Cela ne signifiait évidemment pas qu'elle l'était, mais quiconque l'avait représentée ainsi savait très bien à quoi ressemblait la mort.

De nouveau j'ai entendu les hommes derrière moi. Glissements de pieds, crissement de la soie, respirations irrégulières. S'efforçaient-ils de jauger ma réaction devant cette femme occidentale dans l'état le plus vulnérable pour une femme ? Encore que, si elle était morte, elle en devenait logiquement invulnérable. Et pourtant ces inconnus bouche bée devant son cadavre avaient pour moi tout de l'ultime affront, une humiliation ultime. Nous recouvrons les corps pour la même raison que nous allons nous cacher derrière un pan de mur pour satisfaire nos besoins naturels. Certains états humains exigent un minimum d'intimité, et la mort en est un. Le respect est indispensable, non pour le corps, mais pour la personne qui l'a récemment quitté.

Quelqu'un avait déboursé deux millions de dollars pour une peinture comme celle-ci. Peut-être celle-ci, justement. Un homme, bien sûr. Une femme n'aurait acheté cette toile que pour la détruire. Quatre-vingt-dix-neuf femmes sur cent, en tout cas. J'ai fermé les yeux et mentalement dit une prière pour la femme représentée sur cette toile, si elle était réelle. Puis je suis passée à la suivante.

La peinture d'après était suspendue au-dessus d'un petit banc placé contre le mur. De dimensions plus réduites que les autres, peut-être soixante centimètres sur quatre-vingt-dix, en hauteur. Deux hommes se tenaient devant elle, mais ils ne la contemplaient pas. Ils restaient bouche bée face à moi comme des poissons sortis de l'eau, et je me dis que si j'écartais leurs cols blancs amidonnés, je découvrirais des branchies. Ils n'étaient pas plus grands que moi, et se sont vivement écartés à mon approche, me laissant face à la toile. Alors que je me tournais vers elle, une vague de chaleur prémonitoire a envahi mon cou et mes épaules, et j'ai senti la morsure sèche du passé érafler le présent.

Cette femme, nue également, était assise sur une banquette située sous une fenêtre, la tête et une épaule appuyées sur le rebord, et sa peau était éclairée par la lueur violacée de l'aube ou du crépuscule. Ses paupières étaient mi-closes, mais ses yeux ressemblaient plus aux prunelles de verre d'une poupée qu'à ceux d'une femme vivante. Son corps était mince et tonique. Elle avait les mains posées sur les cuisses, et sa chevelure cascadait sur ses épaules tel un voile sombre. Bien qu'elle ait été assise face à moi, j'ai soudain eu la sensation terrifiante qu'elle s'était tournée vers moi et qu'elle venait de me parler. Un goût métallique a empli ma bouche, et mon cœur s'est gonflé dans ma poitrine. Ce n'était pas une peinture, mais un miroir. Le visage qui me regardait sur la toile était le mien. Le corps, lui aussi, était le mien : mes pieds, mes hanches, mes seins, mes épaules et mon cou. Mais c'est le regard qui me tétanisait, un regard mort. Il me tétanisait et me projetait dans le cauchemar que j'avais cherché à fuir à quinze mille kilomètres d'ici. Des paroles râpeuses en chinois ont explosé dans la salle, mais ce n'était que du charabia incompréhensible pour moi. Ma gorge s'est contractée d'un coup ; je ne pouvais crier, ni même respirer.

2

Treize mois plus tôt, par un chaud matin d'été, ma sœur jumelle Jane était sortie de sa maison de ville sur St Charles Avenue, à La Nouvelle-Orléans, pour son jogging quotidien de cinq kilomètres autour du Garden District. Ses deux jeunes enfants avaient attendu à l'intérieur avec la bonne, paisiblement dans un premier temps, puis avec une anxiété croissante quand l'absence de leur mère s'était prolongée. Marc, le mari de Jane, travaillait dans son cabinet d'avocats, ignorant tout de la situation. Après quatre-vingt-dix minutes, la bonne l'avait appelé.

Sachant qu'à un pâté d'immeubles de Garden District s'étendaient des quartiers où les coups de feu n'étaient pas rares, Marc Lacour avait immédiatement quitté son bureau et parcouru en voiture les rues du voisinage à la recherche de sa femme. Il avait méthodiquement sillonné Garden District de Jackson Avenue à Louisiana, et ce une douzaine de fois. Puis il avait longé ces rues à pied. Il s'était écarté de Garden District et avait interrogé tous les gens assis devant chez eux, bricolant leur voiture, traînant ou revendant du crack dans les rues adjacentes. Personne n'avait remarqué Jane ni entendu parler d'un incident quelconque impliquant une femme de sa description. Marc était un avocat de renom, et il n'avait pas hésité une seconde à alerter la police et à user de son influence pour lancer une recherche de grande envergure. La police n'avait rien trouvé.

A l'époque de la disparition de Jane, je me trouvais à Sarajevo pour un reportage sur l'après-guerre. Il m'avait fallu soixante-douze heures pour regagner La Nouvelle-Orléans. Entre-temps, le FBI était entré en scène et avait classé la disparition de ma sœur dans une enquête beaucoup plus importante baptisée KIDNO dans le jargon du Bureau, pour Kidnappings-Nouvelle-Orléans. Il était très vite apparu que Jane était la cinquième femme à disparaître ainsi dans un laps de temps très court. Tous ces faits s'étaient produits dans la région de La Nouvelle-Orléans. Aucun corps n'avait été retrouvé, de sorte que les femmes avaient été classées victimes de ce que le FBI appelait un « kidnappeur en série ». C'était le pire des euphémismes. Aucun proche n'avait reçu de demande de rançon, et dans le regard de chaque policier à qui je parlais, je lisais la même vérité sinistre non dite : ces disparues étaient toutes déjà considérées comme mortes. Sans aucun indice sur la scène du crime, sans témoin ni cadavre, même la célèbre Unité d'enquête était mise en échec par cette affaire. Et bien que des femmes aient par la suite continué de disparaître, pas plus le Bureau que la police de La Nouvelle-Orléans n'avaient eu le moindre indice sur le sort de ma sœur ou de n'importe laquelle des autres.

Il me faut préciser une chose. Depuis que mon père s'est évaporé au Cambodge, pas un instant je n'ai cru qu'il était réellement mort et perdu pour ce monde. Pas même en regardant ce dernier cliché où le Khmer rouge pointait son arme sur lui. Les miracles existent, en particulier en temps de guerre. Pour cette raison, j'ai dépensé des milliers de dollars durant ces vingt dernières années pour tenter de le retrouver, en mettant mon argent en commun avec celui de proches de soldats disparus au Vietnam. J'ai investi ce qui aurait dû constituer ma retraite à soudoyer des arnaqueurs profession-nels et des escrocs notoires, tout cela dans l'espoir très ténu que l'une parmi ces centaines de pistes se révélerait la bonne. A un certain niveau, ma déci-sion d'accepter l'avance pour l'album a probable-ment été dictée par la perspective de pouvoir rechercher mon père en personne, et sillonner l'Asie l'œil rivé à l'objectif et l'oreille collée au sol.

Avec Jane, c'était différent. Quand mon agence avait réussi à me joindre par la ligne satellitaire de CNN à Sarajevo, quelque chose avait déjà irrévo-cablement changé chez moi. Alors que je traversais une rue naguère rendue mortelle par les snipers, une terreur diffuse s'était concentrée dans ma poi-trine. Non pas la crainte devenue familière qu'une balle m'atteigne, mais quelque chose de beaucoup plus profond. Quelle que soit la nature de l'énergie qui anime ma personne, elle s'était brusquement arrêtée de couler en moi alors que je me mettais à courir, et la rue avait disparu autour de moi. J'avais foncé à l'aveugle dans le tunnel noir devant moi, comme si je me retrouvais neuf années en arrière, pendant la pire période, quand les tireurs embusqués prenaient pour cible tout ce qui bougeait. Un cameraman de CNN m'avait agrippée au passage et plaquée derrière un pan de mur, en croyant que je venais de voir sur le sol l'impact d'une balle tirée avec un silencieux. Ce n'était pas le cas, mais un moment plus tard, quand la rue avait réapparu devant mes yeux, j'avais réellement l'impression qu'un projectile m'avait transpercée et avait arraché de moi quelque chose qu'aucun médecin ne pourrait jamais me rendre.

La physique quantique a décrit le phénomène des « particules jumelles », ces photons d'énergie qui, même séparés par des kilomètres, se comportent de manière identique quand ils sont confrontés à un choix de réactions. On estime à présent qu'une connexion invisible les relie, qui défie toutes les lois connues de la physique, et qui les fait agir instantanément, sans corrélation avec la vitesse de la lumière ou tout autre paramètre. Jane et moi étions liées de façon similaire. Et dès l'instant où ce torrent noir d'effroi avait envahi mon cœur, j'avais su que ma jumelle était morte. Douze heures plus tard, j'en recevais la nouvelle.

Treize mois après, c'est-à-dire il y a deux heures, j'entrais dans le musée d'art de Hong Kong et je voyais son portrait, nu dans la mort. Je ne suis pas certaine de ce qui s'est passé juste après. La terre ne s'est pas arrêtée de tourner. Les atomes de césium dans l'horloge atomique de Boulder n'ont pas cessé de vibrer. Mais le temps, dans le sens éminemment subjectif que je lui donne, *le temps qui est moi*, ce temps-là s'est arrêté. Je suis devenue un espace vide dans ce monde.

Mon souvenir suivant est de m'être retrouvée assise en première classe dans le 747 de Cathay Pacific à destination de New York, avec un coucher de soleil sur l'océan visible par le hublot, alors que les quatre moteurs géants vrombissaient et que les vibrations provoquaient de minuscules ondulations à la surface du scotch posé sur la tablette devant moi. C'était il y a deux whiskys, et il me reste dix-neuf heures à passer dans les airs. J'ai les yeux secs, douloureux. J'ai versé toutes les larmes de mon corps. Mon esprit revient sans cesse en arrière, au musée, mais quelque chose m'en empêche. Une ombre. Je sais qu'il est inutile de forcer ma mémoire. J'ai été blessée jadis, en Afrique, et entre le moment où la balle m'a déchiré l'épaule et celui où j'ai repris connaissance au Colonial Hotel pour me voir pansée par un reporter australien dont le père était médecin, rien. Tous les événements oblitérés par le choc, du trajet chaotique de la Jeep sous le feu ennemi jusqu'à ce poste de contrôle où un garde avait été soudoyé pour nous laisser passer – j'ai participé –, tout cela ne m'est revenu que plus tard. Ces souvenirs n'avaient pas disparu, ils étaient seulement hors séquence pour quelque temps.

Il s'est produit la même chose au musée. Mais ici, dans l'environnement familier de l'avion, dans la chaleur rassurante dispensée par ce troisième verre, tout commence à me revenir. De brèves images, dans un premier temps, des flashs, puis des séquences chaotiques, comme prises par un vidéaste à la main tremblante. Je me tiens devant une peinture représentant une femme nue dont le visage est le mien dans ses moindres détails, et mes pieds sont rivés au sol par le poids du cauchemar. Les hommes massés derrière moi croient que j'ai posé pour cette toile. Ils bavardent entre eux et se déplacent frénétiquement comme des fourmis après qu'on a déversé de l'essence sur la fourmilière. Ils sont déroutés que je sois toujours en vie, et sans doute un peu irrités de découvrir que leur fantasme des *Femmes endormies* repose sur une simple supercherie. Mais je sais qu'ils se trompent. Je vois ma sœur dans St Charles Avenue, l'humidité qui se condense sur sa peau avant même qu'elle commence à courir. Cinq kilomètres, tel est son objectif très simple, mais dans la jungle de Garden District, ses foulées la conduisent dans ce même trou où mon père est tombé en 1972.

A présent elle me regarde avec des yeux vides, d'une peinture aussi caverneuse qu'une fenêtre donnant sur l'enfer. J'ai accepté sa mort dans les tréfonds de mon être, j'ai porté son deuil, je l'ai enterrée en esprit, et cette résurrection impossible déclenche en moi une tempête d'émotions. Mais quelque part dans le chaos chimique de mon cerveau, dans l'œil du cyclone, la partie rationnelle de ma personne continue de travailler. Quel qu'il soit, celui qui a peint cette toile a connu ma sœur après le moment où elle a disparu de Garden District. Il sait ce que personne d'autre ne sait : l'histoire des dernières heures, des dernières minutes ou secondes de Jane. Il a entendu ses dernières paroles. Il... *Il* ? Pourquoi cette certitude que l'artiste est un homme ?

Parce qu'il l'est très certainement. Les statistiques sont là. Ce sont les hommes qui commettent ces crimes révoltants viols, meurtres racistes et – la pièce de résistance – meurtres en série. C'est une pathologie exclusivement masculine : la chasse, la préparation, la rage obsessionnelle qui cherche à s'exprimer dans des rituels complexes de violence. L'ombre d'un homme plane sur ces peintures singulières, et il détient un savoir dont j'ai besoin. Lui seul au monde peut me donner ce qui m'a échappé depuis un an. La paix.

Alors que j'examine les yeux peints de ma sœur, un espoir fou naît en moi. Jane *semble* morte sur cette toile. Et le commentaire audio du musée laisse à penser que tous les modèles de cette série le sont. Mais il doit rester une chance, en dépit de ma prémonition à Sarajevo, qu'elle était simplement inconsciente quand l'œuvre a été réalisée. Droguée, peut-être, ou bien « faisant comme si », pour reprendre l'expression qu'affectionnait ma mère quand nous étions enfants. Combien de temps faudrait-il pour faire un tableau semblable ? Quelques heures ? Une journée ? Une semaine ?

Un échange en chinois plus véhément que les autres brise le charme hypnotique de la peinture, et je me rends compte des larmes qui refroidissent sur mes joues, et de la main qui s'est refermée sur mon épaule. Cette main appartient à un de ces salopards qui sont venus ici aujourd'hui pour reluquer des femmes mortes. J'ai soudain l'envie furieuse d'arracher la toile du mur, pour protéger la nudité de ma sœur de ces regards lubriques. Mais si je touche à une peinture d'une valeur de plusieurs millions de dollars, il est évident que je finirai en garde à vue dans les locaux de la police chinoise, et la perspective est au mieux très désagréable.

Alors je m'enfuis.

Je me mets à courir comme une folle, et je ne m'arrête qu'en arrivant dans une salle sombre où sont exposés des documents dans des vitrines. De la poésie chinoise ancienne, calligraphiée sur du papier aussi fragile que des ailes de papillon. La seule source lumineuse est celle de l'éclairage incorporé dans les vitrines, qui ne s'allume que lorsqu'on s'en approche. Mes mains tremblent dans le noir, et quand je referme mes bras sur mon torse je m'aperçois que tout mon corps est traversé de frissons incoercibles. Dans les ténèbres je vois ma mère qui se tue lentement à l'alcool à Oxford, dans le Mississippi. Je vois le mari et les enfants de Jane, à La Nouvelle-Orléans, qui font de leur mieux pour vivre sans elle, et qui n'y réussissent pas bien du tout. Je vois les agents du FBI rencontrés treize mois plus tôt, des professionnels sensés aux intentions excellentes, mais complètement démunis.

En début de carrière, j'ai photographié des centaines de scènes de crime, mais jamais je n'avais mesuré l'importance que revêt un cadavre dans une enquête. Le corps de la victime est la base. Sans lui, les enquêteurs sont face à un mur nu, aussi neutre qu'une pellicule vierge. La peinture dans cette salle n'est pas le corps de Jane, mais c'est ce qui s'en rapproche le plus. C'est un point de départ. Et cette révélation en entraîne une autre : il y a d'autres peintures comparables à celle où figure Jane. Selon le commentaire du musée, dix-neuf. Dix-neuf femmes nues représentées dans le sommeil ou la mort. Pour autant que je sache, seules onze disparitions de femmes ont été enregistrées à La Nouvelle-Orléans. Qui sont les huit autres ? A moins qu'il n'y en ait que onze, dont certaines apparaissent dans plus d'une toile ? Et comment se retrouvent-elles à Hong Kong, à l'autre bout du monde ?

« Stop ! dit une voix dans ma tête. Celle de mon père. Oublie les questions ! Qu'est-ce que tu devrais faire, *maintenant* ? »

Le commentaire précisait que les peintures étaient vendues par l'intermédiaire d'un marchand américain, un certain Christopher quelque chose, à New York. Wundham ? Winwood ? *Wingate*. Pour en être tout à fait sûre, je tire le baladeur de ma ceinture et le fourre dans mon sac. Le mouvement déclenche l'éclairage d'une vitrine, et la contraction soudaine de mes pupilles m'est douloureuse. Alors que je retourne dans la pénombre, un point devient clair : si Christopher Wingate est installé à New York, c'est là que se trouvent les réponses. Pas dans ce musée. Si je me rends dans le bureau du conservateur, je ne ferai qu'éveiller la curiosité, sinon la suspicion. Pas besoin de la police pour ceci, et surtout pas la police chinoise. J'ai besoin du FBI, et plus particulièrement de l'Unité spéciale de recherches. Mais elle opère à quinze mille kilomètres d'ici. De quoi auraient besoin les petits génies de la science comportementaliste ? Des

32

peintures, bien sûr. Or je ne peux les emporter avec moi. Mais il y a une autre option. Dans mon sac à main se trouve toujours un petit appareil automatique très simple. Pour les photojournalistes, c'est un instrument indispensable. Le jour où l'on est persuadé de ne pas avoir besoin d'appareil photo, une tragédie mondiale explose juste sous votre nez.

« Bouge ! ordonne la voix de mon père. Pendant qu'ils sont encore déroutés. »

Rebrousser chemin jusqu'à la salle d'exposition ne pose aucun problème : il suffit d'aller vers la source du brouhaha des conversations qui flotte dans les couloirs déserts. Les hommes sont toujours là, qui bavardent, de moi sans aucun doute, la *Femme endormie* qui ne dort pas et qui n'est assurément pas morte. Je n'éprouve aucune appréhension en les approchant. Entre la salle des manuscrits et celle intitulée *Femmes nues au repos*, j'ai repoussé ma sœur dans un coin sombre de ma mémoire et je suis redevenue la femme qui a couvert des guerres aux quatre coins du monde – la fille de mon père.

A ma réapparition soudaine, les Chinois s'agglomèrent en petits groupes excités. Un gardien en interroge deux pour essayer de comprendre ce qui se passe. J'avance effrontément devant lui et je prends deux clichés de la femme dans la baignoire. Le flash du petit Canon provoque un concert d'exclamations irritées. Sans m'arrêter, je vais rapidement devant la toile suivante que je photographie par deux fois avant que le gardien ne me saisisse le bras. Je me retourne vers lui et je hoche la tête comme si je comprenais ce qu'il veut, puis je romps le contact d'un retrait et vais me camper devant la peinture de Jane. Un cliché avant qu'il n'appelle à l'aide avec son sifflet et qu'il ne m'agrippe de nouveau le bras, cette fois-ci des deux mains.

Parfois on peut se sortir de situations semblables par la douceur. Pas maintenant. Si je suis encore là lorsque quelqu'un détenant l'autorité arrivera, jamais je ne partirai du musée avec la pellicule. D'un coup de genou bien placé, je plie le gardien en deux et m'élance une fois encore.

Le sifflet de la police résonne, mais cette fois il est moins bien modulé. Je freine sur le sol ciré et pousse la porte d'une sortie de secours. Je surgis au-dehors, en laissant derrière moi des cris et des sirènes. Pour la première fois, je suis heureuse de la foule omniprésente à Hong Kong : même une femme occidentale peut y disparaître en moins d'une minute. A trois cents mètres du musée, je saute dans un taxi et lui ordonne de prendre non vers le *Star Ferry*, au cas où quelqu'un se souviendrait de moi à l'aller, mais par le tunnel qui passe sous le port.

De retour du côté hongkongais, je le dirige vers mon hôtel. Je suis descendue au Mandarin, un établissement trop coûteux pour ma bourse, mais qui a pour moi une grande valeur sentimentale. Enfant, j'ai reçu maintes lettres de mon père postées de là. Dans ma chambre je rassemble en hâte mes affaires dans ma valise, j'emballe mes appareils dans leurs mallettes en aluminium et je prends un autre taxi pour le nouvel aéroport. J'ai l'intention d'avoir quitté l'espace aérien chinois avant qu'un flic entreprenant ne constate que même s'il ignore mon nom, il dispose de mon image sur une toile du musée. En moins d'une heure, ils pourraient avoir des hommes à l'aéroport et dans les hôtels. Je ne vois pas très bien pourquoi ils déploieraient de tels moyens, après tout je n'ai commis aucun crime, hormis le vol d'un baladeur, mais j'ai déjà été arrêtée, et dans l'univers paranoïaque du Hong Kong chinois, mon comportement face à une peinture de deux millions de dollars suffirait amplement à faire de moi une candidate rêvée pour une « détention temporaire ».

L'aéroport international de Hong Kong est une tour de Babel grouillant de langues asiatiques et de voyageurs pressés. J'ai une place réservée sur le vol d'Air China pour Beijing, mais il ne décolle que dans trois heures. Les écrans affichant les départs m'indiquent un vol de Cathay Pacific à destination de New York dans trente-cinq minutes, avec une escale de deux heures à l'aéroport Narita de Tokyo. Je présente mon passeport fatigué au comptoir de la Cathay, et je laisse l'agent me vendre un billet plein tarif en première classe. Avec une telle somme, je pourrais trouver sans problème une voiture d'occasion aux Etats-Unis, mais après l'incident au musée je n'ai aucune envie de rester assise épaule contre épaule vingt heures durant avec un représentant de Raleigh. Cette éventualité me fait demander à l'agent si elle peut me placer à côté d'une femme. Aujourd'hui tout spécialement, je serais incapable de supporter les avances d'un autre passager, et vingt heures laissent longtemps à un homme pour varier les stratégies. L'année dernière, sur la ligne Séoul-Los Angeles, un abruti aviné m'a proposé d'aller avec lui dans la salle de repos pour rejoindre le club des Monte-En-l'Air. Je lui ai répondu que j'étais déjà affiliée, ce qui est d'ailleurs la vérité. L'épisode remonte à neuf ans, avec mon fiancé, dans la soute d'un DC3 cargo quelque part au-dessus de la Namibie. Trois jours plus tard, mon amant s'est fait capturer par des rebelles du SWAPO et a été battu à mort, ce qui m'a d'office inscrite dans un club encore plus fermé : celui des Veuves-Non-Officielles. A quarante ans, je suis aujourd'hui toujours célibataire et toujours membre. Avec un sourire de connivence, l'agent de Cathay Pacific satisfait ma requête.

Ce qui me met dans la situation présente : trois scotchs dans l'estomac, et le passage en revue des derniers événements. L'alcool favorise bien des fonctions, dont l'une est d'amoindrir la douleur que provoquent les braises du chagrin au fond de mon âme. Mais il ne me sera pas facile de me cacher à moi-même pendant dix-neuf heures. J'ai du Xanax dans mon sac, pour les nuits où la blessure ouverte du destin inconnu de ma sœur m'élance trop fort. Cette douleur s'est réveillée, et il ne fait pas encore nuit. Avant de réfléchir à ce que je fais, j'avale trois cachets avec une gorgée de scotch et je décroche l'Airfone de l'accoudoir.

Il n'y a qu'une chose utile que je puisse faire depuis cet avion. Après avoir inséré à plusieurs reprises ma carte Visa dans la fente et avoir marchandé avec le service des renseignements, j'obtiens le central de l'Académie du FBI à

Quantico, en Virginie, qui me transfère aux bureaux de l'Unité spéciale de recherches. L'USR bénéficie de moyens nettement plus considérables que par le passé, mais Daniel Baxter, son directeur, aime l'atmosphère de bunker de l'ancien temps, avant que la surmédiatisation de Hollywood ne transforme le service en un mythe qui attire de jeunes collègues fraîchement promus par centaines. Baxter doit avoisiner la cinquantaine aujourd'hui, mais c'est une cinquantaine mince et affûtée, avec un regard de guerrier. C'est ce que j'ai pensé quand je l'ai rencontré pour la première fois. Un type sorti du rang et bombardé chef par manque d'autres candidats, le résultat d'une promotion sur le champ de bataille. Mais jamais personne ne remettra en cause cette promotion. La liste de ses succès est légendaire dans une guerre où les victoires sont rares et les défaites presque insupportables. A savoir, ma sœur et ses dix consœurs en enfer. Sur cette affaire, l'équipe de Baxter a fait un score nul. Mais quand certaines difficultés se font jour, il n'y a personne d'autre vers qui se tourner.

— Baxter, fait une voix sèche de baryton.

— Ici Jordan Glass, lui dis-je en m'efforçant de maîtriser l'anesthésie de l'alcool dans ma voix, sans y parvenir totalement. Vous vous souvenez de moi ?

— Vous n'êtes pas quelqu'un qu'on oublie aisément, mademoiselle Glass.

Une gorgée de scotch, en vitesse.

— Il y a un peu plus d'une heure, j'ai vu ma sœur, à Hong Kong.

Suit un court silence.

— Vous avez bu, mademoiselle Glass ?

— Absolument. Mais je sais ce que j'ai vu.

— Et vous avez vu votre sœur.

— A Hong Kong. Et maintenant je suis dans un 747 à destination de New York.

— Vous dites que vous avez vu votre sœur vivante ?

— Non.

— Je ne suis pas certain de comprendre.

Je fais à Baxter un résumé aussi clair qu'il m'est possible de ce qui s'est passé au musée, et j'attends sa réponse. J'imagine qu'il va manifester de l'étonnement, peut-être pas au point de jurer au téléphone, bien sûr, mais... Mais j'aurais dû me douter de ce qui vient alors :

— Avez-vous identifié une autre des victimes de La Nouvelle-Orléans ? demande-t-il.

— Non. Mais je n'ai pas étudié les photos des autres disparues au-delà de la numéro six.

— Vous êtes sûre à cent pour cent que c'était le visage de votre sœur sur cette peinture ?

— Vous plaisantez ? C'est *mon* visage, Baxter. *Mon* corps, nu et exposé au monde entier.

— D'accord... Je vous crois.

— Avez-vous jamais entendu parler de ces peintures ?

— Non. Je vais contacter nos experts artistiques à Washington dès la fin de cette communication. Et nous allons décortiquer la vie de ce Christopher Wingate. Quand arrivez-vous à New York ?

— Dans dix-neuf heures. A cinq heures de l'après-midi, heure de New York.

— Essayez de dormir un peu dans l'avion. Je vais vous réserver une place sur un vol pour ici, à partir de Kennedy. Ce sera une place en classe économique, il vous suffira de montrer votre passeport ou votre permis de conduire pour la retirer. Je viendrai vous rejoindre à Washington, au Hoover Building. Je devais m'y rendre demain, de toute façon, et ce sera plus pratique pour vous que Quantico. En fait, un de mes agents viendra vous chercher au Reagan Airport. Cela vous pose un problème ?

— Oui. J'estime qu'ils auraient dû continuer d'appeler l'aéroport Washington National.

— Mademoiselle Glass, ça va ?

— Super.

— Vous avez l'air à cran.

— Rien que les produits pharmaceutiques ne puissent guérir. Mélangés à un peu de médecine liquide écossaise.

Un rire hystérique franchit mes lèvres, bien malgré moi, et je m'empresse d'ajouter :

— J'ai besoin de décompresser un peu. La journée a été rude.

— Je comprends. Mais gardez vos esprits, d'accord ? J'ai besoin que vous soyez mentalement efficace.

— C'est agréable de sentir qu'on a besoin de vous.

Je coupe la communication et replace l'Airfone dans son logement dans l'accoudoir.

« Pourtant vous n'avez pas eu besoin de moi il y a treize mois », dis-je en pensée. Mais c'était alors. A partir de maintenant, tout a changé. Ils vont me

garder jusqu'à ce qu'ils comprennent la signification de ces peintures. Ensuite ils me couperont de
l'enquête. « Exclusion », voilà le pire mot qui soit
pour une journaliste, et c'est un enfer pour la
famille d'une victime. Mieux vaut ne pas y penser
pour l'instant. Il faudrait que je dorme un peu. Je
vis pratiquement dans les airs depuis vingt heures,
et s'il m'a toujours été facile de prendre du repos
en avion, c'était avant la disparition de Jane.
Depuis, il me faut un peu d'aide.

Alors que le brouillard chimique s'appesantit sur
mes yeux, une dernière pensée pertinente éclate
dans mon cerveau, et je décroche de nouveau le
combiné. Je ne suis plus en état de palabrer avec les
renseignements, aussi j'opte pour une tactique
complètement différente. Ron Epstein travaille sur
la page six du *New York Post* ; c'est un *Who's Who*
humain de la ville. Tout comme Daniel Baxter, c'est
un drogué du boulot, ce qui signifie qu'il est probablement à son bureau à cette heure, bien qu'il
soit très tôt à New York. Quand la standardiste du
Post me connecte à son service, c'est lui qui répond.

— Ron ? Ici Jordan Glass.

— Jordan ! Où es-tu ?

— Sur un vol pour New York.

— Et moi qui te croyais quelque part en pleine
cambrousse, à mitrailler les nuages, dit-il avec un
petit rire.

— C'était le cas.

— Bon, tu as besoin de quelque chose. Tu
n'appelles jamais pour bavarder de la météo.

— Christopher Wingate. Le nom te dit quelque
chose ?

— Naturellement. La classe suprême. Très mode. Il a fait qu'à SoHo on envie la 15e Rue. Les marchands les plus installés lui baisent les pieds, et plus ils le font, plus il les traite comme de la merde. Tout le monde veut que Wingate s'occupe de ses affaires, mais il est très sélectif.

— Et que sais-tu des *Femmes endormies* ?

Un petit sifflement admiratif.

— Dis donc, tu es très au courant. Les collectionneurs américains qui connaissent leur existence ne sont pas encore nombreux.

— Je veux le voir. Wingate, je veux dire.

— Pour des photos ?

— Je veux seulement lui parler.

— Il se pourrait que tu doives attendre ton tour, mais il n'est pas impossible non plus qu'il soit assez intrigué pour te recevoir.

— Tu peux me trouver son numéro ?

— Si moi je n'y arrive pas, personne n'y arrivera. Mais ça peut prendre un peu de temps. Je sais qu'il est sur liste rouge. Il habite au-dessus de sa galerie, mais il me semble que la galerie non plus n'est pas dans l'annuaire. Les gens huppés sont comme ça. Ce type est capable de laisser tomber une vente juste parce que l'acheteur lui déplaît. Tu as un point de chute où je pourrais te recontacter ?

— Non. Je te rappelle demain ? Je vais dormir un peu.

— J'aurai ça d'ici là.

— Merci, Ron. Je te dois un dîner au Lutèce.

— Laisse-moi choisir le resto, chérie, et c'est une affaire qui marche. J'espère que tu ne dors pas seule. Personne n'a autant besoin d'amour que toi.

Je jette un coup d'œil à la première classe et à son escouade d'hommes d'affaires ébouriffés.

— Non, je ne suis pas seule.

— Bien. A demain, alors.

Le brouillard descend si vite à présent sur mon esprit que j'ai du mal à remettre l'Airfone dans son logement. Bénis soient les anxiolytiques. Je ne pourrais pas supporter de rester éveillée plus longtemps. Quand je rouvrirai les yeux, le musée ressemblera à un mauvais rêve. Mais, bien sûr, ce n'en était pas un. C'était une porte. Une porte ouvrant sur un monde où je n'ai pas d'autre choix que d'entrer à nouveau. Suis-je prête à cela ?

— Sûr, dis-je à voix haute. Je suis née prête.

Mais au fond de moi, derrière la façade bravache, je sais que c'est un mensonge.

3

Deux heures avant que le Boeing de Cathay Pacific n'atterrisse à New York, j'émerge de mon plongeon inconscient induit par les médicaments. Après une incursion dans la salle de repos, je demande une serviette chaude à une hôtesse de l'air. Puis j'appelle Ron Epstein et obtiens le numéro de Christopher Wingate. Il me faut une heure de coups de fil pour avoir enfin le marchand d'art en ligne. J'avais craint de devoir mentionner les *Femmes endormies* pour obtenir son attention, mais l'intuition d'Epstein était la bonne : Wingate est suffisamment intrigué par ma modeste célébrité pour me rencontrer dans sa galerie après la fermeture, sans explication. Sa voix ne m'en apprend pas beaucoup sur le personnage, sinon que j'y détecte un accent affecté que je ne puis identifier. Il a parlé de mon futur album, et je suppose qu'il m'espère à la recherche de quelqu'un pour revendre mes photos sur le marché artistique.

Une rencontre seule à seul avec Wingate est en soi un risque, mais mon métier a toujours inclus une prise de risques calculée. Photographier la guerre est un peu comme la pêche commerciale au large de l'Alaska : vous savez en partant que vous ne reviendrez peut-être pas. Mais sur un bateau, c'est vous contre l'océan et la météo. En zone de combats il y a *des gens* qui cherchent à vous tuer. Une entrevue avec Christopher Wingate pourrait se révéler similaire. Je dois partir du principe qu'il est au courant de l'incident au musée. Il ne connaît pas mon identité, mais il sait probablement que l'Occidentale responsable de l'incident était le sosie d'une des *Femmes endormies.* Sait-il qu'une des *Femmes endormies* ressemble trait pour trait à la photographe Jordan Glass ? S'il me connaît de réputation, il est peu probable qu'il ait déjà vu une photo de moi. Je n'habite plus New York depuis douze ans, et mon travail n'était pas aussi connu à l'époque de mon dernier séjour. Le véritable danger dépend des rapports de Wingate avec l'auteur des *Femmes endormies.* Sait-il que les sujets des peintures sont des femmes réelles ? Qu'elles ont été portées disparues, et qu'elles sont sans doute mortes ? Si oui, alors il est prêt à fermer les yeux sur des meurtres pour toucher une fortune en commissions. A quel point cela le rendrait-il dangereux ? Je ne le saurai pas avant notre entrevue. Mais une chose est certaine : si je me rends à Washington maintenant pour voir le FBI, jamais ils ne me laisseront l'approcher. Tous les renseignements que je pourrai glaner seront de seconde main, tout comme cela a été le cas après la disparition de Jane.

Après le passage aux douanes, je mets mes bagages sur un chariot et me rends au comptoir d'American Airlines pour retirer mon billet en classe économique pour Washington, puis je fais enregistrer mes bagages sur ce vol. Ensuite je sors de l'aéroport et prends un taxi. Je n'apprécie que très moyennement d'envoyer mes appareils à Washington sans les accompagner, mais plus tard ce soir, quand je raconterai à Daniel Baxter que j'ai été malade et que j'ai raté l'avion, mon histoire sera plus crédible.

Avant d'aller dans Lower Manhattan, je demande au chauffeur de me conduire à un bureau de prêteur sur gages sur la 99e Rue. Là, pour cinquante dollars, j'achète une bombe lacrymogène d'autodéfense que je glisse dans ma poche. Je préférerais un pistolet, mais je ne peux pas prendre ce risque. La police de New York ne plaisante pas avec les violations sur la législation des armes à feu.

Quand le taxi s'arrête devant la galerie de Wingate, sur la 15e Rue, le soir tombe. C'est un immeuble de trois étages en grès brun, très simple, semblable à des milliers d'autres en ville, avec un bar d'un côté et un vidéo-club de l'autre. Il faut chercher l'atmosphère chic du Chelsea des arts ailleurs dans le quartier, je suppose.

Je règle la course en demandant au chauffeur d'attendre, et je sors sur le trottoir pour étudier l'entrée de l'immeuble. Il y a une sonnette qui semble très normale mais doit dissimuler un tas de systèmes de sécurité. Je mets mes lunettes de soleil tout en m'approchant, au cas où il y aurait une caméra de surveillance.

Il y en a une. Pressant sur la sonnette, j'attends.

— Qui est-ce ? demande l'a voix à l'accent indé-finissable déjà entendue plus tôt.

— Jordan Glass.

— Un moment, je vous prie.

Avec un déclic électrique, la serrure se déver-rouille et je pousse la porte. Le rez-de-chaussée de la galerie baigne dans la clarté douce de l'éclairage fluorescent du premier qui tombe de l'escalier en fer. Avec mes lunettes fumées, il m'est difficile de m'en rendre réellement compte, mais le décor me semble assez spartiate pour une galerie d'art newyorkaise cotée. Le sol est un parquet de bois dur cérusé, les murs sont blancs. Les peintures sont de style moderne pour la plupart, ou de ce que je crois être le style moderne. Beaucoup de couleurs vives arrangées selon des motifs asymétriques, qui ne me disent pas grand-chose. On m'a parfois qua-lifiée d'artiste, surtout des photojournalistes purs et durs quand ils m'attaquaient, mais cela ne me donne pas qualité pour porter un jugement artistique. Je ne suis même pas sûre de pouvoir reconnaître l'art quand je le vois.

— Vous aimez cette toile de Lucian Freud ? demande la voix de l'interphone.

Un homme se tient sur le palier, là où l'escalier en fer tourne sur lui-même. Immobile dans le rayon de lumière, il donne l'impression de s'être matérialisé là à l'instant. Maigre et nerveux, il compense une calvitie naissante par une ombre de barbe. Dans son jean noir, son tee-shirt et son blou-son de cuir, il ressemble à ces membres de la Mafia que j'ai vus à Moscou il y a quelques années : l'air mal nourri et férocement prédateur, en particulier la bouche et les yeux.

— Pas vraiment, dis-je après avoir jeté un coup d'œil à la peinture accrochée près de moi. Je devrais ?

— Le devoir ne fait rien à l'affaire. Mais vous pourriez mieux l'apprécier si vous retiriez ces lunettes.

— Elle ne me plairait pas plus. Je ne suis pas venue pour admirer des peintures.

— Qu'êtes-vous venue voir, alors ?

— Vous, si vous êtes bien Christopher Wingate.

D'un signe il m'invite à le rejoindre, puis il fait demi-tour et remonte l'escalier. Je le suis.

— Vous portez toujours des lunettes de soleil le soir ? me demande-t-il par-dessus son épaule.

— Cela vous déplaît ?

— Non. C'est juste que ça fait très Julia Roberts.

— C'est bien le seul point que j'aie en commun avec elle, alors.

Il a un petit rire poli. Il est pieds nus, et ses talons pâles et sales paraissent flotter sur les marches. Il parcourt sans ralentir le palier du premier, décoré de sculptures, et continue l'ascension vers le deuxième étage et ses appartements. Il flotte sur les lieux une ambiance scandinave, lignes sobres et bois blanc, et je sens une odeur de café. Au milieu de la pièce se trouve une grande caisse ouverte débordant de matériau d'emballage. Un marteau à pied-de-biche est posé au sommet de la caisse, entouré de clous. Wingate effleure le bois d'une main de propriétaire en passant à côté de la caisse qui lui arrive à hauteur d'épaule.

— Qu'y a-t-il dedans ?

— Une peinture. Mais asseyez-vous, je vous en prie.

Je désigne la caisse.

— Vous travaillez ici ? Dans votre appartement ?

— C'est une œuvre spéciale. Et c'est peut-être la dernière fois que je la vois. Je veux en profiter tant que cela m'est possible. Désirez-vous un expresso ? Un cappuccino, peut-être ? J'allais justement m'en préparer un.

— Un cappuccino, merci.

— Très bien.

Il va jusqu'à une machine en métal émaillé posée sur le comptoir derrière lui et l'actionne. Une petite tasse s'emplit de liquide fumant. Pendant qu'il me tourne le dos, je m'approche de la caisse. Elle contient un lourd cadre doré, et je ne peux apercevoir la partie supérieure de la toile, mais c'est suffisant : le haut du buste et la tête d'une femme dénudée, ses yeux ouverts et fixes, en un regard d'une paix très étrange. Wingate prépare la soucoupe pour ma tasse, je recule de quelques pas.

— Alors, à quoi dois-je ce plaisir ? demande-t-il sans se retourner.

— J'ai entendu des commentaires flatteurs à votre sujet. On dit que vous êtes un marchand très sélectif.

— Je ne vends pas aux imbéciles, dit-il en arrosant le café d'un nuage de lait chauffé à la vapeur. A moins qu'ils reconnaissent leur manque de culture. C'est différent. Si quelqu'un vient me voir et dit : « Mon ami, je n'y connais rien en art, mais je souhaite commencer une collection. Accepteriez-vous de me conseiller ? », j'aide cette personne. Mais ces millionnaires prétentieux de la bonne société me font vomir. Ils ont suivi des cours de critique d'art à Yale, ou bien leur épouse a fait une thèse sur les maîtres de la Renaissance à Vassar. S'ils en savent tant, pourquoi ont-ils besoin de moi ? Pour l'image, n'est-ce pas ? Eh bien, qu'ils aillent se faire foutre. Mon image n'est pas à vendre.

— Pas à eux, en tout cas.

Il se tourne enfin, sourire aux lèvres, et me tend la tasse fumante.

— J'adore votre accent. Vous êtes de Caroline du Sud ?

— Pas du tout, dis-je en avançant pour prendre le café.

— Mais du Sud. D'où exactement ?

— De l'Etat du magnolia.

Il paraît perplexe.

— La Louisiane ?

— Ça, c'est le Paradis du sportif. Je suis native du même Etat que William Faulkner et Elvis Presley.

— La Géorgie ?

Pas de doute, je suis à New York...

— Le Mississippi, monsieur Wingate.

— On en apprend tous les jours, pas vrai ? Appelez-moi Christopher, d'accord ?

Après la description que Ron Epstein a faite de lui, je m'attendais presque à ce que Wingate plaisante lourdement sur le Mississippi, Etat du lynchage.

49

— D'accord. Appelez-moi Jordan.

— Je suis un grand admirateur de votre travail, dit-il avec une apparente sincérité. Vous avez un œil impitoyable.

— C'est un compliment ?

— Bien sûr. Vous n'êtes pas effarouchée par l'horreur. Ou l'absurdité. Mais il y a de la compassion aussi dans vos photos. C'est pourquoi elles touchent tant de monde. Je pense qu'il y aurait une réelle demande, si vous décidiez de les vendre dans le circuit artistique. Peu de photographies peuvent y prétendre, mais les vôtres... Cela ne fait aucun doute.

— Vous ne vous montrez pas digne de votre réputation. La rumeur vous décrit comme impitoyable, vous aussi, dans votre partie. Un salopard, disent même certains.

Il sourit encore et avale une gorgée de son cappuccino. Le noir très pur de ses yeux étincelle.

— Je le suis, envers la plupart des gens. Mais avec les artistes que j'aime, je suis un flatteur éhonté.

J'ai envie de le questionner sur la peinture dans la caisse, mais quelque chose me dit d'attendre.

— On dit souvent que la photo peut être du journalisme, ou de l'art, jamais les deux.

— Foutaises. Les gens doués en sont la preuve éclatante. Prenez l'ouvrage de Martin Parr. Il a révolutionné le photojournalisme avec *The Last Resort*. Et l'œuvre de Nachtwey. C'est de l'art, évidemment. Vous êtes tout aussi bonne qu'eux. Meilleure par certains aspects.

Je sais maintenant qu'il raconte des fadaises.

James Nachtwey est le grand photographe de guerre de Magnum. Il a remporté le Capa à cinq reprises.

— Quels aspects ?

— Les aspects *commerciaux*, dit-il avec un éclat malicieux dans l'œil. Vous êtes une célébrité, Jordan.

— Vraiment ?

— Les gens regardent vos photos, des photos brutales, terribles, sans concession, et ils pensent : « Une femme se tenait là, qui a contemplé cette scène, et qui l'a enregistrée sur la pellicule. Avec une sensibilité de femme. Une femme a supporté cette scène, alors je dois la supporter moi aussi. » Vos photos laissent les gens sans voix. Et elles changent leur vision du monde. C'est ce que fait l'art.

J'ai déjà entendu tout ça auparavant, et même si c'est en grande partie vrai, c'est un discours qui m'ennuie toujours. Un peu comme si on disait : « Pas mal, pour une fille. »

— Et puis il y a vous-même, continue Wingate. Regardez-vous. A peine maquillée, et toujours splendide à – combien – quarante ans ?

— Quarante, oui.

— Vous êtes quelqu'un qui se vendrait très bien. Si vous acceptez d'endurer quelques interviews et un vernissage, je peux vous rendre célèbre. Une icône pour les femmes.

— Vous avez dit que j'étais déjà célèbre.

Il encaisse la remarque sans fléchir.

— Dans votre domaine, oui, bien sûr. Mais qu'est-ce que cela représente ? Je parle de culture populaire. Prenez Eve Arnold. *Vous*, vous savez qui elle est. Mais si je sors dans la rue et que j'interroge cent personnes au hasard, aucune ne connaîtra son nom. Dickey Chappelle voulait être connue partout. C'était son grand rêve. Elle a crapahuté dans le monde entier, d'Iwo Jima à Saigon, mais elle n'est jamais devenue ce qu'elle voulait être par-dessus tout : une célébrité.

— Je n'ai pas crapahuté dans le monde entier pour devenir une célébrité, quoi que cela signifie.

Une lueur sauvage dans son regard trahit un nouveau niveau d'intérêt.

— Non, je le crois sans peine. Alors, pourquoi ? Pourquoi allez-vous des poteaux d'exécution aux gibets pour dresser un catalogue d'atrocités à faire pâlir Goya ?

— Vous n'avez pas mérité la réponse à cette question.

Il joint les mains.

— Mais je la connais déjà ! C'est à cause de votre père, n'est-ce pas ? Ce cher vieux papa. Jonathan Glass, la légende du Vietnam. Le mitrailleur mitraillé.

— Peut-être que vous êtes un salopard, après tout.

Son sourire s'élargit.

— C'est plus fort que moi, comme disait le scorpion à la grenouille. C'est dans ma nature.

Certains des pires salopards que j'ai rencontrés dégageaient un charisme évident, et Wingate ne fait pas exception. Je pose les yeux sur la caisse entre nous.

— Et la façon dont il est mort, exulte Wingate,

en train de faire les photos qui lui ont valu le Pulitzer ! C'est une fin mythique. Alors comment s'étonner que sa fille suive ses pas ? C'est un phénomène légitime, pas besoin de publicité. Nous pourrions doubler la mise. De la publicité gratuite. Qui contrôle les droits des photos de votre père ?

— Je ne crois pas que mon père soit mort au Cambodge, dis-je d'une voix blanche.

Wingate aurait la même expression si je lui avais affirmé que Neil Armstrong n'a jamais posé le pied sur la lune.

— Vous ne le croyez pas ?

— Non.

— Très bien... Alors... C'est encore mieux. Nous pourrions...

— Et je ne tiens pas à exploiter son travail pour ramasser de l'argent.

Il secoue la tête, avec un geste implorant des mains.

— Vous ne voyez pas les choses sous le bon angle, commence-t-il.

Je préfère l'interrompre

— Quelle peinture est assez exceptionnelle pour que vous la gardiez si près de vous ? dis-je en désignant la caisse ouverte de ma main libre.

Pris au dépourvu, il répond sans réfléchir :

— C'est une toile d'un artiste anonyme. Son travail me fascine.

— Vous aimez contempler des peintures de femmes mortes ?

Wingate se fige, ses yeux me scrutent.

— Vous ne répondez pas ?

Il a un haussement d'épaules qui se voudrait nonchalant.

— Je ne suis pas ici pour répondre à vos questions. Mais je répondrai à celle-là. Personne ne sait si les sujets sont morts ou non.

— Connaissez-vous l'identité de l'artiste ?

Wingate reprend une gorgée de café, puis il pose sa tasse sur le plan de travail derrière lui. Je glisse la main dans ma poche pour sentir le contact froid et rassurant de la bombe anti-agression.

— Vous posez la question en tant que journaliste, ou en tant que collectionneuse ? demande-t-il.

— Tout ce que je peux espérer collectionner, ce sont des expériences et des visas sur mon passeport. J'avais imaginé que vous l'auriez deviné rien qu'en regardant mes chaussures.

Nouveau haussement d'épaules. Ce type s'exprime beaucoup en haussant les épaules.

— On ne peut jamais dire qui a de l'argent et qui n'en a pas, à notre époque.

— Je veux rencontrer cet artiste.

— Impossible.

— Puis-je au moins voir la peinture ?

Il a une petite moue rusée.

— Je n'y vois pas d'inconvénient, puisque vous l'avez déjà regardée.

Il s'approche de la caisse, coince ses pieds contre le bas et plonge les mains à l'intérieur pour saisir le cadre.

— Vous voulez bien m'aider ?

J'hésite en pensant au marteau, mais il ne me donne pas l'impression de vouloir me défoncer le crâne. Ayant vécu des situations où certaines personnes avaient justement cette intention, je fais plus confiance à mon instinct que la plupart des gens.

— Tenez l'autre côté pendant que je tire, dit-il.

Je pose ma tasse sur le parquet, et je saisis des deux mains l'autre côté de la caisse pendant qu'il en retire le montant en métal matelassé qui enserre le cadre doré.

— Voilà, maintenant vous pouvez regarder.

Je suis déchirée entre l'envie de contourner la caisse et celle de rester où je suis. Mais il faut que je voie cette toile. Peut-être reconnaîtrai-je une des victimes enlevées avant Jane.

Dès que je découvre le visage de la femme, je sais qu'elle m'est totalement inconnue. Mais j'aurais très facilement pu la connaître. Elle ressemble à des milliers de femmes qui vivent à La Nouvelle-Orléans, mélange de sang français et d'un peu de sang africain qui donne une beauté qu'on trouve rarement ailleurs aux Etats-Unis. Mais cette femme n'est pas dans son état naturel. Sa peau devrait être café au lait, or elle est de la couleur de la porcelaine tendre. Et ses yeux grands ouverts sont fixes. Bien sûr, les yeux représentés dans toutes les peintures sont fixes, et c'est au talent de l'artiste de leur conférer la vie. Mais dans ceux-là, justement, il n'y a pas de vie. Pas la moindre trace.

— *Femme endormie numéro vingt*, dit Wingate. Vous la préférez aux toiles du rez-de-chaussée ?

C'est seulement maintenant que je peux contempler la peinture dans son intégralité. L'artiste a fait poser son sujet contre un mur, jambes ramassées et genoux ramenés contre la poitrine, comme si elle était assise là. Mais elle n'est pas assise. Elle est simplement appuyée, calée contre le mur, et sa tête a mollement roulé sur le marbre de son épaule, tandis qu'autour d'elle tourbillonne une tempête de couleurs. Des rideaux vivement imprimés, une moquette bleue, un rayon de lumière tombant d'une fenêtre invisible. Jusqu'au mur qui la soutient, produit de milliers de minuscules coups de pinceau de couleurs différentes. Seule la femme est représentée avec un réalisme saisissant. Elle aurait pu être découpée dans un tableau de Rembrandt et placée dans ce maelström de couleurs.

— Je ne la préfère pas, et je n'aime pas du tout. Mais j'ai le sentiment... J'ai le sentiment que l'auteur de cette toile est très talentueux.

— Un talent énorme, oui, approuve Wingate, et dans ses yeux noirs luit une excitation évidente. Il parvient à capturer quelque chose que personne d'autre travaillant actuellement n'approche. Tous ces gosses arrogants qui viennent ici, en suant pour être à la pointe de l'art, qui peignent avec du sang et créent des sculptures avec des pièces d'armes... ce ne sont que d'aimables plaisantins. Voilà le sommet artistique. Vous le contemplez en ce moment même.

— D'après vous, c'est donc un artiste important ?

— Cela, nous ne le saurons pas avant cinquante ans.

— Comment définiriez-vous son style ?

Wingate soupire, songeur.

— C'est difficile à dire. Il n'est pas statique dans son œuvre. Il a commencé par des toiles

56

d'inspiration presque totalement impressionniste, et l'impressionnisme est mort. Tout le monde peut faire ça. Mais déjà il y avait la vision. Entre la cinquième et la douzième toile, il s'est mis à évoluer vers quelque chose de beaucoup plus fascinant. Connaissez-vous les Nabis ?

— Les quoi ?

— Les Nabis. Le mot signifie « prophètes ». Bonnard, Denis, Vuillard ?

— Si je couchais par écrit mes connaissances en matière artistique, une carte postale me suffirait.

— Ne vous en veuillez pas. C'est le système éducatif américain. On ne l'enseigne tout simplement pas. Pas tant que vous ne le quémandez pas. Pas même à l'université.

— Je n'ai pas dépassé le lycée.

— Comme c'est intéressant. Mais pourquoi seriez-vous allée plus loin ? Les institutions américaines adulent la technologie. La technologie et l'argent.

— Vous êtes américain ?

Un sourire où perce l'étonnement.

— A votre avis ?

— Impossible à dire. D'où êtes-vous ?

— D'ordinaire, je mens quand quelqu'un me pose la question. Et comme je ne tiens pas à insulter votre intelligence, nous passerons sur ma biographie.

— Un noir secret à cacher ?

— Un peu de mystère aide à me rendre intéressant. Les collectionneurs aiment acheter aux marchands qu'ils jugent intéressants. Les gens me voient comme un grand méchant loup. Ils pensent que j'ai des liens avec la pègre, et des criminels comme clients.

— C'est vrai ?

— Je suis un homme d'affaires. Mais pour faire des affaires à New York, ce genre de réputation n'est pas mauvais.

— Avez-vous des reproductions d'autres *Femmes endormies* que je pourrais voir ?

— Il n'y a pas de reproduction. Je m'en suis porté garant auprès de l'acheteur.

— Et des photos ? Vous devez bien avoir des clichés de ces toiles ?

— Non, pas de photos. Aucune copie d'aucune sorte.

— Pourquoi ?

— La rareté est la denrée la plus rare.

— Depuis combien de temps avez-vous celui-là ?

Wingate baisse les yeux sur la toile, puis me coule un regard en biais.

— Pas longtemps.

— Combien de temps allez-vous la conserver ?

— Elle doit être expédiée demain. J'ai une offre ferme de Takagi pour toute œuvre de cet artiste. Un million cinq cent mille livres. Mais j'ai d'autres projets pour celle-ci.

Il saisit le montant métallique et me fait signe de maintenir la caisse pendant qu'il replace l'ensemble à l'intérieur. Pour qu'il continue de parler, j'obéis.

— Pendant une série d'environ huit toiles, dit Wingate, il aurait pu appartenir aux Nabis. Mais il a encore changé de style. Les femmes sont devenues de plus en plus réalistes, leur corps de moins en moins vivant, ce qui les entoure de plus en plus. A présent il peint comme un des grands maîtres. Il a une technique incroyable.

— Savez-vous si les modèles sont vivants ou morts ?

— Lâchez-moi un peu avec ça, vous voulez ? grogne-t-il en appliquant la force nécessaire sans endommager le cadre. Ce sont des modèles. Si un Japonais en rut veut croire qu'elles sont mortes et payer des millions pour les posséder, tant mieux. Je ne me plains pas.

— Mais vous le croyez, oui ou non ?

Il évite de me regarder.

— Ce que je crois n'a aucune importance. Ce qui compte, c'est ce dont je suis sûr, et je ne suis sûr de rien.

Si Wingate ignore si les femmes sont réelles, il va bientôt le savoir. Alors qu'il se redresse et essuie son front d'un revers de main, je me campe face à lui et j'ôte mes lunettes de soleil.

Les muscles de son visage tressaillent à peine, mais il est stupéfait, c'est visible. Et effrayé. Je vois beaucoup le blanc de ses yeux, maintenant.

— Je me demande si vous ne cherchez pas à m'escroquer.

— Pour quelle raison ?

— Parce que j'ai vendu une toile vous représentant. Vous êtes l'une d'elles. Une des *Femmes endormies.*

Il ne doit pas être au courant de l'incident survenu à Hong Kong. Se peut-il que le conservateur du musée ait eu peur de perdre son exposition ?

— Non, dis-je lentement. C'était ma sœur.

— Mais le visage... Il était identique au vôtre.

— Nous sommes jumelles. De vraies jumelles.

Il secoue la tête, abasourdi.

— Vous comprenez, maintenant ?

— Je pense que vous en savez plus que moi sur tout cela. Votre sœur va bien ?

Je serais incapable de dire s'il est sincère ou non.

— Je l'ignore. Mais si je devais me prononcer, je dirais que non. Elle a disparu il y a treize mois. Quand avez-vous vendu ce portrait d'elle ?

— Il y a un an peut-être.

— A un industriel japonais ?

— Bien sûr. Takagi. Son enchère a dépassé celles de tous les autres.

— Il y a donc d'autres personnes qui ont enchéri pour cette peinture en particulier ?

— Evidemment. Comme toujours. Mais il est hors de question que je vous révèle leur identité.

— Ecoutez, je veux que vous compreniez quelque chose. Je me contrefous de la police et de la loi. Tout ce qui m'intéresse, c'est ma sœur. Tout ce que vous pouvez savoir peut m'aider à la retrouver. Je paierai pour ça.

— Je ne sais rien du tout. Votre sœur a disparu depuis un an, et vous pensez qu'elle est toujours en vie ?

— Non. Je pense qu'elle est morte. Je pense que toutes les femmes sur ces portraits sont mortes. Et vous aussi, vous le pensez. Mais je ne pourrai pas continuer à vivre ma vie tant que je n'aurai pas de certitude. Il faut que je découvre ce qui est arrivé à ma sœur. Je lui dois ça.

Wingate considère la caisse, l'air songeur.

— Je peux vous comprendre. Mais je ne peux pas vous aider, d'accord ? Je ne sais vraiment rien.

— Comment est-ce possible ? Vous êtes le vendeur exclusif des toiles de cet artiste.

— Exact. Mais je ne l'ai jamais rencontré.

— Mais vous savez que c'est un homme ?

— Je n'en suis pas certain, à dire vrai. Je ne l'ai jamais vu. Tout se passe par courrier. Des mots laissés à la galerie, le paiement dans des casiers de consigne de gare, ce genre de choses.

— J'imagine mal qu'une femme ait peint ces portraits. Vous si ?

Wingate hausse les sourcils, surpris par ma réflexion.

— J'ai rencontré quelques femmes très bizarres dans cette ville. Je pourrais vous en raconter, et vous ne croiriez pas ce que j'ai vu de mes yeux.

— Vous recevez les toiles par la poste ?

— Ça arrive. Parfois on les dépose au rez-de-chaussée, dans la galerie. C'est comme dans les romans d'espionnage. Comment appellent-ils ça ? Une livraison aveugle, non ?

— Quelle raison légitimerait une telle manière de procéder ?

— Eh bien, j'ai pensé que c'était peut-être le syndrome d'Helga.

— Pardon ?

— Le syndrome d'Helga. Vous connaissez Andrew Wyeth, certainement ?

— Bien sûr.

— Alors que tout le monde pensait qu'il n'était capable que de peindre du réalisme rural, Wyeth peignait en secret cette femme habitant une ferme voisine. Nue. Helga. Wyeth a gardé secrètes toutes ses toiles d'elle, et elles n'ont été révélées que des années plus tard. La première des *Femmes endormies* que j'ai reçues a simplement été laissée ici. Ce n'était pas une des premières. Elle appartenait à sa période Nabi. Dès que je l'ai vue, j'ai reconnu le talent. J'ai pensé qu'il pouvait s'agir d'un artiste déjà établi qui préférait ne pas voir ébruitées ses expérimentations dans cette direction. Pas avant d'avoir rencontré le succès, au moins.

— Comment le rétribuez-vous ? Vous ne laissez quand même pas des millions de dollars dans une consigne de gare. Vous effectuez des virements sur un compte en banque, quelque part ?

Une expression languide envahit les traits de Wingate.

— Ecoutez, je compatis à votre situation. Mais je ne vois pas en quoi cette partie de mes affaires vous regarde, d'accord ? Si ce que vous dites est vrai, la police me posera ces questions bien assez tôt. Vous devriez peut-être vous adresser à elle, d'ailleurs. Et moi, je ferais bien de contacter mon avocat.

— Oubliez que je vous ai posé cette question. Je ne cherche pas à vous nuire. Tout ce qui m'intéresse, c'est ma sœur. Toutes ces femmes ont disparu à La Nouvelle-Orléans. Pas une seule n'a été retrouvée, morte ou vivante. Et soudain je découvre ces portraits à Hong Kong. Tout le monde a l'air persuadé que ces femmes sont mortes. Mais si tel n'était pas le cas ? Il faut que je trouve l'homme qui a peint ces toiles.

Il hausse les épaules, une fois encore.

— Comme je l'ai dit, il nous faudra attendre que la police découvre le fin mot de cette histoire.

Une petite alarme se déclenche au fond de mon cerveau. Christopher Wingate n'a pas l'air d'un homme qui accueillerait sans broncher l'attention de la police. Et pourtant il me fait lanterner en affirmant qu'il veut attendre que la police s'implique... Il est temps de sortir d'ici.

— Qui est au courant de tout ceci ? demande-t-il subitement. A qui en avez-vous parlé ?

Je regrette de ne pas avoir la main dans ma poche, sur la bombe lacrymogène, mais il me surveille, et le marteau est à portée de lui.

— Quelques personnes.

— Quelle sorte de personnes ?

— Le FBI.

Wingate se mordille la lèvre inférieure comme quelqu'un qui soupèse les options disponibles. Puis il réprime l'ombre d'un sourire.

— C'est supposé m'effrayer ?

Il ramasse le marteau à pied-de-biche, et je sursaute avant de reculer précipitamment. Il rit de ma réaction avant de saisir une poignée de clous, qu'il glisse entre ses dents avant de se mettre à fixer le panneau supérieur sur la caisse, comme un homme qui prend le maximum de précautions pour protéger son trésor.

— Toute médaille a son revers, n'est-ce pas ?

Les clous dans sa bouche l'obligent à parler d'un seul côté.

— Si le FBI se met à enquêter sur ces peintures dans le cadre d'une affaire de meurtre, ces toiles vont faire la une. Comme ce type en Espagne qui avait assassiné des femmes et qui les avait fait poser comme des peintures de Salvador Dali. Ce qui signifie beaucoup d'argent à la clé, gente dame.

— Vous êtes vraiment un salopard, pas vrai ?

— Ce n'est pas illégal, si ? Oui, je vais tirer beaucoup plus d'argent de cette peinture que je ne l'avais escompté. Peut-être le double.

Je fais deux pas pour me mettre hors de portée du marteau et glisse la main dans ma poche.

— Quel est le montant de votre commission ?

— Cela ne regarde que moi.

— Mais une commission se monte à combien, d'ordinaire ?

— Cinquante pour cent.

— Donc cette seule toile pourrait vous rapporter un million de dollars.

— Vous êtes douée pour le calcul mental. Vous devriez travailler pour moi.

La caisse est presque complètement scellée. Quand il aura terminé, il me priera de partir, et il décrochera le téléphone pour commencer la promotion de cette précieuse marchandise.

— Pourquoi vendez-vous ces peintures en Asie plutôt qu'aux Etats-Unis ? Ce ne serait pas pour éviter le plus possible la connexion avec ces femmes disparues ?

Il rit encore.

— Non, c'est simplement arrivé comme ça. Un Français des îles Caïmans a d'abord acheté les cinq premières toiles, mais j'ai découvert qu'il avait passé la majeure partie de sa vie au Vietnam. Puis c'est un collectionneur japonais qui s'est manifesté.

Et un Malaisien. Et un Chinois, aussi. Il y a quelque chose dans ces tableaux qui parle à la sensibilité orientale.

— Et ce n'est pas quelque chose de très subtil, n'est-ce pas ? Des femmes nues et mortes...

Wingate se tourne vers moi juste le temps d'un pincement de lèvres.

— C'est grossier, et très réducteur.

— Où va aller cette peinture-là ?

— Chez un commissaire-priseur de Tokyo.

— Pourquoi prendre toute cette peine, Christopher ? Pourquoi ne pas les mettre en vente ici, à New York ? Chez Sotheby, ou ailleurs ?

Il ne cherche plus à cacher sa suffisance, à présent.

— C'est un peu comme Brian Epstein avec les Beatles. Une fois que vous êtes numéro un en Angleterre, arrive un moment où vous voulez tenter l'aventure en Amérique. Peut-être le moment est-il venu.

Son arrogance revendiquée finit par déclencher quelque chose au plus profond de moi, libérant la tempête d'indignation que je parvenais jusqu'alors à réprimer, et qui parfois explose malgré mes efforts, ou en dépit de mes intérêts.

— J'ai menti, à propos du FBI, dis-je d'un ton très froid. Je ne leur ai encore rien dit sur les peintures. Je voulais vous voir d'abord. Mais puisque vous vous montrez aussi idiot, et que vous ne m'avez rien appris d'utile, je vais aller leur parler. Savez-vous ce qui se passera ? Cette toile sur laquelle vous bavez deviendra automatiquement une pièce à conviction dans une enquête de meurtres en série, et elle vous sera confisquée. Vous n'en tirerez donc pas un kopeck, parce qu'elle deviendra invendable. Pendant très longtemps, Christopher. Exactement comme des avoirs qui attendent une homologation testamentaire, mais en pire.

Wingate se redresse, marteau au poing, et me fait face. Il a toujours deux ou trois clous entre les dents. J'aimerais beaucoup les lui enfoncer dans la gorge.

— Que voulez-vous savoir ? demande-t-il.

— Je veux un nom. Je veux savoir qui peint ces toiles.

Il soupèse le marteau, en laisse retomber la tête dans la paume ouverte de son autre main.

— Si vous n'avez encore rien dit au FBI, vous n'êtes vraiment pas en position de formuler de telles exigences.

— Un simple coup de fil...

Il sourit.

— Pour cela, il faudrait que vous ayez accès à un téléphone. Vous pensez que vous pourriez atteindre celui-ci ?

Avec le marteau, il désigne un appareil sans fil posé sur le plan de travail derrière lui. Je pourrais probablement l'asperger de gaz incapacitant et prendre le combiné, mais le problème n'est pas réellement là. Le problème, c'est qu'il est disposé à m'agresser, peut-être même me tuer, pour protéger son petit pactole artistique. Ce qui signifie qu'il en sait sans doute beaucoup plus qu'il ne veut bien le dire sur l'origine des *Femmes endormies*.

— Eh bien ? dit-il d'un ton presque enjoué.

Je recule vers l'escalier en fer, tout en refermant les doigts sur la bombe lacrymogène.

— Où croyez-vous aller, Jordan ?

Il avance rapidement de trois pas en tenant le marteau à hauteur de sa taille. En le voyant agir ainsi, un nouveau scénario s'impose brusquement à mon esprit. Et si le tueur n'était pas le peintre ? Si Wingate avait tout manigancé depuis le début pour gagner des millions de commission ? Si c'était lui qui tuait les femmes et faisait travailler un peintre de talent, mais démuni ? Ses yeux sombres étincellent alors qu'il s'approche, et la violence qu'ils contiennent me trouble.

D'un seul mouvement, je tire la bombe et lui arrose le visage à deux mètres de distance. Le jet puissant lui emplit les yeux, les narines et la bouche d'assez d'irritant chimique pour incendier ses muqueuses. Il pousse un hurlement presque enfantin, laisse tomber le marteau et se griffe le visage des deux mains. J'ai presque envie de le traîner jusqu'à l'évier tant ses cris sont pitoyables, mais je ne suis pas sotte à ce point. Je fais demi-tour vers l'escalier, le cœur battant la chamade, quand une main géante et invisible me repousse dans la pièce, tandis que le rugissement de canons lointains pilonne mes tympans.

Quand je rouvre les yeux, je ne vois que de la fumée grise et un homme hurlant. Wingate s'égosille dans des notes si aiguës que je n'arrive pas à penser. On n'entend pas des hommes hurler de la sorte ailleurs qu'en zone de combat, quand ils gisent à terre et qu'ils essaient de retenir un flot de viscères s'échappant de leur corps déchiré.

Wingate court en titubant ici et là, comme un rat aveugle tentant d'échapper au navire en train de sombrer. Il risque de passer par la fenêtre. Je me redresse sur les genoux et j'avance à quatre pattes vers l'escalier, mais par là la fumée est encore plus dense. Le niveau inférieur est la proie des flammes.

— Il y a une échelle d'incendie ?

J'ai crié mais il ne m'entend pas. Il cherche toujours à s'arracher les yeux.

Sur ma gauche je discerne une faible lueur bleutée, la lumière d'un réverbère. Je m'en approche rapidement et je relève la tête au-dessus du rebord de la fenêtre, dans l'espoir de trouver une échelle d'incendie. Il n'y a que le vide, sur neuf mètres. Je reviens vers l'escalier mais je m'arrête à mi-chemin et j'attends que Wingate passe en courant. Ce qu'il fait deux secondes plus tard. Je lui enserre les jambes d'un bras et le plaque au sol.

— La ferme ! Si vous ne la fermez pas, vous allez mourir !

— Mes yeux ! gémit-il. Je suis aveugle !

— Vous n'êtes pas aveugle ! C'est la lacrymo ! Ne bougez pas d'ici !

Je me relève dans la fumée de plus en plus épaisse, cours jusqu'à l'évier emplir d'eau le pichet en verre de la cafetière. Puis je reviens auprès de lui et j'asperge ses yeux. Il crie encore, mais l'eau semble atténuer un peu ses souffrances.

— Encore, dit-il en toussant.

— Pas le temps. Il faut que nous sortions d'ici. Où est l'échelle d'incendie ?

— Dans... la chambre.

— Où est-elle ?

— Mur noir... au fond.

— Debout !

Il ne bouge pas jusqu'à ce que je lui tire le bras assez fort pour lui endommager un ligament. Alors il roule sur lui-même et se met à ramper à côté de moi. Tandis que nous avançons ainsi, un rugissement pareil à la voix de quelque créature infernale fait trembler l'escalier. La voix du feu. Je l'ai entendue en maints endroits, et ce son me liquéfie. Il y a une raison bien humaine pour laquelle des gens sautent du dixième étage sur un trottoir en béton de peur de brûler vifs. Ce rugissement en fait partie.

Je franchis la porte de la chambre la première. Ici, la fumée est moins dense. Il n'y a qu'une seule fenêtre. Alors que je m'en approche, Wingate me saisit la cheville.

— Attendez ! fait-il d'une voix rauque. La peinture !

— Rien à foutre de la peinture !

— Je ne peux pas la laisser ! Mes diffuseurs anti-incendie ne fonctionnent pas !

La pression de ses doigts sur ma cheville a cessé. Quand je tourne la tête, je ne vois plus aucun signe de lui. Ce malade est prêt à mourir pour une question d'argent. J'ai vu mourir des gens pour de pires raisons, mais pas beaucoup. Je me remets debout sur le seuil de la pièce et j'essaie de percer du regard les voiles de la fumée, mais c'est sans espoir. Je crie :

— Oubliez cette putain de peinture !

— Aidez-moi ! me répond-il. Je ne peux pas déplacer la caisse tout seul !

— Laissez-la !

Pas de réponse. Après quelques secondes, j'entends quelque chose qui frappe du bois. Probablement le marteau sur la caisse. Puis un craquement sonore.

— Elle est coincée ! crie-t-il.

Suit une quinte de toux audible malgré le grondement croissant de l'incendie.

— Il me faut un couteau ! Je peux découper la toile !

Peu m'importe si Wingate a envie de se suicider, mais soudain l'idée me vient que cette peinture dans le cadre vaut plus que simplement de l'argent. La vie de femmes en dépend peut-être. J'inspire à fond, me laisse tomber à genoux et avance vers la source de la toux.

Bientôt ma tête heurte un obstacle mou. C'est Wingate, qui suffoque en essayant de tirer de l'oxygène de la fumée. Les flammes ont atteint le haut de l'escalier, et dans leur halo orangé je distingue la toile, à demi sortie de la caisse. J'ouvre ma banane, en sors le Canon et prends trois clichés à la suite. Je remets l'appareil en place pour saisir l'épaule de Wingate.

— Vous allez mourir si vous ne bougez pas !

Son visage est gris, ses yeux gonflés presque fermés. Je l'agrippe par les jambes dans une tentative de le tirer vers la chambre, mais l'épuisement me donne le vertige, et un instant un voile noir passe devant mes yeux. Je suis proche de l'évanouissement, ce qui signifierait la mort. Lâchant ses chevilles, je cours vers la fenêtre dont je tourne le loquet pour relever le panneau vitré.

L'air du dehors me frappe au visage avec la violence d'un seau d'eau glacée, et emplit mes poumons d'oxygène, éclaircissant d'un coup mes idées. J'ai l'impulsion momentanée de retourner porter secours à Wingate, mais mon instinct de survie m'en dissuade. Sous moi se trouve la carcasse métallique de l'escalier d'incendie. C'est le modèle newyorkais classique : un étage plus bas, l'échelle retenue par un loquet n'attend que mon poids pour descendre vers la chaussée. Mais quand je rampe jusqu'au palier et que je tire sur le loquet, l'échelle ne bouge pas d'un centimètre. Un torrent de fumée jaillit de la fenêtre derrière moi. Je fais pression sur un barreau de toutes mes forces, sans aucun effet.

J'ai habité assez longtemps à New York pour savoir comment fonctionne un de ces trucs, mais celui-ci est bloqué. Le ciment craquelé de la ruelle s'étend cinq mètres plus bas, et la meilleure cible est un espace entre quelques poubelles et une bouche de vapeur. Au loin, le hululement d'une sirène résonne, mais je doute que les pompiers commencent leur travail de sauvetage dans la ruelle. Il faut que je descende, et je n'ai qu'une option.

Passant par-dessus la rambarde, je me laisse pendre au bord de la plate-forme. Je fais un mètre soixante-quinze, ce qui raccourcit la chute à environ trois mètres. Rien d'extraordinaire pour un parachutiste, mais il se trouve que je n'en suis pas un. J'ai bien sauté d'un hélicoptère une fois, en Caroline du Nord, lors d'un reportage sur un exercice de l'armée. J'ai eu l'impression de sauter de cinq mètres de haut, même si on m'a répété qu'il n'y en avait que quatre.

Quelle importance. Une cheville brisée n'est rien comparée au sort de Wingate. J'ouvre les mains et me laisse choir dans l'obscurité. Mes talons heurtent le sol avec une violence inattendue et mes jambes se dérobent sous moi. C'est ma fesse droite et mon poignet qui absorbent le choc principal. Je pousse un cri de douleur, mais l'exultation d'être sauve est un puissant anesthésique. Je roule sur la gauche, me remets sur pied et lève les yeux vers la plate-forme. La fenêtre par laquelle je viens de sortir vomit des jets de flammes.

Bon sang.

Mon instinct me commande alors de regarder à l'autre bout de la ruelle, et ce que je découvre me donne la chair de poule. Il y a un homme là-bas, immobile, qui m'observe. Je n'en vois que la silhouette, car la lumière est derrière lui. Mais il a l'air costaud. Assez costaud en tout cas pour me créer de sacrés problèmes. Alors que je le regarde, il se met à marcher dans ma direction, d'abord d'un pas hésitant, puis avec détermination. Il n'a rien d'un pompier. Je plonge la main dans ma poche, mais la bombe lacrymogène n'y est plus. Je l'ai perdue à l'étage. Je n'ai que mon appareil photo, qui dans la situation actuelle est parfaitement inutile. Faisant volte-face, je m'élance vers l'autre extrémité de la ruelle et les hurlements stridents des sirènes.

4

Haletante, j'arrive au bout de la ruelle et je me retrouve face à un spectacle que j'ai couvert des dizaines de fois aux premiers temps de ma carrière. La scène classique de l'incendie : des véhicules avec gyrophares rouges clignotants et lances crachant l'eau, des voitures de police et des ambulances arrivant en désordre, des flics criant devant une foule de spectateurs, la foule éternelle des badauds qui s'est déversée du bar et du vidéo-club voisins, et qui regardent le spectacle bouche bée, ou finissent le verre qu'ils ont emporté, ou crient dans leur téléphone portable. La plupart sont sortis du bar après avoir entendu « une explosion », et l'odeur de l'alcool épice l'air nocturne. La police essaie de les contenir derrière un périmètre de sécurité, pour les protéger des chutes de briques et des éclats de verre, mais ils sont lents. Je contourne le flic le plus imposant et pointe mon appareil sur l'incendie.

— Eh ! s'exclame-t-il. Repassez derrière le ruban !

— Je suis du *Post*, lui dis-je en montrant mon appareil.

— Montrez-moi votre carte de presse.

— Je ne l'ai pas sur moi. Je buvais un coup dans ce bar avec des amis. C'est pourquoi je n'ai que ce modèle minable. Soyez sympa, mon vieux, je suis la première sur les lieux. Je peux griller tous les confrères pour le scoop.

Pendant qu'il réfléchit, je me retourne vers l'entrée de la ruelle, à quarante mètres de là, mais personne n'en sort en courant. Le coin du mur se brouille un moment, Pourtant, et la ligne verticale de brique semble se froisser dans l'obscurité. Etait-ce lui ? Est-ce qu'il cherche un moyen de m'atteindre, même maintenant ? Un craquement sonore s'élève des entrailles du domicile de Wingate, et des éléments de maçonnerie tombent en cascade dans la rue. La foule pousse l'inévitable cri de surprise.

— Allez, je rate le spectacle !

Le flic regarde l'immeuble, et je le dépasse en un éclair. Je longe le bord de la foule en la mitraillant au passage. Personne ne semble remarquer que je les photographie au lieu de l'incendie. De temps à autre je tourne quand même l'objectif vers la bâtisse en flammes, mais je ne gaspille aucune pose pour l'immortaliser.

L'expression est la même sur tous les visages, celle d'une fascination primitive à la limite de la jubilation. Deux femmes montrent de l'empathie pour les éventuels sinistrés, rappelant par leur attitude que cette destruction est une tragédie, mais sans mères hurlant aux fenêtres avec un enfant dans les bras, sans adolescents essayant de descendre le long d'une corde de draps, l'ambiance est plus à la réjouissance.

Si ce n'est pas le type de l'allée qui a mis le feu, le coupable est sans doute encore dans la foule. Les incendiaires adorent contempler leur œuvre, c'est chez eux presque une obligation vitale. Mais quelles sont les chances que ce brasier ait été allumé par un véritable pyromane ? Vingt-quatre heures après que j'ai découvert un lien entre les *Femmes endormies* et les victimes disparues de La Nouvelle-Orléans, la seule piste humaine menant à l'artiste meurt dans un incendie ? La coïncidence est trop parfaite. On a mis le feu à ce bâtiment pour réduire Christopher Wingate au silence. Et l'homme qui a fait ça se tient peut-être à quelques mètres de moi, en ce moment même. J'ai peut-être déjà son visage sur la pellicule.

Après l'enlèvement de Jane, mes lectures m'ont appris que les tueurs en série reviennent souvent sur les lieux de leurs crimes, pour se délecter de leur succès, revivre les actes horribles qu'ils ont commis, parfois même pour se masturber à l'endroit où leurs victimes les ont suppliés. Pour le tueur, le meurtre de Wingate n'avait rien de comparable avec celui des femmes sur les peintures ; c'était un crime nécessaire, destiné à assurer sa survie. Mais il n'est pas impossible du tout que le meurtrier se soit attardé ici pour s'assurer qu'il a atteint son but. Et qui sait quelle histoire tordue les deux hommes ont partagée ? Que m'avait dit Wingate ? « Vous ne croiriez pas ce que j'ai vu de mes yeux. »

Alors que je me détourne du bâtiment en

flammes, un mouvement furtif se produit à la limite de mon champ de vision. Des yeux écarquillés qui disparaissent subitement derrière la foule, sur ma droite. A présent les gens sont massés sur cinq rangs le long du ruban, et je n'aperçois plus ces yeux. Mais alors que je scrute la masse des badauds, je remarque une casquette qui se déplace le long de la foule, dans ma direction. Je brandis mon appareil à bout de bras et photographie les têtes. La casquette disparaît, puis resurgit, plus près de moi. J'appuie sur le déclencheur une fois encore, mais il refuse de s'enfoncer, et je sens la vibration du moteur qui rembobine la pellicule. Celle-ci est terminée.

La casquette vient droit sur moi maintenant, en fendant lentement la foule. Je suis tentée d'attendre pour voir son visage, mais s'il avait un pistolet ? Etre assez prêt de lui pour l'identifier, c'est être assez près pour recevoir une balle, et je n'ai aucune envie de mourir ici. « Jordan Glass, reporter de guerre célèbre, tuée par balle sur la 15e Rue, à Chelsea. » Ce gros titre a l'ironie de la réalité, et je n'attendrai pas qu'il devienne réalité. Un coup d'œil autour de moi et je me précipite vers un capitaine des pompiers qui se tient près d'un des véhicules de secours et discute avec un policier.

— Capitaine !

A regret, il m'accorde un regard ennuyé.

— Jane Adams, du *Post*. Je photographiais la foule là-bas quand je suis passée devant un type qui sentait l'essence. Je l'ai dit à haute voix, et il s'est mis à me suivre dans la foule. Il portait une casquette.

J'ai maintenant toute l'attention du pompier.

— Où ?

Je me retourne et lui désigne l'endroit que j'ai quitté un instant plus tôt. Là, pendant une fraction de seconde, j'aperçois un visage pâle et barbu et des yeux étincelants sous la casquette. Il disparaît si vite que je me demande si je n'ai pas eu une hallucination.

— Là ! Vous l'avez vu ?

Le capitaine fonce vers le ruban de sécurité, suivi du flic avec qui il bavardait.

— Que se passe-t-il ? s'enquiert un autre policier qui se matérialise soudainement à mon côté.

— J'ai senti une forte odeur d'essence sur un type là-bas. Ils sont allés vérifier.

— Sans déconner ? Bon boulot. Vous êtes du *Times* ?

— Non, du *Post*. J'espère qu'ils mettront la main sur lui.

Et que vais-je leur raconter s'ils l'attrapent ?

— Ouais. C'est une putain de scène de crime. Ce pourrait être le coupable.

Le policier est jeune, d'origine italienne, avec l'ombre marquée d'une barbe.

— Que voulez-vous dire ?

— On vient de trouver un type dans une voiture, de l'autre côté de la rue. Aussi mort qu'il est possible de l'être.

— Quoi ?

Faisant volte-face, j'essaie de voir dans cette direction, mais les gens me masquent la scène.

— Comment est-il mort ?

— Quelqu'un lui a tranché la gorge. Vous

imaginez ça ? Un type en costard-cravate. Il n'a pas l'air mort depuis plus d'une heure. Il se passe des trucs très bizarres, dans le coin.

— Qui est-ce ?

— Pas de portefeuille. L'intérieur de la voiture ressemble à un abattoir.

Le capitaine des pompiers revient déjà vers nous, le premier policier sur ses talons.

— Vous avez vu quelque chose ? lui demande son jeune collègue.

L'autre secoue la tête.

— Trop de monde partout. Le type pourrait se trouver à deux mètres que nous n'en saurions rien, à part pour l'odeur d'essence.

— Je vais jeter un coup d'œil, décide l'Italien.

Il porte un doigt à sa casquette pour me saluer et s'éloigner vers le ruban.

Le tueur pourrait effectivement être à deux pas de moi. Et moi, je sais qu'il n'y a aucune odeur d'essence pour le détecter. Il pourrait me tuer avant que je ne prenne conscience de sa présence. Il est plus que temps de quitter les lieux. Mais comment ? Mon taxi est reparti depuis longtemps, et inutile de penser à m'en aller à pied. Ni par le métro.

Alors que je réfléchis au problème, un taxi jaune s'arrête au bout du pâté d'immeubles et débarque un jeune type avec deux appareils photo pendus au cou. La presse officielle. Sachant qu'il va demander une facture au chauffeur, je me mets à courir et suis à pleine vitesse avant qu'il n'ait obtenu son précieux justificatif.

— Taxi ! Eh, vous, ne le laissez pas partir !

Peut-être parce qu'il a vu mon appareil, le photographe fait attendre le chauffeur.

— Merci ! lui dis-je en m'engouffrant à l'arrière du véhicule.

— Eh, fait-il, vous êtes de quel journal ?

— Aucun.

Je tapote contre la vitre en plastique transparent.

— A Kennedy, vite !

— Attendez. Je vous connais, non ?

— Démarrez !

— Eh, vous ne seriez pas...

Avec un crissement de pneus, le taxi file vers le Queens-Midtown Tunnel.

L'avion atterrit à Reagan National à vingt-deux heures quarante-cinq, et quand je débarque, un homme en costume m'attend à la porte. Il tient un carton blanc sur lequel est écrit « j. glass », mais il ne ressemble pas à un chauffeur de limousine. Plutôt à un expert-comptable rasé de près.

— C'est moi, Jordan Glass.

— Agent spécial Sims, dit-il en fronçant les sourcils. Vous êtes en retard. Suivez-moi.

Il se hâte dans le grand hall et passe devant l'escalier mécanique menant au niveau inférieur, surmonté du panneau « Bagages » et « Transports de surface ».

— J'ai des bagages en bas, dis-je à son dos. Mes appareils. Ils ont embarqué sur un vol précédent, ils sont probablement en magasin.

— Nous avons récupéré votre matériel photographique. Quand à votre valise, la compagnie aérienne déclare l'avoir égarée.

Magnifique. L'agent Sims me précède par une

porte marquée « ISSUE RÉSERVÉE AU PERSONNEL DE L'AÉROPORT », et une bouffée d'air froid me frappe au visage. C'est l'automne à Washington aussi, mais à la différence de New York, ici, l'humidité ajoute à l'atmosphère comme un arrière-goût de ma région natale. Le Mississippi. Je réside actuellement à San Francisco, mais aucun endroit où j'ai séjourné n'a jamais remplacé les jardins subtropicaux, les champs de coton, les forêts de chênes et de pins où j'ai grandi.

Sur le béton du sol rendu glissant par la pluie se reflètent les lumières vives du terminal et celle, d'un bleu plus tendre, de la piste de roulement voisine. Sims m'aide à mettre mes maigres affaires dans la remorque du transport de bagages et fait signe à son pilote en combinaison, qui démarre dès que nous sommes assis. Mes mallettes en aluminium contenant les appareils photo sont déjà rangées à l'arrière.

— Je croyais que nous devions aller en ville, dis-je en criant presque pour couvrir le grondement du moteur. Au Hoover Building.

— Le chef a dû retourner à Quantico, répond Sims sur le même ton. C'est là qu'aura lieu la réunion.

— Comment allons-nous y aller ?

— Avec ce zinc.

Il désigne les ténèbres, et je discerne les lignes aérodynamiques d'un hélicoptère Bell 260 équipé de patins. Le transport de bagages s'arrête dans un couinement de freins. L'agent Sims charge mes mallettes dans l'hélico et revient vers moi. Il est très grand, et l'habitacle du Bell est plutôt exigu pour lui, mais il ne semble pas s'en plaindre. De coutume, les agents font sans doute le trajet de trente kilomètres jusqu'à Quantico dans une Ford Taurus.

Bientôt nous nous élevons dans le ciel nocturne de la capitale, et le Pentagone s'éloigne derrière nous tandis que le rotor nous propulse plein sud au-dessus des lumières d'Alexandria, en suivant l'Interstate 95. Moins de dix minutes plus tard, nous descendons vers la base de Quantico et la plate-forme pour hélicoptères de l'Académie du FBI. Un agent nous y attend pour s'occuper de mes bagages, et Sims m'emmène directement dans le dédale du bâtiment. Après l'ascenseur et un long couloir enténébré, on me fait pénétrer dans une salle vide, d'un blanc stérile, comme la salle de réunion d'un hôtel spécialisé dans les séminaires.

— Attendez ici, dit Sims.

La porte se referme, et il la verrouille de l'extérieur. Croient-ils que je vais aller rôder dans les couloirs pour voler quelque chose ? Si quelqu'un ne réapparaît pas dans les deux minutes, je me couche sur la table et je dors. La dernière chose que je désire est bien de rester assise à attendre. J'ai l'impression que mon postérieur n'est plus qu'un énorme hématome. En dépit de mon épuisement, je suis encore sur les nerfs après l'incendie et la mort de Wingate. Sans lui, l'enquête sera sérieusement handicapée. Une chose est sûre, cependant, c'est qu'elle ne se déroulera pas comme l'année dernière. Cette fois, personne ne m'en tiendra à l'écart.

La serrure claque, et la porte s'ouvre sur deux hommes qui entrent dans la pièce. Le premier est

Daniel Baxter, à peine changé depuis notre première rencontre, treize mois plus tôt. Il est brun et trapu, environ un mètre soixante-cinq pour un corps tout en muscles noueux. On lit dans ses yeux marron la compréhension mais aussi une détermination de fer. L'homme derrière lui est plus grand – plus d'un mètre quatre-vingt – et plus vieux d'au moins dix ans. La chevelure argentée, il porte un costume de prix et arbore un air direct. Mais ses yeux gris-bleu sous les paupières lourdes évoquent plutôt un George Plimpton sinistre. Baxter ne me tend pas la main, et il se met à parler en prenant un siège.

— Mademoiselle Glass, je vous présente le Dr Arthur Lenz, psychiatre médico-légal et consultant pour le Bureau.

Lenz tend la main, mais je me contente de le saluer d'un hochement de tête. Les poignées de main avec les hommes me sont toujours embarrassantes, aussi je les évite. Il n'y a aucun moyen d'égaliser leur taille, et je n'aime pas que les hommes se sentent d'entrée plus imposants. Les hommes que je connais bien, je les serre dans mes bras. Pour les autres, rien.

— Asseyez-vous, je vous prie, dit Baxter.

— Non, merci.

— Je suppose que vous pouvez expliquer pourquoi vous avez raté l'avion sur lequel j'avais retenu une place pour vous ?

— Eh bien...

— Avant d'aller plus loin, je tiens à vous préciser que Christopher Wingate a été mis sous surveillance par le Bureau depuis votre appel du vol en provenance de Hong Kong.

J'hésitais à admettre ma présence lors de l'incendie. Mais à présent il est inutile de nier.

— Vous aviez des agents devant la galerie ?

Baxter acquiesce et la colère empourpre son visage.

— Nous avons quelques très jolis clichés de vous en train d'entrer dans le bâtiment quarante minutes avant l'embrasement.

Ouvrant un dossier étiqueté « KIDNO », il fait glisser une photo sur la table vers moi. Je suis là, dans toute la splendeur d'un agrandissement digital de faible résolution.

— Je savais que Wingate détenait probablement des informations concernant ma sœur.

— En détenait-il ?

— Oui et non.

Baxter maîtrise à grand-peine son irritation.

— Que diable pensiez-vous obtenir en allant là-bas ?

— J'ai obtenu quelque chose ! Et c'est une bonne chose que je sois allée là-bas, parce qu'il aurait été mort avant que vous vous décidiez à aller l'interroger.

Ma riposte les calme un peu. J'en profite pour pousser mon avantage :

— Et si vous aviez des hommes à l'extérieur de la galerie, pourquoi n'y sont-ils pas entrés de force pour nous sauver ?

— Nous n'avions qu'un agent sur les lieux, mademoiselle Glass, qui effectuait une simple mission de surveillance à partir de sa voiture. Le feu a pris au rez-de-chaussée, et il était de nature explosive. Un système incendiaire à base d'essence et de détergent.

Du « napalm maison ». Je connais bien : très utilisé dans les « petites guerres » dont on ne parle jamais aux infos du soir.

— Oui. L'alarme et le système anti-incendie ont été débranchés avant la mise à feu. Nous avons également constaté que les escaliers d'incendie étaient bloqués en position haute. Impraticables.

— Vous croyez que vous m'apprenez quelque chose ? J'ai dû sauter dans le vide pour sauver ma peau. Votre agent n'aurait pas pu m'aider ?

— Notre agent est mort là-bas.

Une brusque bouffée de chaleur me monte au visage. Le regard de Baxter est impitoyable.

— L'agent spécial Fred Coats, vingt-huit ans, marié et père de trois enfants. Quand la bombe artisanale a explosé, il a prévenu les pompiers. Il est sorti de son véhicule et a pris des photos du bâtiment et des premières personnes arrivées sur les lieux, au cas où le coupable se serait attardé. Puis il est remonté dans sa voiture et a appelé le Bureau de New York sur son téléphone cellulaire. Il parlait au directeur régional quand quelqu'un lui a tranché la gorge par la vitre baissée de la portière. Le directeur l'a entendu cracher du sang pendant vingt secondes. Ensuite, plus rien. Le tueur lui a dérobé ses papiers et l'appareil photo. Il a oublié une carte-mémoire d'une photo qui était tombée entre le tableau de bord et le siège de l'agent Coats. C'est ainsi que nous avons eu ce cliché de vous. Mais nous avons ceux qu'il a faits de la foule.

— Bon sang. Je suis désolée.

Baxter me gratifie d'un regard accusateur.

— Vous croyez que ça change quelque chose ? Je vous avais dit de venir ici directement.

— N'essayez pas de me culpabiliser ! Ce n'est pas moi qui ai posté cet agent à cet endroit, d'accord ? C'est vous. Et quiconque l'a tué aurait mis le feu à l'immeuble, que j'y sois venue ou pas. Et moi, j'ai fait des photos de la foule.

Les deux hommes se penchent en avant, bouche bée.

— Où ça ? demande le Dr Lenz.

— Nous en parlerons dans une minute. D'abord, je veux clarifier quelque chose. Pas question que ça se résume à une conversation à sens unique.

— Vous rendez-vous compte de l'importance qu'a chaque minute ? dit Baxter. En cachant cette pellicule...

— Ma sœur est portée disparue depuis plus d'un an, n'est-ce pas ? Je pense qu'elle peut attendre encore quelques minutes.

— Vous n'avez pas toutes les données.

— Et justement, je tiens à les avoir.

D'un coup d'œil, Baxter signifie à Lenz son irritation. Je reprends la main :

— Aurait-on pu tuer Coats uniquement pour son portefeuille et son appareil photo ? Ce meurtre pourrait-il n'avoir aucun rapport avec l'incendie ?

— Pourquoi ne pas prendre le téléphone cellulaire, alors ? rétorque Baxter. Et la voiture ? Les clefs étaient sur le contact.

— Quelle probabilité y a-t-il qu'un pyromane ait assassiné quelqu'un qui observait le feu ?

— Une chance sur un million. Mademoiselle Glass, cette bombe incendiaire a été placée là pour faire très exactement les ravages qu'elle a faits. Tuer Wingate et détruire ses archives. Vous avez de la chance de ne pas avoir grillé comme le reste.

— C'est Wingate qui a essayé de me tuer. Et il aurait pu sauver sa peau, s'il n'avait pas voulu absolument récupérer cette maudite peinture. Et moi, comme une idiote, j'ai essayé de le sauver.

— Quelle peinture ? demande Lenz.

— La *Femme endormie numéro vingt*. C'est la seule de la série qu'il avait sur place, et il est mort en voulant la soustraire aux flammes.

— Je me demande bien pourquoi... marmonne Lenz. Elle devait être assurée.

— L'assurance n'aurait pas suffi.

— Pourquoi ?

— Quand j'ai informé Wingate que j'allais voir le FBI, et que les femmes sur les toiles étaient presque certainement les victimes enlevées à La Nouvelle-Orléans, il a été absolument ravi. Il a dit que les nouvelles toiles se vendraient sans doute le double des offres déjà existantes, lesquelles sont de l'ordre de un million et demi de livres sterling.

— A-t-il donné le nom de l'enchérisseur ?

— Takagi.

— A quoi ressemblait la peinture ? demande Lenz. Etait-elle semblable à celles que vous avez vues à Hong Kong ?

— Pas totalement. Je n'y connais rien en art,

mais celle-là était plus réaliste que celles que j'ai vues. D'un réalisme presque photographique.

— La femme paraissait morte ?

— Absolument.

Fouillant dans le dossier, Baxter en tire une photographie qu'il pousse sur la table vers moi. C'est le portrait d'une jeune femme brune, un cliché plein de candeur d'amateur, sans doute extrait d'un album de famille. On imagine aisément qu'un enfant l'ait pris. Mais ce n'est pas ce qui me fait frissonner.

— C'est elle. *Bon sang !* Qui est-ce ?

— Dernière victime connue, répond Baxter.

— Depuis combien de temps a-t-elle été enlevée ?

— Quatre semaines et demie.

— Quel est l'intervalle entre son enlèvement et le précédent ?

— Six semaines.

— Et avant ?

— Cinquante-quatre jours. Sept semaines et demie.

Ces intervalles de durée décroissante corroborent ce que j'ai lu dans les ouvrages spécialisés. Selon une théorie, les meurtriers en série prennent goût à ce qu'ils font, leur confiance grandit, et ils cherchent à satisfaire leur fantasme de plus en plus souvent. Selon une autre, ils se mettent à « décompenser », leurs névroses les poussent à la fracturation de leur esprit, et à la capture ou même la mort ; le chemin qu'ils choisissent pour y parvenir est le meurtre de plus en plus fréquent.

— Vous pensez donc qu'il va bientôt repasser à l'acte ?

Les deux hommes échangent un regard que je ne peux interpréter. Puis le psychiatre acquiesce doucement, et Baxter se tourne vers moi.

— Mademoiselle Glass, il y a approximativement une heure, une jeune femme de type occidental a disparu du parking d'une épicerie fine de La Nouvelle-Orléans.

Je ferme les yeux et m'efforce de combattre la vague de peur qui monte en moi. Jane a une autre sœur de douleur dans le trou noir de son existence.

— Vous pensez que c'était lui ?

C'est Lenz qui répond :

— Nous en sommes presque sûrs.

— Où a-t-elle été enlevée ?

— Dans la banlieue de La Nouvelle-Orléans, en fait. A Metairie.

— Quelle épicerie ?

— Dorignac. Sur Veterans Boulevard.

— J'allais là-bas tout le temps. C'est un commerce de famille, comme la vieille chaîne Schwegmann.

Baxter prend note.

— La victime a quitté son domicile quelques minutes avant la fermeture de l'épicerie, à vingt heures cinquante, heure du Centre, pour acheter un peu de charcuterie pour un anniversaire à son travail le lendemain. Elle travaille dans un cabinet dentaire, comme réceptionniste. A vingt et une heures cinquante, son mari a commencé à s'inquiéter. Il l'a appelée sur son téléphone de voiture et n'a pas eu de réponse. Sachant que l'épicerie avait fermé, il a sorti les gosses du lit et a pris la seconde auto avec eux pour voir si sa femme n'avait pas un problème mécanique.

— Il a trouvé sa voiture vide, portière ouverte ? L'air sombre, Baxter opine.

C'est arrivé à deux autres victimes avant Jane.

— Ça lui ressemble, en effet.

— Oui. Mais ce pourrait être autre chose. Cette femme avait peut-être un amant qu'elle voyait de temps à autre. Elle le rencontre à l'épicerie pour discuter de quelque chose, ou même pour un bref rapport dans la voiture. Et soudain elle décide de quitter son mari.

— En abandonnant les enfants ?

— Ce sont des choses qui arrivent, dit Baxter d'une voix attristée par l'expérience. Mais d'après l'inspecteur chargé de l'affaire, on peut écarter ce type de situation. L'autre possibilité est celle d'un viol. Un type en maraude en véhicule, qui cherche une proie facile au hasard. Il la voit qui retourne seule à sa voiture, et il la kidnappe.

— Quelqu'un correspondant à ce type d'action a-t-il opéré dans cette zone durant ces dernières semaines ?

— Non.

— Parmi les femmes disparues, d'autres faisaient-elles leurs courses chez Dorignac ? Jane a dû s'y rendre quelques fois.

— Plusieurs y ont fait des courses, de façon occasionnelle. L'épicerie propose des spécialités étrangères qu'on ne trouve pas ailleurs. Les inspecteurs de Jefferson Parish interrogent les membres du personnel en ce moment même, et notre bureau de La Nouvelle-Orléans passe au peigne fin leurs antécédents. Avec l'aide des ordinateurs de Quantico. Nous faisons le maximum, mais si c'est comme les autres... ça ne donnera rien d'exploitable.

Je m'apprête à parler quand le choc me coupe le souffle.

— Attendez une minute, dis-je après un instant. D'après ce que vous m'avez dit, l'homme qui a enlevé cette femme devant Dorignac était dans l'incapacité de tuer Wingate.

Baxter approuve d'un lent hochement de tête.

— Le 911 de New York a reçu l'appel avertissant de l'incendie chez Wingate à dix-neuf heures cinquante et une, heure de la côte Est, soit vingt et une heures cinquante et une, heure du Centre. La victime devant Dorignac a disparu de Metairie entre vingt heures cinquante-cinq et vingt et une heures quinze, heure du Centre. La différence maximum est de deux heures et vingt-quatre minutes.

— Il n'y a donc aucun moyen que quelqu'un puisse perpétrer ces deux actes. Pas même avec un jet à sa disposition.

— Il y a un moyen, objecte Baxter. La bombe incendiaire utilisée pour enflammer la galerie était équipée d'un système d'horlogerie. Si celui-ci a été réglé assez longtemps à l'avance, la même personne a pu revenir à La Nouvelle-Orléans à temps pour enlever la femme devant Dorignac.

— Mais ce n'est pas ce qui s'est passé, dis-je. Il ne l'a pas fait.

— Comment le savez-vous ?

— Parce que je l'ai vu.

— *Quoi* ?

Aussi succinctement que je le peux, je décris la silhouette de l'homme aperçu dans la rue, expliquant comment j'ai pris des photos de la foule au jugé, et envoyé le pompier et le policier après lui.

— Où est cette pellicule ? veut savoir Baxter, dont les yeux brillent d'excitation.

— Pas ici, si c'est ce à quoi vous pensez. Etesvous certains que le meurtre de Wingate est en relation avec le cas de ma sœur ?

— Quasiment certains, répond Lenz.

— Vous prétendez donc qu'il y a plus d'une personne derrière ces disparitions.

— Je ne prétends rien. Tout l'indique. Il y a deux personnes, pas une seule.

— Deux tueurs qui opéreraient en équipe ?

— Ça s'est vu, dit Baxter. Mais en général les équipes travaillent ensemble, côte à côte. Deux extaulards dans un van, qui enlèvent et torturent des femmes, ce genre de choses. Le postulat que j'envisage serait beaucoup plus sophistiqué.

— Avez-vous jamais connu d'affaire comparable ? Des gens coopérant à grande distance pour perpétrer des crimes ou des enlèvements en série ?

— Seulement dans le domaine de la pornographie pédophile, dit Baxter, et c'est quelque chose de très différent.

— Ce serait sans précédent dans nos annales, ajoute le Dr Lenz. Ce qui n'oblitère en rien cette possibilité. Jusqu'à ce qu'Ed Gein soit arrêté pour l'avoir fait dans les années cinquante, on n'avait connu aucun cas d'homme tuant les femmes pour collectionner leurs peaux. Ensuite Thomas Harris s'en est servi dans un de ses romans, et c'est passé dans la conscience collective. Dans notre domaine, nous avons un principe de base très simple : tout ce qu'on peut imaginer est possible, et risque fort de se produire alors qu'on y réfléchit.

— Comment s'y prendraient-ils ? dis-je. Selon vous ?

— Répartition des tâches, dit Lenz. Le tueur est à La Nouvelle-Orléans, le peintre à New York.

— Mais Wingate a été tué à New York.

— Le mobile est différent. Ce meurtre a été dicté par l'instinct de préservation.

— C'est l'idée qui m'est venue à l'esprit quand j'étais sur les lieux. Donc le type de La Nouvelle-Orléans enlève les femmes. Comment celui de New York réalise-t-il les portraits ? Il travaille d'après photos ? Ou il prend l'avion jusqu'à La Nouvelle-Orléans et il peint là ?

— Si cette hypothèse est la bonne, dit Baxter, alors je prie Dieu pour qu'il prenne effectivement l'avion. Nous pouvons éplucher les archives informatiques des compagnies aériennes et dégager une liste de suspects potentiels.

— Ça pourrait vraiment être aussi facile ?

— Ce n'est pas totalement impossible. Ces dix-huit derniers mois ont été éprouvants, mademoiselle Glass, ce n'est pas à vous que je vais l'apprendre. Nous aurions droit à une avancée décisive.

Je l'espère aussi, mais au fond de moi je n'y crois pas.

— Mais si on a tué Wingate pour l'empêcher de

parler, comment pensez-vous que cela soit arrivé ?
Quelle explication logique avez-vous ?

Baxter se renverse dans son siège et réunit en cloche les doigts de ses deux mains.

— Je pense que c'est Wingate lui-même qui a parlé au type de New York de l'incident survenu à Hong Kong. Le relevé téléphonique de la ligne de Wingate montre un appel reçu à sa galerie du conservateur qui s'occupe de l'expo à Hong Kong, et ce dans l'heure qui a suivi votre esclandre dans le musée.

— Donc Wingate était au courant de ce qui s'était passé à Hong Kong quand j'ai discuté avec lui ?

— Cela ne fait guère de doute. Toutefois je doute qu'il ait su que vous étiez la cause de l'incident.

— S'il le savait, c'était un comédien sacrément doué.

— A-t-il tenté de vous soutirer des informations ? demande Lenz.

— Pas vraiment, dis-je, et soudain une idée me vient, qui fait perler la sueur à mon front : Et s'il m'avait tendu un piège pour que son complice me tue, et qu'il soit lui-même tombé dedans ?

— Très possible, juge Baxter. Si Wingate avait appris que vous étiez à l'origine de l'incident de Hong Kong, alors il savait également que votre sœur apparaissait sur une des peintures. Il appelle le tueur et lui explique que vous allez venir à la galerie, mais en précisant qu'il ne veut aucune violence chez lui. Avant que vous ne mouriez, il veut aussi savoir à qui vous avez parlé. Wingate pense que vous serez assassinée une fois que vous aurez quitté les lieux, mais le tueur a une meilleure idée. Il voit là une occasion unique de faire d'une pierre deux coups.

— C'est ça, dis-je dans un murmure. Bon sang, Wingate a tout fait pour provoquer sa propre mort.

— C'est presque certain, approuve Lenz. Et Wingate était peut-être bien l'élément clé de toute cette affaire. Nom de nom...

— Je ne suis pas sûre qu'il en savait tant que ça.

— Vous croyez ce qu'il vous a dit ?

— Jusqu'à un certain point. Je ne pense pas qu'il connaissait le nom du tueur. Il a dit qu'il n'était même pas sûr que c'était un homme.

— *Quoi* ? s'exclament-ils tous deux à l'unisson.

— Il a affirmé n'avoir jamais vu l'artiste en face. Tout se passait par ce qu'il nommait des « livraisons aveugles », ou quelque chose de ce goût-là.

— Il a utilisé cette expression ? insiste Baxter. Des « livraisons aveugles » ?

— Il a dit qu'il l'avait entendue dans des films d'espionnage.

Je leur résume rapidement les explications de Wingate sur sa réception de la première peinture, et sur les versements en liquide effectués dans des consignes de gare.

— Je suppose que les choses ont pu se passer ainsi, concède Baxter. Mais d'après ce qu'on a appris sur Wingate jusqu'à maintenant, ce n'était pas précisément un puits de vérité.

— Qu'avez-vous sur lui ?

— Tout d'abord, sa véritable identité n'est pas Christopher Wingate, mais Zjelko Krnich. Il est né à Brooklyn en 1956, de parents immigrants yougo-slaves. Serbes.

— Vous plaisantez.

— Le père de Krnich a abandonné femme et enfants quand Zjelko avait sept ans. Le gosse a traîné dans les rues, et assez vite il s'est mis à vendre de la drogue, avant de passer au proxéné-tisme. A vingt ans il a embarqué sur un cargo pour l'Europe, où il est resté quelques années, à vendre de l'herbe et de la coke pour survivre. On l'a vu dans des stations balnéaires huppées, et son busi-ness l'a mis en contact avec quelques personnes de la jet-set. Il est tombé amoureux d'une Parisienne qui était dans le commerce d'art, des peintures, cer-taines authentiques, d'autres fausses. Il a appris le boulot auprès d'elle, et c'est elle aussi qui lui a donné son nom anglais. Au bout de deux ou trois ans, ils se sont séparés pour une histoire d'argent qu'il lui aurait volé. Et soudain il a réapparu à New York, après avoir légalement changé son nom pour celui de Wingate, et il a tenu une petite galerie dans Manhattan. Vingt années plus tard, c'est l'un des marchands d'art les plus flamboyants du marché mondial.

— Il était flamboyant, c'est sûr. A environ trois cent cinquante degrés, la dernière fois que je l'ai vu.

— Les incendies d'habitation atteignent les six cents degrés, mademoiselle Glass.

Baxter n'a pas le goût de l'humour ce soir, pas même l'humour macabre. Ses yeux ont l'éclat dur de l'ardoise. Il a épuisé toute réserve de patience.

— Je veux la pellicule que vous avez prise ce soir.

— Et une fois que je vous l'aurai donnée, vous allez me laisser de côté.

— Ce n'est pas vrai, intervient Lenz. Vous êtes apparentée à l'une des victimes.

— Ce qui compte pour rien, si j'en crois mon expérience. Vous n'étiez pas là l'année dernière, docteur. Il était aussi facile d'obtenir des informations de ce monsieur que de lui arracher une dent sans son consentement.

— Je peux vous assurer qu'il n'en sera pas ainsi maintenant, dit Lenz d'un ton lénifiant.

Baxter ouvre la bouche pour parler, mais le psychiatre le fait taire d'un simple geste de la main. Visiblement, Arthur Lenz a beaucoup de poids à l'USR.

— Mademoiselle Glass, j'ai une proposition à vous faire. Une proposition qui, je crois, retiendra votre attention.

— Je vous écoute.

— Le destin nous offre une chance unique. Votre apparition à Hong Kong a provoqué un grand trouble. Non à cause du lien existant entre les peintures et les enlèvements, puisque les gens de la galerie n'en savaient rien. Non, ils ont été troublés parce que vous êtes le sosie exact de la femme représentée sur une de ces toiles.

— Et alors ?

— Imaginez la réaction que vous pourriez provoquer chez le tueur si vous vous retrouviez brusquement face à lui.

— C'est peut-être bien ce qui s'est produit cette nuit, non ?

Lenz secoue la tête.

— Je suis loin d'être convaincu que l'homme qui vous a attaquée ce soir soit celui qui a peint cette remarquable série.

— Poursuivez.

— L'analyse médico-légale des œuvres d'art a énormément évolué durant ces vingt dernières années. Il n'y a plus seulement les analyses par rayons X, spectrographie, infrarouges, et tout le reste. Il peut y avoir des empreintes digitales conservées dans la peinture elle-même. Nous retrouverons peut-être des fragments minuscules de peau, ou de cheveux. Maintenant que nous savons ce que sont ces peintures, je pense qu'elles nous mèneront à court terme jusqu'à un suspect, ou un groupe de suspects. L'analyse du style seule peut dégager une liste de candidats. Et une fois que nous aurons ces suspects, mademoiselle Glass, vous êtes l'arme que j'aimerais employer contre eux.

Lenz ne plaisante pas. Ils ont réellement besoin de ma coopération. Ils ont préparé tout cela bien avant que je n'arrive ici.

— Qu'en dites-vous ? demande le psychiatre. Accepteriez-vous de vous faire passer pour un de nos agents lors des interrogatoires de suspects ? Vous entreriez tranquillement dans la salle, pendant que Daniel et moi observerions la réaction des suspects ?

— Elle tuerait pour le faire, affirme Baxter. Je sais au moins ça d'elle.

Lenz lui lance un regard aigu et me demande :

— Mademoiselle Glass ?

— Je le ferai.

— Qu'est-ce que je disais ? glisse Baxter.

J'ajoute aussitôt :

— A une condition.

— Merde, marmonne Baxter. Nous y voilà.

— Quelle condition ?

— Je suis dans le bain à partir de maintenant, et jusqu'au moment où l'on arrêtera le type. Je veux avoir accès à toutes les informations.

Baxter roule des yeux.

— Qu'entendez-vous par « toutes les informations » ?

— Je veux savoir tout ce que vous savez. Vous avez ma parole d'honneur que je ne révélerai à personne la moindre des choses que vous me confierez. Mais il est hors de question que je sois exclue de l'enquête comme l'année dernière. Je n'en vivais plus.

Je m'attends à ce que Baxter émette quelque objection, mais il regarde fixement la table un moment, puis lâche :

— Accepté. Où est la pellicule ?

— Je l'ai postée à JFK.

— Dans une boîte aux lettres de l'US Postal Service ?

— Oui.

— Vous souvenez-vous de sa localisation ?

— Elle se trouvait près de la porte d'American Airlines. Elle est adressée à mon domicile de San Francisco. Je vous donnerai l'adresse. J'ai acheté l'enveloppe et les timbres près d'un kiosque à journaux, juste à côté de la boîte aux lettres.

— Nous la récupérerons. Et nous la développerons dans notre labo, ici.

— Je pensais bien que le FBI était passé maître dans l'art de voler le courrier.

Baxter ravale une réponse sans doute peu aimable et sort de sa poche un téléphone cellulaire.

— Autre chose, dis-je. J'ai pris trois clichés de la *Femme endormie numéro vingt* avant de m'échapper du domicile de Wingate. La lumière n'était pas très bonne, mais les prises devraient être correctes.

Baxter me lance un regard où se mêlent admiration et mauvaise humeur à mon endroit, puis il compose un numéro et ordonne à son correspondant de trouver qui est le directeur des Postes et Télécommunications, et de le tirer du lit.

— Je veux que des copies digitales de ces photos soient envoyées par Internet à votre bureau de La Nouvelle-Orléans et qu'un tirage me soit réservé. Je le prendrai demain matin, lui dis-je quand il coupe la communication.

— Vous allez à La Nouvelle-Orléans ? s'enquiert Lenz.

— C'est exact.

— Il est trop tard pour avoir un vol ce soir.

— Alors j'espère que vous allez me trouver un avion. Je ne suis venue ici que parce que vous m'avez sollicitée. Je dois dire au mari de ma sœur ce qui se passe, et je veux le lui dire en face. A ma mère, aussi. Avant qu'ils ne l'entendent d'une autre façon.

— Ils n'entendront rien, dit Baxter.

— Pourquoi donc ?

— Qu'est-il arrivé, en réalité ? Vous avez troublé quelques amateurs d'art dans un musée de Hong Kong. Rien qu'on puisse raconter en une des journaux.

— Et l'incendie à New York ? Votre agent assassiné ?

— Wingate était connu pour entretenir des relations avec la pègre. La surveillance du FBI n'a donc rien d'anormal. Un journaliste a déjà avancé l'hypothèse que Wingate aurait lui-même mis le feu à sa galerie pour toucher l'assurance, mais qu'il serait mort accidentellement dans le sinistre.

— Vous voulez dire que vous avez l'intention de garder cette enquête secrète ?

— Autant qu'il nous sera possible.

— Mais vous devez essayer de rassembler toutes les peintures, non ? Pour les analyses ? Ça ne va pas se savoir ?

— Peut-être que oui, peut-être que non. Ecoutez, Arthur doit se rendre à La Nouvelle-Orléans demain matin, pour parler avec certains marchands d'art de la ville. Pourquoi ne prendriez-vous pas le même vol ?

— Je serais heureux de partir cette nuit, dit Lenz, si mademoiselle Glass éprouve une telle urgence. Peut-on préparer l'avion ?

Baxter réfléchit un instant avant de répondre :

— Je suppose que oui. Mais, mademoiselle Glass, je vous en prie, insistez auprès de votre beau-frère pour qu'il se montre de la plus grande discrétion. Et quant à parler de tout ça à votre mère... peut-être vaudrait-il mieux attendre un peu.

— Pourquoi ?

— Nous sommes restés en contact avec elle pendant l'année écoulée. Elle n'est pas dans la meilleure des formes.

— Ça fait longtemps.

— Elle boit beaucoup. Je ne pense pas que nous puissions compter sur sa discrétion.

— Il s'agit de sa fille, monsieur Baxter. Elle a le droit de savoir ce qui se passe.

— Mais que pouvez-vous vraiment lui dire ? Rien d'encourageant. Ne pensez-vous pas qu'il serait plus approprié d'attendre un peu ?

— Je réfléchirai à la question, et je prendrai une décision.

— Parfait, dit-il d'un ton las. Mais votre mère et votre beau-frère constituent la limite du cercle. Je sais que vous avez travaillé au *Times Picayune* de La Nouvelle-Orléans il y a quelques années. Je ne doute pas que vous ayez conservé des amis là-bas. Si vous voulez jouer un rôle efficace dans cette enquête, personne ne doit savoir que vous êtes revenue en ville. Pas question que vous alliez boire un verre avec de vieux amis, rien qui puisse attirer l'attention sur la lauréate du Pulitzer de retour chez elle. Nous vous offrons le séjour à l'hôtel.

— Je séjournerai probablement chez mon beau-frère. Je n'ai pas vu les enfants de ma sœur depuis longtemps.

— D'accord. Mais restez discrète. Jusqu'à ce que nous ayons des suspects et que nous puissions les soumettre à votre arrivée inopinée, vous ne parlez à personne de votre connaissance, et vous restez dans l'ombre.

— Entendu. Mais je veux une mise à jour complète à bord de l'avion. C'est notre marché, n'est-ce pas ?

Avec un soupir, Baxter regarde Lenz comme si le psychiatre avait décidé de son propre poison.

— Arthur fera ça très bien.

Le Dr Lenz se lève et se frotte les mains au ralenti. Une fois de plus, sa grande taille me frappe.

— Si nous prenions un peu de café et des beignets ? propose-t-il. Il n'y a pas de service à bord.

— Encore une minute, Arthur, dit Baxter, qui tourne vers moi un regard glacé. Mademoiselle Glass, je veux que vous écoutiez très attentivement ce que je vais vous dire. Rien dans cette affaire n'entre dans les paramètres connus. Notre type de La Nouvelle-Orléans n'est pas un balayeur d'usine boiteux souffrant d'un déficit d'image et collectionnant les poupées Barbie qu'il mutile. Nous avons affaire à au moins un individu hautement organisé. Un homme qui a enlevé et probablement tué douze femmes sans laisser la moindre trace. Il se peut que vous soyez sur sa liste. Nous n'en savons strictement rien. En revanche, nous savons que vous allez pénétrer sur son territoire de chasse. Aussi soyez très, très prudente, mademoiselle Glass. Ne laissez pas votre esprit vagabonder un seul instant, ou vous pourriez rejoindre votre sœur bien plus tôt que Dieu ne l'a prévu.

En dépit du ton mélodramatique, l'avertissement de Baxter produit son effet sur moi. Cet homme ne parle pas à la légère quand il s'agit de danger.

— Vous pensez que j'aurai besoin d'une protection ?

— Je serais enclin à dire oui. Je prendrai la décision sur ce point avant votre arrivée à La Nouvelle-Orléans. Souvenez-vous que le secret est votre meilleure protection.

— J'ai compris.

Repoussant son siège, il me salue d'un bref hochement de tête.

— J'apprécie beaucoup votre volonté de nous aider.

— Vous saviez que je le ferais. C'est personnel, pour moi.

Baxter prend une photo dans le dossier KIDNO et la pose devant moi. On y voit un homme brun approchant la trentaine, au sourire calibré comme lors de sa première entrevue pour décrocher un emploi. L'agent spécial Fred Coates, évidemment. Il est difficile de l'imaginer la gorge tranchée, crachant du sang dans un téléphone cellulaire.

— C'est personnel pour nous aussi, laisse tomber Baxter.

Il a parlé sans émoi apparent, mais je sens brûler dans ses yeux une fureur volcanique. Daniel Baxter a traqué et mis en cage certains des monstres les plus dangereux de notre époque. Jusqu'à ce soir, celui qui a enlevé ma sœur n'était qu'un parmi tant d'autres. Mais l'agent spécial Fred Coates gît dans le tiroir glacé d'une morgue, quelque part. Le sang du FBI a été versé. Et la situation a changé. Définitivement.

5

Le jet du FBI fonce dans le ciel de Virginie à trois heures du matin, après une longue attente due aux vérifications mécaniques, au plein et à l'arrivée d'un équipage frais et dispos. J'aurais dû attendre le matin, mais je n'ai pas pu. J'avais acquis une patience inusable en vingt ans à courir le monde, mais la disparition de Jane m'a dépouillée de cet atout. Si je ne bouge pas, j'ai trop le temps de penser. Mon salut réside dans le mouvement.

L'intérieur du jet est étrangement rassurant pour moi. Au cours de ma carrière, j'ai fait ma part de reportages d'entreprises, surtout des rapports annuels sur papier glacé, et les trajets en jet en sont un des avantages. Certains de mes collègues les plus puristes m'ont critiquée pour ça, mais en fin de compte eux se demandent comment payer les factures, moi non. J'ai grandi dans la pauvreté et je ne peux pas me payer le luxe d'être snob. L'intérieur de ce jet est agencé pour le travail. Deux sièges se faisant face, séparés par une table de travail rabattable. Le Dr Lenz les a choisis pour nous. Il semble accoutumé à l'exiguïté de la cabine, en dépit de sa corpulence.

Lenz paraît la cinquantaine au moins, et son visage a commencé à s'affaisser sous une expression de lassitude perpétuelle que j'ai déjà vue chez d'autres hommes de ma connaissance, des hommes qui en ont trop vu et ont épuisé toute leur énergie émotionnelle dans la charge qui est la leur. Je ne le juge pas pour autant. Nettement plus jeune que lui, j'ai moi-même failli craquer.

— Mademoiselle Glass, dit-il, nous avons un peu plus de deux heures à passer ensemble. Je vous propose d'utiliser au mieux ce laps de temps.

— Tout à fait d'accord.

— Du fait que vous êtes jumelles, vous interviewer revient presque à interviewer votre sœur avant sa disparition. J'aimerais vous poser quelques questions, dont certaines très personnelles.

— Je répondrai à celles qui me paraîtront pertinentes.

Il cligne lentement des paupières, comme un hibou.

— J'espère que vous vous efforcerez de répondre à toutes. En retenant des informations, vous risquez de m'empêcher d'apprendre quelque chose qui pourrait nous faire progresser sur la piste du tueur.

— Vous utilisez le terme de « tueur » depuis mon arrivée. Vous pensez donc que toutes ces femmes sont mortes ?

Son regard ne cille pas.

— Oui. Daniel conserve encore quelque espoir, mais ce n'est pas mon cas. Cela vous ennuie ?

— Non. J'ai le même sentiment. J'aimerais qu'il

n'en soit pas ainsi, mais je ne vois pas où elles pourraient être. Onze femmes, peut-être douze maintenant, retenues prisonnières quelque part depuis dix-huit mois pour la première enlevée ? Sans qu'une seule s'échappe ? J'ai du mal à l'imaginer. Et les femmes figurant sur les dernières toiles me paraissent vraiment mortes.

— Et vous avez vu la mort de près, à maintes reprises.

— En effet. Mais j'ai une question : êtes-vous au courant du coup de fil que j'ai reçu il y a huit mois ?

— Celui en plein milieu de la nuit ? Dont vous avez pensé qu'il venait peut-être de votre sœur ?

— Oui. Le Bureau en a localisé la source dans une gare, en Thaïlande.

Lenz me gratifie d'un sourire qui vaut condoléances.

— Je suis au courant de l'incident. A mon avis, l'interprétation que vous en avez faite le lendemain matin est juste. C'était quelqu'un que vous avez rencontré pendant vos efforts pour retrouver la trace de votre père, un parent d'un homme disparu au combat.

— Je me suis dit que... comme j'avais découvert ces peintures en Asie...

— Nous étudions aussi cette piste, soyez-en assurée. Mais j'aimerais que nous avancions dans la discussion, si vous n'y voyez pas d'inconvénient.

— Que voulez-vous savoir ?

— J'ai cru comprendre que vous n'étiez pas très proche de votre sœur depuis que vous avez atteint l'âge adulte, aussi je souhaiterais que vous me parliez de la façon dont vous avez grandi. Ce qui a façonné la personnalité de Jane. Et la vôtre.

C'est en des moments pareils que je regrette de ne pas fumer.

— D'accord. Vous savez qui était mon père, n'est-ce pas ?

— Jonathan Glass, le célèbre photographe de guerre.

— Oui. Et il n'y a eu qu'une seule guerre dans le Mississippi. Celle pour les droits civiques. Il a remporté son premier Pulitzer pour cela. Ensuite il est parti couvrir les autres guerres, ce qui fait qu'il n'était presque jamais à la maison.

— Comment votre famille a-t-elle réagi à cette absence ?

— Je l'ai mieux acceptée que ma sœur, ou ma mère. Dès mon plus jeune âge, j'ai compris pourquoi il n'était pas là. Pourquoi traîner dans les bois du Mississippi quand on peut parcourir le monde et connaître les endroits que je voyais sur ses photos ?

— Vous aviez envie d'aller vous aussi dans les zones de guerre, quand vous étiez enfant ?

— Papa prenait toutes sortes de photos dans ces endroits-là. Je n'ai découvert ses clichés de guerre que lorsque j'ai été en âge de me rendre seule à la bibliothèque municipale, où j'ai pu lire *Look* et *Life*. Maman ne gardait aucune de ces photos-là chez nous.

— Pourquoi votre mère a-t-elle épousé un homme qui, elle le savait, ne serait jamais à la maison ?

— Quand ils se sont mariés, elle l'ignorait. Mon

père était simplement un grand gars séduisant qui lui donnait l'impression de pouvoir faire face à n'importe quelle situation. Et c'était assez vrai. Il était capable de survivre en pleine jungle avec seulement un couteau de poche. Ce à quoi il ne pouvait pas survivre, c'était à une vie de couple dans le Mississippi. Un boulot de neuf heures du matin à cinq heures du soir. Pour lui, c'était l'enfer.

« Il a essayé de faire de son mieux pour elle, de la garder auprès de lui quand sa carrière a vraiment démarré. Il l'a même installée à New York. Elle a tenu bon jusqu'à ce qu'elle tombe enceinte. Pendant son huitième mois de grossesse, il a été envoyé en reportage au Kenya. Elle est descendue à Grand Central Station avec six dollars en poche et elle a pris le train jusqu'à Memphis. Ensuite un car de Memphis à Oxford, Mississippi. Si elle n'avait pas été enceinte quand elle est partie, Papa ne serait sans doute jamais revenu à la maison. Mais il est revenu. Pas souvent, mais quand il était là, pour moi, c'était le paradis. J'ai eu quelques étés de rêve.

— Et Jane ?

— Ça n'a pas été aussi rose pour elle. Nous étions jumelles, mais sur le plan émotionnel nous avons divergé dès la prime enfance. Et puis elle n'a pas eu de chance.

— Comment ça ?

— Jane a été attaquée par un chien quand elle avait quatre ans. Il lui a lacéré un bras.

Je ferme les yeux pour repousser le souvenir, cette agression sauvage que j'ai vue à quarante mètres de distance. Le temps que ma mère se précipite et lui porte secours, le mal était fait.

— Elle a eu des piqûres antirabiques et tout le reste. Cela l'a rendue craintive pour le restant de sa vie.

— Est-ce que votre mère vous habillait et vous coiffait à l'identique, ce genre de choses ?

— Elle a essayé. Quand il était à la maison, mon père s'y est toujours opposé, et j'ai donc suivi son exemple. Il voulait que nous construisions notre individualité. C'est le credo du photojournalisme : un individualisme sans concession. Il m'a appris cela, et bien plus encore.

— La photographie ?

— Pas tellement, en fait. Il m'a appris à chasser et à pêcher. Quelques trucs sur les étoiles, les arbres, les plantes sauvages comestibles. Il m'a montré un tas de choses sur les endroits lointains où il était allé, sur des coutumes étranges, des détails qu'on ne lit pas dans *National Geographic*.

— A-t-il appris ces choses à Jane aussi ?

— Il a tenté de le faire, mais elle n'était pas très réceptive. Pour ça, elle ressemblait beaucoup à notre mère. Je crois que toutes ces histoires qu'il racontait leur rappelaient surtout qu'il n'était à la maison que pour peu de temps, qu'un matin à leur réveil il serait reparti.

— Vous étiez sa préférée ?

— Oui. Et Jane était la préférée de Maman. Mais d'une certaine façon ça ne comptait pas autant. Papa était la personnalité dominante, même quand il n'était pas à la maison. C'était un meneur. Ma mère faisait de son mieux pour suivre, mais elle n'y parvenait pas très bien.

— Avec le temps, Jane s'est-elle mise à lui en vouloir de plus en plus pour ses absences ?

— Oui. Je pense qu'elle s'était mise à le haïr avant qu'il ne disparaisse, parce que ma mère était très triste et qu'il y avait très peu d'argent à la maison.

— Votre père ne gagnait pas bien sa vie ?

— Je ne sais pas, en réalité. A l'époque du Vietnam, certains des plus grands photoreporters ont travaillé pour presque rien. Que cela ait ou non été le cas de mon père, il n'a jamais envoyé beaucoup d'argent à la maison. En revanche, il nous faisait de gros cadeaux. Je ne dis pas que c'était un type super, d'accord ? Seulement que tous les deux, nous étions très liés.

— Votre mère travaillait-elle ?

— Elle l'a fait pendant quelque temps. Serveuse, employée dans une blanchisserie, ce genre de petits boulots. Mais elle a arrêté quand elle s'est mise à boire.

— Pourquoi votre père l'a-t-il épousée ?

— Honnêtement, je pense qu'il a vu dans le mariage le seul moyen d'avoir des rapports sexuels avec elle.

Lenz a un sourire nostalgique.

— C'était une attitude assez répandue dans ma génération. Votre mère était belle ?

— Oui. Et ironiquement, c'est ce qui a fait échouer le mariage. Elle paraissait exotique, mais elle ne l'était pas. Sa part de sang alsacien, je suppose. De l'extérieur, une princesse mystérieuse. A l'intérieur, quelqu'un de très terre à terre. Tout ce qu'elle désirait, c'était un mari qui lui construise sa maison et qui rentre du boulot tous les jours à cinq heures et demie.

— Et Jane rêvait de la même chose ?

— Absolument. De son père et de son mari, quand elle en trouverait un. Papa ne lui a jamais offert cela, mais elle a trouvé un mari qui l'a comblée sur ce plan.

Lenz lève l'index.

— Il y a un moment, vous avez utilisé le terme « disparition » à propos de votre père. N'est-il pas généralement reconnu qu'il est mort au Vietnam ?

— Oui. Au Cambodge, pour être tout à fait précis. Mais je ne l'ai jamais accepté. Je n'ai jamais eu le sentiment qu'il était mort, et au fil des ans il a été aperçu occasionnellement en Asie par d'anciens collègues. J'ai dépensé beaucoup d'argent pendant tout ce temps pour essayer de le retrouver.

— Quelle sorte de scénario imaginez-vous ? Si votre père a survécu, cela peut signifier qu'il a fait le choix de ne jamais retourner aux Etats-Unis. Qu'il a décidé de vous abandonner, vous, votre sœur et votre mère.

— C'est probable.

— Vous pensez qu'il est capable d'agir ainsi ?

Des deux mains je repousse mes cheveux en arrière, en enfonçant mes ongles dans la peau de mon crâne.

— Je n'en sais rien. Je l'ai toujours soupçonné d'avoir une autre femme là-bas. Une Vietna-mienne. Peut-être une famille entière. Beaucoup de soldats étaient dans ce cas. Pourquoi les photo-graphes seraient-ils différents ?

La lumière froide de la cabine brille dans les yeux bleu-gris de Lenz.

— Pourriez-vous lui pardonner cela ?

La question centrale de mon existence.

— J'ai passé beaucoup de temps dans des pays étrangers à photographier les guerres, tout comme lui. Je sais à quel point on peut se sentir seul, parfois loin de tout contact amical. Il se peut que vous soyez la seule personne à cent kilomètres à la ronde qui parle anglais, et vous vivez dans un enfer que personne d'autre ne verra réellement. C'est une solitude qui ressemble presque au désespoir.

— Mais le Vietnam n'était pas ainsi. Le pays fourmillait d'Américains.

— Papa a travaillé dans beaucoup d'autres endroits. Si je découvre qu'il est toujours en vie, ou qu'il a survécu pendant quelque temps, je m'en arrangerai.

— Vous avez dit que vous n'aviez jamais eu *le sentiment* que votre père était mort. Et pour votre sœur ? Avez-vous le sentiment qu'elle est morte ?

— Je l'ai eu douze heures avant qu'on ne m'appelle.

— Vous partagiez donc cette sorte de lien dont parlent beaucoup de jumeaux ?

— En dépit de nos différences, nous avions ce lien, oui. C'est quelque chose de très réel, à mon avis.

— Je ne vous contredirai pas sur ce point. Vous vous montrez très coopérative, Jordan, et je tiens à vous dire combien j'apprécie votre attitude. Si vous acceptiez de décrire ce que vous estimez être les événements cruciaux de vos vies en tant que sœurs...

— Je ne garde le souvenir d'aucun événement crucial particulier.

Le regard de Lenz semble doux, mais il y a de la dureté derrière cette apparence, voire de la cruauté, et cela transparaît maintenant. Peut-être est-ce indispensable dans son métier.

— Il ne s'agit pas d'une psychothérapie, Jordan. Nous ne disposons pas de plusieurs semaines pour percer vos mécanismes de défense. Je suis sûr que si vous y réfléchissez, certains événements vous reviendront en mémoire.

Je reste muette.

— Par exemple, j'ai relevé dans votre dossier que vous n'avez jamais terminé vos études secondaires. Jane a eu son diplôme avec mention, et participé à nombre d'activités périscolaires. Elle dirigeait une équipe de pom-pom girls, elle a animé des débats, etc. Vous n'avez rien fait de tout cela.

— Vous creusez très profond, au FBI, hein ?

— J'ai également découvert que vous aviez le plus haut score à l'examen d'entrée de votre école. Alors...

Il croise les bras et hausse les sourcils.

— Pourquoi une élève aussi douée laisse-t-elle tomber ?

Soudain le petit jet me semble très exigu.

— Ecoutez, je ne vois pas trop comment des questions sur mes études peuvent vous aider à comprendre Jane.

— Ce qui arrive à une enfant arrive à l'autre. Revenez en arrière. Vous avez toutes deux douze ans. Votre père est mort, votre mère ne tient pas le

coup, il n'y a plus d'argent pour acheter le nécessaire. Vous êtes jumelles, vous avez les mêmes pro-
fesseurs, et pourtant vous prenez des chemins
diamétralement opposés. Quelle est l'histoire ?

— Vous venez de la résumer, docteur. Passons
donc à quelque chose qui pourra réellement aider
à retrouver l'assassin de Jane. C'est bien le but
recherché, non ?

Lenz me dévisage, imperturbable.

— Vous êtes photographe. Vous vous servez de
filtres pour obtenir certains effets visuels, exact ?
Afin de modifier la lumière avant qu'elle n'impressionne la pellicule ?

— Oui.

— Tous les humains recourent à des filtres
comparables. Des filtres émotionnels. Ils sont mis
en place par vos parents, vos frères et sœurs, vos
amis et vos ennemis. Vous le reconnaissez ?

— Je suppose que oui.

— Daniel et moi avons l'intention de vous
utiliser pour un rôle critique dans cette affaire.
Mais avant de vous mettre en contact avec un
seul suspect, il faut que je vous comprenne. Je dois
être en mesure de corriger votre filtre personnel.

Je regarde par le hublot situé sur ma gauche. Le
clair de lune est trop faible pour souligner le
contour des nuages. Nous pouvons voler à cinq
mille pieds comme à vingt-cinq mille. J'entretiens
avec mon passé et mon avenir une relation similaire, flottant entre l'inconnu et le trop bien connu.
Lenz veut connaître mes secrets. Pourquoi ? A
l'instar des photographes, les psychiatres sont des
voyeurs par essence. Mais il y a des choses qui

existent entre moi et ma conscience, et personne d'autre. Pas même Dieu, si je peux l'éviter. Et pourtant je ressens comme l'obligation de coopérer. Lenz est un professionnel dans ce domaine, pas moi. Et il me fait confiance pour ne pas faire échouer son enquête. Je suppose que de mon côté, je dois lui accorder au moins un peu de ma confiance.

— Les années qui ont suivi la disparition de mon père ont été difficiles. A dire vrai, Jane vivait déjà comme s'il avait disparu des années plus tôt. Sa stratégie a été de s'assimiler. D'être conforme. Elle a étudié dur, elle est devenue chef de l'équipe des pom-pom girls, et elle a gardé le même petit ami trois années d'affilée. Je l'admire beaucoup pour tout ça. Etre populaire n'est pas un mince exploit quand on est désargentée.

— L'argent semble être un sujet récurrent en ce qui concerne Jane.

— Pas seulement pour elle. Avant la disparition de Papa, je ne m'étais pas rendue compte à quel point nous étions pauvres. Mais à treize ans, on commence à remarquer certaines choses. Les choses matérielles font partie du snobisme d'un lycée. Les vêtements et les chaussures, le modèle de votre voiture, votre maison. Maman avait accidenté notre auto, et après nous n'en avons plus eu. Elle s'est mise à boire de plus en plus, et j'avais l'impression qu'on nous coupait l'électricité tous les deux mois. C'était très gênant. Un jour, alors que je fouinais dans le grenier, j'ai découvert deux cantines remplies de vieux matériel photo. Maman m'a alors expliqué que, lorsqu'elle était enceinte de nous, elle avait persuadé Papa d'ouvrir un studio de portraitiste, pour essayer de stabiliser financièrement leur existence. Je ne sais pas pourquoi il a accepté. Le projet n'a jamais abouti, bien sûr. Mais il avait conservé tout le matériel. Un Mamiya grand format, des projecteurs, une toile de fond, l'équipement complet pour une chambre noire, la totale. Maman a voulu vendre, mais j'ai piqué une crise et elle m'a autorisée à tout garder. Dans les mois qui ont suivi, j'ai appris à me servir du matériel. Un an plus tard, je dirigeais un petit studio de portraitiste à côté de chez nous, et je faisais des clichés pour le *Eagle* d'Oxford dès que j'avais un peu de temps libre. Notre vie s'est sensiblement améliorée. J'étais en mesure de régler les factures d'électricité et de remplir le frigo, et à cause de ça, j'avais le droit de faire à peu près tout ce que je voulais.

Lenz acquiesce, pour m'encourager.

— Et que vouliez-vous ?

— Mener ma propre vie. Oxford est une ville universitaire, et je l'ai sillonnée de long en large sur mon vélo dix vitesses, j'ai observé les gens, j'ai pris quantité de photos. Sony a inventé le baladeur lors de ma première année au lycée, et dès le jour où j'en ai eu un, j'ai vécu avec une bande-son aux oreilles et un appareil photo pendu au cou. Pendant que Jane et ses amis dansaient sur les tubes disco des Bee Gees, moi j'écoutais les albums de mon père : Joni Mitchell, les artistes de la Motown, Neil Young, les Beatles et les Stones.

— Tout ça ressemble à une enfance idyllique, dit Lenz avec un sourire entendu. Ça l'était ?

— Pas exactement. Alors que les autres filles de mon âge allaient à cheval jusqu'à Sardis Reservoir pour batifoler sur la banquette arrière de leur voiture avec les garçons de l'équipe de football, j'avais des activités légèrement différentes.

Une immobilité profonde s'est emparée du corps de Lenz. Comme un prêtre, il a entendu tant de confessions que plus rien ne saurait le surprendre, et cependant il attend avec une réceptivité qui semble me tirer les mots de la bouche.

— La première semaine de ma dernière année, notre professeur d'histoire est décédé. Il devait avoir dans les soixante-dix ans. Pour le remplacer, le comité de gestion de l'établissement a engagé un ancien élève du nom de David Gresham, qui auparavant donnait des cours du soir à Ole Miss. Gresham s'était engagé en 1970 et avait effectué une période de service au Vietnam. Il est revenu à Oxford blessé, mais ses blessures n'étaient pas visibles, et le comité de gestion n'a rien remarqué. Après quelques cours, moi, je m'en suis rendue compte. Il lui arrivait de s'arrêter en pleine phrase, et il était alors évident que son esprit errait à quinze mille kilomètres de là. Son cerveau avait déraillé et fui la réalité pour une autre, que mes camarades de classe ne pouvaient même pas imaginer. Moi si. J'ai observé M. Gresham de très près, parce qu'il s'était trouvé dans le pays où mon père avait disparu. Un jour, après les cours, je suis restée pour lui demander ce qu'il connaissait du Cambodge. Et il savait un tas de choses, dont aucune de belle, à part Phnom Penh et Angkor Wat. Quand il m'a demandé la raison de mon intérêt, je lui ai parlé de mon père. Je n'en avais pas l'intention, mais quand je l'ai regardé dans les yeux mon chagrin s'est déversé de moi comme l'eau d'un barrage qui cède. Un mois plus tard, nous étions amants.

— Quel âge avait-il ? s'enquit Lenz.

— Vingt-six ans. A l'époque, j'en avais dix-sept et quelques. Et j'étais encore vierge. Nous savions tous les deux que c'était dangereux, mais jamais il n'y a eu entre nous l'idée qu'il avait séduit une enfant innocente. C'est vrai, il y avait un vide béant dans ma vie à cause de l'absence de mon père. C'est vrai, c'était un homme plus âgé qui me comprenait. Mais je savais pertinemment ce que je faisais. Il m'en a appris beaucoup sur le monde. J'en ai découvert beaucoup sur moi-même, sur mon corps et sur ce qu'il pouvait faire. Pour moi et pour quelqu'un d'autre. Et j'ai apporté un peu de paix à un garçon qui avait été si profondément brisé que jamais il ne pourrait se remettre complètement. Je ne pouvais que soulager un peu sa peine.

— Il est étonnant que vous vous soyez trouvés l'un l'autre, dit Lenz sans une trace de jugement dans les yeux. Et, bien sûr, l'histoire s'est mal terminée ?

— Pendant presque un an, nous avons réussi à garder notre relation secrète. Pendant cette période, il s'est livré sur le Vietnam, et à travers son regard j'ai fait l'expérience de choses que mon père avait vues lui aussi. Qu'il avait vues, mais dont il n'avait jamais parlé dans ses lettres. Et que ses photos n'ont jamais montrées. En avril, un des voisins de David nous a surpris à nous embrasser au bord de la crique derrière sa maison, ma chemise de flanelle autour de la taille, pas moins, et il a pris sur lui d'aller en avertir le comité de gestion. Lequel a convoqué une réunion extraordinaire, et pendant ce qu'ils ont appelé une « session de la direction », ils ont sommé David de démissionner et de quitter la ville avant que ne soit déclenchée une enquête qui ruinerait nos deux vies. Pour le protéger, j'ai tout nié en bloc, mais ça n'a servi à rien. Je lui ai proposé de quitter la ville avec lui, mais il m'a répondu que ce serait injuste pour moi. Finalement nous ne pouvions pas continuer ensemble, m'a-t-il dit. Quand je lui ai demandé pourquoi, il m'a répondu : « Parce que tu as quelque chose que je n'ai pas. » « Quoi ? » ai-je voulu savoir.

— Un avenir ? propose Lenz.

— Exactement. Deux nuits plus tard, il est descendu à la crique et a réussi à se noyer. Le médecin légiste a conclu à un accident, mais David avait ingurgité assez de scotch pour anesthésier un taureau.

— Je suis désolé.

Mes yeux cherchent de nouveau le hublot, ce puits rond de nuit.

— J'aime à penser qu'il était inconscient quand il a coulé. Il avait probablement pensé que sa mort mettrait un terme au scandale, mais ç'a été le contraire. Jane a fait une dépression nerveuse à cause de la gêne qu'elle éprouvait envers ses relations sociales. Ma mère a simplement bu un peu plus encore. Il a été question de nous placer dans des familles d'accueil. Je suis retournée en cours la tête haute, mais ça n'a pas duré. Mon prix d'excellence a été annulé. Puis mon agenda s'est vidé de ses rendez-vous. Personne ne voulait plus que j'effectue son portrait de famille. J'avais déjà réalisé un certain nombre de photos d'étudiants de dernière année, mais aucun d'entre eux n'est venu chercher ses tirages. Ils se sont fait photographier de nouveau, ailleurs. Lorsque j'ai refusé de m'humilier à feindre la contrition, plusieurs mères ont prévenu le comité de gestion de l'école qu'elles ne voulaient pas que leur fille côtoie plus longtemps une « Jézabel » adolescente. C'est ainsi qu'elles m'ont surnommée. Très vite cet ostracisme s'est étendu à Jane. Cent fois, dans la rue, des gens qui la prenaient pour moi lui ont tourné le dos, ou ont fait semblant de ne pas la voir. A ce stade, j'ai fait ce que David aurait dû faire. J'ai pris deux mille dollars, j'ai empaqueté mes affaires et mon matériel photo et j'ai pris un car pour La Nouvelle-Orléans. Là je suis allée trouver un juge qui m'a émancipée, et j'ai déniché un emploi au *Times Picayune*, à développer les photos des photographes réguliers du journal. Un mois plus tard, j'étais avec eux.

— Avez-vous continué à soutenir financièrement votre famille ?

— Oui. Mais les choses entre Jane et moi n'ont fait qu'empirer.

— Pourquoi ?

— Elle avait l'obsession de devenir une Chi-O. Elle pensait que...

— Excusez-moi ? Une quoi ?

— Une Chi-Oméga. Membre d'une sororité. Le

summum de la féminité sudiste à Ole Miss. Des blondes aux yeux bleus nées avec une cuillère en argent dans la bouche. Vous savez, comme dans cette chanson, *Summertime* : « Ton père est riche et ta mère ravissante... » ?

— Ah, je vois.

— Plusieurs de ses amies de l'équipe des pom-pom girls s'apprêtaient à demander leur entrée à Chi-O. Leur sœur aînée y était déjà, ou leur mère en avait fait partie. C'était comme ça.

— La tradition, commente Lenz.

— N'importe. Jane croyait vraiment avoir ses chances. Et elle s'est mis dans la tête que je représentais le seul obstacle à son admission. Elle a prétendu que les Chi-O m'avaient vue dans Oxford sur mon vélo, que j'avais l'air grincheux, que je racontais n'importe quoi, et qu'elles avaient cru que c'était elle. Ça s'est sans doute produit. Mais la vérité, c'est qu'elle n'a jamais eu la moindre chance d'être acceptée. Ces garces ne lui auraient jamais accordé une telle faveur. Exclure des filles comme Jane était pour elles une sorte de bonne action. D'autant que si Jane désirait énormément entrer à Chi-O, elle avait un point faible rédhibitoire : elle n'avait pas d'argent, donc pas de vêtements de luxe, de voiture ni aucun des autres atouts indispensables. Son père avait été une célébrité, bien sûr, mais pas de la bonne sorte. Et puis il y avait moi. De plus, Jane était plus jolie que n'importe laquelle d'entre elles. On dit que la beauté est une aristocratie, mais ce n'est pas toujours vrai. Beaucoup de femmes séduisantes ont peur de la beauté.

— Intéressant, n'est-ce pas ?

Le regard de Lenz détaille mon corps d'étrange manière, sans aucun désir, d'un air froidement appréciateur.

— Jane a craqué après le scandale avec le professeur ?

— Elle n'a pas voulu quitter la maison. Mais quand ils ont commencé à parler de nous placer sous tutelle, elle est retournée en cours. Elle a fini deuxième de sa promotion, mais jamais elle n'a réussi à devenir une Chi-O. Elle a demandé à entrer à Delta-Gamma, qui était considérée comme une sororité correcte, mais incontestablement de deuxième catégorie.

— Vous avez dit combien Jane était belle. Vous êtes sa vraie jumelle. Que pensez-vous de votre propre physique ?

— Je sais que je suis séduisante. Mais Jane a cultivé son physique d'une façon que je n'ai jamais adoptée. Elle visait l'idéal de la beauté sudiste, vous comprenez ? C'est une attitude très particulière qui touche non seulement l'apparence mais aussi la personnalité. Pour moi, l'apparence est secondaire. Je me suis servie de la mienne pour gagner quelques avantages dans mon travail, j'aurais été idiote de ne pas le faire, mais cela m'a toujours gênée. La beauté est un accident génétique pour lequel je n'ai aucun mérite.

— C'est insincère, pour le moins.

La réflexion me fait rire.

— Vous êtes un homme. Vous ne savez pas combien de fois j'ai entendu ma mère gémir sur mon « potentiel », et dire que si je voulais seulement faire un petit effort, m'arranger un peu, traduisez : comme Jane, je trouverais un pourvoyeur merveilleux qui m'épouserait et prendrait soin de moi jusqu'à la fin de ma vie. Eh, réveille-toi, Maman ! Je n'ai pas besoin d'un foutu pourvoyeur, d'accord ? Je suis moi-même un pourvoyeur.

— Qui pourvoyez-vous, Jordan ?

— Moi-même.

— Je vois, dit Lenz qui consulte sa montre et pianote des doigts sur un de ses genoux. Jane a épousé un riche avocat ?

— C'est exact.

— Venons-en à sa disparition. Vous l'avez mal supportée ? Le dossier dit que vous avez interféré avec le déroulement de l'enquête.

— Je supporte mal d'être exclue, d'accord ? Je suis journaliste. Il s'agissait de ma sœur. Et le FBI n'allait nulle part dans cette affaire. Je les ai harcelés pour les familles des victimes, j'ai arpenté les rues, j'ai appelé mes vieux contacts au *Times Picayune*. Mais tout cela n'a rien donné.

— Et qu'avez-vous fait, finalement ?

— Je suis partie et j'ai tout fait pour me noyer dans le travail. Littéralement. Je suis allée en Sierra Leone. J'ai pris des risques insensés, j'en ai réchappé de justesse à plusieurs reprises. Mon agence a fini par l'apprendre. Ils m'ont suppliée de lever le pied, ce que j'ai fait. J'ai même tellement levé le pied que je ne pouvais plus sortir du lit. Je dormais toute la journée. Et quand je suis sortie de cette période, je n'arrivais plus à dormir. Il m'a fallu recourir aux médicaments sur prescription médicale pour arriver à fermer les yeux sans voir

Jane en train de se faire violer, pieds et poings liés, dans une pièce sombre.

— Le viol était une des peurs particulières de votre sœur ?

— C'est une des peurs particulières de toutes les femmes.

— Et vous ? Vous avez déjà dû vous mettre dans des situations où le risque d'un viol était sérieux. Dans les zones de combat pleines d'hommes. Des adolescents armés jusqu'aux dents.

— Je sais prendre soin de moi. Jane est beaucoup plus fragile.

Lenz acquiesce au ralenti.

— Si nous retrouvions Jane demain, vivante, que lui diriez-vous ? En d'autres termes, qu'avez-vous le plus regretté ne pas lui avoir dit ?

— Cela ne vous regarde pas.

— Je vous ai expliqué pourquoi...

— Certains sujets sont trop personnels, docteur. Restons-en là.

Lenz se frotte le visage des deux mains, puis incline la tête vers moi.

— Il y a quelques années, j'ai travaillé sur une affaire de meurtre très difficile. J'ai perdu ma femme pendant l'enquête. Elle a été assassinée. Sauvagement. Vicieusement. Et je me suis senti responsable. Peut-être que je l'étais. Nous nous étions peu à peu éloignés l'un de l'autre au sein de notre couple, mais ça n'a pas amoindri la douleur. Nous faisons parfois des choses terribles à ceux que nous aimons, Jordan. C'est dans la nature de l'être humain. S'il y a quelque chose de ce goût-là entre votre sœur et vous, cela m'aiderait de le savoir. Pour la voir telle qu'elle était réellement.

La souffrance dans ses yeux semble sincère, mais c'est sans doute un vieux renard rompu à ce genre de jeu. Il pourrait avoir tout un stock d'histoires similaires à celle-là, pour inciter l'autre à se raconter un peu plus intimement.

— Il n'y a rien de tel.

Il expire sèchement par le nez, de frustration, et je pense à un chirurgien s'échinant à extraire une balle, son pouce et son index gantés dans les pinces, essayant un angle, puis un autre, cherchant le chemin vers le cœur de la blessure.

— Certains types de personnes deviennent la proie de prédateurs, reprend-il. De la même manière que les animaux blessés ou affaiblis sont choisis comme proies par les léopards. Certains types d'enfants tendent à être molestés, par exemple ceux qui sont timides, ceux qui ne s'intègrent pas, qui jouent en marge du groupe, qui s'isolent pour diverses raisons. La chose est vraie aussi pour les adultes. Je suis actuellement en train de dresser le profil de toutes les victimes recensées dans cette affaire. Certaines avaient d'elles-mêmes une image très dévalorisée, mais d'autres avaient parfaitement réussi. Certaines avaient des frères et sœurs, d'autres pas. Certaines étaient des femmes au foyer, d'autres des femmes d'affaires. Il faut que je trouve...

— Je vous ai dit tout ce que je sais, docteur.

— Vous n'avez pas encore *commencé* à me dire ce que vous savez, corrige Lenz qui change de position sur son siège, et la cruauté réapparaît dans ses yeux. Pourquoi ne vous êtes-vous jamais mariée, Jordan ?

— J'ai été fiancée. Il a été tué. Fin de l'histoire.

— Tué comment ?

— C'était un reporter d'ITN. Son hélicoptère a été abattu au-dessus de la Namibie, et lui a été torturé à mort.

— Vous avez perdu votre père, votre sœur et votre fiancé par mort violente ?

— Les mauvaises choses arrivent toujours par trois, ce n'est pas ce qu'on dit ?

— Vous avez quarante ans. Votre vie affective ne se résume pas à une seule liaison.

— J'ai eu des aventures. Satisfait ?

— Jane a-t-elle eu des aventures ?

— Elle a eu un petit ami au lycée, comme je l'ai déjà dit. Elle n'a jamais eu de rapport sexuel avec lui.

— Comment le savez-vous ?

— Je le sais, c'est tout. D'accord ? Après lui, elle est sortie avec d'autres, mais rien de sérieux. Ensuite, à l'université, elle a fait la connaissance d'un fils de famille fortunée de La Nouvelle-Orléans. Elle l'a épousé alors qu'il était en dernière année d'école de droit. Elle a trouvé le pourvoyeur le plus séduisant et le plus sûr, elle s'est mariée, elle lui a donné deux enfants et ils ont vécu heureux.

Pour une raison que je ne m'explique pas, ce résumé inexact fait monter les larmes à mes yeux.

— J'ai besoin d'un verre. Vous pensez qu'ils ont quelques-unes de ces mignonnettes qu'on vous sert sur les vols commerciaux, à bord de ce zinc ?

— Non, Jordan. Je voudrais que vous...

— Lâchez-moi un peu, d'accord ? Vous vouliez votre histoire, vous l'avez eue. Nous sommes des cas intéressants dans le débat de l'éducation contre la nature, l'acquis contre l'inné. Nous sommes identiques jusque dans nos mitochondries, mais, émotionnellement, nous sommes à l'opposé l'une de l'autre. Jane s'est conduite comme si elle me méprisait, alors qu'en réalité elle était tellement jalouse de moi que cela la rendait malade. Elle était même jalouse de mon prénom. Elle trouvait « Jordan » original, et Jane très passe-partout. Elle a détesté devoir dépendre de mon argent, pour ses tenues de pom-pom girl et pour ses dépenses. Elle rêvait de porter des vêtements de marque, et je lui achetais de la confection. Voilà la mesquinerie de nos rapports, d'accord ? Mais pour des filles dans notre situation, c'était très important. Etait-elle fragile, d'une certaine façon ? Oui. Mais les gens les plus faibles ne peuvent s'empêcher d'être faibles, vous savez ça ? J'ai essayé de la protéger. Jusqu'à ce qu'elle cesse de le vouloir, et même alors j'ai continué à essayer. Jane est devenue une belle du Sud parce que c'était le seul choix qu'elle était capable de faire. Il fallait qu'elle se sente en sécurité.

— Nous nous définissons tous par les choix que nous faisons pour survivre, dit Lenz d'un ton quelque peu emphatique. Des Walter Mitty ou des monstres.

Cette tirade paternaliste me fait perdre patience.

— Je suis censée trouver ça profond ? Docteur, vous avez peut-être perdu votre femme par la faute d'un tueur, mais je soupçonne que la majeure partie du traumatisme que vous avez expérimenté avait une autre origine. Ce que vous ont raconté vos patients, ou vos prisonniers. Je le sais par expérience, ça peut être dur d'entendre certaines choses. J'en ai entendu quelques-unes moi-même. Mais j'ai également enduré de sales choses. Je suis descendue dans le puits de l'enfer, si vous me comprenez. J'ai vu plus que ma part de *saloperies*. Et toute cette conversation ne rime à rien. Jane est vivante, ou elle est morte. D'une façon ou d'une autre, il faut que je sache. Je suis comme ça. Mais vos petits jeux ne vous rapprochent pas d'une quelconque réponse. Je ne pense pas que quoi que ce soit relie toutes ces victimes, à part le fait que ce sont des femmes.

— Jordan, vous ne voulez pas...

— Ce que je veux, c'est ce que Baxter m'a promis. Une analyse complète de l'enquête du FBI jusqu'ici. Je veux que ce soit clair et concis, et je le veux maintenant.

Lenz pose ses mains marquées de taches de sénescence sur la tablette entre nous et se laisse aller dans son fauteuil.

— Cet éclat vous a fait du bien ?

— Mettez-vous à table, bon sang !

— Il n'y a pas grand-chose à dire. Actuellement, nous rassemblons toutes les toiles connues appartenant à la série des *Femmes endormies*.

— Où ?

— A la National Gallery, à Washington.

— Combien en avez-vous rassemblé ?

— A cette heure, aucune. Quatre arriveront par avion demain, plusieurs autres le jour suivant.

Certains collectionneurs ont refusé d'envoyer leurs peintures, mais ils ont accepté de recevoir les équipes d'experts du Bureau. Dans un premier temps, nous allons essayer de relier les peintures aux victimes identifiées de La Nouvelle-Orléans. Dans certains cas, cela ne devrait pas poser de difficulté. Ce sera plus dur avec les toiles les plus abstraites, mais nous avons déjà quelques idées à ce sujet. Ensuite nous établirons la chronologie des tableaux : il est possible qu'elle diffère de celle des ventes. Pendant tout ce temps, ils seront examinés pour chercher des empreintes digitales, cheveux, particules de peau et autres traces biologiques. La peinture elle-même sera analysée et le numéro des lots recherché, si c'est possible. Des poils de pinceau seront peut-être retrouvés, et identifiés. Des spécialistes étudieront le style du peintre et s'efforceront d'établir des comparaisons avec des artistes connus. Et ce n'est que le début de ce par quoi passera chaque peinture.

— Qui est chargé de l'affaire au Bureau ?

— La responsabilité d'ensemble sera détenue par le directeur. Sur un plan tactique, il existe différentes pistes pour l'enquête. Daniel suivra celle de Washington : il s'occupera de tous les profilages, avec moi comme consultant. Le directeur régional de La Nouvelle-Orléans s'occupera de cet aspect de l'affaire.

— Qui est le directeur régional ? Le même que l'année dernière ?

— Non. Patrick Bowles. C'est quelqu'un de très compétent.

Lenz semble sur le point d'ajouter quelque chose, mais il s'interrompt brusquement.

— Qu'y a-t-il ?

— Un autre homme à La Nouvelle-Orléans jouera peut-être un rôle primordial à ce stade de l'enquête. C'est une des choses que je viens justement régler.

— Qui ?

Lenz soupire.

— Il s'appelle John Kaiser. Il n'a pas d'affectation fixe aujourd'hui, mais il y a deux ans il était membre de l'USR.

— A Quantico ? Avec Baxter ?

— Oui.

— Pourquoi est-il à La Nouvelle-Orléans ?

— Il a été transféré à sa propre demande. Daniel a voulu le persuader de prendre un congé pour revenir ensuite, mais Kaiser a refusé. Il a dit que s'il n'obtenait pas son affectation, il démissionnerait du Bureau.

— Pourquoi ? Que lui est-il arrivé ?

— Je le laisse vous l'apprendre. S'il accepte de le faire.

— Et pourquoi ce Kaiser aurait-il un rôle primordial dans cette affaire ?

— Durant l'année écoulée, l'atmosphère à La Nouvelle-Orléans s'est beaucoup tendue. Vous imaginez : victime après victime, sans aucun progrès enregistré par la police dans l'enquête. Pas même un indice. La police de La Nouvelle-Orléans est soumise à une pression considérable. Ce qui complique beaucoup les choses, c'est la nature multijuridictionnelle de l'enquête. Ce que les gens pensent être La Nouvelle-Orléans est en réalité un ensemble de communautés...

— Je sais tout ça. Jefferson Parish, Slidell, Kenner, Harahan. Les services du shérif et les flics mêlés.

— Oui. Et le seul homme dans le paysage ayant une expérience dans des affaires comparables, sur le terrain, c'est John Kaiser. D'après ce que j'ai compris, au début il a refusé d'y participer, mais quand le nombre des victimes a augmenté, il s'est mis à travailler sur le dossier. Depuis, c'est devenu une obsession.

— A-t-il fait le moindre progrès ?

— Personne n'avait fait de progrès, jusqu'à ce que vous découvriez ces peintures. Mais je suis sûr que John Kaiser en sait plus sur les victimes et les agressions que n'importe qui d'autre. A l'exception du tueur, bien entendu. Et peut-être du peintre, selon le degré de leur collaboration.

— Vous pensez vraiment que c'est une sorte d'équipe ?

— Je le pense, oui. Ce qui aide à expliquer l'extrême professionnalisme des kidnappings de La Nouvelle-Orléans. Le fait que nous n'ayons aucun témoin, aucun corps. Je commence à penser que c'est le peintre qui de New York dirige toutes les opérations, et qu'il paie un pro pour enlever les femmes à sa place.

— Qui peut bien être ce professionnel du kidnapping ?

Lenz a une petite moue incertaine.

— Le peintre a peut-être fait de la prison. Il aurait pu y faire la connaissance d'un autre détenu originaire de La Nouvelle-Orléans. Ou bien il est lui-même de La Nouvelle-Orléans. Ou encore il a de nombreux contacts dans cette ville. Ce qui expliquerait qu'il l'ait choisie comme terrain de chasse.

La théorie du psychiatre n'est pas dénuée d'une certaine logique, pourtant je sens qu'elle est erronée quelque part.

— Ce Kaiser était bon, quand il travaillait à Quantico ?

Lenz jette un coup d'œil par le hublot.

— Il avait un pourcentage très élevé de réussite.

— Mais vous ne l'aimez pas.

— Nous sommes en désaccord sur les termes fondamentaux de la méthodologie.

— Pour moi, tout ça c'est un fatras de mots savants, rien de plus, docteur. Dans ma profession j'ai appris une chose, que cela vous plaise ou pas.

— Et c'est ?

— On ne discute pas les résultats.

Il continue de regarder par le hublot.

— Que pensez-vous de la théorie de Baxter ? Cette idée d'attraper un des types en utilisant les ordinateurs des compagnies aériennes ? Pour passer au crible tous les passagers des vols pour New York ?

— Je ne suis pas très optimiste.

Je me rencogne dans mon siège et me frotte les yeux.

— Combien de temps encore avant d'arriver à La Nouvelle-Orléans ?

— Une heure environ.

— Il est trop tard pour appeler mon beau-frère. Je pense que je vais prendre une chambre dans un des hôtels de l'aéroport, et que je le contacterai demain.

— Je descends au Windsor Court. Pourquoi ne pas y dormir ?

J'espère avoir mal interprété sa phrase.

— Dans votre chambre ?

Il plisse les lèvres comme si l'idée était de la dernière absurdité.

— Pour l'amour du Ciel. A l'hôtel.

— Pour autant que je m'en souvienne, la nuit au Windsor doit avoisiner les cinq cents dollars. Je ne vais pas débourser autant, et le FBI non plus, j'en suis sûre.

— Non. C'est moi qui vous invite.

— Vous êtes riche ?

— La police d'assurance de ma femme a rendu possible un certain standing de vie, que je n'avais pas connu auparavant.

— Merci, mais je préfère rester à l'aéroport.

Dans la lumière douce, Lenz m'étudie avec un détachement singulier, comme un anthropologue devant une race inconnue de primate.

— Vous savez, j'ai longtemps eu pour habitude, lors de mes entretiens, de poser trois questions toujours identiques aux personnes que j'interroge.

— Lesquelles ?

— La première était : « Quelle est la pire chose que vous ayez jamais faite ? »

— Les gens répondaient ?

— Un nombre surprenant l'a fait, oui.

— Et la deuxième question ?

— « De quel moment de votre vie êtes-vous le plus fier ? »

— Et la troisième ?

— « Quelle est la pire chose qui vous soit jamais arrivée ? »

Je force un sourire poli sur mes lèvres, mais quelque chose de très dérangeant s'est immiscé dans mon esprit à ces mots.

— Pourquoi ne pas m'avoir posé ces trois questions ?

— Je ne les pose plus.

— Pourquoi donc ?

— Je me suis lassé d'entendre les réponses, dit-il en modifiant encore sa position dans le siège, sans me quitter du regard. Mais dans votre cas, je crois que j'aimerais bien savoir.

— Vous êtes assez âgé pour supporter la déception.

Il a un geste vague de la main.

— Quelque chose me dit qu'avant la fin de toute cette affaire, je le découvrirai, de toute façon.

Un bip aigu résonne dans la cabine. Lenz plonge une main dans sa veste, sort un téléphone cellulaire et l'allume.

— Oui ?

Il semble se recroqueviller tandis qu'il écoute.

— Quand ? dit-il après quelques secondes. Oui... Oui, entendu.

Il coupe la communication et pose mollement le portable sur ses cuisses.

— Qu'y a-t-il ?

— Il y a de ça vingt minutes, deux adolescents ont découvert le corps de la femme enlevée à l'épicerie fine Dorignac.

— Son corps ?

Lenz affiche maintenant une expression d'intense concentration.

— Elle gisait sur la berge d'un canal de drainage, nue. Les gamins ont escaladé les murs derrière des immeubles d'appartements pour aller boire des bières tranquilles, et ils ont entendu des bruits près de l'eau. Un nutria se nourrissait déjà du cadavre, quoi que soit un nutria. La police a isolé les lieux en attendant l'équipe des experts du Bureau. Son mari vient d'identifier le corps.

— C'est un gros rat d'eau douce.

— Quoi ? Ah, d'accord, fait Lenz, l'esprit ailleurs.

Ces nouvelles me donnent la nausée, mais pas à cause de l'horreur qu'elles contiennent.

— Ce n'était pas lui, dis-je d'un ton posé. S'ils ont retrouvé un corps, c'est sans rapport.

— Pas obligatoirement. Ce pourrait quand même être lui, dit Lenz avec un hochement de tête lent, intense. Réfléchissez. Quatre semaines et demie se sont écoulées depuis le dernier enlèvement. Notre homme à La Nouvelle-Orléans était en maraude cette nuit, et peut-être pendant toute la journée également. Il est possible qu'il ait appris ce qui s'est passé à Hong Kong, mais qu'il ait ignoré ce qu'a fait son acolyte : que Wingate était définitivement réduit au silence, et vous avec. Il l'enlève devant Dorignac et la ramène chez lui. A son arrivée, il trouve un message urgent de son associé sur le répondeur. Ou bien il reçoit l'appel en direct, peu importe. La victime a été retrouvée environ...

Il consulte sa montre.

— ... sept heures après l'enlèvement. Cela lui

laisse tout le temps nécessaire. Le type de New York lui explique que Wingate ne posera plus de problème, mais que Jordan Glass a réussi à s'en tirer. Par conséquent, l'enquête va rebondir et ça va devenir très chaud. Alors, au lieu de peindre cette femme, il la tue et l'abandonne dans un canal. A un moment ou un autre pendant ce laps de temps de sept heures.

Lenz applique une claque sur son genou, tout excité par sa théorie.

— Sept heures, bon Dieu ! Je ne serais pas surpris qu'il y ait maquillage. Pas du tout surpris.

— Quel maquillage ?

Je creuse ma mémoire pour retrouver la signification de ces termes, que j'ai lus dans des ouvrages traitant de criminologie au cours des mois qui ont suivi la disparition de Jane.

Les yeux de Lenz brillent. Comme tous les membres de l'équipe de Baxter, c'est un chasseur.

— Ce qu'on appelle « maquillage » est une tentative d'égarer les enquêteurs en altérant la scène du crime ou ses composantes, le corps en particulier. Notre homme a pu mutiler le cadavre pour simuler un viol avec violences, un crime satanique, n'importe quoi. Non, nous ne pouvons pas écarter cette victime de l'affaire simplement parce que nous avons retrouvé son corps.

J'aimerais le croire, mais sans trop savoir pourquoi je n'y parviens pas.

— Mais nous savons qu'il est assez malin pour se débarrasser du corps sans qu'il réapparaisse.

— C'est justement là l'élément important !

rétorque Lenz. Il nous *permet* de retrouver cette victime, pour mieux brouiller les pistes.

— Mais est-ce que ce n'est pas quand même très risqué, s'il a eu le corps en sa possession, ou chez lui ? Je veux dire, avec les techniques scientifiques de pointe dont vous disposez ?

Pour la première fois depuis longtemps, le psychiatre sourit.

— Si, c'est risqué. Nous pouvons établir une base de preuve à partir d'un cheveu ou d'une fibre. Il y a peut-être même des traces de sperme, ou d'ADN. Et si nous avons vraiment de la chance, un résidu biologique présent dans les peintures correspondra à quelque chose que nous trouverons sur ou dans le corps. C'est moins évident si le peintre et le kidnappeur sont deux personnes différentes, mais ça reste possible. Ce serait un sacré bon point de départ.

— Dieu me pardonne, mais j'espère que c'est bien lui qui a enlevé cette femme, alors.

Lenz serre sa main gauche en un poing.

— Si c'est lui, l'affaire est à un tournant décisif.

— Parce que vous disposez d'un cadavre ?

— Non. Parce que ce n'est plus lui qui mène la danse. Il réagit à ce que nous faisons.

L'image des peintures découvertes à Hong Kong s'impose à moi avec une netteté irréelle, et je tiens à le rappeler au psychiatre.

— Pour moi, ce sont les peintures qui représentent la clé de toute cette affaire. Qu'est-ce qui fait agir ce type, docteur ? Il essaie de recréer un fantasme quelconque, c'est ça ?

Une étrange sérénité détend les traits de Lenz.

— Si je le savais, il serait déjà en détention préventive.

Il ferme les yeux et pose les mains à plat sur les accoudoirs de son siège.

— Ne dites plus rien, je vous prie. J'ai besoin de réfléchir.

Et merde. Je fouille dans ma banane, trouve le flacon et avale trois Xanax. Quand j'arriverai à l'hôtel de l'aéroport, je serai réduite à l'état de zombie, et heureuse qu'il en soit ainsi. La dernière chose au monde que je désire maintenant, c'est bien réfléchir.

6

Ce matin j'ai dormi tout mon saoul, et j'en suis ravie. A part mon flanc droit, aussi douloureux que s'il avait reçu une ruade de mule, j'éprouve dans mes muscles cette délicieuse sensation liquide que seuls l'amour ou trop de sommeil procurent. Cela fait quelque temps que je n'ai pas goûté aux joies du sexe, aussi mes remerciements vont-ils à la quiétude de cette chambre d'hôtel américain, qui pour moi représente un luxe réel. Je descends prendre mon petit déjeuner dans le hall, puis j'appelle Budget pour louer une Mustang décapotable. Après des mois passés à sillonner l'Orient dans des taxis poussifs, des cyclos et même des pousse-pousse, une voiture américaine puissante est exactement ce qu'il me faut. On est à la fin du mois d'octobre et c'est La Nouvelle-Orléans, mais je roule capote baissée. Les feuilles sont toujours vertes sur les arbres et le soleil matinal m'indique que la température pourrait dépasser les vingt-cinq degrés à l'heure du déjeuner. Cette ville est ainsi : chaleur et pluie, pluie et chaleur. Quand l'hiver s'installe enfin, l'humidité ambiante rend le froid pénétrant. Mais heureusement l'hiver ne dure pas longtemps.

Je suis en retard pour la réunion avec le FBI, parce que personne n'a pensé à m'avertir qu'ils avaient quitté leurs locaux du centre-ville – où ils se trouvaient depuis toujours – pour emménager dans un immeuble flambant neuf sur la rive sud du lac Pontchartrain, entre Lakefront Airport et l'université. C'est un bâtiment de brique massif, sur quatre niveaux, conçu pour ressembler à un élément de campus universitaire, mais plus je m'en approche et plus il m'évoque une forteresse déguisée. Construit très en retrait de la route, il est ceint d'une haute grille de fer épais couronnée de fleurs de lis pointues. Un corps de garde le précède, défendu par des barrières antiterroristes scellées dans le béton de la chaussée. L'homme en armes vérifie mon permis de conduire, prend contact par radio puis lève la barrière et me désigne le parking.

Alors que je verrouille la Mustang et que je me dirige vers l'entrée, je sens que je suis épiée de l'intérieur du bâtiment. Je ne remporterai aucun prix de mode aujourd'hui : jean, chemisier en soie, espadrilles, et ma sempiternelle banane à la taille. Pas de sac à main pour Jordan Glass, à moins qu'elle ne soit invitée à une soirée mondaine. Je sais très bien m'habiller pour me mettre en valeur, mais je ne le ferai pas pour le FBI. L'entrée est également monumentale, avec drapeaux et plaque de marbre noir gravée de la devise du Bureau : « fidélité, bravoure, intégrité ». D'autres agences de sécurité ont trouvé des termes plus désobligeants (moins flatteurs) pour l'acronyme, mais pour aujourd'hui je réserve mon opinion.

Le passage par un détecteur de métaux me mène dans une petite entrée assez semblable au vestibule d'un cabinet médical. Une réceptionniste attend derrière une séparation vitrée. Quand je lui donne mon nom, elle fait glisser une feuille par la fente. Je signe le document, et elle m'assure que quelqu'un va descendre dans une minute. Trente secondes plus tard, la porte à côté d'elle s'ouvre et un homme de grande taille vient vers moi. Il a les yeux profondément enfoncés sous les arcades sourcilières, et une ombre de barbe.

— Jordan Glass ?

— Oui. Désolée pour le retard. Je me suis rendue à votre ancienne adresse, dans le centre-ville.

— Alors c'est notre faute. Je suis John Kaiser.

Cet homme ne ressemble pas aux agents du FBI que je connais. Un mètre quatre-vingt-cinq, mince, il paraît aussi à l'aise dans sa chemise blanche au col boutonné et son veston sport qu'un cow-boy dans un smoking. Sa chevelure brun sombre est plus longue que ne le préconise le manuel, et il se dégage de sa personne une aura aussi peu officielle qu'il m'est possible d'imaginer. Il ressemblerait plutôt à un étudiant qui a bûché trois jours de suite sans dormir. Un étudiant en droit de quarante-cinq ans.

Comme s'il lisait dans mes pensées, il sort son porte-cartes et l'ouvre pour me montrer celle du FBI. « Agent spécial John Kaiser. » Sur la photo, il semble beaucoup plus soigné que l'homme qui se trouve devant moi, mais c'est bien lui.

— Vous ne ressemblez pas à un agent du FBI.

Un sourire en biais.

— Le directeur régional adore me dire ça.

— Pourquoi ont-ils déménagé ?

— Après l'attentat d'Oklahoma City, le gouvernement a imposé que tous les bureaux soient situés en retrait de la route d'au moins trente mètres. Ces locaux sont deux fois plus spacieux que les anciens, et la vue est bien plus agréable. Ils ont déménagé en septembre dernier, un mois avant mon arrivée.

— Nous ne montons pas dans les étages ?

Il baisse la voix pour répondre :

— Pour être tout à fait franc, je préférerais vous parler seul à seule avant. Vous aimez la cuisine chinoise ? Je n'ai rien avalé depuis hier soir, alors j'ai commandé quelques trucs à grignoter. Pour deux.

— J'aime bien la cuisine chinoise, oui. Mais pourquoi ne voulez-vous pas manger dans votre bureau ?

Les yeux noisette de Kaiser se fixent sur les miens avec une intensité maîtrisée.

— Parce que je préférerais que nous discutions sans interférence.

— De la part de qui ?

— Vous l'avez rencontré hier soir.

— Le Dr Lenz ?

Il acquiesce.

— Alors l'antipathie est réciproque ?

— J'en ai bien peur.

— Et vous ne pouvez pas empêcher Lenz d'entrer dans votre bureau ?

— Je n'en suis pas sûr. En revanche, je suis certain qu'il ne surgira pas à une table d'une aire de pique-nique de Lakeshore Drive, surtout s'il ignore que je m'y rends.

— J'irai si nous prenons ma voiture.

— Vous lisez dans mes pensées, mademoiselle Glass.

Kaiser rassemble les sacs en papier contenant les plats à emporter et sort derrière moi. Il s'efforce de régler son pas sur le mien, mais la différence de taille ne lui facilite pas la tâche.

— Nous avons étudié les photos de l'incendie, me dit-il.

— Qu'est-ce que ça a donné ?

— Quelques clichés de l'attroupement sont exploitables. Nos services à New York s'activent pour identifier chaque personne. Un boulot considérable. La bonne nouvelle, c'est que la boutique de location de vidéos tient un fichier de ses abonnés, et le barman nous a affirmé que la plupart des clients présents à ce moment étaient des habitués.

— J'avais espéré avoir réussi un cliché de l'incendiaire. La photo était prise selon un angle plongeant, à quarante-cinq degrés vers l'arrière de la foule.

Kaiser me regarde bizarrement.

— Vous n'allez pas le croire...

— Quoi ?

— Vous avez pris la partie supérieure de certains visages, et une main de type européen qui vous fait un doigt d'honneur.

— Un doigt ? Vous vous moquez de moi !

— Mon sens de l'humour ne s'étend pas à des affaires comme celle qui nous occupe.

— Vous croyez que c'était lui ? Ou un gamin ?

— Nos analystes photo disent que c'est une main d'adulte. Sans doute d'homme, mais ils ne sont pas catégoriques. Vous pensez que notre homme vous a vue faire face à temps pour se baisser et vous saluer aussi aimablement ?

— Il a vu ce que je faisais, pas de doute. Il se déplaçait derrière la foule, pour me suivre. A mon avis, il cherchait à se rapprocher assez pour me tuer. C'est pourquoi j'ai lancé les pompiers après lui.

— Très malin de votre part.

— J'avais cru avoir levé l'appareil assez haut. Bon sang !

— C'est du passé, dit-il. Les regrets n'y changeront rien, alors oubliez ça.

— Avec vous, ça semble facile. C'est ce que vous faites quand vous échouez ?

— Faites ce que je dis, pas ce que je fais.

— C'est bien ce que je pensais.

Il fait halte près de la Mustang avec un grand sourire.

— Chouette voiture.

L'ayant déverrouillée à l'aide de la télécommande, je m'assieds et rabats la capote. Kaiser lance ses sacs de victuailles sur le petit siège arrière et case sa carcasse interminable dans le siège passager. Quelques secondes plus tard, nous fonçons vers Lakeshore Drive. Il renverse la tête en arrière et contemple le ciel.

— Bon Dieu, ça fait du bien.

— Quoi ?

— Rouler en décapotable avec une jolie fille. Ça faisait un sacré bail.

En dépit de l'étrangeté de la situation, je me sens rosir de plaisir. Etre remarquée par John Kaiser est très différent de l'examen d'entomologiste auquel le Dr Lenz m'a soumise.

— Un sacré bail que vous avez roulé en décapotable ? Ou que vous vous êtes trouvé assis près d'une jolie fille ?

Il rit.

— J'invoque le cinquième amendement.

Kaiser a l'air plus âgé que moi de quelques années, mais ça lui va bien. Et quoique je répugne à l'admettre, il me rappelle un peu David Gresham, le professeur d'histoire dont j'ai parlé à Lenz. Quelque chose dans sa façon d'être plutôt qu'une ressemblance physique. Il y a une sorte de prudence dans ses mouvements, comme s'il était toujours très conscient de l'environnement immédiat. Je me demande ce que lui a raconté Lenz de notre « entrevue » de la nuit dernière dans l'avion.

Je ralentis progressivement avant d'engager au pas la Mustang sur une allée cimentée en demi-cercle qui mène à des bancs et des tables en bois disposés en bordure de la route, du côté du lac. Pendant que je remets la capote en place pour éviter que les mouettes ne viennent abîmer le cuir de l'intérieur, Kaiser apporte notre déjeuner sur le banc le plus proche, s'assied à califourchon à une extrémité et place les petits cartons et les boissons devant lui. Assis ainsi, son pantalon remonté découvre ses chevilles et révèle un étui noir dont émerge la crosse d'un automatique.

— J'ai pris du poulet à la pékinoise et du bœuf aux épices, annonce-t-il. Du riz sauté aux crevettes, des pâtés impériaux et deux thés glacés non sucrés. Choisissez ce qui vous fait envie.

— Poulet à la pékinoise.

Je viens m'asseoir face à lui, dans la même pose, et je tends la main vers un des gobelets.

— Allez-y, dit-il, servez-vous.

Sur une assiette en carton, j'étale un peu de riz que je nappe de courgettes et de poulet, et je m'y attaque avec entrain.

— Vous voulez commencer ? fait-il. Ou vous préférez que ce soit moi ?

— Je vais commencer. Je veux que vous sachiez que c'est une situation très étrange pour moi. J'ai très mal supporté au début, mais durant l'année écoulée je m'y suis un peu mieux faite. A un certain niveau, j'avais accepté l'idée de ne plus jamais revoir Jane, et que jamais sa disparition ne soit élucidée. Et maintenant tous ces garde-fous fragiles sont balayés. Et j'en suis heureuse. Seulement c'est... très troublant. De nouveau, je me sens vulnérable.

— Je comprends, croyez-le ou non. J'ai déjà vu ce genre de situation se produire. Des affaires de personnes disparues qui restent en sommeil pendant des années, et soudain l'enfant ou le mari réapparaît. L'événement a de quoi déstabiliser les proches. L'*homo sapiens* a survécu en s'adaptant rapidement aux changements, même aux changements les plus radicaux. Vous trouver obligée de revenir sur une adaptation qui vous a permis de survivre peut provoquer beaucoup de sentiments étranges. Et beaucoup de ressentiment.

— Je n'éprouve aucun ressentiment.

Il m'observe un moment, et son regard est plein de compréhension.

— Je n'ai pas dit cela. Je l'ai simplement constaté dans d'autres cas.

Je bois une longue gorgée, sentant la théine se diffuser sous ma peau et dans mon cœur.

— J'aimerais savoir le rôle exact que vous tenez dans cette enquête. Et quelles sont d'après vous les chances de la mener à bien.

Kaiser a déjà englouti un pâté impérial. A présent il s'attaque au bœuf.

— Je n'aime pas trop donner ce genre d'estimation. J'ai été trop souvent déçu.

— Croyez-vous que la mort de Christopher Wingate soit rattachée au cas de ma sœur ?

— Oui.

— Vous pensez qu'il y a plus d'une personne derrière tout ça ?

Kaiser incline la tête de côté.

— Oui et non.

— Que voulez-vous dire ? Vous n'adhérez pas à la théorie du Dr Lenz ? Le kidnappeur à La Nouvelle-Orléans et le peintre à New York ?

— Non.

— Pourquoi ?

— Question d'instinct, principalement. C'est une théorie qui ne manque pas d'élégance, et qui explique beaucoup de choses. La raison pour laquelle nous ne parvenons pas à trouver de facteur commun entre les victimes, par exemple. Selon Lenz, puisque notre homme de La Nouvelle-Orléans est payé pour enlever des femmes, il choisit simplement ses victimes au hasard. Mais ce n'est pas ainsi que ça se passe. Les prédateurs choisissent leurs cibles selon les opportunités du moment, c'est vrai, mais il existe toujours un schéma sous-jacent qui préside à la sélection des victimes. Même si les critères sont uniquement géographiques.

— Vous pensez que quelque chose relie les victimes ?

— C'est toujours le cas. Le meurtre en série est un meurtre sexuel ; c'est axiomatique. Il peut prendre un autre aspect, extérieurement, mais à la base il y a toujours un sérieux dérèglement sexuel. Les victimes habitent La Nouvelle-Orléans. Mon intuition me dit que la sélection s'opère ici. Et pas au hasard non plus. Nous ne comprenons pas encore le schéma directeur, c'est tout.

— Avez-vous l'esquisse d'un portrait psychologique de ce type, alors ? Ou une idée de ce qui le motive ?

— J'ai travaillé dessus, mais je n'ai pas grand-chose pour démarrer. Les règles normales ne s'appliquent pas ici. Personnalité désorganisée ou organisée ? Si l'on compare ce type à Ted Bundy, qui était un individu organisé, c'est comme comparer Stephen Hawking et Mister Rogers. Pas de cadavres. Pas de témoins. Pas d'indices. Les victimes pourraient tout aussi bien avoir été enlevées par des extraterrestres. Et c'est ce qui m'effraie plus que tout le reste.

— Pour quelle raison ?

— Parce qu'il est difficile de cacher un cadavre efficacement. En particulier en milieu urbain. Un corps sent très vite mauvais. Des chiens ou des chats finissent par le déterrer. Des sans-abri le découvrent. Les passants signalent les activités suspectes dont ils sont témoins plus souvent que vous ne le soupçonnez. Et les voisins curieux épient tout ce qui se passe sous leurs fenêtres.

— Il y a beaucoup de zones marécageuses autour de La Nouvelle-Orléans. J'ai eu des cauchemars. Je rêve de Jane coincée dans l'eau, sous la souche d'un cyprès, quelque part.

Kaiser secoue la tête.

— Nous draguons les marécages depuis des mois, sans aucun résultat. Le lac Pontchartrain aussi. Et ces marécages ne sont pas déserts. Il y a les chasseurs, les pêcheurs, les employés des compagnies pétrolières. Les garde-chasse. Les gars chargés de la protection des animaux. Réfléchissez-y. Si notre type se débarrasse du corps d'une victime près d'une chaussée, elle va flotter en vue de quelqu'un. Onze cadavres à la suite ? Impensable. Et s'il s'enfonce dans les marécages, en transportant le corps dans un bateau, il doit presque obligatoirement le faire de nuit. Vous imaginez un artiste assez talentueux pour peindre ces toiles au cœur d'un marécage infesté de serpents et d'alligators, et en pleine nuit ? Pas moi. Si les femmes sont mortes, je pense qu'il les a enterrées. Et l'endroit le plus sûr pour le faire, c'est sous une maison. Une maison où il habite. Dans le sous-sol, ou sous le plancher.

— A La Nouvelle-Orléans, les maisons n'ont pas de sous-sol. Le niveau hydrostatique est trop élevé. C'est pourquoi on ensevelit les gens en hauteur.

— Cette pratique a toujours plus relevé de la coutume que de la nécessité, répond-il. Ces dernières années, le niveau hydrostatique général a considérablement baissé. Il pourrait les enterrer sous une maison, elles resteraient enterrées. Et au sec. Il lui suffirait de balancer un peu de chaux sur les corps de temps en temps pour éviter les odeurs.

Un bip retentit dans la poche de Kaiser. Il en sort son téléphone cellulaire et consulte l'écran.

— C'est Lenz. Il me cherche. Laissons-le chercher un peu.

— Excusez-moi... Vous venez de dire : « Si elles sont mortes » ?

Kaiser formule sa réponse avec soin

— C'est exact.

— Le Dr Lenz est certain qu'elles sont mortes.

— Le Dr Lenz et moi sommes en désaccord sur bon nombre de points.

— Vous êtes le premier officier de maintien de l'ordre qui exprime un doute sérieux sur celui-ci. Baxter m'a dit qu'il garderait espoir tant qu'il n'aurait pas vu de ses yeux les cadavres, mais je sais qu'il se montre simplement courtois.

— Baxter est un type bien, dit Kaiser en plantant son regard dans le mien. Mais il les croit mortes.

— Et pas vous ?

— Je n'ai jamais vu d'affaire comparable. Onze femmes qui disparaissent sans laisser la moindre trace ? Pas un mot du coupable de ces disparitions ? D'ordinaire, un type qui aurait enlevé autant de femmes sans se faire pincer nous narguerait, d'une façon ou d'une autre.

— Mais qu'est-ce qui vous donne à penser qu'elles peuvent être en vie ? Et où pourraient-elles se trouver, en ce cas ?

— Ce monde est vaste, mademoiselle Glass. Mais il y a autre chose, quand même. L'autopsie de la cliente de Dorignac est presque terminée. Extérieurement, le corps était propre, cependant nous avons trouvé des fragments de peau sous ses ongles. Nous n'avons rien à quoi les comparer pour l'instant, mais ce pourrait être un atout important plus tard. Les analyses toxicologiques demanderont un peu plus de temps.

— Tout ça, c'est très bien. Mais en quoi cela vous pousse-t-il à penser que les victimes sont toujours vivantes ?

— En rien. Néanmoins, nous avons également relevé une brûlure curieuse à son cou. Le genre de marque laissée par un appareil d'autodéfense à choc électrique, comme un Taser.

Mon pouls s'accélère.

— Et qu'en déduisez-vous ?

— Jusqu'à maintenant, on a pensé que les enlèvements étaient perpétrés comme des agressions violentes, or si c'est bien le cas, la force employée n'est pas nécessairement mortelle. Ce qui peut signifier que notre homme ne voulait pas risquer de tuer ses victimes, même par accident.

— Faites que ce soit vrai...

— Je ne veux pas vous donner de faux espoirs, mais d'après moi, c'est bon signe. A propos, nous disons aux médias que nous ne croyons pas la victime de Dorignac reliée à cette affaire. Nous la présentons comme un cas isolé de meurtre. L'abandon du corps va dans le sens de cette version.

— J'espère que ces déclarations ne reviendront pas vous hanter.

Kaiser reprend un peu de bœuf épicé et me jauge du regard.

— Quelques autres détails m'intéressent beaucoup chez notre homme, dit-il enfin.

— Comme quoi ?

— Primo, à ma connaissance, c'est le seul agresseur en série à réaliser un profit énorme grâce à ses crimes. La plupart des tueurs en série ne tirent aucun profit matériel des crimes qu'ils commettent. Pour eux, l'argent n'entre pas dans l'équation. Mais pour ce type, l'argent y a sa place.

— Admettons.

— Secundo, il ne recherche pas la publicité. Pas du genre habituel, en tout cas. Si les victimes sont bien mortes, il ne veut pas que les corps soient retrouvés et fassent la une. Et s'il ne les a pas tuées, il n'envoie pas un doigt sectionné aux proches ou aux chaînes de télé. Donc, pour lui, les femmes font simplement partie du processus de création des peintures. La raison des meurtres serait là : les peintures.

— Mais les peintures ne sont-elles pas une forme de publicité en elles-mêmes ?

— Oui, mais une forme de publicité très particulière. Ici, publicité et profit sont liés. Si l'artiste réalisait ces portraits uniquement pour son bénéfice personnel, il n'aurait aucune raison de les vendre. Pensez aux risques qu'il prend en mettant ces toiles sur le marché. C'est par ce biais seul que nous avons appris quelque chose sur lui. S'il n'avait vendu aucune de ces toiles, nous ne serions pas plus avancés qu'au lendemain du premier kidnapping.

— Comment sont liés publicité et profit, d'après vous ?

— Il tient à ce que le monde de l'art voie ce qu'il fait. Des critiques, peut-être, ou d'autres peintres, je ne sais pas. L'argent n'est peut-être pas important en soi. Je ne serais pas surpris qu'il n'ait pas dépensé un seul dollar. Il est certainement conscient que, dans notre société, la valeur de l'art est déterminée par ce que les gens paient pour l'acquérir. Conséquence logique : si le monde doit porter une grande attention à son œuvre, celle-ci doit se vendre très cher. C'est pourquoi il a pris le risque de passer par Christopher Wingate. Ou de passer par la personne qui a tué Wingate pour lui. Ce ne sont que des spéculations, bien sûr.

Tout ça me semble plus cohérent que tout ce que j'ai entendu jusqu'ici. Qu'espère-t-il que les gens tireront de son œuvre ? Pourquoi peindre des femmes mortes ? Et pourquoi commencer par des portraits presque abstraits, pour ensuite peindre des femmes qui semblent dormir, et enfin des représentations explicites de mortes ?

Kaiser consulte sa montre.

— Je préfère ne pas spéculer sur ce point pour l'instant. J'aimerais vous questionner sur un sujet assez personnel, si vous n'y voyez pas d'inconvénient.

— Quoi ?

— L'appel téléphonique.

— Un appel téléphonique ?

— Celui que vous avez reçu de Thaïlande.

— Ah. Justement, aujourd'hui, je me suis réveillée en pensant à cet appel. Ça a été l'expérience la plus dérangeante de mon existence.

— Je n'en suis pas surpris. Je sais que vous avez fait une déposition quand c'est arrivé, mais accepteriez-vous de m'en parler ?

— Si ça peut vous aider.

— Ça pourrait.

— C'est arrivé cinq mois après la disparition de Jane. Ç'a été une très mauvaise période pour moi. Il fallait que je prenne des somnifères pour dormir. Je ne sais plus si je l'ai dit dans ma déposition.

— Vous avez dit que vous étiez épuisée.

— C'est une façon de dire les choses. Je n'étais pas très contente du Bureau, à l'époque. Enfin bref, le téléphone s'est mis à sonner en pleine nuit. Il a dû sonner longtemps pour me réveiller, et quand j'ai enfin décroché, la communication était épouvantable.

— Quelle a été la première chose que vous ayez entendue ?

— Une femme qui pleurait.

— Avez-vous reconnu la voix ? Dès cet instant ?

— Non. Ça m'a réveillée, mais je n'ai pas percuté tout de suite. Vous me comprenez ?

— Ouais. Et ensuite ?

— La femme a sangloté : « Jordan ». Puis la ligne a crachoté. Et puis : « J'ai besoin de ton aide. Je ne peux pas... » Encore des crachotements, comme des parasites sur un portable. Puis elle a dit : « Papa est vivant, mais il ne peut pas m'aider. » Et puis : « Je t'en prie », comme si elle suppliait, qu'elle ne savait plus que faire. C'est à ce moment que j'ai senti que c'était Jane. J'allais lui demander si c'était bien elle quand un homme en arrière-plan a dit quelque chose en français. Quelque chose que je n'ai pas compris, et dont je ne me souviens plus. Même maintenant, alors qu'il fait plus de vingt degrés sous le soleil, je frissonne à ce souvenir. Et un instant j'ai pensé...

— Quoi ?

— J'ai pensé que cette voix ressemblait à celle de mon père.

Du regard, je défie Kaiser de me traiter d'idiote. Mais il ne le fait pas. Une part de moi-même en est heureuse, et pourtant une autre part de moi se demande si ce n'est pas lui qui est idiot.

— Continuez, dit-il simplement.

— Ensuite un homme a dit en anglais : « Non, *chérie*, c'est juste un rêve. » Et puis la communication a été coupée.

J'ai perdu tout appétit. Une sueur moite perle sous mon chemisier, qui colle la soie à ma peau, et je sens une goutte couler le long de ma colonne vertébrale. Je presse le vêtement contre moi pour la stopper.

— Gardez-vous un souvenir précis du timbre de voix de votre père ?

— Pas vraiment. C'est plutôt une impression, je dirais. Je crois que la voix au téléphone m'a fait penser à lui parce que Papa parlait un peu de français de temps en temps. Il l'avait appris au

Vietnam, je suppose. Il m'appelait « *Chérie* », parfois.

— Vraiment ? Que s'est-il passé ensuite ?

— Pour être tout à fait honnête, ma cervelle fonctionnait au ralenti. Je me suis dit que tout ça n'était probablement qu'une hallucination. Mais le jour suivant, j'ai tout raconté à Baxter, et il m'a appris qu'il avait retrouvé la trace de l'appel. Ils ont réussi à remonter à sa source : une gare ferroviaire à Bangkok.

— Quand vous l'avez appris, que vous a conseillé votre intuition ?

— J'ai espéré que c'était bien ma sœur, naturellement. Mais plus j'y réfléchissais, moins j'y croyais. Je connais beaucoup de familles de soldats portés disparus au combat, à force d'avoir cherché mon père si longtemps. Et si c'était une parente d'un porté disparu en pleine recherche, elle aussi ? Elles vont là-bas tout le temps. Vous savez, la femme ou la fille d'un soldat porté disparu, qui a des problèmes et besoin d'aide ? Peut-être qu'elle est ivre, et déprimée. Elle sort ma carte de visite de son sac. La conversation colle à cette explication, si vous remplissez les blancs. « Jordan... J'ai besoin de ton aide. Papa est vivant... » – et là, elle fait référence à son père à elle – « ... peut pas m'aider. »

— Mais les proches des soldats portés disparus vont là-bas pour tenter d'aider le disparu, non ? Pas le contraire.

— Oui.

— Vous avez vérifié auprès des familles de portés disparus que vous connaissez ?

— Oui. Le FBI aussi. Nous n'avons trouvé

personne qui ait admis m'avoir téléphoné. Mais il reste plus de deux mille portés disparus dont on n'a retrouvé aucune trace. Ce qui fait beaucoup de familles. Et lors des réunions, ils viennent tous me parler, parce que je suis connue et que j'ai beaucoup voyagé en Asie.

— Si c'était le cas, à qui appartiendrait cette voix d'homme ?

— Un mari. Un beau-père. Qui sait ? Mais j'ai envisagé une autre possibilité. Et si c'était le tueur qui s'amusait avec moi ? En utilisant une femme qu'il connaît pour me mettre les nerfs à vif ?

Mais Kaiser secoue la tête.

— Aucun autre proche de victime n'a reçu ce genre de message. J'ai vérifié.

— Alors, votre avis ?

Il pique mollement un morceau de bœuf de sa fourchette en plastique.

— Je pense qu'il s'agissait peut-être de votre sœur.

J'inspire à fond et je m'efforce de maîtriser mes nerfs.

— Je me permets de vous dire ça parce que Baxter m'a assuré que vous aviez le cuir épais.

— Je ne sais pas si j'ai le cuir si épais que ça.

Il garde le silence, me laisse reprendre.

— C'est pour cette raison que vous ne vouliez pas de la présence de Lenz, n'est-ce pas ?

— En partie.

— Quand j'ai demandé à Lenz ce qu'il pensait de ce coup de fil, il a éludé la question.

Kaiser baisse les yeux vers le sol.

— L'avis général au sein de l'Unité est que votre

mystérieuse correspondante téléphonique était membre d'une famille d'un porté disparu, tout comme vous en avez vous-même exprimé l'hypothèse. Lenz ne vous a pas interrogée à ce sujet parce qu'il a lu la déposition que vous avez faite à l'époque et qu'il a considéré avoir là une déclaration plus fiable que vos souvenirs actuels.

— Ça sonne comme une réponse officielle. Quelle est votre opinion personnelle ?

— Si votre sœur est vivante, cela remet en question la théorie actuelle de Lenz, quelle qu'elle soit. Il dit aisément que tout est possible, qu'il n'y a pas de règle absolue, mais au fond de lui-même il porte des œillères. Je ne pense pas qu'il ait toujours été ainsi. Mais ces derniers temps, il penche pour l'hypothèse la plus tragique. Je suis ouvert à une autre théorie. Pour résumer la situation.

— Pourquoi êtes-vous ouvert à une autre théorie ?

Un sourire rêveur effleure les lèvres de Kaiser et plisse très légèrement ses yeux.

— Parce que je sais que le monde n'obéit à aucune règle. Et je l'ai appris en payant le prix fort.

Il ramasse un biscuit porte-bonheur dans son emballage, le repose.

— Lenz vous a questionnée sur un tas de sujets d'ordre familial, voire intime. Je me trompe ?

— C'est exact.

— C'est sa méthode de travail. Il aime connaître toutes les relations sous-jacentes. Il a irrité beaucoup de familles en appliquant cette technique. Je ne le critique pas sur ce point. Il a obtenu quelques résultats spectaculaires au début de sa carrière.

— C'est à peu de choses près ce qu'il a dit de vous.

— Ah oui ? Eh bien, inutile de vous mentir : je pense qu'il ne devrait pas participer à cette enquête.

— Pourquoi donc ?

— Je n'ai confiance ni en son flair ni en son jugement. Il a été impliqué dans un cas particulier, il y a un bout de temps, et l'affaire s'est terminée en paquet de merde. Et Baxter donne trop de poids à ce qu'il affirme, à cause de cet épisode.

— Lenz m'a dit que sa femme a été tuée au cours d'une de ses enquêtes. Est-ce celle dont vous parlez ?

— Oui. Vous a-t-il dit dans quelles circonstances ?

— Non. Il a simplement précisé que le meurtre avait été particulièrement vicieux.

— C'est la vérité. Et il s'est produit parce que Lenz a fait quelque chose de suprêmement arrogant et stupide. Il est arrivé cinq minutes après qu'elle était morte, sur la table de sa propre cuisine.

— Mon Dieu...

— Après ça, il a laissé tomber. Depuis il travaille au coup par coup comme consultant pour Baxter, mais je ne pense pas qu'il ait tiré une leçon de ce qui est arrivé. Il a toujours trop confiance en ses capacités.

— Que pensez-vous de son plan, dans lequel je servirais à secouer tout suspect que vous pourriez dénicher ?

— Ça pourrait marcher, mais ce n'est pas aussi simple ni aussi dénué de risques que ça en a l'air.

Les résultats pourraient être peu concluants, et cette stratégie vous mettrait dans la ligne de mire du tueur.

Le portable de Kaiser sonne une nouvelle fois. Il l'extirpe des reliefs du repas et regarde le petit écran.

— Encore Lenz, lâche-t-il.

— Vous allez lui répondre ?

— Non.

Puisque Kaiser a orienté la conversation sur le plan personnel, je me sens autorisée à faire de même.

— Vous m'avez parlé du linge sale de Lenz. Et le vôtre ? Pourquoi avez-vous quitté Quantico ?

— Qu'est-ce que Lenz vous a raconté ?

— Rien, si ce n'est que vous m'en parleriez si vous le vouliez bien.

Le regard de Kaiser dérive jusqu'à un groupe de palmiers, là-bas, sous lesquels un couple d'amoureux et un chien sont installés sur une couverture, une glacière à côté d'eux.

— C'est très simple, en réalité. Je suis arrivé au bout du rouleau. Tôt ou tard, ça arrive à chacun d'entre nous, dans ce boulot. J'ai simplement craqué d'une façon un peu plus spectaculaire que la plupart.

— Que s'est-il passé ?

— Après quatre années à Quantico, j'étais devenu le bras droit de Baxter. Et je supportais une charge de travail beaucoup trop lourde. Plus de cent vingt affaires simultanées. Meurtres d'enfants, viols en série, attentats à la bombe, kidnappings, tout le spectre de l'horreur. Dans pareille situation, arrive un moment où vous ne pouvez plus définir les priorités. Derrière chaque dossier, chaque photo, il y a une famille au désespoir, des parents détruits, des frères, des sœurs. Des flics rongés par leur impuissance qui souffrent de ne pouvoir les aider. Tout ça a fini par me rattraper. Quand ma vie personnelle est tombée en lambeaux, je l'ai à peine remarqué. Et un jour, l'inévitable s'est produit.

Cette référence vague à sa vie privée me fait jeter un coup d'œil furtif à sa main gauche. Pas d'alliance.

— Qu'est-ce que ça a été, l'inévitable ?

— Baxter et moi étions allés à la prison d'Etat du Montana pour interroger un occupant du couloir de la mort. Il avait violé et assassiné sept petits garçons. Il avait torturé la plupart d'entre eux avant de les tuer. L'interrogatoire n'était pas différent de ceux que j'avais menés des dizaines de fois auparavant avec d'autres monstres, mais ce type prenait un réel plaisir à nous raconter ce qu'il avait fait. Beaucoup sont comme ça, mais cette fois... Je n'ai pas réussi à garder le recul nécessaire, voilà tout. Je ne pouvais pas m'empêcher de penser à ce pauvre gosse. Six ans, en train d'appeler sa mère en hurlant pendant que ce type lui enfonçait des outils électriques dans le rectum.

Kaiser déglutit avec difficulté, comme s'il avait la bouche très sèche.

— Et j'ai pété les plombs.

— C'est-à-dire ?

— J'ai bondi par-dessus la table. Et j'ai essayé de le tuer.

— Jusqu'à quel point ?

— Je lui ai brisé le nez, le maxillaire inférieur et quelques autres os du visage. Je lui ai endommagé le larynx et presque arraché un œil. Baxter ne parvenait pas à me maîtriser. Finalement il m'a frappé à la base du crâne avec une chope à café. Il m'a étourdi juste assez longtemps pour me traîner hors de la salle d'interrogatoire. Le type a passé vingt-six jours à l'hôpital.

— Seigneur... Comment avez-vous fait pour ne pas perdre votre boulot ?

Kaiser dodeline doucement de la tête. Je devine qu'il évalue ce qu'il peut me révéler.

— Baxter m'a couvert. Il a affirmé aux gardiens que le détenu m'avait agressé, et que je n'avais fait que me défendre.

Il regarde de nouveau les amoureux sous les arbres.

— Je suppose que vous allez me sortir le laïus habituel, me dire que j'ai enfreint ses droits civiques...

— Eh bien, c'est ce que vous avez fait. Vous le savez. Mais je comprends pourquoi. Je me suis déjà impliquée dans ce genre de situation par le passé, au lieu de la couvrir. J'ai l'impression que vous avez réagi à retardement à autre chose.

Il me dévisage fixement une poignée de secondes, l'air surpris.

— C'était exactement ça, en effet. Une semaine plus tôt, j'avais perdu une fillette. Je travaillais sur une affaire de viol suivi de meurtre, dans le Minnesota, et nous étions très près de serrer le suspect. Très, très près. Mais il a eu le temps d'étrangler une gamine de plus avant que nous ne lui tombions dessus. Si j'avais été plus rapide d'une seule petite journée... Enfin, vous voyez ce que je veux dire.

— C'est du passé. Ce n'est pas ce que vous m'avez dit ? « Les regrets n'y changeront rien, alors oubliez ça » ?

— Conneries.

Son honnêteté fait naître un sourire sur mon visage.

— Tout à l'heure, vous avez employé l'expression « un paquet de merde ». C'est quelque chose qu'on disait au Vietnam, ça, non ?

— Ouais, acquiesce-t-il, l'air ailleurs.

— Vous êtes allé là-bas ?

— Ouais.

— Vous semblez trop jeune pour ça.

— J'y étais sur la fin. De 1971 à 72.

Ce qui lui fait quarante-six ou quarante-sept ans s'il est parti quand il en avait dix-huit.

— Ça s'est terminé en 1973, dis-je. En 75, pour être tout à fait exacte. Il y avait encore beaucoup de combats au sol en 71.

— C'est ce que je voulais dire. La fin des combats.

— Quelle arme ?

— Infanterie.

— Vous avez été appelé sous les drapeaux ?

— J'aimerais pouvoir vous répondre « oui ». Mais la vérité, c'est que je me suis porté volontaire. N'importe quel civil faisait des pieds et des mains pour éviter d'y aller, chaque soldat là-bas était prêt à n'importe quoi pour partir de ce bourbier, et moi, c'était tout le contraire. Mais qu'est-ce que je savais de la vie ? Je n'étais qu'un gosse d'un bled paumé du fin fond de l'Idaho. J'ai fait la formation commando, tout le toutim.

— Comment considériez-vous les reporters que vous avez vus là-bas ? Les photographes ?

— Ils avaient un boulot à faire, tout comme moi.

— Un boulot différent.

— C'est vrai. J'en ai croisé deux ou trois qui étaient des types bien. Mais j'en ai vu aussi qui restaient planqués dans leur chambre d'hôtel et qui envoyaient un Vietnamien prendre des photos des combats à leur place. Ceux-là ne me plaisaient pas trop.

— Ça arrive encore pour d'autres guerres.

— J'ai vu votre nom sous quelques photos plutôt dures. Vous êtes de la même trempe que votre père ?

— Honnêtement, je ne saurais pas vous le dire. Tout ce que je sais de son comportement sur le terrain, c'est ce que les gens qui l'ont côtoyé m'en ont dit. Non, je crois que nous ne sommes pas le même genre de photographe.

— Comment ça ?

— Les guerres attirent des catégories différentes de reporters. Il y a les types qui restent à l'hôtel, comme vous l'avez dit. Ceux-là ne comptent même pas. Il y a ceux qui rêvent de devenir Hemingway, et qui viennent là surtout pour se prouver quelque chose. Et puis il y a ceux qui prennent leur pied dans le danger, qui vivent pour la montée d'adrénaline. Ceux-là sont dingues. Comme Sean Flynn, qui fonçait à l'arrière d'une moto, l'appareil à la main, en pleine fusillade. Et il y a les bons. Ceux qui exercent leur métier parce qu'ils ont le sentiment que c'est la chose à faire. Ils sont conscients du danger, ils ont le ventre noué par la trouille, mais ils y vont quand même. Ils rampent pour arriver au plus près de cet enfer, là où les mortiers pilonnent et où les balles de mitrailleuses sifflent.

— C'est le genre de courage que je respectais là-bas, dit Kaiser calmement. J'ai connu des soldats qui étaient comme ça.

Son visage est marqué par une douleur muette. Je me demande s'il s'en rend compte.

— Quelque chose me dit que vous étiez un soldat « comme ça », lui dis-je.

Il ne répond pas, et j'enchaîne :

— C'est le genre de courage qu'avait mon père. Il n'était pas si doué que ça, comme photographe, quand on y regarde de près. Son sens de la composition n'a jamais été extraordinaire. Mais il s'approchait si près de l'éléphant que même les dingues ne le suivaient pas. Et quand vous êtes aussi près, le sens de la composition n'a plus d'importance. Seul compte le cliché. Et c'est ce qui faisait que les siens étaient uniques. Il est allé au Laos et au Cambodge. Il a passé douze jours à Khe Sanh, pendant les pires moments du siège. J'ai une photo de lui prise par un *marine* en train de pisser en plein milieu de la piste Ho Chi Minh.

Kaiser me regarde enfin.

— Qui vous a parlé de ça ? De l'éléphant ?

— Mon père. Quand j'étais petite, un jour, je lui ai demandé pourquoi il faisait un métier aussi dangereux, et il s'est efforcé de me démontrer que ce n'était pas dangereux du tout. Il a dit que les soldats surnommaient le combat « aller voir l'éléphant », comme si tout ça n'était qu'un grand cirque.

— Et ça l'était, par bien des aspects.

— Plus tard, quand j'ai pu me rendre compte par moi-même, j'ai compris ce qu'il avait voulu dire.

— Si vous n'êtes pas comme lui, quelle sorte de photographe êtes-vous ? Pourquoi faites-vous ce métier ?

— Parce qu'il faut que je le fasse. Je ne me souviens même pas avoir choisi consciemment cette profession.

— Est-ce que vous essayez de changer le monde ?

Je ris de nouveau.

— Au début, oui. Je ne suis plus aussi naïve aujourd'hui.

— Vous l'avez probablement changé plus que ne le fera l'immense majorité des gens. Vous avez changé l'esprit des gens, vous leur avez fait voir la réalité sous un angle nouveau. Et c'est le truc le plus difficile à réussir en ce bas monde, si vous voulez mon avis.

— Vous voulez bien m'épouser ?

Il rit et me donne une petite tape sur l'épaule.

— Vous êtes en mal d'affirmation à ce point ?

— L'année écoulée a été vraiment mauvaise.

— Les deux dernières l'ont été pour moi. Bienvenue au club.

Le portable de Kaiser sonne encore. Il l'ignore, mais cette fois l'appel se fait insistant, et il finit par jeter un coup d'œil à l'écran.

— C'est Baxter, à Quantico.

Il appuie sur la touche envoi.

— Kaiser, annonce-t-il, et son visage s'assombrit à mesure qu'il écoute. Entendu.

Coupant la communication, il rassemble les emballages du repas.

— Que se passe-t-il ?

— Baxter veut que je revienne au Centre opérationnel.

— Pourquoi ?

— Je ne sais pas, mais il m'a dit de vous amener. Ils préparent une liaison vidéo avec Quantico, et il tient à votre présence.

Mon cœur s'arrête.

— Oh, bon sang... Vous croyez qu'ils ont découvert quelque chose à propos de Jane ?

— Inutile d'essayer de deviner.

Il lance les sacs en papier l'un après l'autre dans une poubelle métallique à quatre mètres de là. Tous tombent dedans sans toucher le bord.

— Mais Baxter avait la voix tendue, ajoute-t-il. Il y a du nouveau.

7

Situé au troisième étage de l'immeuble du FBI, le Centre opérationnel a été conçu pour que le visiteur ne voie que des couloirs aveugles et des portes pleines jusqu'à ce qu'il en franchisse une. Peu sont ouvertes alors que je passe devant et, de l'intérieur, je sens les gens qui m'observent. Devant une porte marquée « PATRICK BOWLES, DIRECTEUR RÉGIONAL », Kaiser se retourne et m'adresse un clin d'œil d'encouragement

— Ne soyez pas timide. Dites simplement ce que vous pensez.

— C'est ce que je fais, en général.

Il acquiesce et me fait pénétrer dans une grande pièce en L éclairée par une baie vitrée donnant sur le lac Pontchartrain. Un bureau trône dans le coude du L, derrière lequel est assis un homme au teint rubicond, aux yeux verts et vifs et aux cheveux argentés. En chemin, Kaiser m'a expliqué que le directeur régional Bowles est le membre du FBI le plus ancien de tout l'Etat de Louisiane. Il commande cent cinquante agents de terrain et cent personnes assurant le soutien administratif. Avocat de formation, Bowles a servi dans six autres

Centres opérationnels où il a supervisé maintes enquêtes d'envergure. Soucieux de son apparence, le directeur régional est l'antithèse de John Kaiser : il porte un costume trois pièces qui n'a jamais vu les portants d'un grand magasin, ses boutons de manchette sont en argent et sa cravate en soie. Quand il se lève pour nous accueillir, je remarque ses chaussures. Elles viennent de chez Johnston & Murphy, ou l'équivalent.

— Mademoiselle Glass ? dit-il en tendant la main. Patrick Bowles.

Un soupçon d'accent irlandais dans la voix. Cela me rappelle l'Irish Channel, mais bien sûr celui-ci est maintenant occupé par des familles noires et cubaines, et non plus par des immigrants irlandais. Pour éviter tout embarras, je lui serre la main, en souriant poliment.

— Asseyez-vous, je vous prie, dit-il en m'indiquant un des fauteuils en cuir disposés devant son bureau.

Sur ma gauche, Arthur Lenz occupe un canapé, dans la partie longue du L. Le bon docteur n'a pas l'air très content, mais il se lève et vient vers nous. Lui et Kaiser ne se saluent pas. Kaiser s'assied sur un fauteuil à côté du mien, tandis que Lenz choisit le canapé contre le mur, sur ma droite. Le directeur régional Bowles reprend place derrière le bureau. Il semble du genre terre à terre, ce qui me va parfaitement.

— Avez-vous du nouveau sur ma sœur ?

— Vous avez déjà rencontré Daniel Baxter ? me demande le directeur en ignorant totalement ma question. De l'USR.

169

— Vous savez que oui.

Il consulte sa montre.

— M. Baxter veut discuter de quelque chose avec nous quatre. Nous aurons la liaison satellite dans une trentaine de secondes.

Bowles presse une touche sur le clavier encastré dans son bureau, et un pan de mur d'un mètre de large coulisse vers le haut derrière Lenz, dévoilant un grand écran plat. Je ne peux m'empêcher de murmurer :

— Comme dans un James Bond...

Avec un soupir irrité, Lenz quitte son siège et va s'appuyer de l'épaule contre la baie vitrée à la droite du bureau de Bowles. Je glisse un regard rapide à Kaiser, qui ne montre rien de ses émotions. Je suppose qu'au FBI, on est habitué au rythme syncopé « hâtez-vous/patientez ». C'est pareil dans le photojournalisme. Après un moment, l'écran vire au bleu et des chiffres se mettent à clignoter dans le coin inférieur droit.

— Il y a une caméra au-dessus de l'écran, dit Bowles. Baxter peut tous nous voir grâce au grand angle.

— Bonjour, Patrick. Bonjour, mademoiselle Glass. John. Arthur.

La transmission vidéo est d'une stabilité et d'une netteté remarquables. Le chef de l'USR me regarde droit dans les yeux en parlant, et j'ai l'impression qu'il se trouve réellement dans la même pièce que nous.

— Mademoiselle Glass, dès l'instant où vous m'avez contacté sur votre vol de retour de Hong Kong, nous avons fait intervenir tout le poids des départements d'Etat et de la justice pour rassembler les peintures de la série des *Femmes endormies* pour expertise. Des négociations telles que celle-ci demandent habituellement des semaines, mais les exigences de la situation nous ont permis d'appliquer une pression sans précédent. Nous avons maintenant en notre possession six des portraits. Les analyses ont déjà commencé, menées par nos techniciens et des consultants extérieurs. La mauvaise nouvelle, c'est que nous n'avons relevé aucune empreinte dans la peinture.

— Merde, gronde Bowles.

— Il y a des centaines d'empreintes sur les cadres, naturellement, mais elles sont probablement sans intérêt pour nous. En revanche, nous avons décelé des traces de talc sur la peinture, ce qui accréditerait l'usage de gants chirurgicaux par l'artiste durant son travail. Nous détenons ce que nous pensons être la première toile de la série, et elle porte des traces de talc, ce qui suggère que notre homme a cherché à protéger son anonymat dès le départ. Ce type n'apprend pas au fur et à mesure. C'est un savant. Nous avons passé les peintures aux rayons X, pour voir s'il n'y avait pas de message caché ou de fantôme, mais nous...

— Qu'est-ce que c'est ? interrompt Bowles. Un « fantôme » ?

— Une peinture précédente sous la peinture visible, répond Lenz, ouvrant la bouche pour la première fois.

— Les rayons permettent aussi de distinguer les empreintes directement sur la toile, sous la peinture, poursuit Baxter. Notre homme ne s'est peut-être pas montré aussi précautionneux quand il a tracé les esquisses, sachant que la toile serait bientôt recouverte par la peinture.

— N'y comptez pas trop, dit Kaiser. Les artistes connaissent bien les analyses par rayons X.

— Je vous remercie de me tenir informée de tout ça, dis-je à l'écran, mais où cela nous mène-t-il ? Où est l'urgence de cette réunion ?

— Je vous demande encore un peu de patience, dit Baxter. Nous avons obtenu des propriétaires que huit toiles nous soient expédiées à Washington. Les possesseurs des six autres, tous en Asie, nous ont autorisés à envoyer nos experts étudier leurs peintures sur place, chez eux ou dans leur galerie. Nos équipes sont déjà en route.

— Reste cinq portraits, conclut Kaiser. Il y en a dix-neuf au total, c'est bien ça ?

Baxter acquiesce.

— Les cinq autres sont la propriété d'un nommé Marcel de Becques.

— Un Français ? demande Bowles.

Un déclic se produit en moi quand je me remémore quelque chose que Christopher Wingate a dit.

— C'est un peu plus compliqué que ça, dit Baxter. De Becques est né en Algérie en 1930, mais il a grandi au Vietnam. Son père était un homme d'affaires français qui a investi dans les plantations coloniales de thé.

Je termine pour lui :

— Et il réside aux îles Caïmans.

— Comment avez-vous appris ce détail ? me demande Baxter d'un ton sec.

— Wingate a mentionné ce de Becque.

— Il refuse de nous envoyer ses toiles ? s'enquiert Kaiser.

— Non seulement il ne veut pas nous les expédier, mais il a également refusé qu'une de nos équipes d'experts se rende à sa propriété de Grand Caïman pour examiner les portraits.

Kaiser et Lenz échangent un regard.

— Quelle raison a-t-il donnée ? dit le psychiatre.

— Il a dit que c'était inopportun.

— Le fumier, grogne Bowles. Que fabrique-t-il aux îles Caïmans ? Sans doute qu'il s'y cache.

— En effet, confirme Baxter. En 1975, alors que nous étions en train d'évacuer par hélico les derniers Américains du toit de notre ambassade à Saigon, de Becque prenait la tangente à bord d'un avion privé. Il avait vendu ses plantations juste avant l'offensive du Têt, ce qui en soi est un élément pour le moins suspect. Il entretenait des contacts avec les services de renseignements des deux bords, et il est indubitable qu'il a joué double jeu pour son seul bénéfice. Une rumeur insistante l'a dit fortement impliqué dans l'économie de guerre « non officielle » pendant toute la durée du conflit.

— Autrement dit il a fait fortune dans le marché noir, dit Kaiser avec un dégoût manifeste.

— Il y a quatre ans, continue Baxter, de Becque s'est trouvé mêlé à une escroquerie à la Bourse de Paris. L'affaire tournait autour de la prétendue découverte de platine en Afrique. Il a dû fuir, mais il aurait empoché pas loin de cinquante millions de dollars dans cette histoire.

Derrière son bureau, Bowles pousse un petit sifflement.

— Les Français ne peuvent pas obtenir son extradition des Caïmans parce qu'il s'est établi quelque temps au Québec et a obtenu la citoyenneté canadienne. Or le Canada et les Caïmans n'ont pas signé de traité d'extradition. Nous, nous pouvons le faire extrader des Caïmans. Notre problème, c'est que de Becque n'a commis aucun crime avéré sur le territoire des Etats-Unis. Nous ne pouvons donc exercer aucune pression légale sur lui.

— Pour ce que nous en savons, dit Bowles, si nous avons des preuves suffisantes pour émettre un mandat d'arrêt international pour association de malfaiteurs, nous pourrions aller là-bas et le ramener, d'après les nouvelles lois.

— Ce n'est pas une option viable pour l'instant, Pat, intervient Baxter.

De façon très inattendue, Kaiser formule à haute voix ce que je pense :

— Quel est le rapport de tout ça avec Jordan Glass ?

Baxter se retourne vers moi.

— Monsieur de Becque nous a fait une contre-proposition très singulière. Il m'a dit personnellement qu'il accepterait que ses *Femmes endormies*, car c'est ainsi qu'il se réfère aux peintures, comme si c'étaient des femmes réelles, qu'il accepterait donc qu'elles soient photographiées, mais pas examinées par des experts, notez-le bien, et uniquement par Jordan Glass.

Le silence tombe sur la pièce, et un frisson glacé d'appréhension remonte le long de mon échine.

— Pourquoi diable tient-il à ce que ce soit moi ?

— J'espérais justement que vous pourriez nous éclairer un peu sur ce point, répond Baxter.

— Et si de Becque était le tueur ? suggère Bowles. Il a tué Jane Lacour, et soudain il découvre qu'elle avait une sœur jumelle. Il veut l'assassiner elle aussi. Pour finir le travail.

D'une voix teintée de dédain, Lenz déclare :

— Veuillez limiter vos théories à des domaines qui vous sont familiers. Comme les braquages de banques.

— Arthur... prévient Baxter.

Bowles est si rouge qu'il semble prêt à éclater.

— De Becque a soixante-dix ans, dit Baxter. Il tombe très en dehors de nos profils de tueurs en série.

— Il ne s'agit peut-être pas de meurtres en série, rétorque Kaiser, ce qui lui attire des regards étonnés des autres. Et de Becque pourrait aisément être celui qui choisit les victimes. Il faut que nous sachions s'il est venu à La Nouvelle-Orléans durant les dix-huit derniers mois, et si oui, à combien de reprises.

— De Becque possède son propre jet privé, remarque Baxter. Un Cessna Citation.

Kaiser hausse les sourcils.

— Nous travaillons à retracer tous ses déplacements en ce moment même.

Lenz tourne son attention vers lui.

— Vous pensez réellement qu'un meurtrier, ou un kidnappeur, qui jusqu'à maintenant s'est montré aussi prudent, inviterait sa prochaine victime dans son repaire par l'intermédiaire du FBI ?

— C'est très envisageable, répond Kaiser. Une sorte d'ultime pied de nez. Il sait que nous avons découvert le lien entre ses victimes et les peintures. Il a tué Wingate, ou commandité sa mort, de sorte que son canal marketing est définitivement fermé. D'une façon ou d'une autre, il sait qu'il ne lui reste plus beaucoup de temps. Alors il décide de passer à la postérité par sa sortie. Meurtre-suicide avec une célébrité.

En dépit de l'antipathie patente qu'il nourrit à l'encontre de Kaiser, Lenz prend la théorie très au sérieux.

— S'il est du type suicidaire, pourquoi avoir pris la peine de tuer Wingate ?

— Réaction instinctive. Comme les gens qui ne peuvent pas s'empêcher de tuer un serpent dès qu'ils en voient un. Il a perçu une menace et il l'a neutralisée avant de réfléchir à la manière dont Wingate pouvait affecter sa situation.

Lenz a un rictus pensif.

— Le jet de De Becque est-il allé à New York hier ?

— Non, dit Baxter. L'avion n'a pas bougé de Grand Caïman ces dernières vingt-quatre heures. Info certifiée. Nous vérifions les vols commerciaux.

— Vous pouvez oublier ça, marmonne Lenz.

— De Becque a dit qu'il enverrait son jet pour prendre Mlle Glass et son matériel, dit Baxter. Le piège, c'est qu'elle doit embarquer seule pour les Caïmans.

Kaiser prend un air incrédule.

— Vous n'y pensez pas sérieusement ?

— John, nous devons envisager toutes les...

Kaiser fait volte-face vers Lenz.

— Depuis combien de temps êtes-vous au courant, pour de Becque ?

— J'ai su ce que vous avez fait quand vous l'avez fait, dit Lenz.

Ce qui n'est pas exactement une dénégation.

— J'accepte, dis-je.

De nouveau, un silence.

— Si vous le faites, hors de question que ce soit selon les conditions édictées par de Becque, lâche enfin Baxter.

— Sous aucun prétexte, renchérit Kaiser. Nous ne contrôlons rien là-bas.

— Il faut que nous puissions étudier ces peintures, John.

— Si elle prenait un de nos avions, dit Bowles, nous pourrions embarquer également la Brigade d'intervention. Elle monte dans l'avion branchée, et si ça dégénère, nos gars peuvent intervenir sur zone et les ramener *tous les deux* : elle et de Becque.

— Si ça dégénère ? répète Kaiser. Vous voulez dire si de Becque lui tire une balle dans la tête ? Alors la Brigade d'intervention, qui se trouve toujours dans l'avion, à l'aéroport, va se mettre en route vers la propriété ?

— Economisez votre souffle, raille Lenz. Il parle d'envahir un pays étranger.

— Alors nous en parlons d'abord aux Britanniques, insiste Bowles. Les Caïmans sont toujours colonie britannique.

— Nom de nom... grommelle Lenz.

Il semble atterré par l'ignorance qui l'entoure. Soit le psychiatre a oublié où il se trouvait, soit il croit que le soutien de Baxter le met à l'abri des balles.

— Parlons net, dis-je à Kaiser. Vous croyez qu'un type de soixante-dix ans sillonne La Nouvelle-Orléans pour kidnapper des femmes entre vingt et quarante ans ? Sans laisser de trace ? Ma sœur faisait cinq kilomètres de jogging quotidiennement, et s'exerçait avec des haltères. Elle aurait été capable de filer une dérouillée à n'importe quel vicelard de soixante-dix ans. Excusez l'expression.

— Soixante-dix ans, ce n'est pas si vieux, réplique Lenz qui joue l'avocat du diable. Il y a des hommes de soixante-dix ans qui sont en excellente forme physique.

— Et vous oubliez la marque du Taser sur le cou de la victime de Dorignac. Mais si de Becque est derrière tout ça, je le vois bien passer commande de ces peintures. Il paie un type ou deux pour enlever les femmes, et un artiste pour les peindre. Un type comme lui ? Un expatrié volontaire ? Il a probablement une armée de gardes du corps sur sa propriété. Des commandos israéliens à la retraite, des ex-paras, ou des anciens de la Légion étrangère. Peut-être même du GIGN.

— Un scénario très chic, commente Lenz.

— Vous pensez que de Becque pourrait les peindre lui-même ? demande Bowles.

— C'est un collectionneur, pas un peintre, répond Lenz dans un soupir dédaigneux. Mais s'il les commande, alors pourquoi n'en possède-t-il que cinq ? Pourquoi ne les aurait-il pas toutes ?

— Il aurait pu les revendre, propose Baxter.

— Un type qui pèse cinquante millions de dollars ? s'étonne Bowles.

— Un canular à grande échelle, suggère Kaiser. Il veut bouleverser le monde de l'art. Pour le plaisir. Pour assouvir un fantasme que nous ne comprenons pas encore.

Je ne saurais dire qui défend quelle théorie. Lenz et Kaiser ne s'aiment guère, c'est évident, mais chacun a visiblement du respect pour l'opinion de l'autre. Quant à Baxter, il les respecte tous les deux, puisqu'il les laisse broder. Et pendant qu'ils poursuivent leur joute oratoire, il me vient une question.

— Wingate m'a dit que de Becque lui avait acheté les cinq premières *Femmes endormies*, dis-je à Baxter. Alors comment avez-vous pu trouver du talc sur la première toile ?

— Les peintures n'ont pas été vendues dans l'ordre où elles ont été réalisées, explique-t-il. Nous avons effectué des tests sur la première à avoir été peinte. Une des plus abstraites. Ce sont celles de style réaliste qui se sont vendues les premières et ont déclenché le phénomène.

— Sa période Nabi, ajoute Lenz.

— Les Nabis, oui, bien sûr, dis-je. Wingate en a parlé. Le mot hébreu pour « prophètes ».

— Précisément.

— De Becque savait-il que je collabore avec vous ?

— Il en a donné l'impression, dit Baxter.

— Mais comment pourrait-il être au courant ? fait Kaiser.

— Je l'ignore, John.

Kaiser se tourne vers Bowles.

— Quel degré de sécurité avez-vous imposé sur cette affaire ?

L'Irlando-Américain pince les lèvres. Après tout, c'est le supérieur hiérarchique de Kaiser.

— S'il y a une fuite, elle ne vient pas de chez nous.

Kaiser ne paraît pas convaincu, pas plus que Lenz.

— Bon, alors, que faisons-nous ? lance le directeur régional.

— Je vais me rendre sur Grand Caïman, dis-je. D'une façon ou d'une autre.

Lenz approuve d'un hochement de tête, mais Kaiser me fusille du regard.

— Il ne s'agit pas d'une balade à travers la Somalie avec un passe de presse dans la poche.

C'est à mon tour de me sentir rougir.

— Je suis flattée de votre désir de me protéger, agent Kaiser, mais je ne pense pas que cela fasse progresser cette enquête.

— Elle a raison, dit Lenz.

— Ce que nous allons faire, déclare Baxter d'un ton sans réplique, c'est laisser Mlle Glass mener sa barque comme elle l'entend. Nous savons ce qu'elle souhaite. A nous de décider quelle stratégie est la plus adaptée.

— Elle a besoin d'une protection rapprochée, dit Kaiser. Nous n'avons aucune idée de ce qui se passe dans cette affaire, aucune idée du mobile. De Becque peut très bien avoir des hommes à lui à La

Nouvelle-Orléans en ce moment même. Ils pourraient l'enlever ou la tuer n'importe quand.

— Accordé, dit Baxter. Patrick, pouvez-vous détacher un de vos agents à la protection rapprochée de Mlle Glass jusqu'à ce que nous la contactions ?

Bowles opine.

— Mademoiselle Glass, dit Baxter du même ton définitif, j'apprécie votre volonté d'aller jusqu'au bout. Et si l'agent Kaiser vous connaissait comme je vous connais, il saurait qu'il est inutile de discuter avec vous.

Bowles se tourne vers Kaiser.

— Emmenez-la et trouvez-lui une protection, John. Un élément qui vous donne entière satisfaction.

Kaiser se lève et sort sans m'accorder un regard.

Je quitte mon siège moi aussi.

— Messieurs, dis-je en guise de salut, avec le panache développé en vingt années de travail dans une profession dominée par les hommes.

Et je suis Kaiser à l'extérieur.

Il m'attend dans le couloir, mâchoires crispées.

— Votre profession a amoindri votre capacité à évaluer les risques, dit-il. Parce que vous avez arpenté quelques champs de bataille, vous croyez qu'une visite aux îles Caïmans sera une promenade de santé. En zone de combat, le plus grand ennemi d'un reporter, c'est la malchance. Vous pouvez écoper d'une balle perdue, ou d'un éclat d'obus, mais personne n'essaie vraiment de vous tuer. De Becque n'a peut-être rien d'autre à l'esprit que vous tuer. Vous pigez ça ? Vous franchissez sa porte d'entrée, et il peut très bien vous enfoncer un couteau dans la gorge et vous rire au visage.

— Vous avez fini ?

— Pas si vous pensez toujours aller là-bas. Nous obtiendrons des photos de ces peintures d'une autre manière. Vous n'avez aucune raison de prendre ce genre de risque.

— Agent Kaiser, vous avez une sœur ?

— Non.

— Un frère ?

— Oui.

— Alors pourquoi discuter plus longtemps ?

Il soupire et baisse les yeux. Je le contourne, mais il me retient d'une main sur l'épaule.

— Et pour la protection ?

— Trouvez-moi quelqu'un qui ne soit pas un robot, et ça ira.

Je lui effleure l'épaule à mon tour.

— Je ne suis pas stupide, d'accord ?

— Qu'avez-vous prévu de faire cet après-midi ?

— Je compte aller acheter des cadeaux pour ma nièce et mon neveu. Je suis censée loger chez eux cette nuit. Chez mon beau-frère.

— C'est dans le coin où votre sœur a disparu. Garden District.

— Ce qui prouve qu'aucun quartier n'est sûr, c'est ça ? A moins de déménager de l'autre côté du lac. Où habitez-vous ?

— De l'autre côté du lac. Comme la plupart des agents ici.

— Qu'est-ce que cela nous apprend sur vos efforts pour combattre le crime ?

182

Kaiser tourne les talons et se dirige vers les ascenseurs. Je lui emboîte le pas.

— Les homicides ne sont pas de notre juridiction, dit-il.

— A part les cas très spéciaux.

— Exact.

— Je suppose que vous n'êtes pas en mesure d'assurer ma sécurité cet après-midi ?

— Non, répond-il en riant. Mais j'ai quelqu'un de très bien en tête, pour tenir ce rôle.

— C'est un dur ?

— Pourquoi présumez-vous que c'est un homme ?

— D'accord, alors : c'est *une* dure ?

— Son passe-temps favori, c'est le tir de compétition au pistolet. Elle est membre de notre Brigade d'intervention.

— Est-ce qu'elle va me faire des avances ?

Kaiser se rembrunit, mais ses yeux pétillent.

— Si vous apparteniez au Bureau, vous seriez punie pour cette remarque.

— Mais je n'appartiens pas au Bureau.

— Suggérez-vous que les femmes menant une carrière dangereuse sont parfois homosexuelles ?

— Il m'est arrivé d'en rencontrer.

Il fait halte et me regarde de la tête aux pieds.

— Vous correspondriez très bien à cette catégorie vous-même, mademoiselle Glass.

— N'est-ce pas ?

A présent, il porte son attention sur ma main gauche. Les hommes mettent plus de temps à s'interroger sur le statut marital de leur interlocuteur. Ne voyant pas d'alliance, il a un petit haussement de sourcils interrogateur. Je ne peux réprimer un sourire.

— Ne vous inquiétez pas, agent Kaiser. De ce point de vue au moins, je suis traditionaliste. Et maintenant, si vous me présentiez mon garde du corps ?

Il passe devant les ascenseurs sans ralentir et continue vers l'escalier.

— On a besoin d'exercice ?

— Ces ascenseurs sont d'une lenteur exaspérante, lâche-t-il.

Nous descendons d'un niveau et pénétrons dans une ruche humaine bourdonnante d'activité. Ici, l'étage n'est qu'un grand espace segmenté par des partitions vitrées où s'affairent hommes et femmes bien vêtus. Dix secondes dans cette salle m'apprennent ce qu'ils s'efforcent de dissimuler au niveau supérieur : les locaux du FBI à La Nouvelle-Orléans ont tout d'un immeuble en état de siège. Le visage des agents est sombre, et leur moindre geste trahit la tension qui les habite. La climatisation a été poussée au maximum, mais elle ne peut chasser des lieux l'odeur âcre du désespoir. Depuis un an et demi, dont deux étés caniculaires, ces hommes et ces femmes travaillent d'arrache-pied mais en vain, alors qu'une suite toujours croissante de victimes a installé la peur puis une panique latente dans cette ville qui, au début des années quatre-vingt-dix, s'est habituée au taux de criminalité le plus élevé de la nation. A l'extérieur de ce bâtiment, ma sœur n'est plus qu'un vague souvenir, un élément flou de la paranoïa diffuse qui hante les rues de cette cité ordinairement décontractée. Mais ici, dans ces locaux où l'efficacité est le maître mot, on n'a pas oublié Jane. Ici, la honte de l'impuissance pèse lourdement sur ces soldats civils qui n'ont aucune idée de l'identité de leur ennemi. Alors que je traverse la salle au côté de Kaiser, les regards que je reçois vont d'une crainte presque superstitieuse au ressentiment à peine voilé. C'est elle, se disent-ils. Celle qui a trouvé les peintures. La photographe. Celle dont la sœur y est passée. Celle qui a réchappé à l'incendie...

Un coin de cette immense salle est occupé par une pièce avec de vrais murs et une porte pleine, actuellement ouverte. Kaiser me précède à l'intérieur, où un homme en bras de chemise assis derrière son bureau parle au téléphone. Son bureau est quatre fois moins grand que celui du directeur régional au troisième. Mais sa voix est toute autorité. Quand il raccroche, il accueille Kaiser d'un clin d'œil.

— Quoi de neuf, John ? fait-il.

Dans ses yeux, je vois qu'il est prêt à entendre n'importe quelle nouvelle.

— Bill, voici Jordan Glass. Mademoiselle Glass, je vous présente Bill Granger, chef de la Brigade criminelle spécialisée.

Granger se penche en avant pour me serrer la main.

— Je suis désolé pour votre sœur, mademoiselle Glass. Nous faisons tout ce que nous pouvons.

— Merci. Je comprends.

— Le directeur régional désire affecter un agent à la protection de Mlle Glass pour quelques heures, dit Kaiser. Pour la durée de la nuit, peut-être. Il n'y a pas de menace imminente identifiée, mais nous voulons qu'elle soit accompagnée d'une personne armée. J'ai pensé à Wendy Travis. Vous pourrez vous en passer ?

Granger se mordille la lèvre inférieure puis acquiesce et décroche son téléphone.

— Ça ne devrait pas poser de problème.

Il pianote des doigts sur son genou un instant, puis :

— Pourrais-je vous voir un instant ?… Merci.

Quand il raccroche, il lance à Kaiser un regard aigu.

— J'ai appris que nous avions un psy venu de Quantico là-haut, et qu'il se peut que Baxter en personne descende ici. Vous avez un plan d'action ?

— On y travaille.

— Rien pour mon équipe ?

— J'espère bien que si.

On frappe à la porte derrière nous, et je me retourne pour découvrir une femme à peine moins grande que moi, mais visiblement en excellente forme physique. Elle ne manque pas de charme, dans son style américain bien net, avec son tailleur bleu marine et son chemisier crème. Elle pourrait tout aussi bien être expert-comptable, si l'on n'apercevait la crosse de son arme sous le pan de la veste.

— Mademoiselle Glass, dit Granger, permettez-moi de vous présenter l'agent spécial Wendy Travis. Agent Travis, Jordan Glass. J'aimerais que vous passiez la journée avec elle. Mission de protection.

L'agent Travis me gratifie d'un petit sourire vif et me tend la main. Quand elle serre la mienne, c'est avec une vigueur contenue nettement supérieure à ce que manifestent la plupart des sportives.

— Le temps d'aller chercher mon sac et je suis à vous, dit-elle.

Je m'attends donc à ce qu'elle s'éclipse, mais elle s'attarde sur le seuil du bureau, les yeux sur John Kaiser. Avec un sourire emprunté, celui-ci dit :

— Merci, Wendy. Je savais que vous étiez celle qu'il nous fallait pour ce job.

Littéralement rayonnante d'aise, l'agent Travis remercie d'un hochement de tête et se dirige d'un pas énergique vers un des espaces vitrés. Quand je me retourne vers les deux hommes, Kaiser a les joues rosies et Bill Granger affiche un sourire ironique tout en secouant la tête.

8

Assise au volant de la Mustang à l'arrêt dans St Charles Avenue, j'essaie de rassembler assez de courage pour aller frapper à la porte de mon beau-frère. Je me suis garée un peu plus haut que la maison, au cas où ma nièce et mon neveu regarderaient par la fenêtre. Mon garde du corps féminin se tient à trente mètres de moi, sous un chêne au feuillage étendu, les mains pendant le long du corps. L'agent Travis s'est révélée parfaite pour sa mission, et je me sens plus en sécurité que depuis bien longtemps. Pour Wendy, Jane ne serait qu'un poids léger, parce qu'elle ne court que cinq kilomètres. Il n'est pas difficile de l'imaginer dans un club de tir, entourée d'hommes de cent kilos irrités que cette foutue gonzesse » obtienne des scores bien supérieurs aux leurs. Elle est entrée à l'Académie du FBI en 1992, ce qui me laisse à penser qu'elle est sans doute une de ces « Starling » à avoir signé après avoir vu le personnage enthousiasmant campé par Jodie Foster dans *Le Silence des agneaux*. Je ne l'en blâme pas. Après avoir vu *Annie Hall*, je me suis promenée pendant trois semaines en pantalon trop large, cravate d'homme et chapeau. Wendy au moins a choisi un exemple utile pour se stimuler.

Elle m'a accompagnée sans rechigner en ville pendant que je cherchais des cadeaux pour mes neveu et nièce. Henry a huit ans, et porte le même prénom que le père de mon beau-frère Marc Lacour. Lyn en a six, et porte celui de ma mère. Je ne les ai vus qu'en une occasion depuis mon départ de La Nouvelle-Orléans, il y a déjà onze mois. Je m'étais promis de leur rendre visite plus souvent, mais l'engagement était difficile à tenir. La raison en est simple : je ressemble trait pour trait à leur mère absente. Et quoi que leur dise leur père pour les préparer à ma venue, ils finiront désemparés et en larmes.

Wendy regarde fixement la Mustang, impatiente que j'en descende. Elle sait que cette visite me rend très nerveuse. Il y a une heure, je l'ai persuadée de m'emmener dans un petit bar à la mode sur Magazine. Elle n'a rien pris, j'ai avalé deux gin-tonic. Pour m'aider à ne pas trop penser à ce qui allait suivre. Je l'ai interrogée sur le Bureau de La Nouvelle-Orléans. Elle a commencé sous les ordres du directeur régional Bowles, qui auparavant avait jugé déplaisantes les ambiguïtés des mondes du crime et de la politique en Louisiane, car à son époque ils présentaient beaucoup d'intérêts communs. Il est aujourd'hui sur le point d'envoyer devant les tribunaux un ancien gouverneur et quelques autres sommités locales. Ce qui m'a le plus intéressée a été la manière dont Wendy a parlé de John Kaiser. Pas de son propre mouvement : il a fallu que je lance le sujet. Et à son attitude, j'ai senti qu'elle cherchait à définir la nature et le niveau de mon intérêt pour lui.

Il semble que Kaiser soit le tombeur du Bureau. Toutes les assistantes et les secrétaires flirtent sans vergogne avec lui, mais il n'est jamais sorti avec aucune, ni n'a eu le moindre geste sujet à interprétation, ce qui impressionne énormément Wendy. La biographie de Kaiser ne manque pas non plus d'intérêt. Il était shérif dans l'Idaho quand un collègue du voisinage a demandé l'expertise de Daniel Baxter pour une série de meurtres qui débordaient sur le comté de Kaiser. Avec l'aide de Baxter, Kaiser a fini par arrêter le tueur, et s'est révélé d'une aptitude exceptionnelle pour interroger un suspect et lui soutirer des aveux. Dûment impressionné, Baxter a encouragé le jeune shérif à postuler à l'Académie du FBI. Contre toute attente, le campagnard de l'Idaho a été reçu, et après avoir travaillé sur le terrain à Spokane, Detroit et Baltimore, il a été pressenti par Baxter pour entrer dans l'USR. Ses résultats y ont été remarquables jusqu'à ce qu'il craque sous la pression. Quand j'ai confié à Wendy que je connaissais la dernière partie de l'histoire, elle n'a pas pu dissimuler sa suspicion. Comment avais-je pu apprendre en une journée ce qui lui avait pris des semaines à découvrir ? s'est-elle étonnée.

« Sa femme l'a quitté, a-t-elle ajouté. Il vous l'a dit ?

— Non. »

Elle a eu un sourire satisfait.

« Elle ne supportait plus ses horaires de travail extensibles. C'est très fréquent chez nous.

D'ailleurs, il y a de plus en plus de mariages entre membres du Bureau. Mais à l'époque, il n'a même pas pris un jour de congé pour régler ça. Il l'a simplement laissée partir.

— Des enfants ? » ai-je demandé.

Elle a secoué la tête négativement.

— Il m'a dit qu'il avait fait le Vietnam. Il vous en a parlé ?

— Il n'en parle jamais. Mais Bowles a raconté au commandant de ma Brigade d'intervention qu'il avait vu le dossier militaire de John. Il a reçu un tas de médailles. Bowles a estimé que nous devrions essayer de faire venir John dans la Brigade. Mon commandant l'a approché, mais il a répondu que cela ne l'intéressait pas. Qu'en pensez-vous ?

— Ça ne me surprend pas. Les hommes qui ont vu beaucoup de combats n'ont plus guère d'illusions sur les armes comme solution aux problèmes. »

Wendy s'est mordillé la lèvre. Visiblement, elle se demandait si c'était une insulte détournée.

« Vous l'avez vu ? a-t-elle demandé. Le combat, je veux dire. Vous êtes allée en première ligne pour le photographier, et tout ça ?

— Oui.

— Déjà été blessée par balle ?

— Oui. »

Instantanément, je suis remontée de deux crans dans son estime.

« C'est douloureux ?

— Je ne le recommande pas. J'ai reçu un éclat d'obus dans l'arrière-train, aussi. Ça a fait beaucoup plus mal que la balle. On peut dire que j'ai eu chaud aux fesses. »

Wendy a ri, moi aussi, et à la fin de la conversation je savais qu'elle était un peu plus qu'attirée par John Kaiser et que, même si le courant passait bien entre nous, elle me considérait comme une intruse de premier plan.

A présent, l'effet du gin commence à se dissiper, et si je ne descends pas de la Mustang maintenant, je ne le ferai jamais.

Je perçois le soulagement de Wendy quand je sors de la voiture avec les cadeaux empaquetés et que je longe les maisons jusqu'à celle de mon beau-frère. « Maison » est en fait un terme assez inapproprié. Jane et son mari se sont installés dans une de ces demeures massives de St Charles Avenue qu'on appellerait « hôtel particulier » n'importe où ailleurs. Dans cette portion de l'artère, les grilles en fer forgé coûtent plus cher que la plupart des maisons dans les autres quartiers de la ville. Je gravis les marches du perron et fais claquer le heurtoir en cuivre contre le panneau de chêne. Le son qui se répercute à l'intérieur est révélateur de l'espace derrière la porte. Je m'attends à ce que la bonne des Lacour, Annabelle, maintenant attachée au service de Marc et de sa famille, vienne répondre, mais c'est Marc lui-même qui m'ouvre la porte.

On pourrait croire que les gens ont soit la fortune, soit la beauté, mais Marc Lacour prouve qu'on peut avoir les deux. Il a des cheveux blond-roux, des yeux bleus, un visage aux traits ciselés et un physique d'athlète qui lui donne une apparence de dix ans plus jeune que ses quarante et un ans.

192

Après la naissance des enfants, il avait pris dix kilos, mais il les a perdus depuis la disparition de Jane car il s'adonne avec frénésie aux exercices physiques pour lutter contre la dépression. Ce soir il est vêtu d'un pantalon de laine bleue, de mocassins et d'une chemise. En me voyant il me sourit, puis m'attire à lui. Nous nous étreignons. De son corps se dégage une légère odeur d'eau de Cologne.

— Jordan, dit-il en reculant d'un pas. Je suis heureux que tu sois là.

Il me fait pénétrer dans l'immense entrée, referme la porte et me précède dans un salon à la décoration si classique qu'il ne déparerait pas un numéro d'*Architectural Digest*. Pas un jouet qui traîne, pas un emballage vide de pizza en vue. Je me sens presque coupable en déposant mes cadeaux sur le sol, comme si je perturbais ainsi quelque agencement général mystérieux et rigide. Jane était plus décontractée. J'imagine que la vie ici a commencé à revenir aux schémas rencontrés par Marc dans sa propre enfance.

Bien sûr, il n'a pas vraiment d'autre référence, mais la stérilité des lieux me serre le cœur quand je pense aux enfants.

Je me pose sur un fauteuil qui aurait sa place dans un musée.

— Henry et Lyn sont là-haut ?

— Chez mes parents, répond Marc en s'asseyant sur le canapé face à moi.

— Ah. Et quand reviennent-ils ?

— Mes parents ont acheté une maison en bas de

l'avenue. Ils amèneront les enfants ici dès que je les appellerai.

D'accord...

— Que se passe-t-il, Marc ?

— Je voulais te parler avant que tu ne les voies.

— Quelque chose ne va pas ?

— Non. Mais il y a quelque chose que tu dois savoir.

— Quoi ?

Il prend une de ses pauses d'avocat, puis dit de la voix la plus basse qu'il peut émettre :

— Jordan, les enfants savent que Jane est morte.

— *Quoi ?*

— Je devais le leur dire. Je n'avais pas le choix.

Il est toujours étonnant de constater à quel point on peut s'abuser soi-même. Pendant des mois je me suis répété que j'avais fait le deuil de ma sœur, que je l'avais enterrée au fond de mon cœur. Mais maintenant, confrontée à une position fondée sur cette hypothèse, j'ai envie de hurler que c'est faux. La voix qui sort de ma bouche est pareille à celle d'une enfant de quatre ans choquée.

— Mais... Tu ne sais pas si elle est morte !

— Allons, Jordan, soupire Marc, combien de temps attendras-tu encore avant de l'accepter ? Ton père est mort depuis plus de trente ans, et tu le recherches toujours. Je dois élever ces enfants, et ils ne peuvent pas attendre aussi longtemps.

— Ce n'est pas bien, Marc.

— Qu'est-ce qui est bien, alors ? Ils croyaient que Jane était quelque part ailleurs, à souffrir, à la merci de « quelqu'un de méchant ». Qu'elle ne pouvait pas s'échapper ou retrouver le chemin de la maison. Ça finissait par les rendre fous. Ils ne faisaient plus leurs devoirs, ils ne dormaient plus, ils ne *mangeaient* plus. Ils restaient assis devant la fenêtre, à guetter le retour de Jane. J'ai fini par leur dire que Dieu avait emmené Maman au paradis pour qu'elle soit auprès de Lui. Elle n'était pas avec « quelqu'un de méchant », elle était avec Dieu et ses anges.

— Comment leur as-tu expliqué qu'elle était morte ? Ils ont dû te poser la question.

— Je leur ai dit qu'elle s'était endormie et qu'elle ne s'était jamais réveillée.

Bon sang.

— Qu'ont-ils dit ?

— « Est-ce qu'elle a souffert ? »

Je n'ai même pas la réponse à cette question.

Le visage de Marc exprime une détermination farouche.

— C'est mieux ainsi, Jordan. Et je ne veux pas que tu leur dises quoi que ce soit sur ce qui se passe actuellement. Les peintures, l'enquête. Rien de tout ça. Rien qui puisse leur donner l'espoir fou de la revoir un jour en vie. Parce qu'elle ne reviendra pas, et tu le sais. Toutes ces femmes sont mortes. Toutes.

Peut-être tout vient-il de ce que je n'ai pas d'enfants moi-même. Peut-être que les exigences quotidiennes de l'éducation ne peuvent pas être satisfaites quand un point d'interrogation géant plane partout.

— Je tiens à ce que tu fasses partie de leur vie, dit Marc. Mais tu dois comprendre les règles de base. Dans cette famille, Jane est morte. Nous avons eu une messe en son souvenir.

— Quoi ? Tu ne m'as pas prévenue.

— Tu te trouvais en Asie, personne ne savait où exactement.

— Mon agence aurait pu me joindre.

— J'ai pensé que ce serait moins pénible si le sosie de leur mère ne débarquait pas de nulle part pour assister aux funérailles.

— Je n'arrive pas à le croire...

Soudain une décision que j'ai prise des mois plus tôt m'apparaît totalement erronée.

— Il y a quelque chose que je ne t'ai jamais dit, Marc. J'ai reçu un appel téléphonique de Thaïlande, il y a huit mois. Il y avait beaucoup de parasites, et il est possible que je me sois fourvoyée, mais j'ai pensé qu'il s'agissait de Jane.

— Pardon ?

— Elle a dit qu'elle avait besoin d'aide, mais que Papa ne pouvait rien pour elle. Ensuite un homme a pris le téléphone et a dit quelque chose en français. Et puis il a dit en anglais : « Ce n'est qu'un rêve », et il a raccroché.

— Et tu as cru que c'était Jane ? Qui t'appelait de Thaïlande ?

— Je n'en étais pas certaine. Pas sur le moment. Mais maintenant que j'ai découvert ces peintures à Hong Kong... Enfin, tu ne penses pas que ça jette un éclairage nouveau sur cette histoire ?

— Pourquoi ne m'as-tu jamais rien dit de cet appel ?

— Je ne voulais pas que tu sois bouleversé.

— Quand cet appel s'est-il produit ? Durant la journée ? Ou en pleine nuit ?

— Pourquoi ?

— Parce que, il y a huit mois, tu étais dans une période où tu ne parvenais pas à sortir de ton lit, non ? Tes petites vacances sur prescription médicale, je me trompe ?

Je sens la colère monter en moi, mais je la réprime.

— Oui, mais j'ai demandé au FBI de vérifier auprès de la compagnie téléphonique. J'ai réellement reçu un appel provenant de Thaïlande en plein milieu de la nuit. D'une gare ferroviaire.

Marc pose sur moi un regard un peu fixe, qui glisse vers le portrait de ses parents décorant le mur. Ils ont l'air riche, et distant.

— Tu fais ce que tu dois faire, Jordan. C'est ce que nous faisons tous. Mais je ne veux rien savoir. Pas tant que tu n'auras pas des preuves indiscutables que Jane ou une des autres femmes est en vie. Le reste n'apporte que de la souffrance, aucun réconfort.

— C'est parler en avocat.

Ses joues se colorent.

— Tu crois qu'elle ne me manque pas ? J'ai souffert plus que...

Il s'interrompt, sort un portable de sa poche et appelle un numéro préenregistré.

— C'est moi... Je vous attends à la porte.

Il coupe aussitôt la communication et se lève du canapé.

— Je suis presque étonnée que tu me laisses seulement les voir.

— Je te le répète, je veux que tu fasses partie de cette famille. C'est pourquoi je t'ai demandé de rester avec nous. Tu es quelqu'un de bien. Et un modèle super pour Lyn.

— Tu le penses vraiment ?

— Ecoute, oublions le reste et concentrons-nous sur les enfants, tu veux bien ?

« Le reste » étant sa femme disparue.

— Je vais attendre ici.

Avec un soupir, Marc quitte le salon.

La vérité, c'est que je ne sais pas grand-chose des relations qu'avaient Jane et Marc. Ma sœur aimait projeter l'image de la perfection. Ils se sont mariés jeunes, mais Marc voulait attendre pour avoir des enfants d'avoir fourni quelques années de travail acharné lui permettant de devenir associé dans un cabinet. L'idée inquiétait Jane, qui a désiré être mère presque immédiatement, plus pour cimenter leur couple, ai-je craint à l'époque, que pour les enfants eux-mêmes. Mais quand enfin elle en a eu, elle s'est révélé une merveilleuse mère, créant l'environnement fait de chaleur et de sécurité que ni elle ni moi n'avions connu.

Le son de la porte d'entrée qui s'ouvre me parvient, puis le murmure de voix. Les inflexions éraillées par la cigarette d'une matrone de la bonne société se détachent :

— Je pense simplement que ce n'est pas *convenable*. Ils ont déjà trop enduré.

Le timbre assourdi d'avocat de Marc affirme à sa mère qu'il sait exactement ce qu'il fait. A présent il faut absolument que je me prépare, car le bruit assourdi de petites chaussures approche sur le parquet, suivi du claquement des mocassins de Marc. Je ressens une anxiété plus intense que lorsque j'ai rencontré des chefs d'Etat. Les pas se font plus sonores, puis cessent. Mais l'encadrement de la porte demeure désert.

— Vas-y, dit Marc quelque part dans l'entrée. Tout va bien.

Rien ne se produit.

— Elle vous a apporté des *ca*-deaux, fait-il d'un ton chantant.

Une frimousse enfantine apparaît derrière le montant de la porte. Celle de Lyn. Un écho physique de mon visage. Avec ses grands yeux sombres, elle ressemble à un faon guettant à l'abri d'un tronc d'arbre. Alors que sa bouche bée lentement de stupeur, la chevelure blonde et les yeux bleus d'Henry apparaissent derrière elle, au-dessus de sa tête. Il cligne des paupières, puis disparaît brusquement. Je souris aussi largement qu'il m'est possible et ouvre les bras. Lyn jette un coup d'œil en arrière, sans doute vers son père, puis avance dans le salon et trottine jusqu'à moi.

Je dois fournir un effort réel pour ne pas éclater en sanglots quand les petits bras se referment autour de mon cou comme ceux d'une gamine près de se noyer, et qu'elle chuchote à mon oreille :

— Maman, Maman...

Gentiment, je l'écarte de moi et regarde droit dans ses yeux embués.

— C'est Jordan, ma chérie. Je suis...

— Elle le sait, dit Marc en poussant Henry vers moi de ses deux mains posées sur les épaules du garçon.

— Elle a dit « Maman ».

— Lyn, tu sais qui est cette dame ?

La fillette hoche gravement la tête.

— Tu es Tante Jordan. Je t'ai vue sur des photos dans les livres.

— Mais tu as dit « Maman ».

— Parce que tu me rappelles ma maman. Elle est partie au ciel, avec Dieu.

Je plaque une main sur ma bouche pour masquer mon trouble, et Marc vient à mon secours en poussant Henry en avant.

— Et ce grand garçon, là, c'est Henry, Tante Jordan.

— Je sais. Salut, Henry.

— J'ai remporté une coupe en football, annonce-t-il.

— C'est vrai ?

— Tu veux la voir ?

— Bien sûr. Mais je t'ai apporté un cadeau. Tu n'as pas envie de voir ce que c'est, d'abord ?

Il se retourne vers son père pour lui demander la permission du regard.

— Voyons donc ce que c'est, approuve Marc.

Je désigne le paquet dans son emballage posé sur le sol, près de la porte.

— Tu crois être assez grand pour l'ouvrir tout seul, Henry ?

— Ouais !

Il se précipite sur l'objet en question et en quelques instants dévoile un carton de la taille d'un gros livre frappé du sigle Panasonic.

— C'est un lecteur DVD, P'pa ! Regarde ! Pour la voiture !

— Un peu extravagant, non ? me glisse Marc avec un froncement de sourcils.

— C'est le privilège d'une tante d'être extravagante.

— On dirait bien, en effet.

Lyn est restée immobile devant moi, et me regarde calmement. Elle ne demande même pas si elle aussi a droit à une surprise.

— Et ça, c'est pour toi, dis-je en lui tendant le paquet plus petit posé au pied du siège.

— Qu'est-ce que c'est ?

— Regarde.

Avec soin, elle défait le nœud du ruban qu'elle met de côté, et ces gestes très simples me brisent le cœur. Elle a appris cette attitude toute de retenue auprès de Jane, tout comme ma sœur l'avait apprise de notre mère. Jane survit toujours, à travers de grands et de petits signes. Enfin la boîte devient visible, et Lyn l'étudie avec attention.

— Qu'est-ce que c'est ?

— Voyons si tu peux deviner. Tu peux lire ce qui est écrit ?

— Nik-on ? Nikon ? Coolpix. Neuf-neuf-zéro.

— Bravo ! Attends, je vais le sortir de l'emballage pour toi.

J'ouvre la boîte, j'en retire la mousse entourant la housse en plastique et le lui tends.

— Alors, qu'est-ce que c'est, à ton avis ?

Elle étudie l'objet, remarque le petit objectif.

— Un appareil photo ?

— Oui.

Ses lèvres s'ourlent sur une expression indéchiffrable.

— C'est un appareil photo pour les enfants, ou pour les grands ?

— Pour les grands. C'est un très bon appareil. Il faudra que tu fasses très attention quand tu apprendras à t'en servir. Passe toujours la lanière autour de ton cou pour ne pas le faire tomber. Mais ne fais pas trop attention quand même. Ce n'est qu'un outil. Le plus important, c'est ton regard, et ce que tu vois dans ta tête. L'appareil photo n'est là que pour t'aider à montrer aux autres ce que tu vois. Tu comprends ?

Elle acquiesce lentement, les yeux brillants.

— P'pa ! s'exclame Henry. Il y a deux DVD aussi ! *Le Géant de Fer* et *El Dorado* !

— C'est vrai que tu vas rester avec nous cette nuit ? interroge Lyn.

— Oui.

— Tu m'apprendras comment m'en servir ?

— Bien sûr. Les photos que tu prends avec cet appareil passent dans un ordinateur, et ensuite elles sortent sur l'imprimante. Je parie que tu as un ordinateur, non ?

— Mon papa en a un.

— Alors nous le lui emprunterons jusqu'à ce qu'il t'en offre un. Pas vrai, Papa ?

Marc secoue la tête, mais il sourit.

— Bien sûr. Bon, qui est prêt pour le dîner ?

— C'est toi qui l'as préparé ?

— Tu plaisantes ? Annabelle !

Après une demi-minute à peine, un claquement de talons résonne dans le couloir, suivi par la voix d'une femme noire âgée :

— Qu'est-ce qui vous fait brailler comme ça, monsieur Lacour ?

— Où en est le repas ?

— Bientôt prêt.

Annabelle apparaît sur le seuil de la pièce, et ce n'est pas une femme imposante à la démarche lente, comme je me l'étais imaginé, mais une personne mince, élancée, toute efficacité. Elle arbore un sourire chaleureux qui s'évanouit dès que son regard se pose sur moi, pour être remplacé par une expression où le doute le dispute à une peur diffuse.

— Annabelle, voici Jordan, dit Marc.

— Seigneur, je le vois bien, répond-elle à mi-voix. Mon enfant, vous êtes le portrait craché de...

Elle suspend sa phrase en jetant un coup d'œil aux enfants. Comme poussée par une force indépendante de sa volonté, Annabelle traverse le salon jusqu'à se tenir devant moi. Je serre la main qu'elle me tend, et elle me rend la pression avec une énergie remarquable.

— Dieu vous garde, dit-elle.

Puis elle va auprès de Henry et Lyn, se casse presque en deux, les serre brièvement dans ses bras à tour de rôle, et repart vers la porte.

— Vous pourrez partir dès le dîner fini, lui dit Marc. Bonne soirée.

— Dès que j'aurai sorti les petits gâteaux du four, fait-elle d'une voix lointaine, je rentrerai chez moi.

Après son départ, je dis à Marc :

— J'ignorais qu'on en faisait encore des comme ça.

— Tu es restée loin du Sud trop longtemps.

Annabelle est une perle. Sans elle, cette famille ne tiendrait pas. Mais je crois que ta vue lui a causé un choc.

Quand nous nous rendons dans la salle à manger, la table est dressée, les plats disposés ici et là. Un filet de porc avec une sauce qui sent le miel et le sucre roux, du gruau de maïs au fromage, des biscuits en forme de tête de chat, et une salade. Après des mois de nourriture asiatique, ces parfums venus tout droit de mon enfance submergent mes sens. Jane est partout autour de moi. Elle et moi avons grandi sans jamais voir de porcelaine, et naturellement elle a passé des mois à se décider sur le dessin qui orne le magnifique service Royal Doulton exposé devant moi. Et sans doute autant de temps pour les verres en cristal de Waterford et l'argenterie Reed & Barton.

— C'est magnifique, non ? dis-je à Henry. Viens, assieds-toi à côté de moi. Et Lyn, là.

— Mais ta place est au bout de la table, remarque la fillette.

— Je préfère être auprès de vous.

Le sourire que me décoche Lyn pourrait illuminer le monde. Elle et son frère prennent les chaises de chaque côté de la mienne, et nous attaquons tous le repas avec entrain. Il est étonnant de constater la rapidité avec laquelle notre conversation prend un rythme naturel, ponctuée par des moments de silence qui seuls sont porteurs de gêne. Les enfants me contemplent comme s'ils avaient perdu tout sens du temps, et je devine qu'ils revivent les heures passées à cette table avec leur mère. A un moment, même les yeux de Marc semblent embués quand il se laisse aller dans cette dimension où ses enfants glissent si aisément. Je ne peux leur en vouloir. Il y a treize mois, la main du destin est venue arracher le personnage de la mère du tableau idyllique de cette famille, laissant un vide douloureux et incompréhensible. A présent, par magie dirait-on, ce vide est de nouveau comblé, par une femme qui ressemble trait pour trait à celle qui a été effacée de la scène.

— Il est temps d'aller au lit, annonce Marc.

— Non ! s'écrient les deux enfants à l'unisson.

— Pourquoi ne pas leur accorder une petite dérogation de quelques minutes, rien que pour ce soir ?

Marc a l'air las de mes interventions, mais il accepte. Nous passons dans le salon, et je donne à Lyn sa première leçon dans le maniement du Nikon digital, tandis que Henry charge *El Dorado* dans son lecteur DVD portable. Lyn est agile de ses mains, et le sourire de fierté qu'elle affiche me sur-prend. Après qu'elle a pris quelques poses, je les transfère dans l'agenda électronique de Marc. Les résultats sont plutôt satisfaisants, et Lyn est aux anges. Marc essaie de nouveau d'envoyer les enfants au lit, mais ils refusent, s'assoient sur mes cuisses pour m'implorer de plaider leur cause. Ce que je fais. Avant longtemps, Henry est à demi endormi, et j'ai les deux jambes engourdies. Marc est installé dans un fauteuil de l'autre côté du salon, les jambes posées sur une ottomane, et il suit d'un regard distrait les cours de la bourse sur CNBC, si bien qu'il ne remarque pas qu'en baissant les yeux, je découvre Lyn les yeux fixés sur moi, menton tremblotant.

— Qu'est-ce qu'il y a, chérie ? dis-je dans un murmure.

Elle ferme les paupières pour refouler les larmes mais se laisse aller, visage contre ma poitrine, et sanglote.

— Ma maman me manque.

Cette fois, impossible de retenir mes larmes. Je n'ai jamais éprouvé un instinct de protection aussi intense que celui qui m'envahit maintenant. Pas même alors que j'élevais pratiquement seule Jane, à Oxford. Je tuerais pour protéger ces enfants. Mais qui puis-je tuer pour les protéger de la perte de leur mère ? Alors je dois me contenter de caresser le front de Lyn en la rassurant sur l'avenir.

— Je sais qu'elle te manque, chérie. Elle me manque, à moi aussi. Mais je suis ici pour vous, maintenant. Pense plutôt à des souvenirs heureux.

— Tu vas rester avec nous ?

— Bien sûr.

— Combien de temps ? demande-t-elle, les yeux aussi grands et fragiles que des bulles.

— Aussi longtemps que vous aurez besoin de moi. Aussi longtemps qu'il faudra.

Marc regarde dans notre direction, soudain tout à fait réveillé.

— Qu'y a-t-il ?

— Rien qu'un petit câlin ne puisse arranger, lui dis-je en berçant tant bien que mal Lyn, car Henry m'écrase toujours la cuisse.

Mais ce que j'entends en esprit, c'est la voix qui m'est parvenue au téléphone huit mois plus tôt. Et je prie en pensée : Seigneur, faites que ce soit bien Jane qui m'a appelée. Ces enfants ont besoin de plus que je ne pourrai jamais leur donner.

Une demi-heure plus tard, Marc et moi emmenons les enfants au lit. Ils dorment ensemble depuis la disparition de Jane, dans la chambre voisine de celle de leur père et non dans celle, plus vaste mais plus isolée, qui leur était réservée à l'origine à l'étage supérieur. De retour dans le salon, il ouvre une seconde bouteille de vin, que nous vidons méthodiquement tout en évoquant Jane. Marc ne mentait pas quand il disait qu'elle lui manquait. Alors qu'il termine le vin, ses yeux s'embuent.

— Je sais, tu penses que je suis un salopard de leur avoir dit qu'elle était morte. Mais j'essaie seulement de leur rendre la situation aussi vivable que possible.

Je hoche la tête, compréhensive.

— Maintenant que je les ai vus, je comprends mieux pourquoi tu as agi ainsi. Mais que feras-tu s'il se trouve que tu t'es trompé ?

Il renifle avec aigreur.

— Tu ne penses pas vraiment que ces femmes sont encore vivantes, quand même ?

— Honnêtement, je ne sais plus ce que je pense. J'avais réussi à me convaincre de la mort de Jane. Mais maintenant je n'abandonnerai pas avant d'avoir vu son corps.

— Exactement comme ton père, grommelle-t-il. Tu n'abandonnes jamais.

— J'aimerais que tu fasses pareil. Dans ton cœur, au moins.

— Mon cœur ? dit-il en désignant sa poitrine de la main qui tient le verre, et éclaboussant sa chemise de vin. Ces treize derniers mois, ma vie a été un enfer. S'il n'y avait pas les enfants, je ne serais peut-être même plus là.

— Marc...

— Je sais, je sais. Je ne suis qu'un connard qui s'apitoie sur lui-même.

— Ce n'est pas du tout ce que je pensais.

Il ne m'écoute plus. Il s'est couvert les yeux de sa main libre, et sanglote. L'alcool et un état dépressif font décidément très mauvais ménage. Je me sens un peu mal à l'aise, mais je quitte mon siège pour aller jusqu'à lui et poser une main sur son bras.

— Je sais que c'est dur. Moi aussi, je suis passée par une période difficile.

Il secoue violemment la tête, comme pour nier ses larmes, puis se redresse et s'essuie le visage d'un revers de manche.

— Bon Dieu ! Désolé de t'infliger ce spectacle.

Je m'assieds sur l'ottomane, plaçant mes mains sur ses épaules.

— Eh, tu passes par une des pires épreuves qu'on puisse imaginer. Tu as le droit.

Ses yeux injectés de sang recherchent les miens.

— J'ai l'impression que je ne m'y ferai jamais.

— Tu as peut-être besoin d'un break. Tu as pris des congés depuis que ça s'est produit ?

— Non. Le boulot m'aide à accepter la situation.

— Peut-être que le travail t'aide à *ne pas* accepter la situation. As-tu pensé à ça ?

Il rit comme s'il n'avait nul besoin de psychologie

amateur. Les hommes privilégiés sont souvent maîtres dans l'art de la distance ironique.

— Mais je suis heureux que tu sois venue, dit-il. Je n'arrive pas à croire à la réaction des enfants envers toi.

— Je n'arrive pas à croire à ma propre réaction envers eux. J'ai presque l'impression qu'ils sont à moi.

— Je sais, fait-il, et son sourire disparaît. Merci... Merci d'être là, simplement.

Il se penche en avant et me prend dans ses bras. Cette étreinte me fait du bien, à moi aussi, je dois l'admettre. Je n'ai pas eu ce genre de contact depuis des mois. Il y a quelque chose d'humide contre mon cou. *Il embrasse mon cou*. Et il n'y a rien de fraternel dans son geste.

Je me raidis, en dépit de ma volonté de ne pas en faire trop.

— *Marc ?*

Il écarte ses lèvres de quelques centimètres, mais avant que je puisse reprendre mes esprits il m'embrasse sur la bouche. J'ai un mouvement de recul brusque et je plaque mes deux mains sur ses bras pour l'arrêter.

Du regard, il m'implore.

— Tu ne sais pas ce que ça a été de vivre sans elle. Ce n'est pas pareil pour toi. Je ne peux même pas regarder une autre femme. Partout je vois Jane. Mais en te voyant ce soir, à la table, avec les enfants... tu es presque *elle*.

— Je ne suis pas Jane.

— Je le sais. Mais si je laisse mon esprit partir,

un tout petit peu, c'est comme si tu l'étais. Tu me donnes même des sensations identiques.

Il dégage ses bras et me broie les mains.

— Tes mains sont identiques, et tes yeux, tes seins, tout.

Ses yeux bleus accrochent les miens avec une intensité de moine.

— Sais-tu ce que ça représenterait pour moi de passer une nuit avec toi ? Une nuit, une seule. Ce serait comme si Jane était revenue. Ce serait...

— *Arrête !* dis-je d'une voix sifflante et basse, car je crains que les enfants ne se réveillent. Tu entends ce que tu dis ? Je ne suis pas Jane, et je ne peux pas faire comme si j'étais Jane ! Pas même pour calmer ton chagrin. Ni pour les enfants, et certainement pas dans ton lit. Dans *son* lit. Mon Dieu.

Il baisse les yeux, puis les relève, et j'y vois briller une lueur très déplaisante.

— Ce ne serait pourtant pas la première fois que tu te ferais passer pour elle, si ?

C'est comme s'il avait empli mes veines d'azote liquide. Je reste sans voix, tétanisée. C'est seulement quand il presse encore mes mains que je les retire d'une secousse.

— Qu'est-ce que tu racontes ?

Il a un petit sourire narquois de gamin au courant d'un secret honteux.

— Tu le sais bien.

Sans savoir comment, je me retrouve debout, à trois pas de lui, bras croisés sur la poitrine.

— Je m'en vais. Je vais m'installer à l'hôtel. Dis aux enfants que je serai de retour demain dans la journée.

Il cligne des yeux, l'air dérouté, puis semble prendre conscience de la situation. Du moins, il donne l'impression d'éprouver un peu d'embarras.

— Ne fais pas ça. Je ne voulais pas te fâcher. Mais tu es tellement belle...

Il trébuche sur l'ottomane en voulant me rejoindre. Ma réaction instinctive est de me précipiter pour l'aider, mais je ne le fais pas. Cela ne ferait qu'aggraver les choses.

— Je monte chercher mes affaires. Toi, tu ne bouges pas d'ici.

— Ne sois pas mélodramatique. Tu n'as aucune raison de t'inquiéter.

— Je suis sérieuse, Marc.

Sans attendre de réponse, je me rends en hâte à l'étage prendre ma valise, que par chance je n'avais pas encore ouverte. Quand je redescends, il m'attend au pied de l'escalier.

— Et qu'est-ce que je vais raconter aux enfants ? demande-t-il.

— Ne t'avise pas de te servir d'eux contre moi. Dis-leur que j'ai dû partir pour faire un reportage, et que je reviendrai les voir. Je ne resterai pas ici cette nuit, c'est tout.

Il a l'air de se repentir, à présent, mais l'aplomb que j'ai perçu dans sa voix il y a un moment me hante toujours. Avant qu'il ne s'enfonce dans des excuses d'ivrogne, je le contourne et sors sans un mot.

Au moment où je pose le pied sur le trottoir, la portière d'une voiture proche s'ouvre et une silhouette sombre s'approche.

— Jordan ? dit une voix de femme. Qu'y a-t-il ?

— Tout va bien, Wendy. Je passe juste la nuit ailleurs.

— Que s'est-il passé ?

La plaisanterie faite à Kaiser sur l'éventualité que Wendy tente de me séduire me revient à l'esprit comme un boomerang. Quelqu'un a essayé de me séduire cette nuit, c'est vrai. Mais jamais je n'aurais imaginé que ce serait le mari de ma sœur.

— Problèmes d'hommes, dis-je dans un murmure.

— Je vois. Où allez-vous ?

— A l'hôtel, je suppose.

Elle prend ma valise et se dirige vers la Mustang. Après trois pas, elle fait halte.

— Hem, écoutez... Je ne sais pas si vous aimez les hôtels, mais j'ai une chambre d'amis. Je dois rester avec vous où que vous alliez, donc, ça ne changerait rien. A vous de décider. Mais de cette façon nous aurions à manger, du café, tout le confort moderne, quoi.

J'ai connu des nuits où j'aurais tué pour profiter du confort d'une chambre d'hôtel. J'ai dormi avec reconnaissance dans des cratères d'obus. Mais ce soir j'ai envie d'autre chose que d'un logement stérile et anonyme. Je veux une ambiance réelle autour de moi, une cuisine encombrée d'un désordre bien humain, pouvoir écouter des CD, et me pelotonner dans le couvre-lit tricoté. J'espère que Wendy n'est pas une maniaque du rangement.

— C'est très tentant. D'accord, allons-y.

Je marche vers la Mustang quand une sonnerie assourdie s'en élève.

— Qu'est-ce que c'est ? dis-je en regardant autour de moi sans comprendre.

— Téléphone cellulaire, répond-elle. Un Nokia. Je reconnais la sonnerie. C'est le modèle que nous utilisons au Bureau.

— Oh...

Je repêche, dans ma banane restée sur la banquette arrière, l'appareil que Kaiser m'a confié dans les locaux du FBI.

— Allô ?

— Mademoiselle Glass ? Ici Daniel Baxter.

— Du nouveau ?

— J'ai négocié avec M. de Becque, des îles Caïmans.

— Et ?

— Il accepte que vous veniez par vos propres moyens, et en compagnie d'une personne qui vous assistera pour l'éclairage, etc.

— Super. Quand dois-je partir ?

— Demain. Nous sommes quelques-uns à avoir discuté cette dernière demi-heure pour décider de qui devrait vous accompagner. Je suis pour un membre de la Brigade d'intervention. Si les choses prennent mauvaise tournure, il aurait plus de chance de vous sortir de là indemne.

— Quelqu'un n'est pas d'accord avec cette proposition ?

— L'agent Kaiser a une opinion quelque peu différente.

Je souris pour moi-même.

— Qui le shérif veut-il envoyer ?

Baxter couvre le microphone de sa main, mais malgré cette précaution je l'entends dire :

— Elle vient de vous appeler « shérif ».

Puis il ôte sa paume de l'appareil et dit :

— Le shérif ne veut envoyer personne. Il veut vous accompagner lui-même.

— Vous devriez le laisser faire, alors.

— C'est ce que vous voulez ?

— Absolument. Je me sens déjà plus rassurée.

— Parfait. Vous décollerez sans doute demain dans l'après-midi. Je vous rappellerai demain matin pour vous donner les détails du voyage.

— Très bien. A demain, alors.

— Que se passe-t-il ? me demande Wendy quand j'ai coupé la communication.

— Je vais aux îles Caïmans.

— Oh, souffle-t-elle en se calant sur son siège. C'était quoi, à propos d'un shérif ?

— Une blague. Je parlais de Kaiser.

C'est bien ce qu'elle avait deviné.

— Il part avec vous ?

— Il semblerait. Pour assurer ma sécurité.

Elle regarde par la vitre.

— Vous avez de la chance, lâche-t-elle après un court silence.

La malédiction éternelle des femmes. Une minute plus tôt nous étions en train de sympathiser, et maintenant je sens qu'elle aimerait revenir sur son offre d'hébergement. Mais elle est trop bien élevée pour ça. Pour ma part, j'aimerais affirmer à l'agent Wendy qu'elle n'a rien à craindre, mais je ne tiens pas non plus à insulter son intelligence. Je démarre et la Mustang descend St Charles Avenue.

— Indiquez-moi le chemin, lui dis-je. Il est temps d'aller dormir.

— Tout droit, répond-elle. Je vous dirai quand tourner.

La voiture suit les traces argentées laissées par les véhicules sur l'avenue bordée d'arbres. Les feuillages paraissent gris dans la lumière des réverbères, mais seule une partie de mon cerveau enregistre ce détail. Le reste revient encore et toujours à la remarque faite par Marc : « Ce ne serait pas la première fois que tu te ferais passer pour elle, non ? » Et j'entends la voix du Dr Lenz, qui des ténèbres pose l'une de ses trois questions : « Quelle est la pire chose que vous ayez faite ? »

Si seulement on pouvait invoquer le cinquième amendement avec sa conscience.

9

La majorité des vols desservant les Îles Caïmans partent de Houston ou de Miami, mais le Lear Jet du FBI simplifie beaucoup les choses. Seuls Kaiser, les deux pilotes et moi avons pris l'air pour le trajet de deux heures jusqu'à Grand Caïman, la plus vaste des trois îles qui constituent la colonie britannique. La dernière fois que j'ai fait ce voyage, je n'en menais pas large. Je couvrais alors le convoi aérien que les pilotes américains forment jusqu'aux îles Caïmans pour le meeting aérien qui s'y déroule chaque année, dont l'un des « sommets » est le passage au-dessus de la Cuba communiste. Il y a quinze ans, ce genre de provocation n'avait rien d'une plaisanterie, et aujourd'hui je suis heureuse d'être en route avec pour seul souci un Français de soixante-dix ans qui, pour une raison inconnue, a sollicité ma venue.

Nous sommes en l'air depuis une heure, et Kaiser fait preuve d'un calme qui ne lui est pas habituel. Je suppose qu'il n'a pas grand-chose à dire. A moins que je ne dégage assez d'hostilité pour décourager toute tentative de conversation. Je sens encore les lèvres de mon beau-frère sur mon

216

cou, et les retombées émotionnelles sont difficiles à évacuer. Le pire, c'est la phrase qu'a eue Marc quand je l'ai repoussé : « Ce ne serait pas la première fois que tu te ferais passer pour elle, non ? » J'avais espéré ne partager ce chapitre particulier de mon existence qu'avec ma sœur, mais apparemment j'ai trop espéré. Le fait que Jane en ait parlé à son mari prouve une réalité qui me glace : elle n'a jamais vraiment cru à ma version des faits.

« Quelle est la pire chose que vous ayez jamais faite ? » demandait le Dr Lenz à ses patients. Une question simple, mais accablante. Et l'autre, qu'était-ce ? « Quelle est la pire chose qui vous soit jamais arrivée ? » Nombre de choses terribles me sont arrivées, et je n'ai envie de m'appesantir sur aucune en ce moment, mais en décidant de mon comportement, j'ai rarement contrevenu à ce que me dictait ma conscience. Et quand je l'ai fait, je n'avais que dix-huit ans. Il est presque gênant de constater que les vingt-deux années suivantes ne m'ont offert aucune autre infamie plus flamboyante, mais il est vrai que le passage de l'adolescence est une des périodes les plus difficiles dans la vie, et que les blessures qu'on y récolte demeurent pour le restant de l'existence.

Des années de tension muette entre ma sœur et moi ont atteint leur point culminant pendant notre année de terminale, quelques semaines seulement avant que ma liaison avec David Gresham ne devienne l'événement dans l'école. Jane était sur ses grands chevaux et n'arrêtait pas de parler de son admission à Chi-Oméga l'année suivante. Elle me conseillait de me reprendre, de porter un peu plus de soin à mon « apparence », d'essayer de me « rapprocher de la normalité », quoi que cela ait signifié pour elle. Quand je ne me faisais pas de souci pour la façon dont je parviendrais à régler ses dépenses à Ole Miss, je faisais des portraits dans mon petit studio ou je me glissais comme un braconnier dans les bois pour rejoindre la petite maison de mon professeur d'histoire. Quand j'y repense, je vivais comme un fantôme. Silencieuse pendant les cours, je disparaissais dès leur fin, et j'évitais systématiquement les rallyes des fils et filles de la bonne société, les matchs de football et les soirées organisées par le lycée.

Jane me soupçonnait d'avoir une relation amoureuse, mais je n'avais aucune idée de la direction que prenaient ses soupçons. Un jour, alors que nous nous disputions pour quelque futilité, j'ai découvert avec stupéfaction qu'elle me croyait lesbienne. Et pensait que je m'éclipsais à toute occasion pour aller retrouver une femme. C'était ridicule, réellement, et quand j'ai réagi en accord avec cette appréciation, elle s'est emportée, m'a taxée de bizarrerie, et accusée de ruiner ses efforts pour entrer à Chi-O et mener une vie normale. Je lui ai répondu que son idée d'une vie normale n'était pas de celles qu'on peut souhaiter. Et je lui ai précisé que je n'étais pas lesbienne, et que j'en savais plus sur les hommes qu'elle n'en saurait jamais. Elle m'a toisée d'un air supérieur, et j'ai senti toute l'étendue de son mépris pour moi. J'ai ajouté que si les circonstances avaient été un tant soit peu différentes, c'est moi qui serais sortie avec Bobby Evans, ce fils de famille riche qui était son petit ami depuis trois ans, et elle qui s'échinerait au travail pour payer les factures. Elle m'a regardée d'un air totalement incrédule et a dit, d'un ton railleur : « Toi et Bobby ? Ensemble ? Tu plaisantes ! » Et elle a ri. Pour je ne sais quelle raison, j'en ai été très vexée. « Et pourquoi pas ? » ai-je demandé. « Parce que tu es tellement *bizarre* », voilà quelle a été sa réponse, et elle m'a considérée avec pitié. J'ai compris alors qu'elle me voyait exactement comme les autres, que j'étais pour elle aussi une sorte de paria. Tout ce que j'avais fait pour notre famille, elle le prenait simplement comme un dû.

Deux jours plus tard, en rentrant à la maison après les cours, j'ai trouvé un mot scotché sur la fenêtre de la chambre de Jane. C'était son petit ami qui lui proposait une rencontre l'après-midi même, dans les bois, derrière le stade. J'ai détruit le mot, coiffé mes cheveux en queue-de-cheval, mis une paire de boucles d'oreilles appartenant à Jane et un de ses précieux pulls Lacoste, et je me suis rendue dans les bois sur sa bicyclette. Bobby Evans m'attendait. Il ressemblait à Robert Redford jeune, même si son QI laissait largement à désirer.

J'ai joué le rôle de Jane à la perfection. C'était facile, car ma sœur et moi nous étions souvent fait passer l'une pour l'autre depuis notre plus tendre enfance. Pourquoi ai-je agi ainsi ? Je voulais savoir ce qu'il y avait derrière ce sourire plein de morgue qu'elle m'avait lancé comme une insulte. Et je suppose que j'étais jalouse d'elle, à ma façon. Le chemin du non-conformisme est bien solitaire, et je le parcourais depuis longtemps déjà. Bobby Evans était une des récompenses auxquelles avait droit une « fille bien », c'est-à-dire quelqu'un qui suivait scrupuleusement le *vade-mecum* sudiste hypocrite avec la rigidité d'une vierge de l'époque victorienne. Alors que nous bavardions, Bobby m'a entraînée peu à peu dans le bois, et j'ai compris que c'était une sorte de rituel entre eux. Il m'a embrassée dans la pénombre, tout d'abord délicatement, puis avec passion. La scène était typiquement lycéenne – ou ce que j'imaginais être typiquement lycéen –, intense, haletante, précipitée. Il écrasait mes seins de sa poitrine et pressait son bassin contre le mien. Tout ça était très différent de ce que je connaissais avec David Gresham. Quand je l'ai laissé glisser sa main sous le pull de Jane, je me suis rendu compte qu'ils n'étaient jamais allés plus loin ensemble. La façon dont il a lentement abaissé sa main vers ma ceinture me l'a prouvé. Il s'attendait à un « Non », ou « Pas encore », ou « J'en ai envie, mais il ne faut pas ».

Je n'ai rien dit de tel.

Après quelques minutes de caresses, il s'est assis à mes pieds, trop gêné pour me regarder en face, et a gardé les yeux fixés sur le sol devant lui. C'était comme si quelqu'un lui avait enfin donné les clés du paradis. Il m'a demandé pourquoi je l'avais laissé faire, et j'ai répondu que j'avais simplement décidé qu'aujourd'hui était le jour. Il commençait à faire sombre. Il a levé vers moi son regard de chien battu et il a dit : « Est-ce que tu dois rentrer, maintenant ? » Alors je lui ai répondu que la seule personne susceptible de remarquer que je rentrais tard serait Jordan, et qui se souciait d'elle ? Il a ri.

Cette fois, quand il m'a touchée, je l'ai caressé en retour. Je ne saurais dire pourquoi. J'avais déjà eu ma petite vengeance mesquine sur Jane. A ce stade, je crois que c'était une réaction purement hormonale. J'avais dix-huit ans, de l'expérience, il avait le même âge et ne manquait pas de séduction, de sorte que les choses ont suivi leur cours naturel. Quand nous nous sommes retrouvés à moitié nus l'un et l'autre, j'ai failli cesser de jouer le rôle de Jane. Ça ne semblait plus avoir d'importance, et je ne voulais pas qu'il pense ensuite qu'il l'avait déflorée. Mais je n'ai pas réussi à lui dire la vérité. J'ai gardé mon chemisier pour dissimuler le bras où Jane portait des cicatrices, et j'ai collé ma bouche à la sienne pour empêcher toute parole.

Une fois qu'il m'a pénétrée, il a fait l'opposé de ce à quoi je m'attendais. Il n'a pas fermé les yeux et ne s'est pas précipité. Il a agi avec une extrême lenteur, en me regardant droit dans les yeux, et son visage exprimait une extase totale. En partie, ai-je pensé, parce qu'il croyait que la fille qu'il avait mise sur un piédestal depuis trois ans s'abandonnait enfin à lui. J'ai voulu tout arrêter, mais il n'y avait aucune manière gracieuse de le faire. Alors je me suis évertuée à abréger le rapport. Il m'a contemplée avec une lueur étrange dans les prunelles, et il a dit :

— Tu n'es pas Jane, hein ?

Ça a été le moment le plus glacial de mon existence. *Il savait*. Sinon, il n'aurait pas pris le risque de dire cela.

J'ai répondu « Non », et j'étais terrifiée à l'idée qu'il se relève d'un bond et hurle à pleins poumons que je n'étais qu'une traînée. J'aurais dû être plus fine. Ce jour-là, j'ai appris une leçon importante sur les hommes. Le rythme de ses coups de reins n'en a presque pas été affecté. Ses yeux se sont agrandis, il a poussé un grognement, son plaisir décuplé par ce qu'il avait découvert. Il planait comme jamais encore dans sa jeune vie, et j'étais assez idiote pour croire qu'il ne le raconterait à personne. C'est vrai, il n'en a rien dit à ses amis, ce qui aurait déjà été dur pour moi. Non, il a fait quelque chose d'infiniment pire.

Quand il a revu Jane, il s'est conduit avec elle comme s'ils avaient fait l'amour la dernière fois qu'ils étaient ensemble, et il a insisté pour recommencer. Elle s'est mise en rage et a exigé une explication, et il l'a aiguillée pour qu'elle devine par elle-même. Elle ne m'a pas adressé plus de dix mots par mois pendant les trois années qui ont suivi. J'ai voulu lui expliquer pourquoi j'avais agi ainsi, et ce qui s'était réellement passé, mais c'était inutile. Pour Jane, accepter la vérité sur les agissements de Bobby aurait achevé la trahison, et cela lui aurait été insupportable. Deux mois plus tard, ma liaison avec David Gresham est devenue publique, et je suis partie pour La Nouvelle-Orléans.

La rancœur s'est peu à peu estompée. Bobby Evans s'est retrouvé confiné dans un coin de notre passé, avec d'autres anecdotes de cette période lycéenne. Il vend à présent des terrains à bâtir à Oxford. J'ai continué à aider Jane financièrement jusqu'à ce qu'elle trouve d'autres sources d'argent. J'ai assisté à son mariage, bien que je n'y aie pas été invitée en qualité de demoiselle d'honneur, ce rôle ayant été attribué à la sœur de Marc Lacour. Toutefois, durant les vingt années qui se sont écoulées depuis, nous avons lentement mais sûrement effectué des ouvertures qui ont permis de combler le gouffre qui nous séparait alors. Et pendant les trois années précédant sa disparition, nous étions plus proches que jamais, grâce aux efforts de Jane plus qu'aux miens, et j'en étais venue à penser que le lien qui nous unissait, renforcé par l'abandon paternel et l'incapacité maternelle, était plus puissant que n'importe quelle rupture à cause de n'importe quel homme. Et c'était peut-être vrai. Peut-être avait-elle révélé ma trahison à Marc aux premiers temps de leur mariage.

Quand j'y songe, il est aisé de voir toute la vie de Jane comme une fuite de la famille que le destin lui avait choisie. Tous ses efforts pour être acceptée – par le groupe des pom-pom girls, par les clubs scolaires, les sororités –, tout cela ressemblait fort à une volonté teintée de désespoir de trouver une famille de substitution, et atteindre à la perfection du bonheur qui prévalait avec une telle insistance dans les feuilletons télévisés de notre enfance, et que notre foyer ignorait totalement. Dans ce contexte, mon aventure d'une journée avec Bobby Evans n'était pas une simple trahison d'ordre sexuel ; c'était une flèche décochée au cœur des illusions de Jane. Et nos illusions étant notre bien le plus précieux, comment pouvait-elle me pardonner ?

Mais l'ironie ultime et terrible de son existence est encore pire. Elle a réussi dans sa quête impossible, rencontré un mari aussi riche que séduisant, elle habitait avec lui et leurs deux magnifiques enfants un hôtel particulier luxueux, bref elle avait tous les symboles de la sécurité et du bon goût social, et elle a été arrachée à son rêve devenu réalité par quelque âme torturée indubitablement issue d'une famille encore plus à la dérive que la nôtre. Si Jane est morte, je ne peux imaginer quelles ont pu être ses dernières pensées. Si elle est toujours vivante...

— Vous dormez ?

Tirée de ma transe, je regarde de l'autre côté de l'allée étroite séparant les sièges. John Kaiser m'observe avec une inquiétude manifeste. Il porte un pantalon bleu marine, un polo et une veste en daim qui sied parfaitement à sa carrure. Pour ma part, j'ai opté pour un pantalon de soie noire et une veste coordonnée passée sur un chemisier en lin assez décolleté. Pour faire réagir un certain vieux Français très singulier.

— Hé, fait-il. Vous êtes en transe ?

— Non. Je réfléchissais, c'est tout.

— A quoi ?

— Nous ne nous connaissons pas assez bien pour que vous puissiez me poser cette question.

Il me décoche un sourire crispé.

— Vous avez raison. Désolé.

Je me redresse dans mon siège.

— Vous avez certainement élaboré un plan pour cette rencontre, n'est-ce pas ? Une stratégie ?

— Rien de tout ça. Le Dr Lenz l'aurait fait. Moi, je marche très souvent à l'instinct. Nous allons la jouer au feeling.

— Vous avez quand même bien une petite idée de ce que de Becque attend de moi.

— Soit il est derrière toute cette affaire depuis le premier jour – donc derrière chaque disparition –, soit c'est pour lui une sorte de divertissement. Un jeu pour homme riche. Et si c'est un jeu, je suppose qu'il sait que vous êtes le double physique d'une des *Femmes endormies*. Peut-être a-t-il vu le portrait de Jane quand Wingate l'a mis en vente. Ensuite, en apprenant l'incident à Hong Kong, avec cette jumelle d'une des *Femmes endormies* se rendant au musée, il en a déduit ce qui était évident.

— Mais comment ? A moins qu'il n'ait su avant, comment aurait-il pu faire le lien entre un des visages sur les peintures exposées à Hong Kong et moi ? Comment connaît-il mon nom ?

— Dans votre domaine, vous êtes une sorte de célébrité. S'il a une reproduction du portrait de Jane, il a pu la scanner et l'envoyer par e-mail un peu partout. Pour demander si quelqu'un vous reconnaissait.

— Il n'y a aucune reproduction des *Femmes endormies*. Wingate me l'a affirmé. Aucune photo, rien.

— Alors peut-être que quelqu'un à Hong Kong vous a identifiée. Ou a su que vous étiez en ville.

— Je n'étais pas là-bas pour un reportage, mais pour préparer un album. Je vais où j'en ai envie, et seuls quelques amis savent où je me trouve.

— Alors peut-être bien qu'il savait avant, en effet. Si c'est le cas, nous nous aventurons dans quelque chose de très complexe.

— Comme ?

Kaiser se mord la lèvre et regarde fixement le dossier du siège devant lui.

— Qu'y a-t-il ?

— Je ne voulais rien dire avant la réunion, mais ça pourrait vous aider à vous préparer à ce que nous risquons de découvrir.

— Quoi donc ?

— Ces coïncidences à propos du Vietnam commencent à m'intriguer.

— Comment ça ?

— Votre père a disparu là-bas en 1972, n'est-ce pas ?

— A la frontière cambodgienne, oui.

— C'est la même chose. Et de Becque a vécu au Vietnam pendant des années.

— Et alors ?

— Les *Femmes endormies* sont vendues uniquement en Extrême-Orient. Et votre appel téléphonique mystérieux provenait de Thaïlande, qui est quasiment la porte à côté du Vietnam. J'y ai moi-même passé quelques permissions en 1970.

— Vous avez attrapé une maladie gênante ?

— Non, mais ce n'est pas faute d'avoir essayé.

— Quelle est l'importance du Vietnam dans cette affaire ?

— Je ne le sais pas encore. Mais les coïncidences commencent à s'accumuler. Vous avez cru entendre la voix de votre père pendant cet appel téléphonique venu de Thaïlande, pas vrai ?

Un bourdonnement étrange et très troublant vient de naître au fond de mon crâne.

— Que voulez-vous dire, agent Kaiser ?

— J'essaie simplement de relier les faits entre eux.

— Chercheriez-vous à suggérer que mon père aurait pu enlever ma sœur ? Et les autres femmes aussi ?

— Vous le croyez toujours vivant, n'est-ce pas ?

— Je suis la seule personne à envisager encore cette possibilité. Mais même s'il était toujours en vie, il n'aurait pas...

— Il n'aurait pas quoi ? Allez, dites-le. S'il était toujours en vie, il n'aurait pas pris Jane, c'est ça ? Il vous aurait prise, vous.

— Je suppose que c'est ce que je pensais, oui. Ce que j'espérais. Mais comment cela serait-il seulement possible ? Il aurait fallu qu'il rentre aux Etats-Unis.

— Il y a un vol chaque jour. S'il est toujours en vie, il vous faut accepter deux choses. D'abord, il a choisi de ne pas entrer en contact avec vous depuis près de trente ans. Et ensuite, vous ne savez rien de lui, rien sinon ce qu'une fille de douze ans pouvait savoir sur son jeune père.

— Je n'arrive pas à croire ce que vous suggérez. Mon père était photoreporter, et il a remporté des prix prestigieux. Pour quelle raison valable pourrait-il être impliqué dans une situation aussi malsaine ?

Avec un soupir, Kaiser pose les mains sur ses genoux.

— Ecoutez, ce ne sont que des spéculations. Il est presque certain que votre père est mort.

— Je le sais.

Malgré la colère irrationnelle que j'éprouve pour

Kaiser à cet instant, je ne peux balayer les idées qu'il expose.

— Mais je suis assise là, et je me creuse la mémoire pour savoir si mon père a jamais peint.

Il me dévisage pendant une poignée de secondes.

— Et a-t-il peint ?

— Non. Il n'a fait que de la photographie.

— Bien. Parce que les connaisseurs qui ont étudié les *Femmes endormies* disent que ces portraits sont l'œuvre d'une personne dotée d'un talent énorme, et d'une technique classique parfaitement maîtrisée.

Dieu merci..

— Quel âge avait votre père quand il a disparu ?

— Trente-six ans.

— Et il n'avait jamais rien peint. Je dirais que ce détail l'écarte résolument de la liste des suspects potentiels.

J'approuve d'un hochement de tête, mais les peurs nouvelles ne sont pas aussi aisées à dissiper. Les coïncidences concernant le Vietnam sont effectivement en train de s'amonceler, et l'ébauche d'une conspiration se dessine de plus en plus. Quel est le rapport entre les *Femmes endormies* et l'Asie ? Mais il est inutile de vouloir résoudre ce mystère maintenant. En revanche il n'est pas impossible que ce Marcel de Becque, ancien planteur de thé dans les ex-colonies françaises et trafiquant du marché noir, soit en mesure de jeter quelque lumière sur la question.

Grand Caïman se trouve à deux cent quarante kilomètres au sud de Cuba. Il y a quinze ans, c'était un paradis, mais aujourd'hui ce n'est plus très différent de Cancùn, en beaucoup plus riche. Le commerce et l'américanisation fonctionnelle y règnent. Des parties de l'île sont encore sous-développées, mais pour retrouver le charme des anciennes Caïmans il faut effectuer un saut de puce en avion jusqu'à l'île plus petite et demeurée plus primitive de Caïman Brac.

Notre pilote du FBI fait virer l'avion sur l'aile en une longue glissade autour de North Bay pour nous montrer la propriété close de De Becque, qui occupe une pointe de terre près de la marina. Apparemment, le Français ne se préoccupe pas de sa visibilité, ou alors il se serait installé dans la communauté plus discrète de Caïman Kai, près de Rum Point. Devant le spectacle de ces eaux émeraude encerclant des plages de sable blanc et de ces propriétés au luxe ostentatoire, je m'attends presque à entendre un commentaire touristique. Mais le pilote nous demande simplement de boucler nos ceintures avant l'atterrissage à l'aéroport proche de George Town.

Une Range Rover blanche nous attend sur le tarmac, la question des formalités ayant déjà été réglée par le département d'Etat. Le gouverneur britannique des îles sait qui nous sommes, et si quelque incident survenait durant notre séjour ici, aucun doute ne serait permis sur les responsabilités. Après qu'un chauffeur de type européen et son aide natif des Caïmans ont chargé mon appareil et le matériel d'éclairage à l'arrière de la Range Rover, nous quittons l'aéroport en direction du nord.

— A quelle distance sommes-nous de la propriété de M. de Becque ? dis-je.

— Quelques minutes de route, répond le chauffeur avec une pointe d'accent français.

Kaiser garde le silence.

Sur les Caïmans comme au Royaume-Uni, la circulation s'effectue à gauche. A intervalles de quelques secondes, notre chauffeur passe dans la voie de droite pour doubler des jeep peintes de couleurs vives, des camionnettes et des scooters qui roulent tous à allure modérée. Mais dans la circulation de l'île on note un nombre non négligeable de Mercedes et de BMW. Les Caïmans sont prospères depuis que le roi George III a exempté ses citoyens de toute taxe pour les récompenser de leur héroïsme pendant le tragique Wreck of the Ten Sails[1]. Ce statut très avantageux, couplé aux lois sur le secret bancaire, a fait des Caïmans un paradis fiscal international, et le cinquième centre financier au monde. A la différence du reste des Caraïbes, où les populations natives posent problème, ici les autochtones sont souvent plus riches que maints touristes.

Un mur élevé entoure la propriété de De Becque, mais lorsque notre chauffeur ouvre une grille de fer forgé grâce à une télécommande, je découvre une version plus vaste de ce que j'avais aperçu du ciel : une demeure de style colonial anglais qui, comme certaines ambassades, donne l'impression d'une forteresse. La Rover s'engage dans une allée

---

1. En 1794, les habitants des îles Caïmans portèrent secours à dix navires anglais qui avaient fait naufrage sur les récifs.

décrivant un large arc de cercle qui nous mène devant un grand escalier en marbre. Ouvrant nos portières, l'assistant du chauffeur nous désigne l'entrée.

La porte en bois massif s'ouvre dès que nous actionnons la sonnette, et je me retrouve devant une des plus belles femmes qu'il m'ait été donné de rencontrer. Avec sa chevelure d'un noir de jais, sa peau cuivrée et ses yeux en amande, elle possède cette combinaison très rare de traits asiatiques et européens qui rendent impossible toute évaluation de son âge. Elle peut avoir trente ans comme cinquante, et sa maîtrise d'elle-même est dès le premier regard remarquable. Elle conserve une immobilité totale et donne l'impression qu'elle pourrait rester ainsi une heure ou deux, sans gêne aucune. Je suis presque surprise quand elle prend la parole :

— Bonjour, mademoiselle Glass.

— Salut.

— Je m'appelle Li. Entrez, je vous en prie.

Je franchis le seuil, suivie de Kaiser qui avec le chauffeur transporte les mallettes en aluminium contenant mon matériel photo. Après qu'ils les ont déposées sur le sol dallé de granit de l'entrée, Li dit, avec autant de civilité détachée que si elle nous avait demandé nos manteaux

— Je dois vous demander de laisser toute arme que vous porteriez sur vous.

— Je ne suis pas armé, répond Kaiser.

— Moi non plus, dis-je.

— Veuillez nous pardonner cette vérification.

L'assistant du chauffeur arrive, porteur d'une

sorte de court bâton noir qu'il passe de haut en bas le long du corps de Kaiser. Il agit de même avec moi et conclut l'examen d'un hochement de tête à l'adresse de Li, laquelle nous sourit.

— Si vous voulez bien me suivre ? Votre équipement sera déposé dans votre chambre.

Avec un haussement d'épaules, Kaiser suit l'apparition à la voix douce.

Notre traversée de la demeure du Français est une révélation de ce que peut être l'élégance discrète. Il se dégage des espaces et du mobilier une simplicité proche du zen. Tous les éclairages sont indirects, et les quelques lumières concentrées révèlent des tableaux judicieusement espacés. Je ne suis pas assez versée en art pour reconnaître ces œuvres, mais j'ai le sentiment que quelqu'un de plus informé serait très impressionné.

Notre destination est une pièce spacieuse, au plafond haut ; un mur tout en verre offre une vue spectaculaire sur le port. Le mobilier sans ostentation vient d'Asie du Sud-Est. Au-delà de la baie vitrée s'étend un plan d'eau indigo qui semble se déverser jusque dans la mer au loin, où une douzaine de bateaux sillonnent les eaux de North Bay. Alors que j'observe cette scène, je me rends compte qu'un homme se tient dans le coin droit du mur transparent. Je ne l'ai pas remarqué immédiatement car il fait montre de la même immobilité minérale que l'Eurasienne qui nous a accueillis à la porte. De taille moyenne, très bronzé, il a des yeux d'un bleu perçant et des cheveux blancs coupés ras.

— Bonjour, dit-il d'une voix douce mais masculine. Marcel de Becque. Je me remémorais des jours plus heureux. J'espère que vous n'avez pas été trop secoués pendant le trajet ?

— Pas du tout.

Il s'avance et, avant que je comprenne ce qu'il fait, il prend ma main avec légèreté, se courbe en avant et l'effleure du bout des lèvres.

— Vous êtes beaucoup plus belle en personne, ma chérie. Je vous remercie d'être venue.

En dépit de l'étrangeté de la situation, je me sens rougir.

— Voici mon assistant, John Kaiser.

De Becque le salue d'un sourire qui nous informe sur ses intentions : il jouera le jeu de cette fiction, mais il n'est pas dupe. Puis il désigne de la main le mur sur ma droite, où sont accrochées de nombreuses photographies en noir et blanc. La plupart datent de différentes phases de la guerre du Vietnam, et chacune est visiblement l'œuvre d'un photographe émérite.

— Elles vous plaisent ? demande de Becque.

— Elles sont remarquables. Où les avez-vous eues ?

— Je connaissais beaucoup de journalistes, pendant la guerre. Et autant de photographes. Ils ont été assez aimables pour m'offrir quelques tirages, de temps à autre.

Tous les clichés ne sont pas d'inspiration militaire. Plusieurs sont des études des hommes, des femmes et des enfants du pays ; d'autres montrent des temples, ou des statues. Je remarque une photo qui représente un groupe d'hommes en kaki, avec cet air apatride qu'ont si souvent les correspondants de guerre. En y regardant de plus près, je reconnais plusieurs des photographes : Sean Flynn, Dixie Reese, Dana Stone, Larry Burrows. La crème de la crème. Capa, l'archétype, est également présent et son sourire désinvolte donne à son visage d'homme mûr un éclat presque juvénile. Alors que je porte mon attention sur le cliché voisin, mon sang se fige dans mes veines. Posant seul à côté d'un Bouddha en pierre, mon père, Jonathan Glass.

10

Incapable de dire un mot, je me rapproche de la photographie sur le mur du Français expatrié. Mon père arbore un Leica pendu à son cou, et il tient à la main un Nikon F2, le même que j'ai emporté aujourd'hui. Ce qui signifie que ce cliché a été pris en 1972, l'année où cet appareil a été commercialisé, et celle où mon père a été déclaré mort.

— Où avez-vous eu cette photo ? finis-je par murmurer en la désignant d'un index un peu tremblant.

— Terry Reynolds l'a prise en 1972, répond de Becque. Avant qu'il ne disparaisse lui-même au Cambodge. Je connaissais bien votre père, Jordan.

Il prononce mon prénom avec une grande douceur sur le « J ». Je me ressaisis et je m'efforce de prendre une attitude raisonnablement détachée.

— Vraiment ? dis-je.

De Becque me saisit par le coude et me mène à une table où sont placés une bouteille de vin blanc et trois verres. Il en emplit un qu'il me tend. Je le vide en deux gorgées. Il fait de même pour Kaiser, qui refuse. Alors le Français s'en sert un et y trempe les lèvres.

— Seulement avec modération, précise-t-il. Mon foie n'aime guère les excès.

— Monsieur...

Il lève une main pour m'interrompre.

— Je ne doute pas que vous ayez mille questions à me poser. Mais pourquoi ne pas effectuer vos prises de vue de mes peintures d'abord ? Nous reviendrons ensuite ici, et je satisferai votre curiosité.

J'ai les joues brûlantes, et la gorge serrée.

— S'il vous plaît, insiste de Becque. Nous avons tout le temps.

— Dites-moi une chose. Ma sœur est-elle toujours en vie ?

Il secoue la tête d'un air désolé.

— Cela, je ne le sais pas, ma chère.

Photographier les toiles de De Becque est une tâche très simple, d'un point de vue technique. Avant de quitter La Nouvelle-Orléans, j'ai dressé la liste du matériel nécessaire, et Baxter a envoyé des agents se le procurer. L'équipement principal est un appareil Mamiya format moyen, pour négatifs 5 x 5, qui fournit une qualité d'image supérieure sans compromettre l'aspect portable. La difficulté réside dans le facteur humain. Kaiser fait de son mieux pour suivre mes instructions quand il faut installer l'éclairage, mais il est évident pour Li – dépêchée par de Becque auprès de nous pour s'assurer que nous ne photographions pas les toiles de trop près – que mon « assistant » n'a encore jamais accompli ce travail pourtant relativement facile de mise en place.

Je ne suis moi-même pas au mieux de ma forme. La perspective d'interroger de Becque au sujet de mon père m'accapare tellement l'esprit que les tâches les plus simples, comme celle de fixer les lumières stroboscopiques aux supports, deviennent soudain ardues. Très vite, Kaiser est distrait par d'autres centres d'intérêt. Le gros de la collection d'art du Français est exposé dans trois grandes salles dignes d'un musée, et ses *Femmes endormies* n'en sont qu'une partie. Le reste des toiles date de plusieurs périodes différentes selon Kaiser, qui a dû suivre un cours accéléré d'histoire de l'art durant les deux derniers jours. La majorité des œuvres s'étale de 1870 à l'époque contemporaine, avec une forte représentation des Nabis. Kaiser passe avec méthode d'une salle à une autre, et mémorise tout ce qu'il peut. Il revient auprès de moi en une occasion pour me glisser à l'oreille que certaines pièces proviennent peut-être des vols perpétrés par les Nazis pendant la Seconde Guerre mondiale. Il demande à Li l'autorisation de photographier la collection en son entier, mais l'Eurasienne refuse net, rappelant que de Becque a spécifié que nos activités devaient se limiter aux *Femmes endormies*.

Je mitraille les peintures avec une application qui confine à la compulsion, mais je m'efforce de ne pas les examiner de trop près. Pour moi, d'une certaine façon, chacune de ces femmes est Jane. Malgré toutes mes préventions, il m'est impossible d'ignorer la puissance singulière que dégagent ces œuvres. A la différence de celle que j'ai vue chez Wingate, les femmes sont représentées ici dans des couleurs saturées plutôt qu'entourées par elles, des bleus et des oranges vifs rehaussés par des touches de blanc et de jaune. Deux gisent dans des baignoires, en des poses très similaires à celle de la femme de la première peinture que j'ai découverte à Hong Kong, mais leur visage est beaucoup plus flou. Si je ne savais pas que ces femmes sont sans doute mortes, je les croirais assoupies, car leur peau est lumineuse.

Mais je sais.

L'homme qui a exécuté ces peintures était assis ou se tenait debout face à ces êtres humains pétrifiés, et il a absorbé l'odeur métallique âcre que seule produit la sueur engendrée par la terreur. A moins que ces femmes n'aient été déjà mortes quand on les a peintes. Combien de temps avait-il pu supporter un tel spectacle ? Rester dans la même pièce que des femmes mortes, pendant qu'elles commençaient à se décomposer ? J'ai photographié nombre de cadavres, et dans une proximité qui ne rendait pas la chose facile à endurer. Mais il se peut que cela ne pose aucun problème à certaines personnes. Peut-être même y prennent-elles plaisir, même si l'odeur finirait par faire fuir un nécrophile. Ne sont-ce là que des hypothèses naïves ? A voix basse, je demande à Kaiser :

— Combien de temps faudrait-il pour réaliser une de ces toiles ?

— D'après nos experts, entre deux et six jours. J'ignore sur quoi ils se basent pour cette estimation. La nuit dernière, j'ai lu que les impressionnistes pensaient qu'il fallait commencer et terminer une peinture en une seule séance.

— Si ces femmes sont mortes, croyez-vous que l'artiste a utilisé un moyen quelconque pour les conserver en l'état avant de les peindre ? Une sorte d'embaumement ?

— C'est possible.

Je prends encore deux photos de la dernière peinture.

— Regardez celle-ci. Que voyez-vous ? Cette femme vous semble-t-elle morte, ou vivante ?

Il s'approche de la toile et étudie le sujet.

— Je serais bien incapable de le dire, répond-il après un moment. Il n'y a aucun signe précis qui m'indique la mort. Les yeux sont clos, mais ce n'est pas probant.

Il tourne vers moi un visage songeur.

— Je veux dire, quelle est la limite entre le sommeil et la mort ? Sont-ils très éloignés, en réalité ?

— Demandez aux morts.

— Impossible.

— Vous avez votre réponse.

Replaçant le cache sur l'objectif du Mamiya, j'en retire la dernière pellicule.

— J'ai terminé. Allons voir de Becque.

Li apparaît sans un bruit sous l'arche, à ma gauche, comme une escorte venue de quelque autre monde.

Le vieux Français nous attend devant la baie vitrée. Il se tient dos tourné, un verre de vin à la main, et observe un yacht qui sort de la baie en direction de la mer des Caraïbes. Je toussote.

Pivotant lentement sur lui-même, il nous désigne deux canapés assortis disposés face à face devant la baie vitrée. Li nous sert du vin, puis s'éclipse sans même que ses chaussons fassent de bruit sur le sol de granit.

— Souhaitez-vous que votre « assistant » se joigne à nous ? demande de Becque, un sourcil arqué.

Je regarde Kaiser, qui soupire et déclare :

— Je suis l'agent spécial John Kaiser, du FBI.

De Becque marche jusqu'à lui et lui serre brièvement la main.

— N'est-ce pas un soulagement ? Le mensonge est un art ennuyeux, et le mensonge raté le plus ennuyeux de tous. Prenez place, je vous en prie.

Kaiser et moi nous installons sur un canapé, notre hôte sur l'autre.

— Pourquoi vous ai-je fait venir ? me dit le Français. Je suppose que c'est la question numéro un ?

— C'est une bonne manière de commencer.

— Vous êtes ici parce que je désirais vous voir en chair et en os, comme on dit. C'est aussi simple que ça. J'ai connu votre père au Vietnam. Quand j'ai appris que vous étiez impliquée dans cette affaire, j'ai fait ce qu'il fallait pour vous rencontrer.

— Comment avez-vous appris que Mlle Glass était impliquée dans cette affaire ? demande Kaiser.

De Becque écarte les mains en un geste qui signifie : « Il est des choses qu'on doit accepter sans explication », ce qui ne satisfait pas du tout Kaiser, mais l'agent du FBI n'y peut rien.

— Comment avez-vous fait la connaissance de mon père ?

— Je suis collectionneur, j'aime l'art, et je considère que la photographie est un art. Du moins quand elle est l'œuvre de certaines personnes. J'ai naguère possédé une plantation de thé dans une partie stratégique du Vietnam. Elle offrait une base rêvée pour les journalistes que j'autorisais à l'utiliser. Ma table était réputée dans tout le pays, et j'aime les conversations intéressantes.

— Et celles qui vous donnent accès à certains renseignements ? lâche Kaiser sans ambages.

— Bah, les renseignements ne sont qu'une denrée de base, agent Kaiser, comparable à toute autre marchandise. Et je suis un homme d'affaires.

— Que savez-vous sur la mort de mon père ?

— Je ne suis pas du tout sûr qu'il soit mort quand et où le reste du monde le croit.

Nous y sommes. Et ces doutes sont proférés par un homme en position d'en savoir plus que beaucoup.

— Comment aurait-il pu survivre ?

— Tout d'abord, il faut se souvenir qu'il a disparu dans un lieu très gênant. Gênant pour le gouvernement américain, je précise. De plus, si les Khmers rouges tuaient généralement les journalistes qui tombaient entre leurs mains, tous les Cambodgiens n'agissaient pas de même. Je pense qu'on a effectivement tiré sur Jonathan. Mais il peut très bien avoir été seulement blessé, et soigné ensuite. Et, tout comme vous, j'ai entendu dire qu'on l'avait vu ici et là, au fil du temps.

— S'il a survécu, intervient Kaiser, et qu'il voyait en vous un ami, pourquoi n'aurait-il pas cherché à vous joindre ?

241

— Il l'a peut-être fait. Mais j'avais déjà vendu ma plantation quand il a été porté disparu. S'il s'est mis en tête de me retrouver là-bas, il n'a pu qu'échouer. Mais il existe une réponse beaucoup plus simple : vers la fin de 1972, le Vietnam n'était pas un endroit où les gens avaient envie de retourner.

— Le Cambodge non plus, fais-je remarquer. S'il n'en est pas parti avant que Pol Pot ne commence son génocide, il est très peu probable qu'il ait survécu.

— C'est donc là un mystère. Mais j'ai entendu dire que Jonathan avait été aperçu à deux reprises en Thaïlande, et selon des sources fiables.

— Pensez-vous qu'il pourrait être encore en vie ?

Un sourire de condoléances.

— Ce serait espérer un peu trop, je crois.

— Quand l'a-t-on aperçu ?

— La première fois vers 1976. La dernière en 1980.

Il y a plus de vingt ans.

— Nous sommes ici pour une autre raison, bien sûr. Mais verriez-vous un inconvénient à ce que je vous téléphone plus tard pour avoir des détails ?

— Je ferai en sorte que vous ayez mes coordonnées téléphoniques avant de partir.

Kaiser se penche en avant. Il tient son verre de vin entre ses genoux.

— J'aimerais vous poser quelques questions.

— Bien sûr. Mais il se peut que je me montre sélectif dans mes réponses.

— Connaissez-vous l'identité de l'artiste qui peint ces *Femmes endormies* ?

— Non.

— Comment vous êtes-vous intéressé à ces peintures ?

— J'étais en relation avec Christopher Wingate, le marchand d'art. J'ai pour habitude d'acheter les œuvres des nouveaux artistes dont le travail retient mon attention. C'est un risque, mais la vie entière fourmille de risques, n'est-ce pas ?

— Est-ce là un comportement purement commercial ?

Une lueur d'irritation passe dans les prunelles du Français.

— Cela n'a rien à voir avec le commerce. Si je voulais faire de l'argent, il y a des moyens beaucoup plus sûrs.

— Donc Wingate vous a fait connaître les *Femmes endor*mies, et...

— Je lui ai dit que j'achèterais toutes celles qu'il pourrait me procurer.

— Et il vous en a procuré cinq ?

— Oui. J'ai commis l'erreur de laisser certaines relations asiatiques voir mes peintures. Du jour au lendemain, les prix ont grimpé en flèche. Après la cinquième, Wingate m'a trahi et s'est mis à vendre aux Japonais. Mais...

De Becque ouvre les mains, paumes vers le haut.

— ... qui peut compter sur la parole d'un Serbe ?

— Initialement, qu'est-ce qui vous a attiré dans ces peintures ?

— Difficile à dire, élude le Français avec une petite moue.

243

— Aviez-vous la moindre idée que les sujets pouvaient être des femmes réelles ?

— C'est ce que j'ai toujours pensé. Des modèles, bien sûr.

— Aviez-vous la moindre idée qu'elles pouvaient être mortes ?

— Pas au début. Je pensais que les poses étaient celles du sommeil, comme tout le monde. Mais après avoir vu la quatrième, j'ai commencé à avoir une impression différente. Puis j'ai décelé le génie que contiennent ces peintures. Ce sont des peintures de la mort, mais exécutées selon un principe encore jamais mis en œuvre.

— Que voulez-vous dire ?

— En Occident, l'attitude envers la mort est celle du refus, de la négation. L'Occident voue un culte à la jeunesse, et vit dans la terreur de la vieillesse et de la maladie. En Orient, c'est différent. Vous le savez. Vous y êtes allé.

Cette affirmation prend Kaiser par surprise.

— Comment le savez-vous ?

— Vous êtes un soldat. Je l'ai vu dès le premier instant.

— Je ne suis plus soldat depuis vingt-cinq ans.

De Becque sourit et balaie la remarque d'un geste.

— Je le vois dans votre façon de marcher, dans votre façon d'observer. Et puisque vous êtes américain, votre âge me dit que c'était au Vietnam.

— J'étais là-bas, en effet.

— Donc vous savez comment c'est. Aux Etats-Unis, quelqu'un est mordu par un serpent à sonnettes, on remue ciel et terre pour l'amener au plus vite à l'hôpital. Au Vietnam, un homme se fait mordre par un des nombreux serpents venimeux qu'il y a là-bas, il s'assied et attend la mort. En Orient, la mort fait partie intégrante de la vie. Pour bien des gens, c'est une douce délivrance. C'est un peu ce que je vois dans les *Femmes endormies*. A la seule différence que les sujets ne sont pas des Asiatiques, mais des Occidentales.

— Intéressant, dit Kaiser. Personne n'avait encore mentionné cette interprétation.

De l'index, de Becque effleure le coin de son œil.

— Tout le monde a des yeux, jeune homme. Mais tout le monde ne voit pas.

— Vous savez qu'au moins un des sujets de ces peintures est porté disparu, et probablement mort ?

— Oui. La sœur de cette pauvre jeune femme.

— Quel est votre sentiment sur ce point ?

— Je ne suis pas sûr de comprendre votre question.

— Sur un plan moral, je veux dire. Que ressentez-vous en sachant que de jeunes femmes sont peut-être tuées pour produire ces peintures ?

De Becque pose sur Kaiser un regard de dégoût.

— C'est une question sérieuse, mon ami ?

— Oui.

— Et tellement américaine... Vous avez combattu dans une guerre qui a coûté la vie à cinquante-huit mille de vos compatriotes. Sans parler de celle d'un million d'Asiatiques. Qu'est-ce que toutes ces morts ont acheté, sinon la souffrance ?

— C'est une autre discussion.

— Vous vous trompez. Si dix-neuf femmes sont

mortes pour produire un art éternel, alors, dans le sens historique de la chose, le prix à payer était léger. Risible, en fait.

— A moins que vous n'ayez aimé une de ces femmes, dis-je avec calme.

— Tout à fait, concède de Becque. C'est alors un tout autre sujet. Je fais simplement remarquer à M. Kaiser que maints comportements humains commencent avec la conscience qu'ils coûteront des vies humaines. La construction des ponts, des tunnels, les essais pharmaceutiques, l'exploration géographique, et bien entendu les guerres. Aucun de ces objectifs n'approche l'importance de l'art.

Le visage de Kaiser s'est empourpré.

— Si vous saviez avec certitude que des femmes étaient tuées pour produire ces peintures, et que vous connaissiez l'identité du meurtrier, le dénonceriez-vous aux autorités ?

— Par chance, je ne me trouve pas face à ce dilemme.

Kaiser soupire et pose son verre sur la table basse, entre les canapés.

— Pourquoi refusez-vous d'envoyer vos toiles à Washington pour qu'elles soient examinées ?

— Je suis un fugitif je n'ai aucune confiance dans les gouvernements, et tout spécialement le gouvernement américain. J'ai fait maintes affaires avec lui en Indochine, et j'ai toujours été déçu par les résultats. Je trouve les officiels américains naïfs, sentimentaux, hypocrites, et pour tout dire stupides.

— Une déclaration de poids, venant d'un homme qui s'est enrichi grâce au marché noir.

De Becque éclate de rire.

— Vous me détestez, jeune soldat ? A cause du marché noir ? Vous pourriez tout aussi bien détester la pluie ou les insectes.

— Je n'aime pas tellement les Français, c'est vrai. J'ai vu ce que vous avez fait au Vietnam. Vous avez eu un comportement bien pire que nous là-bas.

— Nous avons été brutaux, oui, mais sur une petite échelle. Alors que l'infanterie américaine distribuait des barres chocolatées pendant que l'aviation tuait les civils par dizaines de milliers...

— Vous avez été heureux que nous fassions la même chose en Allemagne.

Je décide d'intervenir, et m'adresse à Kaiser :

— Cette conversation ne nous mènera nulle part.

Après des années passées à sillonner le monde, j'ai appris à éviter ce genre de discussion. La plupart des Européens ne comprendront jamais le point de vue des Américains, et même s'ils y parvenaient, ils le condamneraient avec force. A la racine de cette ferveur, je crois, est la jalousie, mais on ne gagne rien à en discuter avec eux. J'aurais cru que Kaiser savait cela.

— Maintenant que vous m'avez vue en chair et en os, dis-je à de Becque, qu'en pensez-vous ?

Ses yeux bleus scintillent.

— J'adorerais vous voir au naturel, ma chère. Vous êtes une œuvre d'art.

— Me voir nue vous suffirait ? Ou faudrait-il que je sois nue et morte ?

— Ne soyez pas ridicule, voyons. Je suis un

libertin. Je célèbre la vie sous tous ses aspects. Mais...

Il lève son verre en un toast silencieux.

— ... la mort nous accompagne toujours.

— Avez-vous passé commande du portrait de ma sœur ?

Sa bonne humeur disparaît instantanément.

— Non.

— Avez-vous tenté de l'acheter ?

— Je n'en ai jamais eu l'occasion. D'ailleurs je ne l'ai jamais vu.

— Si vous l'aviez vu, auriez-vous su qui elle était ?

— J'aurais pensé qu'il s'agissait de vous.

— Quand avez-vous appris l'existence de Mlle Glass ? intervient Kaiser.

— Quand j'ai découvert son nom sous une photographie dans l'*International Herald Tribune*. Au début des années quatre-vingt, je crois, ajoute de Becque avec un curieux gloussement. Ça a été un choc pour moi. Le crédit disait « J. Glass », comme pour son père.

— J'ai fait cette photo pour lui rendre hommage.

— Et c'était un bel hommage. Mais un choc pour ceux qui l'avaient connu.

— Ce qui fait beaucoup de monde. Après quelques années, je me suis mise à signer de mon prénom complet.

Incapable de me concentrer sur la tâche présente, je m'arme de tout mon courage pour poser la question qui m'obsède :

— Quelle sorte d'homme était mon père ?

— Au début ? Un Américain aux yeux ronds,

comme des milliers d'autres. Mais il savait voir avec ces yeux. Il n'y avait pas besoin de lui expliquer deux fois la même chose. Il ne connaissait pas grand-chose de l'Asie, mais il était très ouvert. Et les Vietnamiens l'adoraient.

— Je suppose que les Vietnamiennes aussi.

Un autre geste éloquent, que je traduis par : « Les hommes seront toujours des hommes. »

— Y avait-il une femme en particulier ?

— N'est-ce pas toujours le cas ? Mais dans le cas de Jon, je n'en sais absolument rien.

— Vraiment ? Avait-il une seconde famille là-bas, monsieur de Becque ? Une famille vietnamienne ?

— S'il en avait eu une, qu'est-ce que cela vous ferait ?

— Je n'en suis pas sûre. Je veux seulement savoir la vérité.

— Vous avez vu Li ?

— Oui.

— Elle est franco-vietnamienne. Ce sont les plus belles femmes au monde.

— Mon père avait-il une femme comme elle ?

— Il en a certainement fréquenté.

— Dans votre plantation ?

— Bien sûr.

De Becque est quelqu'un qui s'exprime par sous-entendus. En règle général, je suis assez douée pour décrypter ce genre d'individu, mais dans la situation présente je suis complètement perdue. Si mon père a eu une famille vietnamienne là-bas, pourquoi ne pas me le dire, tout simplement ?

— Avez-vous réfléchi à ceci : l'année de la

disparition de votre père, *Look* et *Life* ont tous deux cessé de paraître, dit de Becque.

— Et ?

— C'étaient les deux plus grands magazines de photo. Ça a marqué la fin d'une époque. Jonathan n'a jamais eu à vivre dans ce qui a suivi, un marché en constant rétrécissement, la domination de la télévision, la transformation humiliante de l'industrie dans laquelle il s'était fait un nom.

— Vous voulez dire qu'il n'avait rien vers quoi revenir ?

— Je relève seulement que, sur un plan professionnel, les meilleures années du photojournalisme appartenaient déjà au passé. Jon avait gagné tous les prix possibles. Il avait vécu sur le fil du rasoir, avec une bande de frères rebelles. Ils ont photographié les horreurs du siècle, puis ils se sont tournés vers celui qui débutait avant que l'ancien n'anéantisse leur esprit. A leur manière, ils ont été auréolés de gloire. Ils ne possédaient rien, et pourtant le monde leur appartenait. Ils étaient à mi-chemin entre de jeunes Hemingway et des stars du rock and roll.

— Mais leur époque est révolue. C'est ce que vous voulez dire ?

— Le monde a changé, après le Vietnam. L'Amérique a changé. La France aussi.

— J'aimerais que nous revenions à la sœur de Mlle Glass, dit Kaiser.

— Moi aussi, rétorque de Becque sans me quitter des yeux. Qu'espérez-vous gagner exactement en participant à cette enquête, Jordan ? Nourrissez-vous quelque fantasme de justice ?

— Je ne pense pas que la justice soit un fantasme.

— Que serait-elle, dans ce cas précis ? Punirait-elle l'homme qui a peint ces femmes ? L'homme qui les a enlevées à leur foyer pour les immortaliser ?

— Est-ce le même homme ? Le kidnappeur est-il également le peintre ?

— Je n'en ai pas la moindre idée. Mais est-ce là ce que vous désirez, le punir ?

— Je préférerais l'empêcher de continuer que le punir.

L'air songeur, de Becque acquiesce lentement.

— Et votre sœur ? Quels espoirs avez-vous pour elle ?

— Je n'en suis pas certaine.

— Vous pensez qu'elle est toujours en vie, quelque part ?

— Je ne le pensais pas avant de voir son portrait à Hong Kong. Maintenant... Je ne sais pas.

Comme de Becque ne fait aucun commentaire, je lui demande :

— Et vous, pensez-vous que ces femmes sont vivantes ou mortes.

Le Français soupire.

— Mortes, je pense.

Pour une raison qui m'échappe, son opinion me déprime beaucoup plus que celle de quelqu'un comme Lenz.

— Mais je n'affirmerais pas que toutes ces femmes ont eu un sort identique, ajoute-t-il.

— Pourquoi ? s'enquiert Kaiser.

— Aucun plan n'est parfait. Des imprévus

surgissent. Il ne me semble pas absurde d'espérer qu'une ou plusieurs de ces dix-neuf femmes soient encore en vie quelque part.

— S'il s'agit de dix-neuf femmes, remarque Kaiser. Nous essayons d'accorder les portraits aux victimes, mais nous rencontrons de grandes difficultés. A La Nouvelle-Orléans, nous n'avons dénombré que onze victimes. Si chaque peinture représente une femme différente, alors il reste huit femmes dont nous ne savons rien.

— Peut-être que ces femmes sont de simples modèles ? suggère de Becque. Payées il y a longtemps pour poser, et oubliées depuis. Avez-vous envisagé cette possibilité ?

— Nous aimerions que ce soit vrai, bien sûr. Mais la nature abstraite des premières toiles a rendu impossible l'identification des victimes par leur visage. Nous n'avons pas encore réussi à associer les peintures aux onze femmes disparues dont nous avons connaissance.

— Les premières peintures ne sont pas abstraites, corrige de Becque. Elles sont réalisées dans le style impressionniste, ou post-impressionniste. Il consiste à utiliser la juxtaposition de petites taches de couleurs primaires afin de produire certaines nuances plutôt que de mélanger les couleurs. L'effet produit est beaucoup plus proche de la façon dont l'œil humain perçoit réellement la lumière. L'artiste a probablement peint ces toiles très rapidement, et avait pour objectif de seulement suggérer leur visage plutôt que de le reproduire clairement.

— A moins qu'il n'ait choisi cette technique pour dissimuler leurs traits, contre Kaiser.

— C'est également possible.

— Si certaines de ces femmes sont toujours en vie, où pourraient-elles se trouver ? dis-je. Pourquoi ne se seraient-elles pas manifestées ?

— Le monde est très vaste, ma chère. Et peuplé de gens aux appétits les plus étranges. Je m'inquiète beaucoup plus pour vous. Je pense que ces jours-ci sont très déstabilisants pour la personne qui effectue ces peintures.

Les yeux du Français plongent dans les miens.

— Je pense aussi que votre implication avec le FBI risque d'attirer son attention sur vous. Je ne voudrais pas qu'il vous arrive quoi que ce soit.

— Elle sera sous protection constante, affirme Kaiser.

— Les bonnes intentions ne suffisent pas toujours, monsieur. Elle pourrait juger souhaitable de demeurer ici jusqu'à ce que cette affaire soit résolue.

— Pardon ? dis-je.

— Vous seriez libre d'aller et venir à votre guise, bien entendu. Mais ici, je puis me porter garant de votre sécurité. Pour être franc, je ne fais pas complètement confiance au FBI.

— J'apprécie votre souci de me savoir en sécurité, monsieur, mais je tiens à poursuivre ma participation dans les efforts entrepris pour arrêter cet homme.

— Alors acceptez ce conseil : soyez très prudente. Ces peintures trahissent un artiste qui se cherche. Ses premières œuvres sont confuses et peu originales. Elles n'ont d'importance que par ce qui a suivi. Les dernières toiles nous offrent une vision particulière de la mort. Quelle sera la prochaine étape de cet homme ? Nul ne le sait. Mais je détesterais voir votre portrait mis aux enchères d'ici quelque temps.

— Si cela se produit, achetez-le. Je préférerais être exposée ici qu'à Hong Kong.

Un sourire plisse le visage tanné du Français.

— Mon offre dépasserait toutes les autres, ma chère. Vous avez ma parole.

De Becque se lève subitement pour contempler la baie par le mur vitré. J'ai photographié nombre de prisonniers célèbres durant ma carrière, et quelque chose dans l'attitude du Français m'évoque ces séances. Ici, dans cette demeure valant des dizaines de millions de dollars, avec une fortune accrochée aux murs, cet expatrié partage quelque chose avec le plus pauvre des détenus faisant les cent pas dans sa cellule, en Angola ou dans le couloir de la mort.

— Je pense qu'il est temps de prendre congé, déclare Kaiser.

J'attends que de Becque se retourne vers nous, mais il ne bouge pas. Alors que je me dirige vers la porte, il me dit, d'une voix teintée de mélancolie :

— Malgré ce que peut dire votre ami, Jordan, souvenez-vous de ceci : les Français savent ce que loyauté veut dire.

— Je m'en souviendrai.

— Li va vous raccompagner.

— Merci.

Enfin il se retourne et lève une main en un geste

254

d'adieu. Je lis dans ses yeux une affection sincère à mon égard, et soudain j'ai la certitude qu'il connaissait beaucoup mieux mon père qu'il n'a bien voulu l'avouer.

— Vos numéros de téléphone ! Vous ne me les avez pas donnés.

— Ils vous attendent dans votre avion.

Et naturellement, je les y trouverai.

La Range Rover ronronne avec régularité tandis que nous roulons vers l'aéroport. Le soleil éclatant se réfléchit sur le capot et les panneaux de signalisation, et révèle un iguane bleuté sous un buisson en bordure de la route. Alors que le reptile disparaît prestement, je revois les *Femmes endormies* dans la galerie de De Becque, et un frisson me parcourt.

— Je viens de me rendre compte d'un détail important.

Avant que je puisse continuer, la main de Kaiser se referme sur mon genou et l'agrippe avec une telle force qu'il coupe presque la circulation sanguine dans le bas de ma jambe. Je garde le silence jusqu'à ce que nous ayons atteint l'avion, dans lequel notre escorte charge l'équipement pour nous avant de repartir sans un mot.

— De quoi s'agit-il ? demande Kaiser. A quoi avez-vous pensé ?

— Les peintures. Je sais où elles ont été réalisées.

— Quoi ?

— Enfin, pas le lieu exact, mais dans quelles conditions. Je vous l'ai dit, je n'y connais rien en art. Mais je m'y connais très bien en ce qui concerne la lumière.

— La lumière ?

— Ces femmes ont été peintes sous une lumière naturelle. C'est tellement évident que je ne l'avais pas remarqué à Hong Kong. Pas même aujourd'hui, dans un premier temps. Mais il y a un moment, dans la voiture, j'ai compris.

— Pourquoi ? Comment pouvez-vous en être sûre ?

— Grâce à vingt-cinq ans d'expérience. La lumière est très importante pour la couleur. Pour que les choses aient un aspect naturel. Les lumières, l'éclairage qu'on utilise en photographie équilibré en couleurs afin d'imiter la lumière naturelle. Je parierais que les artistes sont encore plus attentifs à cet aspect des choses. J'ignore quelle importance peut avoir ce point dans notre affaire, mais est-ce que cela ne nous renseigne pas un peu ?

— Si vous avez vu juste, ça pourrait nous être d'une grande aide. La lumière filtre-t-elle par une fenêtre, d'après vous ?

— Tout dépend de la qualité du verre.

— S'il peint les femmes à l'extérieur, il faut qu'il dispose d'un endroit très bien isolé. Il y a beaucoup de bois et de marécages autour de La Nouvelle-Orléans, mais y transporter une prisonnière ou un corps serait sans doute assez difficile.

— Un jardin, dis-je alors. La Nouvelle-Orléans regorge de jardins clos de murs et de cours intérieures. Je pense que c'est ce que nous devons chercher.

Kaiser m'agrippe le haut du bras.

— Vous auriez fait une belle carrière à Quantico. Embarquons.

Je ne bouge pas.

— Vous savez, vous n'avez pas été très utile chez de Becque. Pourquoi avoir débité toutes ces âneries à propos de la France et des Français ?

— Bah, on n'apprend rien d'un homme en un temps aussi court si l'on tient une conversation bien polie avec lui. Il faut le bousculer un peu, pour voir ce qui en ressort.

— De Becque voulait seulement se remémorer une certaine époque.

— Non. Il y avait plus.

— Dites-moi quoi.

— Embarquons d'abord.

Il me pousse à monter dans le Lear, puis se rend à l'avant pour converser avec les pilotes. Après une minute, il revient jusqu'au siège où j'ai pris place.

— Il faut que j'appelle Baxter. Ça risque de durer un bout de temps.

— Dites-moi d'abord, pour de Becque.

— Il a pris une décision par rapport à vous.

— Quelle sorte de décision ?

— Je l'ignore. Il a essayé de lire en vous, de vous comprendre.

— Il sait beaucoup de choses sur mon père, cela, j'en suis sûre.

— Il sait beaucoup de choses sur beaucoup d'autres sujets. Il est dans cette histoire jusqu'au cou. Je le sens.

— Peut-être que les femmes n'ont pas été tuées. Peut-être qu'on les détient quelque part en Asie.

— Elles auraient été transportées là-bas à bord du jet de ce de Becque, c'est ce que vous voulez dire ?

— Possible. Avez-vous retracé tous ses déplacements pendant l'année écoulée ?

— Nous avons quelques problèmes pour le faire. Mais Baxter s'y attelle. Et c'est un vrai bulldog dans ce genre de cas.

Kaiser va vers l'avant et prend un siège près de la cloison séparant la cabine du cockpit. Un instant plus tard, il a plaqué un portable à son oreille. Je ne saisis pas ce qu'il dit, mais à mesure que la conversation se développe, je remarque qu'une tension croissante envahit son cou et son bras. Le jet roule sur la piste, et bientôt nous volons vers le nord et Cuba. Après dix minutes, Kaiser met fin à la communication et revient s'asseoir face à moi. Dans ses yeux brille une excitation qu'il ne cherche pas à dissimuler.

— Que s'est-il passé ? Quelque chose de positif, n'est-ce pas ?

— Nous avons décroché le jackpot. Le labo de Washington a analysé deux poils de pinceau que nous avons retrouvés sur les toiles. Ils sont uniques, la meilleure qualité sur le marché. Ils proviennent de la fourrure d'une martre très rare, dite de Kolinsky, et ces pinceaux sont fabriqués à la main dans une seule petite usine, en Mandchourie. Il n'y a qu'un seul importateur aux Etats-Unis, installé à New York, qui achète deux lots par an, lesquels sont déjà vendus avant d'arriver. Il a des clients fidèles. La plupart sont à New York, mais un bon nombre sont disséminés dans tout le pays.

— Il y en a à La Nouvelle-Orléans ?

Kaiser sourit.

— La plus grosse commande en dehors de New

York a été expédiée à La Nouvelle-Orléans. Au département d'art de la Tulane University.

— Mon Dieu...

— C'est la troisième commande expédiée là en un an et demi. Baxter rencontre le président de l'université en ce moment même. A notre atterrissage, nous disposerons d'une liste de toutes les personnes qui ont eu accès à ces pinceaux dans les dix-huit derniers mois.

— Une des victimes n'a-t-elle pas été enlevée sur le campus de Tulane ?

— Deux. Une autre dans le parc Audubon, près du zoo. Qui est tout proche de Tulane.

— Bon sang !

— Cela ne fait que trois victimes sur les onze recensées. Les recoupements géographiques seuls ne désignaient pas Tulane. Mais ce nouvel élément change radicalement la donne.

— Et la commande la plus proche de La Nouvelle-Orléans, après celle-là ?

— Passée à Taos, Nouveau-Mexique. Ensuite, San Francisco.

Je sens soudain un grand vide dans mon estomac.

— Ça pourrait bien être ça...

Kaiser acquiesce.

— Lenz nous avait affirmé que les peintures nous mèneraient à des suspects. J'étais sceptique, mais ce salopard avait raison.

— Vous aviez vu plus juste que lui. Hier, vous m'avez dit que vous pensiez le tueur ou le kidnappeur basé à La Nouvelle-Orléans. Que les victimes étaient choisies là, et que le tueur était peut-être le peintre. Lenz voyait le peintre à New York.

Kaiser a la mimique contrariée d'un homme dont les prémonitions s'avèrent souvent mais qui ne tire qu'un plaisir très relatif d'avoir eu raison.

— Vous savez quoi ?

— Non, quoi ?

— De Becque nous a menti tout à l'heure.

— Comment ça ?

— Il a affirmé n'avoir jamais vu la peinture de Jane. Ce type peut se rendre en Asie à bord de son jet privé quand ça lui chante. Il a été ulcéré que Wingate vende les dernières des *Femmes endormies* sans lui en parler à des collectionneurs asiatiques. Même s'il n'a pas vu ces peintures quand elles ont été mises en vente, vous croyez qu'il n'a pas fait un saut jusqu'à Hong Kong dès que l'exposition a ouvert ?

— Il est difficile d'imaginer qu'il ne l'ait pas fait, c'est vrai.

— Et avez-vous remarqué qu'il a envoyé Li avec nous dans son petit musée ? Il n'est pas venu lui-même.

— Oui. Il aurait pourtant été logique qu'il veuille nous montrer lui-même ses trésors.

— Et voir votre réaction. Il a une relation particulière avec ces peintures. Et une relation particulière avec vous. De Becque est un drôle de type. Je parierais qu'il a quelques petites manies très bizarres. Et il se peut très bien qu'il ait surveillé vos réactions. Je n'ai repéré aucune caméra de surveillance visible, mais de nos jours ça ne veut rien dire.

— Alors, votre avis ?

Kaiser regarde par le hublot, et la lumière du soleil filtrée par la vitre épaisse teinte son visage de bleu.

— C'est un peu comme si on désensablait une statue énorme. On dévoile une épaule, et puis un genou. On croit savoir ce qui n'est pas encore révélé, mais en fait on n'en sait rien. Pas tant que toute la statue n'a pas été sortie du sol.

Il me coule un regard de biais, et ajoute :

— Vous savez à quoi tout cela me fait penser ? Le côté conspiration, je veux dire.

— A quoi ?

— A la traite des Blanches. Des femmes enlevées dans leur ville, envoyées très loin, et obligées à se prostituer. La chose se produit toujours, de différentes façons, même ici, en Amérique. Mais en Asie, et plus spécialement en Thaïlande, c'est un business énorme. Les syndicats du crime enlèvent des jeunes filles dans les villages de montagne et les emmènent dans les villes. Ils les enferment dans des chambres minuscules, les présentent comme vierges et les forcent à satisfaire des dizaines de clients chaque jour.

Je ferme les yeux, réprimant une vague de nausée. La seule évocation de cette horreur m'oblige à accepter l'idée que c'est un des destins possibles de Jane. Mais même si elle n'a pas subi cette humiliation, l'image décrite par Kaiser me fait frissonner de peur et de révolte. Je peux traverser un champ de bataille jonché de cadavres sans rendre mon déjeuner, mais l'idée d'une jeune fille terrifiée qu'on garde prisonnière dans un réduit jusqu'à ce qu'elle contracte le sida me révulse.

— Je suis désolé, dit Kaiser en m'effleurant le genou de la main. J'ai la tête pleine de ce genre de trucs, et il m'arrive d'oublier...

— Ça ne fait rien. C'est juste que... De toutes les horreurs imaginables, celle-là est la pire pour moi.

Bien qu'il s'efforce de le cacher, la question qu'il brûle de poser fait scintiller ses yeux.

— Ne demandez pas, d'accord ?

— D'accord. Ecoutez, nous sommes tout près de lui mettre le grappin dessus. Et de l'arrêter. Concentrez-vous sur ça.

— Entendu.

— Je peux vous apporter de l'eau, ou quelque chose ?

— Oui... S'il vous plaît.

Il se lève et se rend à l'avant de l'avion. Il faut que j'empêche mon esprit de suivre le chemin sombre qu'il veut emprunter. « Quelle est la pire chose qui vous soit jamais arrivée ? » demandait Lenz à ses patients. La pire chose...

11

Dans la salle de conférence de l'antenne du FBI à La Nouvelle-Orléans, une réunion stratégique doit décider de l'orientation que prendra le traitement du principal dossier KIDNO à partir de maintenant. Je ne participe pas à cette réunion. Le bureau du directeur régional Bowles m'est interdit. Une fois de plus, cette exclusion me rappelle mon statut d'intervenant extérieur. La réunion est dirigée par un des chefs du FBI et comprend le procureur général de La Nouvelle-Orléans, le chef de la police de la ville, le shérif de Jefferson Parish et quelques autres personnages importants. Surprenant, la vitesse à laquelle ils sont sortis du bois dès qu'ils ont senti le parfum du succès.

Pendant que j'attends, je repense à Marcel de Becque, à ses peintures, à sa magnifique servante eurasienne, et à la photo de mon père accrochée au mur. Mais ces souvenirs ne sont que de l'électricité statique autour de la certitude que si le plan de Baxter n'est pas rejeté, je serai bientôt face à des suspects, des hommes qui ont peut-être assassiné ma sœur, dans l'espoir que ma vue les ébranle assez pour qu'ils se trahissent. Cette perspective fait plus pour ma détermination que tout ce que j'ai pu essayer dans l'année écoulée.

L'agent Wendy, mon garde du corps, est venue me voir deux fois et a tenté de bavarder de tout et de rien pour me changer les idées, mais je n'ai pas réussi à me concentrer sur ce qu'elle disait, et elle a très bien compris. Cette fois, quand la porte du bureau de Bowles s'ouvre, c'est John Kaiser qui apparaît, l'air grave. Alors qu'il repousse le battant, j'aperçois Wendy qui regarde depuis le couloir.

— Prête ? demande-t-il.

— Où en est-on ?

— On n'a pas beaucoup progressé. Il fallait bien que les bureaucrates finissent par s'en mêler. Problèmes de juridictions. Le ponte du FBI et le procureur général sont partis. Ils voulaient vous rencontrer, mais je leur ai dit que vous n'étiez pas une fanatique du ministère de la justice.

— Disons que je préfère certains de ses représentants à d'autres.

Kaiser sourit.

— La grande nouvelle, c'est que nous avons quatre suspects. Et tous étaient en ville le jour où Wingate est mort à New York. Nous entendrons tous les détails ensemble. Quand ce sera terminé, j'aimerais avoir une petite discussion avec vous, en privé. Nous n'avons pas dîné. Nous pourrions nous rattraper par un souper, si vous êtes partante.

— Bien sûr. Avec Wendy ?

Il souffle l'air contenu dans ses joues.

— Je m'occuperai de ça. Allons-y.

Nous rejoignons la salle de conférence, dont les dimensions et la décoration sont faites pour impressionner. Je m'attendais à une table de trois mètres de long et des fauteuils sortis d'un cabinet médical. Je me retrouve dans une pièce de douze mètres de long avec une baie vitrée remplaçant tout un mur qui offre une vue panoramique sur le lac Pontchartrain, qu'on reconnaît dans l'obscurité par les lumières de la chaussée. La table de conférence mesure une dizaine de mètres et est entourée de sièges dignes d'un P-DG, capitonnés et tendus d'un tissu frappé du sigle du FBI au niveau de l'appuie-tête. A l'extrémité de la table sont installées quelques personnes que je connais déjà : Daniel Baxter, le directeur régional Bowles, le Dr Lenz et Bill Granger, directeur de la Brigade criminelle spécialisée. Dossiers et papiers s'empilent entre des gobelets en plastique ayant contenu du café, des bouteilles d'eau à moitié vides et un téléphone à haut-parleur. Kaiser prend place à la droite de Granger, en face de Bowles et Lenz, et je m'assieds à côté de lui.

Au bout de la table, Baxter semble fatigué, mais la détermination se lit sur son visage, comme un capitaine de navire qui a passé la journée à lutter contre la tempête et qui aperçoit maintenant son port d'attache. Quand il parle, c'est d'une voix enrouée :

— Mademoiselle Glass, nous avons fait des progrès significatifs durant les huit dernières heures. Les pinceaux en poil de martre nous ont menés au département d'art de la Tulane University. Avec l'aide du président de cette université, nous avons appris que cette commande particulière avait été passée par un certain Roger Weaton, un artiste travaillant au Newcomb College, qui fait partie de Tulane.

— Le nom me dit quelque chose.

— Weaton est un artiste fort estimé en Amérique. Il a cinquante-huit ans, et il s'est installé à Tulane il y a tout juste deux ans.

— A peu près au moment où les disparitions ont commencé, enchaîne Bill Granger.

— Wheaton a grandi dans le Vermont, reprend Baxter, et à l'exception de quatre années passées dans les Marines, il a partagé sa vie entre le Vermont et la ville de New York. Ces dix dernières années, il a été assiégé de propositions comme celle qui l'a amené à Tulane, mais il mène plutôt une vie de reclus, et jusqu'alors il avait refusé toutes ces offres. Et pourtant, il y a deux ans, il a accepté celle faite par Tulane.

— Pourquoi ?

— Nous aborderons ce point dans une minute. Ce qu'il importe de savoir, c'est que Wheaton n'a pas commandé ces pinceaux particuliers pour lui seul. Trois élèves suivent ses cours, et ils travaillent avec lui depuis son arrivée. Deux sont des hommes, et l'ont suivi quand il est venu de New York. L'autre est une femme, native de la Louisiane.

— Un de nos suspects est une femme ?

— Elle a accès aux pinceaux en poil de martre, et le Taser utilisé pour enlever la victime de Dorignac rend possible l'action d'une femme.

Aussi improbable que cela me paraisse, je passe directement à la question suivante :

— Wheaton a amené ses propres élèves ?

— Tulane a engagé Roger Wheaton pour sa

réputation. Il constitue un fleuron pour l'université, et on lui a laissé entière liberté de choix quant aux élèves qu'il voulait sélectionner pour suivre son programme. Wheaton fait également des exposés de façon régulière, devant une classe de cinquante et un étudiants, et n'importe lequel d'entre eux peut avoir eu accès aux pinceaux. Mais nous ne vous ferons pas intervenir dans cette phase de l'enquête. Wheaton et ses trois élèves seront notre cible prioritaire.

— Quand les verrons-nous ?

— Demain. Tous, et peu importe le temps que ça prendra. Je tiens à minimiser les risques d'interaction entre eux avant l'interrogatoire. Avant d'entrer dans les détails, cependant, il faut que vous compreniez bien quelle est notre position dans la situation actuelle. L'USR travaille en général en qualité de conseiller expert pour les polices d'Etat et métropolitaine. Nous leur fournissons notre expertise dans les affaires concernant des agresseurs en série, mais ce sont les policiers qui effectuent le travail de terrain. Ils mènent les interrogatoires, les arrestations, et ils récoltent les lauriers quand ils résolvent l'enquête. Toutefois, dans une affaire aussi complexe et étalée dans le temps que celle qui nous occupe, et parce que nous savons que d'autres crimes seront probablement commis à l'avenir, nous nous impliquons beaucoup plus dans tous les aspects de l'enquête.

— Je comprends.

— Nous avons à La Nouvelle-Orléans une situation unique. Le caractère très étendu de la ville a créé un véritable cauchemar sur le plan des juridictions. Sept services de police distincts sont concernés par ces disparitions. Et bien que tous n'aient pas des enquêteurs spécialisés dans les affaires criminelles, plus de deux douzaines d'hommes travaillent déjà sur ce dossier. Actuellement, nous coordonnons leurs efforts, mais tous ces inspecteurs aimeraient interroger Wheaton et ses élèves. Il n'en reste pas moins que l'arme la plus puissante qu'on puisse avoir dans ces interrogatoires, c'est vous, mademoiselle Glass. Et pour dire les choses simplement, vous faites maintenant partie de notre équipe.

— Pour le moment.

Baxter lance un regard à Kaiser, lequel reste de marbre.

— Nous avons également réussi à rassembler plusieurs des *Femmes endormies* à la National Gallery de Washington, et c'est un résultat que les polices métropolitaines n'auraient jamais pu obtenir. A cause de cet élément, et à cause des rivalités entre juridictions, nous détenons la priorité pour les suspects. Tous les quatre ont été mis sous surveillance dès leur identification, mais nous ne les approcherons pas avant demain. La pression engendrée par cette enquête est énorme. Certaines victimes de cette affaire appartiennent à des familles influentes. L'une des étudiantes de Tulane était – est – la fille d'un juge fédéral de New York. Aussi, pendant que nous interrogerons Roger Wheaton à l'université, la police de New York fouillera sa résidence là-bas de fond en comble. Nous épluchons déjà son passé, toutes les données concrètes sur lesquelles nous pouvons mettre la main. Ses trois élèves subissent le même traitement, bien que je ne sois guère optimiste pour deux d'entre eux. Enquêter sur des étudiants en art, c'est comme enquêter sur des serveurs. Ils n'existent pratiquement pas sur le papier. Pour l'instant, aucun des quatre n'a d'alibi consigné par écrit pour l'enlèvement de Dorignac. Tous les quatre se trouvaient à une inauguration au musée d'art de La Nouvelle-Orléans jusqu'à dix-neuf heures trente. Le conservateur l'a vérifié. En dehors de ces quelques faits, nous ne savons rien.

Baxter plante son regard dans le mien.

— Demain, mademoiselle Glass, nous deviendrons la pointe d'une lance très lourde. Nous devons toucher notre cible. Si nous ratons, nous perdons la meilleure chance que nous aurons jamais de surprendre notre homme et de le faire avouer.

— J'ai compris. Voyons les détails.

Baxter remue quelques papiers.

— Je vais vous donner un rapide aperçu de ce que nous savons sur chacun. John en profitera lui aussi.

Le directeur régional Bowles se lève et éteint les lumières, et un grand écran fixé au plafond à l'autre bout de la salle s'illumine.

— Je veux d'abord que vous regardiez avec attention chacun des quatre visages, dit Baxter. Voyez si l'un d'entre eux vous semble familier. Ensuite nous étudierons chaque cas. Ces images proviennent de notre Centre opérationnel d'urgence, qui se trouve également à cet étage.

Baxter se penche vers l'interphone posé sur la table.

— Envoyez le composite, Tom.

Quatre photos apparaissent simultanément sur l'écran. Aucun des visages ne m'est familier, et aucun ne ressemble à ceux que j'avais imaginés, mais pourquoi le devraient-ils ? L'image mentale que je me fais des artistes vient des livres et des films, et elle est surtout composée de visages d'artistes des siècles passés. Quand j'entends le mot « étudiants », je pense à des personnes âgées d'une vingtaine d'années. Le plus vieux ici – Roger Wheaton, je suppose – porte des lunettes à double foyer et me fait penser à Max Von Sydow, l'acteur. La mine sévère, de type scandinave, avec des cheveux gris qui tombent sur ses épaules. A côté de lui se trouve la photo d'un homme dans la quarantaine qui ressemble à un ex-taulard : mal rasé, yeux profondément enfoncés, l'air d'un dur. Puis je me rends compte qu'il porte justement un uniforme de prisonnier.

— Ce type est un détenu ?

— Il a fait deux séjours à Sing Sing, dit Baxter. Nous y reviendrons. Nous avons là une belle brochette de drôles d'oiseaux, et je ne plaisante pas.

— Est-ce une description scientifique ? raille Kaiser.

Bowles éclate d'un gros rire.

— Ces visages vous disent quelque chose ? me demande Baxter.

— Pas pour l'instant.

Le dernier homme sur le composite est d'une beauté frappante, et mon sixième sens me dit qu'il est homosexuel. Généralement, j'en arrive à cette conclusion après avoir étudié l'apparence physique, la façon de parler et de se comporter. Ici je ne dispose que d'une photographie, mais j'ai passé ma vie à examiner des photographies, et je suis certaine de mon appréciation. La femme est elle aussi séduisante, avec ses longs cheveux noirs, sa peau laiteuse et ses yeux sombres. Mais en dépit de son teint, quelque chose dans ses traits suggère un peu de sang africain.

— Le plus âgé est Roger Wheaton, dit Baxter. Le détenu, c'est Leon Isaac Gaines, quarante-deux ans. A grandi dans le Queens, New York. Le troisième homme s'appelle Frank Smith. Il a trente-cinq ans, et vient lui aussi de New York. Quant à la femme, Thalia Laveau, elle a trente-neuf ans et vient de Terrebonne Parish, ici, en Louisiane.

Maintenant je comprends. Thalia Laveau est une Sabine, un groupe racial dont le FBI n'a sans doute jamais entendu parler.

— Les quatre suspects ont vécu à New York pendant un certain temps, dit Baxter, de sorte que tous peuvent avoir des liens avec la personne qui a tué Wingate.

Il se penche vers l'interphone.

— Montrez Wheaton seul.

Le composite est aussitôt remplacé par un instantané de Roger Wheaton. L'artiste a les yeux profondément enfoncés sous les arcades sourcilières, derrière ses lunettes, et un visage long aux traits puissants. Il ressemble plus à un artisan qu'à un peintre, un génie du métal ou du bois.

— Avant d'aborder sa bio, dit Baxter, voyons

pourquoi Wheaton est venu à La Nouvelle-Orléans. Il y a trois ans, cet artiste reclus de renommée internationale s'est vu diagnostiquer une dermatosclérose, qui est une maladie potentiellement fatale. Arthur ?

Avec un petit reniflement, le Dr Lenz incline la tête vers moi et prend la parole :

— On pense souvent que la dermatosclérose atteint les femmes, mais elle peut également affecter les hommes, et en général son évolution est alors plus rapide. Les symptômes externes, tels qu'un durcissement de la peau du visage, ne sont pas toujours visibles ni même présents chez l'homme, mais les dommages internes sont accélérés. La dermatosclérose est de nature vasculaire, et provoque des lésions des organes internes et éventuellement leur dysfonctionnement, y compris les poumons. Un symptôme particulièrement important dans le cas de Wheaton est ce qu'on appelle le phénomène de Raynaud. Il s'agit d'un spasme et d'une contraction des vaisseaux sanguins des extrémités, en général les doigts, mais parfois aussi le nez ou le pénis, causés par le contact avec des températures basses, en général par l'eau ou l'air. Ces attaques coupent complètement la circulation dans les doigts, parfois assez longtemps pour entraîner des dommages irréversibles des tissus. L'amputation n'est pas rare. Les victimes de cette affection portent fréquemment des gants tout au long de la journée.

— Wheaton est venu dans le Sud pour éviter cela ? dis-je.

— Il semblerait, bien que ce genre de déplacement ne soit pas recommandé par les médecins.

C'est inutile, d'une certaine manière. La climatisation est beaucoup plus fréquente dans le Sud, et le simple fait d'ouvrir un réfrigérateur peut déclencher une attaque. Mais l'université a pris toutes les peines du monde pour s'accommoder des besoins particuliers de Wheaton. L'artiste Paul Klee a souffert de dermatosclérose à la fin de sa vie, et son œuvre s'en est trouvée profondément affectée. Ses peintures sont devenues très sombres dans leur contenu, et les dommages subis par ses doigts l'ont obligé à modifier son style du tout au tout. Il...

Baxter lève la main pour intervenir.

— Arthur, nous avons besoin d'une vue d'ensemble, pour l'instant. Nous avons beaucoup d'autres points à aborder.

Lenz aime s'entendre parler, et il ne goûte guère cette interruption. Mais Daniel Baxter n'hésite pas une seconde et lui vole la parole, pour déclarer du même ton qu'un homme lisant la réponse à une énigme dans un jeu :

— Roger Wheaton, né en 1943 dans le Vermont rural. Cadet de trois enfants. Ses deux frères se sont engagés juste après avoir obtenu leur diplôme de fin d'études secondaires : un dans l'infanterie, l'autre dans la marine. Wheaton n'a pas reçu de formation artistique spécifique pendant sa jeunesse, mais dans les interviews qu'il a données, et qui sont très rares, il dit que sa mère aimait passionnément l'art classique. Elle lui a acheté du matériel et l'a encouragé à imiter les grands maîtres, en copiant les planches en couleurs d'un livre qu'elle lui a offert. Il a montré un talent exceptionnel, et à dix-sept ans il a quitté le foyer familial pour New York. Nous n'avons pas beaucoup de renseignements sur cette période mais, dans ses interviews, il affirme toujours avoir gagné sa vie en faisant divers boulots et en peignant des portraits dans la rue. Il n'a pas rencontré le succès en tant qu'artiste, et en 1966 il s'est engagé dans les Marines. Il a servi à deux reprises au Vietnam, et il en est revenu avec une Bronze Star et une Purple Heart...

Je regarde Kaiser, qui sous la table presse son pied sur le bout du mien.

— Wheaton a également engagé une action disciplinaire contre deux membres de sa section pour le viol d'une Vietnamienne de douze ans. Il l'a soutenue jusqu'à la cour martiale, et les deux hommes ont purgé une peine à la prison de Leavenworth. Un commentaire, John ?

Kaiser acquiesce dans la pénombre.

— Ça a dû le rendre aussi populaire que les mines antipersonnel dans sa section. L'acte nous dit quelque chose sur lui, mais quoi, je n'en suis pas sûr. Soit ce qu'il a vu était vraiment atroce, et il s'est senti moralement obligé de le punir, soit ce type se prend pour un héros.

La remarque me fait bondir.

— Quel viol ne serait pas atroce à voir ? dis-je en m'efforçant de contrôler ma voix. Pourquoi Wheaton n'aurait-il pas fait simplement ce qu'il était juste de faire en le dénonçant ?

Baxter répond à la place de Kaiser :

— J'ai moi-même servi au Vietnam, mademoiselle Glass. La plupart des soldats assistant à la situation que j'ai décrite auraient été outrés et révulsés, mais ils auraient regardé ailleurs. Quelques-uns auraient participé. Mais très peu auraient alerté la chaîne de commandement pour intenter une action disciplinaire contre les coupables. Rétrospectivement, ce n'est certes pas très joli, mais à l'époque personne n'avait envie de poursuivre devant la justice militaire nos propres hommes pour moins qu'un massacre. Wheaton a été muté par la suite dans une autre unité, on devine aisément pour quelles raisons. Il est à noter que son dossier est sans tache, et qu'il comporte plusieurs recommandations et commentaires élogieux de ses supérieurs.

— Il faudrait rechercher le nom des hommes avec qui il a servi, dit Kaiser. Pas seulement ses officiers.

— C'est en cours, répond Baxter. Il faut également savoir que Wheaton a perdu un de ses frères au Vietnam, lors de l'explosion d'une bombe terroriste dans un bar de Saigon. L'autre est mort en 1974 d'une crise cardiaque.

Baxter remue quelques papiers.

— Après son retour du Vietnam, Wheaton est revenu à New York et s'est inscrit au programme d'art de la New York University. Peu à peu, il s'est fait un nom grâce à ses portraits. C'est ainsi qu'il a gagné sa vie pendant des années, tout en travaillant sur son obsession personnelle, qui est le paysage. Ces vingt dernières années, il a peint le même sujet encore et encore. C'est une clairière en forêt, et chaque toile de la série est intitulée *La Clairière*. Il a commencé dans un style très réaliste, mais avec le temps sa production est devenue de plus en plus abstraite. Les peintures sont toujours intitulées *La Clairière*, mais on ne peut plus en reconnaître le sujet. Les premières, les plus réalistes, montraient une clairière comme celles qu'on peut voir dans les forêts du Vermont, mais aussi une végétation caractéristique du Vietnam, et parfois un mélange des deux, de sorte qu'il est impossible de définir l'origine réelle de cette inspiration, ou sa signification. Quand la question lui a été posée en interview, Wheaton a répondu que ses peintures parlaient d'elles-mêmes.

— Une progression du réaliste vers l'abstrait, commente Kaiser. L'exact opposé des *Femmes endormies*.

— La progression de Wheaton est beaucoup plus marquée, corrige Lenz. Son style s'est affirmé au point qu'il est l'initiateur d'une école, ou d'un courant pictural dans le monde artistique. On l'appelle « l'impressionnisme sombre ». Pas parce que les peintures elles-mêmes sont particulièrement obscures, quoique ce soit le cas des dernières, mais à cause de leur contenu. Il utilise la technique des impressionnistes, toutefois les impressionnistes avaient tendance à peindre ce qu'on pourrait qualifier des sujets joyeux. Des thèmes bucoliques, tranquilles. Pensez à Manet, Renoir, Monet, Pissarro. Le travail de Wheaton est très différent.

— De Becque a dit que l'artiste des *Femmes endormies* empruntait au style impressionniste, dis-je à Lenz. Dans sa façon d'utiliser la couleur, en tout cas.

— C'est vrai, approuve le psychiatre. Mais il a abandonné le style pur très rapidement. A leurs débuts, beaucoup d'artistes imitent les impressionnistes, tout comme les jeunes compositeurs imitent les compositeurs les plus célèbres du passé. Mais l'impressionnisme en tant que tel appartient au passé. Wheaton a réussi parce qu'il a apporté quelque chose de neuf à ce style. Quant à la possibilité qu'il soit l'auteur des *Femmes endormies*, deux experts nous ont déjà affirmé que les *Femmes endormies* ne présentent aucune ressemblance avec les toiles de Roger Wheaton.

— Un même homme pourrait-il peindre avec deux styles radicalement différents sans qu'un expert puisse établir la moindre corrélation entre les deux ? demande Baxter.

— S'il le faisait dans un but précis, sans doute.

— Et si c'était pour éviter d'être identifié comme l'auteur de certaines toiles ?

— C'est possible. Mais au cours de la création d'une œuvre, certaines idiosyncrasies se font jour. Nous avons rassemblé nombre de portraits peints par Wheaton il y a des années, afin de comparer la façon dont il rend la peau, les yeux, les cheveux, etc, avec la technique du peintre des *Femmes endormies*. Tout ça est très technique, mais la réponse finale est : non. Il ne pourrait pas se dissimuler ainsi. Bien évidemment, nous allons procéder à l'analyse des peintures, des toiles et de tous les autres éléments pour en avoir la certitude.

— Avez-vous retrouvé des poils de martre de Kolinsky dans les peintures de Wheaton ?

— Oui. Tout comme dans les peintures de Smith, Gaines et Laveau.

— Leur datation remonte à quand ?

— Deux ans. Quand ils sont arrivés à Tulane.

— C'est alors que Wheaton s'est mis à utiliser ces pinceaux particuliers ?

— Il semble que oui. A nous de lui demander pour quelle raison. Poursuivons. Je pourrais vous parler pendant une heure de Wheaton seul, mais nous avons des suspects nettement plus convaincants dans ce petit groupe. Montrez-nous Gaines, Tom, ajoute Baxter dans l'interphone.

La photo de Wheaton est remplacée par un cliché anthropométrique de l'ex-détenu. Je traverserais une autoroute à pied pour éviter de croiser le chemin de ce genre de type. Un regard de fou, le teint terreux, la chevelure brune en broussaille, le menton ombré d'un début de barbe, le nez cassé. Le seul pinceau que je l'imagine prendre en main aurait vingt centimètres de large.

— Leon Isaac Gaines, annonce Baxter. Si je devais parier maintenant, je dirais que c'est notre homme à La Nouvelle-Orléans. Son père et sa mère étaient tous deux des alcooliques. Le père a fait un séjour à Sing Sing pour rapports sexuels avec un mineur. Il a ouvert la voie à son fils, je suppose.

— Des rapports sexuels avec un garçon ou une fille ?

— Une fille.

— De quel âge ?

— Quatorze ans. Quand il était lui-même mineur, Leon a été arrêté à plusieurs reprises. Vol, agression, voyeurisme, la panoplie complète. Il a effectué une peine de prison comme délinquant juvénile, pour incendie volontaire, et il a fréquenté des centres d'éducation surveillée jusqu'à l'âge de vingt ans.

Kaiser laisse échapper un grognement, et je sais pourquoi. La pyromanie infantile est une des trois composantes du « triangle homicide » qui révèlent les criminels en série chez les mineurs. Incontinence nocturne, pyromanie, cruauté sur animaux : je me souviens de ces trois points dans mes lectures de l'année passée.

— Il s'est aussi distingué pour actes de barbarie envers des animaux, ajoute Baxter. A l'âge de douze ans, il a enterré le chat d'un voisin jusqu'au cou dans un tas de sable, et il a roulé sur la pauvre bête avec une tondeuse à gazon.

— Et l'énurésie ? demande Kaiser.

— Aucune trace dans son dossier. Les deux parents sont décédés, mais ils n'étaient pas du genre à recourir à une aide médicale pour ça. Néanmoins nous recherchons les médecins ayant exercé dans son quartier à cette époque.

Il fouille encore dans ses papiers, au cœur de la pénombre qui baigne la table.

— Gaines a été pincé deux fois, la première pour voies de fait graves, l'autre pour tentative de viol.

— Bon sang, grommelle Bowles.

— Pas d'affiliation à un gang pendant qu'il a purgé ses condamnations, mais il a participé à une émeute très violente à Sing Sing. Nous recherchons ses compagnons de cellule et des agents sont en chemin pour les interroger. Gaines n'avait jamais manié le pinceau de sa vie jusqu'à sa première peine à Sing Sing, en 1975. Il a fait preuve d'un talent tellement prometteur que le directeur de la prison a montré ses toiles à des marchands d'art de New York. Apparemment ils ont gardé un œil sur lui, puisque durant sa deuxième peine ils ont vendu quelques-unes de ses peintures pour lui. Il a attiré l'attention de la communauté artistique new-yorkaise, très similairement à la manière dont Jack Henry Abbott a attiré l'attention de Norman Mailer et d'autres crétins avec son histoire du « Ventre de la Bête ».

— Et c'est alors que Wheaton a entendu parler de Gaines ? veut savoir Kaiser.

— Wheaton n'est mentionné par personne en corrélation avec Gaines à cette époque. Wheaton a toujours été un solitaire, un reclus, qui ne fréquentait aucun autre artiste. Depuis que sa dermato-sclérose a été diagnostiquée, il a rompu tout contact social, à l'exception de son agent et de ses élèves. Des sommités du monde de l'art ici, à La Nouvelle-Orléans, l'ont invité à des soirées ou des dîners, mais il a toujours décliné. Le président de l'université n'est d'ailleurs pas très content de cette attitude.

— Que peint Gaines ? demande Kaiser.

— Il a commencé par des scènes de prison. A présent il ne peint plus que sa petite amie... du moment. D'après ce qu'on sait, il a régulièrement maltraité les femmes avec qui il vivait. Il peint ça aussi, à propos. Les critiques de ses œuvres les décrivent comme « violentes », et c'est une citation.

— Parmi combien de candidatures Wheaton a-t-il choisi ce type ?

— Plus de six cents.

— Bon sang... Pourquoi a-t-il sélectionné Gaines ?

— Vous pourrez lui poser la question demain.

A côté de moi, je sens qu'une tension soudaine envahit Kaiser.

— C'est moi qui conduirai l'interrogatoire ?

— Nous y reviendrons quand nous en aurons terminé avec ces bios, dit Baxter d'un ton sec.

La rivalité entre Kaiser et Lenz s'en trouvera très certainement aggravée.

— Donc Gaines peint essentiellement une série, lui aussi ? dis-je. Le même sujet, encore et encore ? Tout comme Wheaton et notre artiste mystérieux ?

— Les autres élèves également, à leur manière, répond Lenz. Apparemment, Wheaton en a fait un de ses critères de sélection. Il a déclaré que, selon lui, seule l'étude approfondie d'un sujet particulier peut produire une compréhension nouvelle, un niveau plus profond de la vérité.

— Cette théorie ne vaut pas un kopeck, raille Bowles.

— J'aurais tendance à être de votre avis, approuve Baxter. Il n'empêche que Wheaton est très bien payé.

— Combien ?

— Sa dernière toile s'est vendue quatre cent mille dollars.

— C'est loin des prix auxquels s'arrachent les *Femmes endormies*.

— Exact. Mais Wheaton est beaucoup plus prolifique que notre artiste mystère. Notez que la police de New York a été appelée à nombre de reprises au duplex de Leon Gaines, mais sa petite amie doit encore l'accuser sous serment. D'habitude, Gaines est saoul quand les flics débarquent chez lui.

— Je crois que nous avons une image assez précise de ce Gaines, dit Kaiser.

— Pas encore. Sachez qu'il possède un utilitaire Dodge avec vitres fumées.

— Les autres ont le même genre de véhicule ? demande Kaiser d'une voix douce.

— Non, dit Lenz.

— Il faut que nous pénétrions dans ce van. Si nous trouvons des traces biologiques, nous pourrons les comparer avec les échantillons d'ADN des victimes.

— Où avez-vous déniché ces échantillons ? dis-je, assez surprise. Vous n'avez pas les corps.

— Pour quatre des victimes, nous avons des mèches de leurs cheveux qu'on leur avait coupées dans leur enfance, m'explique Kaiser. Deux autres ont eu un cancer du sein, et des cellules souches de leur moelle épinière sont conservées dans des hôpitaux pour de futures transplantations. Deux victimes ont des ovules stockés dans des cliniques spécialisées dans les traitements de l'infertilité. Et deux ont conservé le sang du cordon ombilical quand leurs plus jeunes enfants sont nés. Ce n'est pas un équivalent complet de l'ADN de la mère, mais ce pourrait être utile.

— Je suis impressionnée.

— C'est John qui a rassemblé tous ces renseignements, dit Baxter avec fierté.

— En tant que vraies jumelles, me dit Kaiser, vous pourriez ajouter votre ADN à notre banque de données, pour votre sœur. Je voulais vous en parler, justement.

— Aucun problème.

— Dès que vous aurez terminé l'interrogatoire de Gaines demain, la police de New York confisquera son van, décide Baxter.

— Quelle importance apportez-vous à cet utilitaire ? Vous pensez que c'est un bon moyen pour transporter un corps ?

Kaiser se tourne vers moi, et dans son visage qui n'est guère plus qu'une ombre, ses yeux luisent.

— La grande majorité des violeurs et les tueurs en série préfèrent ce type de véhicule. C'est l'élément le plus important de leur équipement, un moyen de dissimuler très rapidement leur victime, même dans un endroit public. Plus tard, il devient souvent le théâtre du crime final.

En vain j'essaie de me fermer aux images de Jane violée puis massacrée à l'arrière d'un van ténébreux et puant.

— Je parie sur Leon Gaines, dit Baxter. Mais nous devons étudier tous les suspects. Passons à Frank Smith, Tom.

Le visage de Gaines est remplacé par celui, presque angélique, que j'ai vu précédemment sur le composite.

— Celui-là est une énigme, commence Baxter. Frank Smith est né dans une famille aisée de Westchester County, en 1965. Il s'est consacré à l'art dès son plus jeune âge, et a obtenu un diplôme des beaux-arts à Columbia. Smith est ouvertement gay, et il peint des thèmes homosexuels depuis sa période universitaire. En général, des hommes nus.

— Des hommes nus endormis ? demande Kaiser.

— Si seulement c'était le cas ! soupire Baxter. De l'avis unanime des connaisseurs, Smith est très talentueux, et il peint dans le style des vieux maîtres. Ses toiles me font penser à Rembrandt. C'est vraiment incroyable.

— Il est plus proche du Titien, en fait, corrige Lenz, ce qui lui vaut un reniflement narquois du directeur régional. Frank Smith tend lui-même ses toiles et réalise ses mélanges personnels de pigments. Le mystère, c'est ce qu'il fabrique dans le programme de Wheaton. Il est déjà célèbre. Wheaton a beaucoup plus d'envergure, bien sûr, mais je ne vois pas trop ce que Smith pourrait apprendre auprès de lui.

— Je le demanderai à Smith demain, promet Kaiser.

Lenz étouffe un soupir irrité et regarde Baxter, qui semble hypnotisé par la table devant lui. La lumière bleue du projecteur souligne les traits tirés du chef de l'USR.

— Les peintures de Smith se vendent actuellement plus de trente mille dollars pièce, ajoute Lenz.

— Oh, j'allais oublier, reprend Baxter, Wheaton travaille actuellement sur une peinture qui recouvrira toute une salle du Woldenberg Art Center à Tulane.

— Vous voulez dire un mur entier ? fait Kaiser.

— Non, une salle entière. De multiples toiles tendues sur des châssis courbes formeront un cercle parfait. Il peint sur des châssis courbes depuis des années, afin de créer l'impression que vous entrez dans cette clairière qu'il représente toujours. Monet a lui aussi utilisé ce système. Mais l'œuvre de Wheaton formera un cercle complet. De grande taille, puisqu'il occupera la moitié d'une galerie de quatre cents mètres carrés.

Je connais des photographes qui ont eu recours à ce procédé pour leurs expositions. En général, le résultat est décevant et artificiel, comme un diaporama de fortune.

— Smith est fiché ? demande Kaiser.

— Il a été arrêté une ou deux fois pour comportement indécent en public quand il avait autour de la vingtaine, lors de rassemblements dans des parcs. Rien d'important. Ses parents ont fait disparaître les accusations de sodomie, mais il a mentionné ses arrestations lors de ses interviews. Il en semble fier. J'ai obtenu les dossiers de la police de New York, pour vérification.

— Et les alibis de toutes ces personnes ? dis-je. Est-ce que quelqu'un s'est penché sur ce qu'elles faisaient au moment des disparitions ?

— Oui, environ deux cents flics, gronde Bowles. Avec nous en prime. La police possède un savoir-faire réel pour ce genre de tâche. Mais tant qu'on n'a pas interrogé les suspects, on ne peut pas grand-chose. Uniquement remonter les pistes écrites, les relevés de cartes bancaires, ce genre de choses. Jusqu'à maintenant, tous les suspects semblent avoir été présents en ville au moment des enlèvements. Après les interrogatoires de demain, on ne prend plus de gants. Ces personnes seront sous les projecteurs. Elles vont prendre des avocats, et toute l'affaire va se transformer en cauchemar médiatique.

— Et la fille ? dit Kaiser. Quelle est son histoire ?

— C'est une perte de temps, tranche Lenz. Il n'existe aucun précédent d'une femme ayant commis ce type de meurtres.

— Nous n'avons aucune certitude que ce sont des meurtres, réplique Kaiser avec une colère contenue. Tant que nous n'aurons pas trouvé les corps, ou au moins un, nous ignorons à quoi nous avons affaire. Je me refuse à écarter un suspect d'après les techniques de profilage standard. Prenez Roger Wheaton. Ce type est bien au-dessus de notre âge limite, mais d'après ce que j'ai entendu, j'ai quelques questions à lui poser.

— Thalia Laveau, dit Baxter pour calmer l'irritation montante. Née à Bayou Terrebonne en 1961. Père trappeur, mère au foyer.

— Qu'attrapait-il ? demande Kaiser.

C'est moi qui lui réponds :

— Tout ce qui ne l'attrapait pas d'abord.

Bowles éclate de rire une nouvelle fois.

— Vous connaissez ces gens ? s'étonne Baxter.

— Nous avons fait quelques reportages là-bas quand je travaillais au *Times Picayune*. Des troubles dans l'industrie de la crevette. C'est un autre univers. L'air sent la crevette en train de sécher. Jamais vous n'oubliez cette odeur.

— Ça correspond à nos renseignements, dit Baxter en parcourant un dossier. Racialement, Laveau est en partie française, en partie afro-américaine, et en partie amérindienne.

— Une Redbone ? demande Bowles.

— Non, c'est différent, lui dis-je.

— Qu'est-ce qu'une Redbone ? interroge Kaiser. Comme Leon Redbone ?

— Les Redbones sont en partie noirs, en partie indiens, dis-je. Ils sont installés dans tout l'ouest de la Louisiane et l'est du Texas. Thalia Laveau est ce qu'on appelle une Sabine.

— C'est inexact, intervient Baxter qui s'arrête à ma seule prononciation du terme.

— Non. A Lafourche Parish et à Terrebonne Parish, il disent « So-bine », et non « Sa-bine », comme ces femmes de l'histoire romaine. Je ne sais pourquoi, c'est comme ça qu'ils prononcent.

— Cette fille ne me paraît pas noire, à moi, remarque Bowles.

— Ni indienne, ajoute Kaiser qui a grandi dans l'Ouest. Revoyons sa photo.

— Mettez-nous Laveau, Tom, ordonne Baxter.

Sur la photo suivante – celle-ci en couleurs –, Thalia Laveau n'est pas simplement jolie, elle est belle. Ses cheveux et ses yeux sont d'un noir si brillant qu'ils semblent flotter hors de l'écran, tandis que sa peau a le satiné du babeurre.

— C'est vous l'experte, me dit Baxter. Parlez-nous de ces gens.

— Les Sabines sont des trappeurs et des pêcheurs, dis-je en me remémorant ce que j'ai appris sur leur compte. Des pêcheurs de crevettes. Ils vivent dans des taudis le long des bayous qui mènent vers le golfe du Mexique. Ce ne sont pas des Cajuns, mais à son âge elle a certainement grandi en parlant le français. Il fallait leur apprendre l'anglais à l'école. Ce sont des catholiques, mais ils ont également des superstitions singulières. Il y a un peu de vaudou chez eux, je crois. Les unions consanguines ne sont pas rares. Leur peau va du blanc, comme chez cette femme, au noir le plus profond. Ils peuvent avoir les cheveux frisés, ou raides comme les siens. Ce sont des gens rudes, mais qui adorent danser et jouer de la musique. Ils ont l'esprit de clan, et ils ne vont pas voir les autorités quand ils rencontrent un problème. Dans les années quatre-vingt, ils se sont heurtés aux réfugiés vietnamiens qui venaient dans leurs zones de pêche à la crevette pour les concurrencer. Il y a eu quelques fusillades, et des bateaux éperonnés. A l'époque, ces troubles ont fait la une.

— C'est plus que ce que j'ai ici, commente Baxter. D'après nos renseignements, Thalia Laveau n'a eu aucune formation artistique. Un jour, elle s'est simplement mise à dessiner, et a montré un réel talent. Elle a fini par passer à la peinture, surtout des aquarelles représentant les bayous et le golfe. Elle a quitté l'école tôt, et à dix-sept ans elle s'est installée à New York.

— Tout comme Wheaton, fais-je calmement remarquer.

— En effet. Et comme Wheaton, elle a rapidement connu le succès. Elle a gagné sa vie de différentes manières, en travaillant comme serveuse mais aussi dans des galeries d'art. Une prof d'art pense se souvenir qu'elle aurait fait allusion à des strip-teases pour gagner un peu d'argent à New York, mais ultérieurement elle a déclaré avoir certainement mal compris. En revanche elle a posé comme modèle pour des cours dans une classe de dessin à Tulane, et à plusieurs reprises pour des nus. Le point le plus significatif que nous avons relevé pour l'instant est qu'elle serait lesbienne.

— C'est une simple rumeur, ou un fait avéré ?

— Non confirmé. Nous ne voulions pas questionner les étudiants sur ce sujet. Nous aimerions que nos suspects n'aient eu aucun moyen de se préparer quand ils seront interrogés demain.

— Que peint Laveau ? demande Kaiser. Des nus féminins ?

— Non. Elle s'installe chez des inconnus, y vit quelque temps, puis elle se met à peindre leur vie.

— Comme les photographes documentaristes des années soixante, dis-je. Gordon Parks.

— Elle termine toutes ses peintures en une seule séance, poursuit Baxter. Elle a beaucoup attiré l'attention de la presse, mais ses toiles ne se vendent pas très cher. Et encore moins dans la classe de Wheaton ou de Frank Smith.

— Combien ? s'enquiert Kaiser. Un millier de dollars pièce ?

— Ah... Sept cents dollars, c'est le maximum qu'elle ait jamais tiré d'une vente.

— A propos, Leon Gaines vend-il bien ses toiles ? dis-je.

— Quelqu'un en a acheté une cinq mille dollars. Il pourrait vivre de son art, mais il croule sous les dettes. A cause des prêts étudiants, et de ses dettes envers des bookmakers. Un ancien compagnon de cellule a déclaré qu'en prison il était devenu sérieusement accro à l'héroïne.

— J'ai l'impression que Laveau et Gaines ne roulent pas sur l'or, dit Kaiser. Alors où sont les millions de dollars gagnés avec les *Femmes endormies* ?

— Bonne question.

— Pour l'instant, Wheaton et Frank Smith ont ma préférence, intervient Lenz. Tous deux sont déjà aisés, et on peut penser qu'ils savent comment dissimuler leur argent, ou qu'ils connaissent des gens sachant le faire pour eux. Gaines est un marginal violent et égocentrique. La tentative de viol est un révélateur, mais il est trop voyant, trop grossier pour les crimes dont nous nous occupons. Et Laveau... C'est une femme.

— Je n'exclus personne, dit Kaiser. Après cette petite visite aux îles Caïmans, j'ai la conviction que Marcel de Becque pourrait très bien être derrière tout ça. Il lui serait très facile de passer commande de ces portraits et de les payer une somme ridicule tandis qu'il empoche des millions. Ce qui n'écarte donc pas Thalia Laveau ou Gaines.

— Si de Becque est derrière tout ça, rétorque Lenz, pourquoi attirer l'attention sur lui en exigeant que nous envoyions Glass en échange de photos de ses peintures ?

— C'est un type qui aime le danger. Il n'a pas peur de nous.

— Pas le moins du monde, dis-je pour soutenir Kaiser. Mais Thalia Laveau ? Quel serait son mobile ? Vous imaginez sérieusement qu'une femme accepterait de peindre des femmes mortes pour l'argent ?

— Je ne lui ai pas encore parlé, dit Kaiser, donc je n'en sais rien. Mais ces gens que vous nous avez décrits, les Sabines, ils ont plutôt tendance à demeurer sur leur lieu de naissance, non ?

— Oui.

— Alors pourquoi a-t-elle quitté la Louisiane ? Etait-ce une adolescente brillante, poussée par l'ambition ? Ou cherchait-elle à fuir quelque chose ? dit Kaiser en regardant Baxter et, sans attendre de réponse : Comment allons-nous procéder pour les approcher ? Qui ira ?

Baxter marche jusqu'au mur et rallume le plafonnier. Lenz cligne des yeux sous l'afflux soudain de luminosité, mais il semble prêt à en découdre.

— John, je sais que vous êtes à la pointe de l'enquête depuis un bon bout de temps, et contre votre propre souhait, ce qui compte beaucoup dans mon appréciation de...

— Bordel, marmonne Kaiser.

Baxter a un geste implorant des mains.

— Ecoutez, John. A cause de la stature artistique de Wheaton et de sa maladie, je suis enclin à laisser Arthur mener son interrogatoire. Il a des connaissances étendues en art, et il sera en mesure de questionner Wheaton avec finesse sur son affection, pour jauger de la façon dont elle influe sur son état mental, et...

Kaiser reste immobile et silencieux pendant que Baxter continue à dérouler ses arguments. La décision est déjà prise, et l'aspect médical de la chose rend toute contestation futile.

— En temps normal, je viendrais moi aussi, conclut Baxter. Mais parce que je pense que c'est vous qui devriez être présent, John, je vais vous envoyer à ma place. Si vous sentez qu'une piste n'a pas été explorée, n'hésitez pas à la creuser. Vous irez là-bas. D'accord ? Arthur mènera simplement l'interrogatoire.

— Et vous, où serez-vous ? demande Kaiser d'une voix tendue.

— Dans un van de surveillance, à l'extérieur. Arthur va porter un micro.

Kaiser en reste bouche bée.

— C'est une rupture majeure dans la politique du Bureau, dit Baxter, mais le directeur l'a personnellement approuvée. La police a insisté sur une transmission audio et un enregistrement pour nous laisser mener les interrogatoires seuls.

— Et Glass ? demande Kaiser sans me regarder.

— Elle sera dans le van avec moi jusqu'à ce qu'Arthur parle d'elle. La phrase-code est : « Je suis désolé, notre photographe devrait être là depuis dix minutes. » C'est la version pour les suspects : nous ne confisquons pas leurs peintures, nous nous contentons de les photographier. Une fois cela fait, toutefois, la police de New York confisquera tout ce qu'elle voudra. Ensuite ces suspects seront totalement à part, et nous n'y pouvons rien. Nous aurons droit à un seul essai avec chacun. Pour Wheaton, nous mettrons des gants. Gaines passera en deuxième, et avec lui ce sera la manière forte. John, c'est vous qui mènerez l'interrogatoire de Gaines, vous avez une plus grande expérience des ex-taulards. Pour Smith et Laveau, nous irons à l'instinct. Mais à chaque fois, quand Mlle Glass entrera en scène...

— Appelez-moi simplement Jordan, je vous en prie, dis-je. Mlle Glass, ça fait un peu vieux.

Baxter me remercie d'un petit hochement de tête.

— Quand Jordan entrera en scène, elle ne regardera pas directement le suspect. De cette façon, si l'un d'eux est saisi par son apparition, il sera plus visiblement ébranlé par sa venue, et il cherchera plus explicitement à vérifier qu'il ne se trompe pas. Ceux de nos suspects qui sont innocents ne lui jetteront qu'un coup d'œil. A part Gaines, qui sans doute la reluquera un peu. Mais le coupable devrait la regarder comme s'il voyait un fantôme. Ce qui, en un sens, sera vrai.

— *Le* coupable, ou *la* coupable, tient à relever Kaiser.

— Ou *la* coupable, concède Baxter.

— Gaines va donc me reluquer un peu ? dis-je en écho. Il semble capable de se lever de sa chaise, me lécher le visage et me défier de le gifler.

— S'il fait ça, dit Bill Granger, flanquez-lui un bon coup de pied dans les parties.

Baxter se rembrunit.

— Si Gaines fait quelque chose comme ça, ne prenez pas de risques. Nous n'avons aucune idée de ce qui pourrait se produire si vous vous trouviez dans ce genre de situation. Le peintre pourrait être le tueur – si ces femmes ont bien été tuées, et en vous voyant il pourrait décider que la partie est perdue. L'éventualité d'un coup de folie n'est pas à exclure. C'est pourquoi John sera armé. Je vous fais confiance pour ne recourir à la force qu'en cas d'absolue nécessité, John.

Cette partie du plan rend Lenz visiblement nerveux. Moi-même, je vois en pensée Kaiser bondissant par-dessus une table métallique de prison pour tenter d'étrangler le détenu du couloir de la mort dont il m'a parlé. Mais Baxter affiche un soutien clair à son ancien protégé, et Lenz ne le conteste pas. Pas ouvertement, du moins.

— Si l'un de vous déclare que quelqu'un est mouillé, nous le soumettrons à un interrogatoire serré avant que la police n'entre en scène, dit Baxter qui nous regarde tous à tour de rôle. Bien. Nous aurons une autre réunion stratégique ici, demain matin, à sept heures. A partir de huit heures, les observateurs de la police nous accompagneront. Tout le monde est partant ?

Lenz renifle et répond à Baxter d'un sourire ironique. J'essaie d'accrocher le regard de Kaiser, mais il reste impénétrable.

— J'ai besoin de manger un morceau et de dormir, leur dis-je en me levant de mon siège.

— Emmenez l'agent Travis avec vous, me recommande Baxter.

— Bien sûr.

— Le Camellia Grill est encore ouvert, à cette heure, dit Kaiser d'un ton dégagé. Vous connaissez ?

— J'ai dû y dîner une bonne centaine de fois dans mes jeunes années.

— Qu'est-ce que vous gardez dans votre banane ? me demande Lenz.

— Ma lampe d'Aladin. Je la frotte, et il en sort ce dont j'ai besoin.

— Elle doit peser lourd, remarque le directeur régional Bowles, pince-sans-rire.

— En effet. Mais vous n'êtes pas contents que j'aie eu un appareil photo sur moi pendant l'incendie de la galerie ?

— Si, très contents, répond Baxter. Prenez un peu de repos, Jordan. La journée de demain sera chargée.

— On se revoit à sept heures.

Kaiser me salue d'un petit geste de la main quand je m'en vais, mais le Dr Lenz ne réagit pas, et se contente de me suivre du regard.

12

Le Camellia Grill se trouve au croisement de Carrollton et de St Charles, en bordure du fleuve. Comme nombre d'institutions de La Nouvelle-Orléans, c'est un endroit d'apparence modeste, un gril à l'ancienne, avec ses murs peints en rose, ses employées portant tablier et ses tabourets alignés devant le comptoir. L'agent Wendy et moi y sommes depuis assez longtemps pour nous être plongées dans l'étude du menu quand John Kaiser entre dans la salle qu'il survole du regard. Il vient droit sur nous et regarde Wendy, dont l'expression passe de la surprise à la gêne.

— Pourrais-je vous voir seule un instant ? lui dit-il.

Elle se lève sans un mot et le suit à l'extérieur. Par la fenêtre, je vois Kaiser parler, et Wendy l'écouter attentivement. Quand ils reviennent, elle va s'installer à l'autre extrémité du comptoir, tandis que Kaiser prend le tabouret voisin du mien.

— Ça n'avait pas l'air très doux, lui dis-je. Que lui avez vous raconté ?

— Que j'avais besoin de vous parler sans que Lenz écoute.

— Je vois. Elle est très entichée de vous.

— Je ne l'ai jamais encouragée dans cette voie.

— Vous croyez que ça change quelque chose pour elle ?

Kaiser ouvre un menu.

— C'est une fille bien, et coriace. Elle peut faire face.

Il lève les yeux vers moi, et j'y vois plus de compassion que n'en expriment ses propos. La peau autour de ses paupières est ombrée par la fatigue.

— D'accord, dis-je en consultant ma propre carte. Que faisons-nous ici ?

— C'est notre première sortie ensemble, non ?

Il l'a dit d'un ton plat, et je ne peux m'empêcher de rire de cet humour à froid.

— Allez ! Qu'est-ce qui se passe ?

— Seulement ce que j'ai dit à Wendy. Je veux vous parler sans que Lenz le sache. Ou Baxter. Je crains que nous n'ayons une longueur de retard dans cette affaire. La personne que nous cherchons a de l'avance sur nous. Peut-être une grande avance.

Je sens l'inquiétude en lui, dans son maintien.

— Allez-y. Dites-moi tout.

— Je ne peux pas l'expliquer. C'est une sensation. Mais je veux faire quelque chose à ce propos.

— Quoi donc ?

— Nous allons y venir. Pour l'instant, passons notre commande.

Kaiser fait signe à un serveur qui s'approche presque immédiatement. Nous choisissons des omelettes et des jus d'orange, auxquels j'ajoute un café au lait. Il est bien agréable de se trouver dans un établissement où on vous regarderait avec des yeux ronds si vous demandiez un plat exotique ou un cocktail. Un coup d'œil sur ma gauche m'apprend que Wendy nous surveille par-dessus son épaule.

— Que va dire Baxter en apprenant que vous m'avez parlé en privé ?

— Je ne pense pas que Wendy le lui dise. Pour cette fois, elle nous laissera le bénéfice du doute.

— Mais il n'aimerait pas, n'est-ce pas ?

— Il a confiance en moi, jusqu'à un certain point. Il n'apprécierait pas ce que je vais vous dire.

— Qui est ?

Kaiser pose un coude sur le comptoir et fait pivoter son tabouret de façon à être face à moi.

— Avez-vous déjà tiré avec une arme de poing ?

— Oui.

— Automatique ou revolver ?

— Les deux.

— Si vous en aviez un, le porteriez-vous sur vous ?

— Qu'en penserait Baxter ?

— Ça ne lui plairait pas. Et la Commission de discipline me virerait probablement.

— Alors pourquoi ces questions ?

— Parce que je pense que vous êtes en danger. Si notre tueur veut vous tuer, il pourrait abattre Wendy avant même qu'elle ou vous ne compreniez qu'il est devant vous. Ensuite, ce serait entre vous et lui. Si vous étiez armée, vous auriez une chance de réagir à temps.

— Vous voulez dire : le tuer ?

— En seriez-vous capable ?

— S'il venait d'abattre Wendy sous mes yeux ? Sans l'ombre d'une hésitation.

— Et s'il l'assommait seulement et qu'il tentait de vous emmener de force dans un véhicule, vous tireriez sur lui ?

Une vague d'embarras me submerge, et je dois refouler des images surgies de mon passé.

— Je ferais ce qu'il faut pour sauver ma peau.

Kaiser me dévisage avec intensité.

— Avez-vous déjà tiré sur quelqu'un ?

— On m'a déjà tiré dessus. Restons-en là sur le sujet.

— J'ai l'impression que vous avez eu une existence aventureuse, même selon les critères des correspondants de guerre.

— Je ne me suis pas ennuyée, c'est vrai.

— Et ça vous a coûté beaucoup ?

Je détourne les yeux et me concentre sur le dos raidi de Wendy. Plus je la regarde et plus je l'apprécie. La voie qu'elle a choisie est beaucoup plus disciplinée que la mienne, mais elle la suit avec la même passion qui me possédait quand j'étais plus jeune.

— Oui, beaucoup.

— C'est pour cette raison que vous avez pris du temps pour faire cet album ?

— Oui.

— Vous vouliez le faire depuis longtemps ?

Les yeux noisette de Kaiser semblent emplis d'une curiosité sincère.

— Oui. Mais dès que j'ai vraiment commencé à travailler sur cet album, je me suis rendue compte que je n'étais pas sûre qu'il m'apporterait ce que je voulais en tirer.

— Et que vouliez-vous en tirer ?

— Je n'en suis pas sûre.

On nous apporte nos omelettes et nos jus de fruit, mais ni lui ni moi ne prenons notre fourchette.

— Puis-je vous poser une question d'ordre personnel ? dit-il.

— Vous pouvez toujours la poser.

— Vous n'avez jamais été mariée ?

— C'est exact. Ça vous choque ?

— Ça me surprend, plutôt. Il n'y a pas beaucoup de femmes hétérosexuelles comme vous qui arrivent à la quarantaine sans avoir été mariées au moins une fois.

— Est-ce une façon polie de demander ce qui ne va pas chez moi ?

Kaiser a un petit rire.

— C'est une façon polie d'être indiscret.

— Vous estimez que je suis une prise de choix, c'est ça ?

— C'est ça.

— Beaucoup d'hommes le pensent. De loin.

— Qu'est-ce qui ne va pas de près ?

— Je ne suis pas comme la plupart des femmes.

— Comment ça ?

— Eh bien, voilà comment ça se passe : je rencontre un homme. Séduisant, qui a réussi, indépendant. Un médecin, un journaliste, un banquier d'affaires, ou un acteur connu. N'importe. Il est impatient de sortir avec moi. Je suis une femme-pas-trop-moche qui fait un métier que beaucoup considèrent comme prestigieux. Les premiers rendez-vous, il me présente à ses amis. Nous nous apprécions mutuellement. Nous devenons intimes. Et puis, après une semaine ou un mois, on me donne un nouveau reportage. L'Afghanistan. Le Brésil. La Bosnie. L'Egypte. Et ce n'est pas un aller-retour en première classe pour faire le journal du soir, comme Dan Rather. Il s'agit d'un mois entier sur le terrain, avec seulement mes appareils photo. Peut-être que l'homme avec qui je sors doit signer un partenariat international la semaine suivante, et qu'il veut que je sois présente au cocktail qu'il donnera pour fêter ça. Ou bien la cérémonie des Oscars a lieu dans une semaine. Mais moi, j'accepte le reportage. Il ne me vient même pas à l'esprit de le refuser. Et quand je reviens, l'homme de ma vie a décidé que notre relation ne marchait peut-être pas si bien que ça.

— Pourquoi pensez-vous qu'il réagit ainsi ?

— Parce que la plupart des hommes ont le gène de la prépondérance.

— Le quoi ?

— Le gène de la prépondérance. Il faut qu'ils aient la position dominante. Ils adorent l'idée d'être avec moi. Mais la réalité est très éloignée de l'image qu'ils s'en font. Certains n'apprécient pas que je gagne plus d'argent qu'eux. Ceux qui en gagnent plus que moi n'aiment pas que leurs amis donnent l'impression que mon boulot est plus important que le leur. D'autres n'acceptent pas que mon boulot passe avant eux. Ne croyez pas que je m'en plaigne. Je veux simplement que vous compreniez.

— Je gagne soixante-huit mille dollars l'an, dit Kaiser. Je sais que vous vous faites plus.

— Et comment le savez-vous ?

— J'ai vu vos déclarations de revenus.

— Vous avez *quoi* ?

— Il le fallait, pour que nous puissions vous rayer de la liste des suspects potentiels. Ce renseignement nous y a aidés.

— Super.

— Mais je ne pense pas que votre boulot soit plus important que le mien, dit-il en prenant sa fourchette et en coupant un bout de son omelette. Et vous ?

— Non.

— Et je sais que je ne suis pas votre priorité dans la vie.

— Exact.

— Et ça me va très bien.

Je l'observe qui arrose son omelette de sauce pimentée, mais je n'arrive pas à lire quoi que ce soit dans ses yeux.

— De quoi parlons-nous, là ?

— Je crois que vous le savez très bien.

— Eh bien, au moins nous sommes sur la même longueur d'onde.

Il a un sourire qui cette fois découvre ses dents, et ses yeux brillent.

— Je ne suis pas vraiment venu ici pour vous dire ça, mais je suis heureux de l'avoir fait. Je me sens un peu gêné, à cause de votre sœur.

— Ça n'a rien à voir avec ma sœur. Ce qui est arrivé à Jane a seulement confirmé quelque chose que j'ai appris il y a longtemps : si vous attendez pour faire les choses que vous voulez ou que vous devriez faire, vous risquez d'être mort avant que la chance ne se représente.

— J'ai appris ça aussi. Au Vietnam. Mais il est facile de le perdre de vue dans l'agitation des tâches quotidiennes. On est accaparé par ce qu'on fait, il y a des gens qui dépendent de nous, et on finit par développer une vision étroite des choses. Vous connaissez cette impression ?

— Pendant longtemps, la seule vision du monde que j'avais a été à travers l'objectif.

— Et aujourd'hui ?

— Aujourd'hui, je suis à la dérive. Enfin, je l'étais, jusqu'à ce que je tombe sur ces peintures, à Hong Kong. Mais en dehors de ça, je n'ai aucune attache réelle.

— Vous acceptez une autre question d'ordre personnel ?

— Je n'ai pas vraiment le choix.

— Lenz m'a dit que vous n'étiez pas proche de votre sœur. Et pourtant, vous en faites nettement plus que tous les parents des autres victimes. Vous vous êtes donné pour mission de la retrouver, ou de découvrir la vérité. Comment expliquez-vous cette attitude ?

Comment la lui expliquer ?

— Je n'ai pas tout dit à Lenz. Jane et moi avons eu des problèmes en grandissant, c'est vrai. Certains de ces problèmes ont perduré par la suite. Mais il y a environ trois ans, j'ai eu une peur bleue pour ma santé. Je m'étais rendue aux urgences pour une douleur, et je me suis retrouvée admise d'office dans le service d'oncologie. Ils ont pensé que j'avais un cancer des ovaires. J'ai eu la chance que ça m'arrive à San Francisco, et pas pendant un reportage dans un coin perdu du globe. Mais mes amis étaient en reportage, eux. J'étais seule, et je mourais de peur.

Je marque une pause et déglutis, sans parvenir à chasser la boule qui s'est formée dans ma gorge.

— Pendant la nuit, je me suis réveillée et j'ai découvert Jane assise à côté de mon lit, qui me tenait la main. J'ai cru que je rêvais. Elle m'a dit qu'elle s'était réveillée en sursaut la nuit précédente. Elle avait éprouvé un choc douloureux dans tout son corps, comme une contraction avant l'accouchement, et mon visage s'est imposé dans son esprit. Elle a appelé chez moi, et est tombée sur le répondeur. Alors elle a contacté mon agence, et on lui a dit que j'étais à l'hôpital. Elle a laissé les enfants à Marc et a pris le premier avion pour me rejoindre. Elle a dormi dans cette chambre d'hôpital pendant quatre jours. C'est elle qui poussait mon fauteuil roulant pour aller passer les tests, c'est elle qui parlait aux infirmières et aux médecins. Elle a tout fait, et elle ne m'a pas quittée une seconde.

— Vous n'aviez jamais été aussi proches auparavant ?

— Jamais. Et je ne dis pas que les péchés du passé ont été magiquement rachetés. Mais elle m'a appris quelques petites choses. Elle m'a dit qu'en vieillissant elle avait commencé à comprendre les sacrifices que j'avais consentis pour prendre soin d'elle quand nous étions plus jeunes. Qu'elle savait que je n'avais jamais voulu que le meilleur pour elle, même si je n'avais pas toujours su ce que c'était. Je lui ai dit que je respectais la vie qu'elle s'était taillée, bien que je l'aie dépréciée par le passé. Ça a beaucoup compté pour elle.

De la pointe de ma fourchette, je trace des cercles sur le comptoir.

— C'est facile de se sentir indépendant quand on est jeune, de se dire qu'on n'a besoin de personne. Mais le temps passe, et la famille se met à compter. Et avec notre mère dans l'état où elle est, Jane et moi n'avions que nous.

— Vous parlez au passé.

— Je ne sais pas ce que je dois croire aujourd'hui. Tout ce que je sais, c'est qu'il faut que je la retrouve. Qu'elle soit vivante ou morte, il le faut. Elle est de mon sang, et je l'aime. C'est aussi simple que ça. Je dois retrouver ma sœur.

Kaiser avance la main et me serre doucement le poignet.

— Vous la retrouverez, Jordan.

— Merci.

— Vous n'avez jamais désiré avoir votre propre famille ? Vous installer, avoir des enfants, tout le tremblement ?

— Toutes les femmes que j'ai connues voulaient avoir ça, d'une façon ou d'une autre.

— Et vous ?

— J'entends le tic-tac de l'horloge. J'ai rendu visite à mon neveu et à ma nièce hier soir, et mes sentiments pour eux m'ont submergée.

Il jette un coup d'œil vers l'autre extrémité du comptoir.

— Wendy a dit qu'il y avait peut-être eu un problème là-bas. Chez votre beau-frère.

— Vous savez, vous autres les agents spéciaux, je peux vous supporter jusqu'à un certain point. Mais il y a une ligne à ne pas franchir.

— Elle ne nous en a parlé que parce que c'est son boulot de vous protéger.

— Je ne renoncerai pas à toute intimité pour être protégée, dis-je, buvant lentement une gorgée de café au lait en luttant pour me maîtriser. Et puis, qu'est-ce que vous savez de moi, de toute façon ? Vous connaissez mon dossier médical ? La taille de mon soutien-gorge ?

— Je ne connais pas la taille de votre soutien-gorge, réplique-t-il avec une expression des plus sérieuses.

— Et vous voulez la connaître ?

— Je pense que je vais enquêter sur cette question.

— Si vous disposez du temps nécessaire, vous voulez dire.

— Naturellement, fait-il avant de boire un peu de jus d'orange et de s'essuyer les lèvres avec la serviette. A votre avis, combien de temps cette enquête demanderait-elle ?

— Au moins quatre heures. Sans interruption.

— Nous n'aurons pas quatre heures demain.

— Et nous ne les avons pas ce soir.

Il jette de nouveau un coup d'œil à Wendy, qui fait de son mieux pour ne pas nous regarder.

— Non, nous ne les avons pas. Toute l'équipe se réunit en ce moment même au Centre opérationnel d'urgence. Il faut que j'y retourne, et je ne sais pas quand j'en ressortirai.

— A ce sujet, vous avez dit à de Becque que vous rencontriez des problèmes pour associer les peintures abstraites aux victimes, n'est-ce pas ?

— Oui. Nous avons onze victimes identifiées, et dix-neuf portraits. Deux problèmes majeurs. Il doit y avoir des victimes dont nous ne savons rien. Des meurtres ou des disparitions qui ne collent pas exactement avec la signature des autres crimes. Peut-être s'agissait-il de prostituées ou de fugueuses, et non de femmes de la bonne société, et personne n'a signalé leur absence. Peut-être avons-nous retrouvé leurs corps, mais ne pouvons-nous pas les associer à des portraits, parce que le leur est parmi les plus abstraits. Mais un inspecteur de Jefferson Parish et moi avons épluché tous les dossiers des homicides et des personnes portées disparues à La Nouvelle-Orléans depuis trois ans, et nous n'avons retenu qu'une poignée de cas possibles, dont aucun n'est très convaincant.

— Combien de portraits avez-vous associés à une victime ?

— Six de façon définitive, sur onze. Deux autres sont très probables. Mais les visages sont si vagues sur certaines de ces peintures, ou tellement distordus, que nous n'arrivons a rien.

— Qui travaille dessus ?

— L'université d'Arizona. Par le passé, ils ont fait un boulot extraordinaire pour nous. Avec les techniques d'amélioration digitale photographique.

— Mais pas cette fois ?

— Pas jusqu'ici, non.

— A mon avis, ce que vous cherchez dans ce cas précis ne peut être obtenu par l'amélioration photo. Les distorsions que vous voulez corriger ne sont pas le résultat d'un flou ou d'une résolution insuffisante qui masquerait la réalité. Ce sont des distorsions créées par un esprit humain, et peut-être un esprit humain dérangé. Il se peut qu'elles ne correspondent que peu ou pas du tout à la réalité.

Kaiser me considère d'un regard fixe.

— Que suggérez-vous ?

— Je connais des photographes qui travaillent exclusivement dans le digital. Je ne veux pas citer de noms, mais je me souviens que l'un d'entre eux m'a parlé d'un procédé développé pour le gouvernement – la CIA, ou la NASA – pour l'interprétation des photos satellite. Le but était d'apporter une cohérence visuelle à un ensemble chaotique. Il n'a pas pu m'en dire beaucoup sur le sujet, et je n'étais pas très intéressée, mais je me souviens de ça.

— A quand cela remonte-t-il ?

— Deux ou trois ans.

— Ce système a un nom ?

— A l'époque, ils l'appelaient Argus. Vous savez, comme ce géant mythique pourvu de cent yeux.

— Je demanderai à Baxter de consacrer les autres agences pour voir ce qu'il peut trouver.

— Très bien. C'était ma contribution aux recherches. Le Bureau offre-t-il ce petit déjeuner ?

— Je pense qu'il peut s'offrir cette dépense.

Sans raison visible, Kaiser effleure ma main de la

sienne, et la décharge qui remonte dans mon bras déclenche une sonnerie d'alarme dans mon cerveau.

— Ecoutez, dit-il en coulant un regard en direction de Wendy, pourquoi nous ne…

Je retire ma main.

— N'allons pas trop vite en besogne, d'accord ? C'est là. Nous savons que c'est là. Attendons de voir ce qui arrivera.

Il acquiesce lentement.

— Très bien. Comme vous voudrez.

Nous terminons notre plat en silence, en nous observant et en regardant la douce comédie des dîners tardifs autour de nous. Je lui suis reconnaissante de ne pas chercher à meubler la conversation. C'est de bon augure.

Après qu'il a réglé la note, il me mène jusqu'à Wendy qu'il remercie pour le temps qu'elle nous a laissé. Il parle et bouge avec un tel détachement professionnel que Wendy semble reprendre courage. Sa réaction ne reflète en rien son intelligence. Chacun de nous ne voit que ce qu'il veut bien voir, jusqu'au moment où il est forcé de regarder la réalité en face.

A l'extérieur, parmi la foule des étudiants qui quittent l'université de Tulane, Kaiser nous souhaite bonne nuit et part rejoindre le Field Office. Wendy ne parle pas beaucoup pendant le trajet jusqu'à son appartement, et j'en suis plutôt heureuse. Je l'aime bien, mais je pense qu'il sera temps demain de trouver un hôtel.

13

Je suis assise à l'étroit dans un van de surveillance du FBI, sur le campus de la Tulane
University, foyer de la Vague Verte, un nom approprié pour les équipes dont le campus a l'aspect
verdoyant d'un jardin, même en octobre. Les
chênes ont toujours leurs feuilles, les palmiers sont
florissants, et les pelouses brillent comme des prai-
ries fraîchement tondues sous le soleil. A vingt
mètres du van se dresse le Woldenberg Art Center,
un complexe imposant en brique rouge qui abrite
les départements d'art de l'université et la
Newcomb Art Gallery.

Il y a trente secondes, John Kaiser et Arthur Lenz
ont franchi les portes de la galerie pour aller rencontrer Roger Wheaton, l'artiste résident de l'université. Le Dr Lenz porte un microphone et un
émetteur dissimulés sur lui, qu'il teste à plusieurs
reprises tandis qu'il s'enfonce dans les entrailles du
bâtiment.

— Arthur n'a aucune foi en la technologie, dit
Baxter qui est assis à côté de moi et a coiffé des
écouteurs. A propos, je me suis renseigné sur ce
programme informatique dont vous avez parlé à

John : Argus. Il existe bien. Le Bureau de reconnaissance nationale l'utilise pour l'interprétation des photos satellite. Il mouline sur les photos digitales des *Femmes endormies* depuis deux heures maintenant.

— Il en est sorti quelque chose ?

Baxter me gratifie d'un sourire qui se veut encourageant.

— Ils m'ont dit que leur machine leur avait craché des visages qui semblent peints par Picasso. Mais ils continuent.

— Nous aurons peut-être de la chance.

— Je vous ai également retenu une chambre dans un hôtel, le Doubletree, qui se trouve en bordure du lac, près de nos bureaux. Ils croient que vous faites partie d'une société commerciale, inutile de les détromper en mentionnant le Bureau.

— Aucun problème. Merci.

Il règne à l'intérieur du van une chaleur vite déplaisante, même à neuf heures du matin. Une raison est la température extérieure, une autre la chaleur corporelle, et le tout n'est pas arrangé par l'équipement électronique qui tapisse les flancs de l'engin. Un ventilateur à piles perché sur une glacière emplie de neige carbonique tente de nous procurer un peu de fraîcheur, mais ses pales grinçantes arrivent à peine à alléger l'atmosphère.

— Avant que des femmes ne travaillent au FBI, on se mettait en short dans ces véhicules.

— N'hésitez pas à le faire si ça vous chante. Je me déshabillerai aussi si je dois encore rester ici trop longtemps.

Baxter rit. A sa demande, je porte un tailleur et

des escarpins, afin d'apparaître plus féminine aux suspects. Un agent femme a été envoyé faire du shopping ce matin avec mes mensurations. Faire ouvrir les portes du magasin plus tôt qu'à l'accoutumée n'a apparemment présenté aucune difficulté au directeur régional Bowles, mais l'essayage de toutes les tenues choisies m'a fait rater la plus grande partie de la réunion du matin.

— Quand Wheaton a-t-il été mis au courant de cette entrevue ?

— Il y a une heure. Le président de l'université s'en est chargé en personne. Il est très coopératif. Si un employé de l'université se révélait être derrière la disparition ou la mort d'une étudiante, le scandale serait considérable. Il a dit à Wheaton de nous apporter toute sa coopération, même si l'idée que l'artiste puisse être impliqué dans un crime quelconque lui semble visiblement absurde. Il n'a pas parlé des pinceaux en poils de martre ni des *Femmes endormies*, il a seulement dit que des indices établissaient un lien entre le département d'art de Tulane et un meurtre.

— Wheaton n'a pas rechigné à être questionné ?

— Il a juste exigé de pouvoir travailler pendant l'entrevue. Apparemment, il est obsédé par son programme de travail.

— Nous entrons, annonce Lenz dans un crachotement de parasites.

Baxter vérifie les vumètres d'un magnétophone, pour s'assurer que tout est correctement enregistré.

Un bruit de coup sourd retentit dans le petit haut-parleur encastré dans la console devant nous. Puis le son d'une porte qu'on ouvre.

— Qu'est-ce que c'est que ça ? souffle Kaiser.

— C'est la peinture, explique Lenz. Continuons. Là, sur votre droite.

— Nous voulons que vous fassiez votre entrée là-bas assez vite, Jordan, me dit Baxter. Avant que Wheaton ne prenne ses marques.

— Vous êtes Roger Wheaton ? dit la voix de Kaiser.

Un silence, puis le timbre profond et quelque peu chevrotant d'un homme répond :

— Oui. Etes-vous ces messieurs du FBI ?

— Agent spécial Kaiser. Et voici le Dr Arthur Lenz, notre expert psychiatre.

— Comme c'est curieux. Eh bien, bonjour à vous, messieurs. En quoi puis-je vous être utile ?

— Nous aimerions vous poser quelques questions, monsieur Wheaton. Ça ne prendra pas très longtemps.

— Bien. J'aimerais me remettre à peindre au plus vite.

— Cette peinture est… stupéfiante, dit Lenz, la voix empreinte d'admiration et de respect. C'est votre chef-d'œuvre.

— Je l'espère, répond Wheaton. C'est ma dernière œuvre.

— La dernière Clairière, vous voulez dire ?

— Oui.

— C'est un monument dédié à toute votre œuvre.

— Merci.

— Mais pourquoi arrêter maintenant ?

Un autre silence, puis Wheaton répond d'une voix où perce le regret :

— Ma santé n'est plus ce qu'elle était. Il est temps pour moi de prendre une autre direction, je crois. Vous avez des questions, m'a dit le président ? Tout cela avait l'air fort mystérieux.

— Monsieur Wheaton, dit Kaiser, durant l'année passée onze femmes ont disparu de La Nouvelle- Orléans et de ses environs sans laisser de trace. Etes-vous au courant ?

— Comment pourrais-je ne pas l'être ? Deux fois par semaine, on organise ici des réunions de sécurité pour les étudiantes. Il y a des affiches sur tous les murs.

— C'est bien. Nous sommes ici à cause de ces disparitions. Voyez-vous, plusieurs de ces victimes ont réapparu, d'une certaine manière.

— J'ai lu dans les journaux que la femme enlevée devant l'épicerie avait été retrouvée. Mais l'article disait que le FBI ne pensait pas qu'elle avait été kidnappée par le même homme.

Kaiser prend le ton de la confidence

— Les médias ont leur utilité. Je suis sûr que vous me comprenez.

Après un instant, Wheaton déclare :

— Je vois. Eh bien, vous venez de dire que plusieurs victimes avaient réapparu. Vous avez découvert d'autres corps ?

— Pas exactement. Nous avons découvert une série de peintures qui sont des portraits de ces femmes.

— Des peintures ? Des peintures des femmes disparues ?

— C'est bien ça. Sur ces peintures, les femmes

sont nues, et semblent endormies. Peut-être mortes.

— Mon Dieu ! Et vous êtes venu pour m'interroger à ce sujet ?

— Oui.

— Mais pourquoi ? Ces peintures ont été découvertes près d'ici ?

— Non. Dans un musée de Hong Kong.

— Hong Kong ? Je ne comprends pas.

Je touche le bras de Baxter pour obtenir son attention.

— Je croyais que le Dr Lenz devait mener la conversation ?

— Arthur a voulu que ça se déroule ainsi. Il laisse John poser les questions qui doivent être posées, et il interviendra quand il sera prêt. Arthur est quelqu'un de très subtil.

— Monsieur Wheaton, continue Kaiser, lorsque nos experts ont examiné ces peintures, ils ont découvert quelques poils de pinceau. Ces poils proviennent d'un type de pinceau très particulier, confectionné avec des poils de martre de Kolinsky.

— Vous enquêtez sur tous les artistes qui utilisent des pinceaux en poils de martre de Kolinsky aux Etats-Unis ?

— Non, ce serait là une tâche trop grande, même pour *nous. Mais* ces poils ne sont pas des Kolinsky ordinaires. Ils appartiennent à la meilleure variété, que ne produit qu'une petite fabrique en Mandchourie. Il n'existe qu'un seul importateur aux Etats-Unis, et il vend ce produit en quantités très limitées. A des clients triés sur le volet.

— Et la Tulane University compte parmi ces clients. Je comprends, maintenant. Bien sûr. C'est moi qui ai passé cette commande. Pour des raisons que vous trouverez évidentes, j'espère.

— Pourriez-vous nous dire lesquelles, aussi évidentes soient-elles ?

— Ce sont les meilleurs pinceaux au monde. D'une tenue exceptionnelle. On s'en sert généralement pour les aquarelles, mais ils conviennent à toutes les techniques. Je m'en sers pour les détails dans mes huiles.

— Vos élèves les utilisent également ?

— Si je ne les avais pas commandés dans le cadre de ce programme, deux de mes élèves n'auraient pas pu s'offrir du matériel d'une telle qualité. C'est un des petits bénéfices de la participation à la formation universitaire.

— Il s'agit de Mlle Laveau et de M. Gaines, n'est-ce pas ?

Wheaton émet une sorte de petit gloussement amusé.

— Oui. Frank pourrait s'acheter un ranch en Mandchourie si l'envie l'en prenait.

— Vous faites allusion à M. Smith ? demande Kaiser.

— Oui. Frank Smith.

— Est-ce un pinceau en poils de martre de Kolinsky que vous utilisez là ?

— Non, celui-ci est en soies de cochon. Ça paraît grossier, n'est-ce pas ? Et pourtant c'est un très bon pinceau.

— Avez-vous toujours utilisé cette variété rare de poils de martre ?

316

— Non, répond Wheaton, et cette fois le silence qui suit semble interminable. Il y a de cela trois ans, on m'a diagnostiqué une affection auto-immune qui touche mes mains et mes doigts. J'ai dû modifier mes coups de pinceau afin de conserver mon style propre. J'ai expérimenté divers modèles, et j'ai fini par découvrir ces Kolinsky spéciaux. Ils étaient tellement satisfaisants que j'ai encouragé mes étudiants à les employer.

— Je vois. Combien de vos étudiants ont accès à ces pinceaux ?

— Les diplômés, bien sûr.

— Quelqu'un d'autre ?

— Eh bien... Nous ne sommes pas dans un endroit de haute sécurité, comme vous pouvez le constater. N'importe qui peut entrer ici et en subtiliser un s'il le veut vraiment. Il est fréquent que des étudiants viennent voir les progrès de mon œuvre. Il faudrait poster des gardes ici vingt-quatre heures sur vingt-quatre pour les empêcher d'entrer.

— Monsieur Wheaton, dit Kaiser d'un ton d'excuse, j'hésite à vous poser cette question, mais verriez-vous un inconvénient à nous donner vos alibis pour une série de dates réparties sur les dix-huit derniers mois ?

— Il faudrait que je voie ces dates. Vous voulez dire que je suis suspect dans ces horribles affaires ?

— Par définition, toute personne ayant accès à ces pinceaux est un suspect potentiel. Pouvez-vous nous dire où vous vous trouviez il y a trois nuits, après l'inauguration au musée ? Disons, entre vingt heures quarante-cinq et vingt et une heures quinze ?

— Chez moi. Et je devine votre prochaine question. J'étais seul. Dois-je prendre un avocat ?

— C'est à vous seul d'en décider, monsieur. Je ne voudrais vous influencer ni dans un sens ni dans l'autre.

— Je vois, je vois…

Les réponses de Wheaton viennent plus lentement, à présent, et on sent qu'elles sont précédées d'une réflexion minutieuse.

— Pourriez-vous dire quels critères ont prévalu dans le choix de vos élèves ? demande Kaiser.

— Je suppose que oui. Chaque candidat m'a soumis quelques-unes de ses peintures. J'en ai vu beaucoup. Dans un premier temps, ce n'étaient que des photos envoyées par e-mail. Ensuite je me suis déplacé pour examiner un groupe de peintures de chacun des finalistes.

— Avez-vous recouru à d'autres critères de sélection, hormis leurs productions artistiques ?

— Non. A aucun autre.

— Avez-vous eu des renseignements biographiques sur ces élèves ?

— Je crois que j'ai eu un bref résumé du parcours de chacun. Une sorte de curriculum vitae, quoique avec les artistes ce ne soit pas un document très formel. Celui de Leon Gaines ne manquait pas d'intérêt.

— Je l'imagine aisément, dit Kaiser, qui s'efforce d'adopter un ton amical bien que l'interrogatoire soit patent. Qu'est-ce qui vous a convaincu dans le travail de chacun ?

— Je doute de pouvoir vous donner une réponse courte sur ce sujet, réplique Wheaton.

— Pourriez-vous nous donner une description verbale de chacun de vos étudiants ?

— Je n'en sais vraiment pas beaucoup sur eux…

— Sur Frank Smith, disons.

Un autre long silence, mais, du van, il est impossible de dire s'il est dû aux réticences de Wheaton à répondre ou au fait qu'il cherche ses mots.

— J'aime beaucoup Frank, dit-il enfin. C'est un garçon très doué. Il n'a jamais connu de difficultés financières, mais je pense qu'il n'a pas eu une enfance facile. Son père plaçait en lui de grandes espérances, du genre très conventionnel. Le talent et le dévouement de Frank à son art sont sans limite, et il ne peut aller qu'en s'améliorant. Il est méticuleux dans sa technique, et il ne recule devant aucun effort quand il traite son sujet. Je ne sais que vous dire d'autre. Je ne suis pas critique. Et certainement pas inspecteur.

— Bien sûr. Avez-vous jamais vu Frank devenir violent ?

— Violent ? Il est passionné dans son travail, ça oui. Mais violent ? Non. Il n'a pas grand respect pour le travail des autres artistes, c'est un fait. Il prend souvent les gens à rebrousse-poil. Frank sait à peu près tout ce qu'il y a à savoir en histoire de l'art, et il ne supporte pas les imbéciles. Vous pouvez imaginer ses rapports avec quelqu'un comme Leon Gaines.

— Pourquoi ne pas nous les décrire ?

— Leon aurait probablement déjà tué Frank si cela ne devait pas lui valoir le pénitencier à vie. Jamais ils ne le laisseraient ressortir, avec son passé.

— Parlez-nous de Gaines.

Wheaton pousse un soupir assez sonore pour que nous l'entendions dans le haut-parleur.

— Leon est un individu très simple. Ou très compliqué. Je ne saurais dire. C'est une âme torturée qui ne se débarrassera jamais de ses démons intérieurs. Pas même à travers son art, qui est pourtant assez violent pour exorciser quelques démons.

— Savez-vous que Gaines bat sa petite amie ?

— Je n'ai aucune idée du comportement de Gaines durant son temps libre, mais rien ne me surprendrait, venant de lui. Et ses peintures sont pleines de ce genre de choses.

— Vous pensez qu'il serait capable de meurtre ?

— Nous sommes tous capables de tuer, agent Kaiser. Je pense que vous êtes conscient de ce fait.

— Vous avez servi au Vietnam, dit Kaiser pour exploiter la réponse de Wheaton. C'est exact ?

— Vous le savez certainement.

— Vos états de service sont tout à fait remarquables.

— J'ai fait ce qu'on m'a demandé de faire.

— Vous avez fait plus que ça. Vous avez reçu une Bronze Star. Voudriez-vous nous dire ce qui vous a valu cette distinction ?

— Vous avez certainement lu le texte de la citation.

A côté de moi, Daniel Baxter secoue la tête.

— Wheaton prend de l'assurance. Il retourne les questions à John.

— Les citations ne racontent pas vraiment les faits, non ? insiste Kaiser.

— Vous étiez là-bas, vous aussi, n'est-ce pas ? rétorque Wheaton.

— Oui. Ranger, compagnie H, 9e de cavalerie. Vous étiez dans les Marines ?

— 3e division.

— Ils ne vous donnent pas des médailles pour avoir creusé des gourbis.

— Non. Ça s'est passé dans des circonstances assez dures. Ma compagnie était clouée sur place dans une rizière, près de Quang Tri. Notre sergent avait marché sur une mine qui lui avait arraché une jambe, et deux autres hommes avaient été abattus en voulant lui porter secours par un sniper posté à la limite des arbres. La météo était trop mauvaise pour qu'un avion vienne lui régler son compte au napalm, mais il y voyait assez clair pour nous tirer comme des lapins. Notre artillerie ne parvenait pas non plus à le réduire au silence. Le sergent a hurlé que si un autre homme essayait de venir le sauver, il dégoupillerait lui-même une de ses grenades. J'ai pensé qu'il était capable de le faire, mais il se vidait de son sang. Alors je suis allé le récupérer.

— Juste comme ça ?

— C'est comme ça que ça se passe, parfois, non ? Le sniper m'a tiré dessus, mais il m'a manqué.

— La citation précise que vous avez également tué le sniper.

— Je crois que le fait de ramener le sergent en vie m'avait donné l'illusion que j'étais invulnérable. Vous n'avez jamais eu cette sensation, là-bas ?

— Une seule fois, Dieu merci. C'est une sensation très dangereuse.

— Oui. Mais je m'en suis servi. J'ai pris un lance-grenade à un caporal, j'ai foncé dans la rizière...

— Qui était minée ?

— Oui. Mais tandis que je courais en zigzaguant, le sniper me tirait dessus et me ratait. Ça m'a permis de repérer l'éclair de départ. Quand je me suis trouvé à portée, il était trop tard pour qu'il bouge. Il était coincé dans un arbre. Attaché aux branches, en fait. Alors je lui ai envoyé la sauce. J'ai eu de la chance ce jour-là. Pas lui.

— C'était comme ça là-bas, c'est vrai. Et l'incident du viol ?

Un autre silence, tandis que Wheaton s'adapte au basculement de la conversation. En deux secondes, Kaiser est passé du bavardage entre frères d'armes à l'affrontement verbal.

— Quoi, l'incident du viol ? fait-il enfin.

— Cette affaire a dû vous faire perdre quelques amis dans votre compagnie, d'autant que vous êtes allé jusqu'au bout.

— Je n'avais pas le choix.

— Que voulez-vous dire ?

— J'ai été élevé dans le respect des femmes agent Kaiser. Quelles que soient leur langue ou la couleur de leur peau.

J'ai envie de l'acclamer.

— Et ce n'était même pas une femme, ajoute-t-il. C'était une enfant.

— S'agissait-il d'une tentative de viol, ou d'un viol effectif ?

— Je suis arrivé au moment où il se déroulait. Nous étions en train de fouiller un village à la recherche de caches d'armes, et j'ai entendu des cris provenant d'une cabane à l'arrière.

— Je vois. Deux violeurs ?

— Exact. Un était assis sur sa poitrine avec les genoux sur ses bras, pour l'immobiliser. L'autre était… en train de commettre l'acte.

— Et qu'avez-vous fait ?

— Je leur ai dit d'arrêter.

— Mais l'un des deux était votre supérieur, n'est-ce pas ? Un caporal ?

— C'est exact.

— Ont-ils arrêté ?

— Ils ont éclaté de rire.

— Qu'avez-vous fait, alors ?

— J'ai braqué mon arme et j'ai menacé de les abattre.

— Votre M-16 ?

— J'avais un K-50 suédois, à l'époque.

— Il semble que vous vous y connaissiez en armes.

— Je ne voulais pas mourir parce que mon M-16 s'enrayerait quand j'en aurais besoin. J'avais acheté le K-50 lors d'une permission à Saïgon.

— Que s'est-il passé ensuite ?

— Ils m'ont injurié et menacé de me tuer, mais ils ont arrêté.

— Vous les auriez abattus, sinon ?

— Je les aurais blessés.

— Vous avez signalé l'incident immédiatement ?

— Oui.

— Avez-vous tenté de réconforter la fille ?

— Non. Je ne voulais pas tourner le dos à ces deux-là.

— Ça a l'air d'une attitude très sensée.

— La mère de la fille se trouvait dans la cabane. Ils l'avaient assommée, mais elle était en train de revenir à elle. Tout ça est important dans votre enquête ?

— Je n'en ai aucune idée, monsieur Wheaton. Mais nous devons vous interroger sur tout. Je tiens à vous dire combien j'apprécie la franchise de vos réponses, monsieur. Cette attitude plaide grandement en votre faveur.

— Vraiment ?

Le son du tissu frottant contre le microphone m'indique que Lenz se déplace dans la salle.

— Préparez-vous, me glisse Baxter.

— Monsieur Wheaton, dit Lenz, je dois vous dire que je suis ébahi par l'œuvre sur laquelle vous travaillez. Ce retour à votre inspiration première bouleversera le monde de l'art.

On sent la culture et le raffinement dans la voix du psychiatre, par contraste avec celle de Kaiser.

— C'est quelque chose qui ne me déplairait pas, acquiesce Wheaton. Je ne me soucie guère des critiques, mais je ne les aime pas. Ils se sont toujours montrés positifs avec moi, mais ils ont massacré l'œuvre de personnes que j'admire, et jamais je ne le leur pardonnerai.

— Que disait Wilde sur les critiques ? dit Lenz d'un ton pensif « Quand les critiques ne sont pas d'accord entre eux, l'artiste est en accord avec lui-même » ?

— Oui ! s'exclame Wheaton, et sa voix vibre de

plaisir. Vous parlez comme Frank. C'est un grand admirateur de Wilde.

— Vraiment ? Je suis sûr que nous nous entendrons à merveille, alors.

D'autres froissements de vêtements de la part de Lenz, puis :

— Monsieur Wheaton, en tant qu'expert psychiatre, je suis aussi docteur en médecine. Si vous n'y voyez pas d'inconvénient, j'aimerais vous interroger sur votre affection, et sur la façon dont elle a modifié votre travail.

— C'est un sujet que je préférerais ne pas aborder.

Lenz ne répond pas immédiatement, mais j'imagine son regard perçant en train de scruter le visage de Roger Wheaton.

— Je comprends, dit enfin le psychiatre. Mais je crains de devoir insister. De tels diagnostics affectent profondément la psychologie humaine, comme vous ne le savez que trop bien, j'en suis sûr. Saviez-vous que Paul Klee avait lui aussi souffert de dermatosclérose ?

— Oui. Et son œuvre en a également souffert.

— Je vois que vous portez des gants. Votre installation dans le Sud a-t-elle atténué le phénomène de Raynaud à quelque niveau que ce soit ?

— Un peu. Mais plus parce que l'université a tout fait pour me protéger. Une condition préalable pour assister à mes cours est de les suivre dans une salle dépourvue de climatisation. A La Nouvelle-Orléans, ce peut être une réelle épreuve. Mais personne ne semble trop s'en soucier.

— Cela ne m'étonne guère. Vous êtes quelqu'un de très célèbre.

— Dans certains milieux. J'ai encore des crises du phénomène de Raynaud, pour répondre à votre question.

— Avez-vous des dommages tissulaires permanents aux mains ?

— Une fois encore, je préférerais ne pas discuter de cela.

— Je serai aussi bref que possible. Vous suivez un traitement ici, à La Nouvelle-Orléans ?

— Je me suis rendu une fois au service de rhumatologie de Tulane. Je n'ai pas été particulièrement impressionné.

— Il y a certainement d'autres villes universitaires où vous auriez pu aller, et où les affections auto-immunes sont plus une priorité, non ? Avez-vous envisagé d'autres offres ?

— Où que j'aille, les traitements seront essentiellement palliatifs. Vous devez le savoir, docteur. Je m'en sors en niant tout simplement la réalité et en faisant de mon mieux pour vivre.

— Je vois. Avez-vous subi des tests sur les fonctions organiques durant l'année écoulée ?

— Non.

— Vous faites régulièrement contrôler votre tension artérielle, au moins ?

— Non.

— Vous êtes conscient qu'une hypertension croissante est un signe de…

— Je ne suis pas idiot, docteur. Je préférerais vraiment que nous passions à un autre sujet, je vous en prie. Mon temps est trop compté pour le gaspiller à discuter de ce qui me tue à petit feu.

J'éprouve de la pitié pour Wheaton, soumis au déluge de questions de Lenz.

— Pourquoi ne le laisse-t-il pas tranquille ?

— Il sent qu'il tient quelque chose, m'explique Baxter d'une voix tendue.

— C'est aussi votre avis ?

— Apprendre qu'on souffre d'une affection au stade terminal est un facteur de stress majeur. Qui pourrait déclencher un comportement homicide chez un individu prédisposé.

— Savez-vous qu'il existe de nouveaux traitements révolutionnaires en cours d'expérimentation ? demande Lenz. A Seattle, par exemple, ils utilisent les transplantations de moelle autologue pour...

— Je sais tout cela, docteur... ?

— Lenz.

— Docteur Lenz, merci. Je suis pleinement conscient de mon état. Je me demande si c'est votre cas. Je suis un artiste. Je n'ai pas de famille. Ma priorité absolue, c'est mon œuvre. J'accomplirai le travail dont je suis capable tant que j'en serai capable. Quand je mourrai, mon œuvre me survivra. C'est une satisfaction plus grande que bien des hommes n'en connaîtront jamais.

La voix de Wheaton est acérée comme la vérité nue, et elle exige un silence respectueux, comme après une prière.

— Allez, grince Baxter en pianotant nerveusement sur la console devant lui. Appelle-la.

Mais Lenz ne sait pas s'arrêter.

— J'aimerais maintenant passer à…

— Veuillez m'excuser, monsieur Wheaton, interrompt sèchement Kaiser, mais notre photographe devrait être là depuis dix minutes. Si…

— Allez-y ! dit Baxter en me donnant une petite tape sur le genou.

J'ouvre la porte arrière du van et, quelques secondes plus tard, mes hauts talons claquent sur le trottoir en direction de la Newcomb Art Gallery. J'ai du mal à garder l'équilibre dans ces souliers auxquels je ne suis pas habituée, et mon cœur bat la chamade.

L'odeur de la peinture à l'huile me frappe dès que je franchis la porte, et elle s'accentue quand j'avance vers la galerie principale, guidée par le souvenir du plan que Baxter nous a montré dans le van. Des vitraux Tiffany de part et d'autre d'une large entrée. Après l'avoir franchie, je me retrouve devant un mur blanc et courbe. Puis je remarque les cadres en bois. Je contemple l'arrière de la toile circulaire de Wheaton.

A ma droite se trouve une brèche que je traverse en me concentrant sur les instructions de Baxter : agir de façon détachée et professionnelle. Mais ma première vision des peintures me stoppe net.

Le cercle de toiles jointes fait deux mètres de haut pour un diamètre d'au moins douze mètres. La taille seule inspire l'admiration et une sorte d'effarement respectueux. Mais c'est l'image qui me coupe le souffle. J'ai l'impression d'être entrée dans la Forêt enchantée de J.R.R. Tolkien, un monde peuplé d'ombres où les racines s'enroulent autour de vos pieds et où des branches tordues vous étranglent, où l'enchevêtrement des vignes rampantes et les feuilles mortes dissimulent des choses que nous préférons ne pas voir. A travers ce monde obscur serpente un ruisseau étroit et noir, qui s'ourle parfois de blanc autour d'un rocher ou d'une branche tombée. L'ensemble est un choc pour moi, car je m'attendais à quelque chose d'abstrait, comme l'a été tout le travail récent de Wheaton. C'est ce que Lenz voulait dire en évoquant un « retour à son inspiration première ». J'ai l'impression que je pourrais entrer dans la peinture, prendre une brindille et la casser en deux avec un craquement sec. Si l'odeur de peinture et d'huile de lin n'était pas aussi forte, je crois que je sentirais le parfum des feuilles en décomposition. Un seul panneau courbe est encore inachevé, et c'est devant lui que se tient Wheaton, pinceau et palette dans ses mains gantées de blanc.

La taille de l'artiste est pour moi un second choc. Le portrait que j'ai vu de lui la nuit dernière m'avait donné l'impression d'un homme mince, mais cela prouve simplement à quel point une photo peut être trompeuse. Wheaton est à peine moins grand que Kaiser, qui frôle le mètre quatre-vingt-dix. Il a des bras secs mais des mains larges, aux doigts longs, et ses épaules ne sont que très légèrement voûtées par les ans. Son visage est tellement énergique que ses lunettes à double foyer semblent une coquetterie plus qu'une nécessité. A cinquante-huit ans, il a une chevelure uniformément blanche qui effleure ses épaules, et sa peau semble d'une douceur remarquable. Il se dégage de lui l'impression d'un homme qui a atteint un état de paix extraordinaire, quoique d'après ce que je sais de son histoire cette impression soit probablement fausse.

— C'est votre photographe ? interroge-t-il, et il me sourit.

Son sourire se dissipe dès qu'il se tourne vers Lenz, qui comme Kaiser n'a pas entendu la question tant il est concentré sur la réaction initiale de l'artiste à mon apparition. Il cherche le moindre signe que Wheaton me connaîtrait. Je peux leur épargner cette peine. Cet homme ne m'a jamais vue de sa vie.

— Oui, monsieur, dis-je d'une voix forte, pour que les deux autres reprennent contenance.

Wheaton revient à moi.

— Qu'êtes-vous venue photographier ?

— Votre œuvre.

— Eh bien, allez-y. A la condition que vos photos restent la propriété exclusive du FBI, bien sûr. Je ne veux pas qu'on voie cette peinture tant qu'elle ne sera pas terminée.

— Bien entendu, lui affirme Kaiser. Elles resteront strictement confidentielles.

Kaiser me jette un coup d'œil, et je comprends instantanément qu'il partage mon opinion sur Wheaton. L'artiste du Vermont n'a pas la moindre idée de mon identité. Après ce moment de confusion initiale, je me rends compte de la chaleur qui règne dans cette salle. Kaiser a retiré son manteau, révélant des pointillés de transpiration sur le devant de sa chemise, mais Lenz a gardé son veston, probablement pour dissimuler le renflement suspect formé par le micro ou le fil. Avec le

Mamiya que j'ai utilisé chez de Becque, je prends quelques clichés au flash des différents panneaux, mais tout cela n'est qu'une comédie. La plupart des peintures de Wheaton seront confisquées dès la fin de cette entrevue, fin qui d'une certaine façon a déjà eu lieu. Je me sens coupable de participer à ce simulacre, car je sais que ce qui va suivre affectera grandement l'artiste, qui semble coopérer de son mieux pour nous aider.

Pendant que je travaille, Wheaton tire une échelle devant le panneau inachevé, y grimpe laborieusement et se met à poser de petites touches sur la toile, à deux mètres de hauteur. A quelques reprises dans ma carrière, j'ai senti que j'étais en présence d'une véritable œuvre. J'ai cette sensation maintenant. J'éprouve une envie violente de mitrailler Wheaton, pour garder une trace de l'artiste en plein travail. Après un instant d'hésitation, je prends quelques clichés de lui, et il ne semble pas s'en formaliser. J'ai une pellicule supplémentaire dans ma banane, et en moins d'une minute j'ai rechargé l'appareil. Je suis totalement prise par ces gestes essentiels de mon métier. Wheaton a un don que possèdent beaucoup de grands hommes : la capacité à continuer ce qu'il fait comme si l'appareil n'était pas là. Alors même que je les prends, je sais que ces photos seront excellentes, et une partie de moi espère que le FBI n'insistera pas pour que les négatifs restent sa propriété.

Lenz et Kaiser se sont écartés pour conférer tranquillement, et je sens qu'ils sont prêts à s'occuper de Leon Gaines. Kaiser accroche mon regard et d'un hochement de tête me fait comprendre qu'il est temps d'en finir. J'ai d'autres pellicules dans le van, aussi je termine celle-ci avant de m'approcher de l'échelle et d'offrir ma main à Wheaton. Si j'évite en règle générale les poignées de main, dans ce cas précis j'estime que je dois faire un geste pour le remercier de sa générosité. Il pose la palette et le pinceau sur la tablette de l'escabeau, en descend et me serre la main sans excès. Même à travers le coton des gants, je sens que sa peau est aussi douce que celle d'une femme. Sa maladie doit lui interdire tout autre travail manuel que la peinture.

— Merci d'avoir rendu cette séance aussi facile, lui dis-je.

L'artiste me sourit d'un air presque timide.

— Il est très facile de tolérer l'attention d'une jolie femme.

— Merci.

Il relève les yeux, qui s'étrécissent derrière les verres des lunettes.

— Avez-vous toujours travaillé pour le FBI ?

— Non, j'étais photojournaliste auparavant, dis-je, ce qui n'est pas exactement un mensonge.

Il m'étudie un moment encore, et sourit de nouveau.

— Venez m'en parler un de ces jours, je vous en prie. La photographie m'intéresse. J'ai peu de visiteurs maintenant, surtout à cause des restrictions que je m'impose, j'en ai bien peur.

— J'essaierai de revenir vous voir.

— Monsieur Wheaton, dit Kaiser, je veux que vous sachiez combien nous avons apprécié votre aide. Il est probable que la police de La Nouvelle-Orléans voudra également vous parler. Mon conseil serait de coopérer aussi pleinement que vous le pourrez, malgré le désagrément que cela pourra vous causer. Ainsi vous en terminerez au plus vite avec cette épreuve.

Wheaton soupire comme s'il se doutait déjà de ce qui l'attend.

— Nous devons également vous demander d'éviter de contacter vos étudiants diplômés à propos de cette entrevue, dit Lenz, et de n'en pas parler pendant les jours à venir. Je suis sûr que vous comprenez.

L'artiste semble ne comprendre que trop bien.

— Je vous souhaite une bonne journée, messieurs, dit-il avant de se tourner vers moi : Bonne journée ma chère.

Kaiser tourne les talons pour partir, mais Lenz s'attarde.

— Il y a une question que j'ai oublié de vous poser. Cette clairière est-elle un endroit réel ? Près de votre domicile d'enfance dans le Vermont, peut-être ? Ou un endroit au Vietnam ?

Wheaton hésite, comme s'il se demandait s'il va ou non répondre. Après quelques secondes, il dit :

— J'ai connu plusieurs endroits semblables dans mon existence. Ils semblent être une sorte de point de liaison pour moi. Un lieu où se concentre le pouvoir de la nature. La forêt ou la jungle est là, mais tenue comme en suspens, de sorte qu'on aperçoit le ciel et le soleil. Il y a de l'eau, mais pas en grande quantité. Et puis il y a la terre.

— Vous en faites une description très sereine, dit Lenz. Mais vos peintures ne sont pas sereines.

— Certaines le sont, répond Wheaton. D'autres

non. La nature n'est pas une force bienveillante. Elle a maints visages, et aucun ne se soucie de nous ou de nos besoins.

— C'est très vrai, dit Lenz. Oh, encore une chose, si cela ne vous gêne pas.

A le voir mimer stupidement la tactique du lieutenant Columbo, j'ai envie de le gifler.

— Leon Gaines peint exclusivement des femmes. Parfois nues, parfois habillées. Frank Smith peint des hommes nus. L'avez-vous jamais vu peindre des femmes nues ?

— Non, dit Wheaton en secouant la tête. Frank adore les femmes, mais seulement habillées.

Kaiser semble disposé à traîner Lenz dehors par le fond du pantalon. Enfin le psychiatre tend la main, mais l'artiste le salue d'un simple hochement de tête avant de retourner vers l'échelle. Je réprime un petit sourire.

Nous sommes presque à la porte quand Wheaton lance derrière nous :

— Thalia Laveau peint des femmes. C'est important ?

Kaiser et Lenz reviennent aussitôt auprès de lui.

— Comment ça ? fait Kaiser. Des femmes s'affairant chez elles ? Des scènes de ce genre ?

— Non. Ses peintures documentaires m'ont en fait surpris. Parce que les toiles qu'elle m'avait soumises lors de sa candidature étaient des études de nus.

— De femmes ? dit Lenz dans un souffle.

— Uniquement.

Le psychiatre échange un regard avec Kaiser, qui demande :

— Avez-vous gardé une ou plusieurs de ces peintures ?

— Non. Mais je suis sûr qu'elle les a toujours. Vous allez lui parler ?

Kaiser et Lenz se regardent comme des chasseurs qui, entrés dans les broussailles pour traquer un lion, découvrent une licorne.

14

— Vite ! crie Baxter par la portière ouverte du van. Grimpez !

Kaiser et Lenz sont perdus dans leurs pensées à propos des nus de Thalia Laveau, mais quelque chose dans l'intonation de Baxter les tire de leurs réflexions. Nous nous entassons dans l'espace trop réduit et surchauffé, nos visages à quelques centimètres les uns des autres.

— Il y a dix minutes, annonce Baxter, une société de financement a repris le van de Leon Gaines.

— Bon Dieu, grogne Kaiser. C'est la loi de l'emmerdement maximum.

— Le récupérateur avait apparemment déjà essayé de le reprendre auparavant, mais Gaines l'avait semé. Aujourd'hui le type s'est pointé au domicile de Gaines, il a fait sauter la serrure et est parti avec le van avant que la patrouille de surveillance de la police de La Nouvelle-Orléans puisse intervenir.

— Où est le van, à présent ?

— Les policiers de Jefferson Parish l'ont arrêté sur Veterans Highway. Ils vont le conduire à leur fourrière et apposer les scellés en attendant notre équipe.

— Gaines sait-il que son van a disparu ? demande Lenz.

— Oh oui. Il est en train de se battre avec sa petite amie en ce moment même. On l'entend vociférer de la rue, et nos paraboles ont saisi le bruit de coups et de gifles.

— Pff, souffle Lenz, l'air dégoûté. Savons-nous s'il détient une arme chez lui ?

— Nous sommes en Louisiane, lui rappelle Kaiser. Partons donc du principe qu'il a un flingue. Que savons-nous de sa copine ?

— Elle s'appelle Linda Knapp, répond Baxter. Vingt-neuf ans, travaille comme serveuse de bar. Il est avec elle par périodes depuis un peu plus d'un an. Alors, on va lui parler maintenant, ou on attend ?

— Maintenant, dit Kaiser. Pendant qu'il est en rogne. On y va sans douceur, on le calme et ensuite on fait entrer Jordan.

Baxter se tourne vers moi, et quand il parle, je sens l'odeur de café dans son haleine.

— Ce ne sera pas comme de discuter avec Roger Wheaton. Ce Gaines est un type violent.

— J'ai signé la décharge ce matin. Kaiser est armé, et il y aura des flics dehors. Je suis prête.

Après un instant d'hésitation, Baxter applique une claque sur le panneau séparant l'arrière du van de la cabine du chauffeur. Le moteur ronfle, et le véhicule recule brusquement avant de partir en avant. Tandis que nous quittons le campus, Kaiser croise mon regard et m'adresse un petit signe de remerciement.

Leon Gaines habite une petite maison délabrée sur Freret Street, derrière le terminus de St Charles et Carrollton, tout près du fleuve. Le voisinage, majoritairement noir, s'étend derrière un centre commercial ; ici les gens ne s'occupent pas des affaires des autres et un passé carcéral ne choque personne. De vieilles gens sont assis sur des perrons vitrés, certains boivent à une bouteille dissimulée dans un sac en papier, d'autres se bercent dans leur rocking-chair, en regardant les voitures passer. Des enfants trop jeunes pour aller à l'école jouent dans les jardinets ou la rue, et de petits groupes de gosses qui, eux, devraient se trouver en classe traînent aux carrefours. Notre chauffeur fait le tour du quartier pour nous en donner un aperçu, puis il stoppe deux maisons plus haut que celle de Gaines.

Baxter ouvre la portière arrière.

— John, n'oubliez pas ce qui est en jeu. Ce sera notre seule occasion nette avec lui.

Kaiser acquiesce puis sort et remonte le trottoir craquelé, et Lenz doit se hâter pour rester sur ses talons. Après quelques secondes, la voix de Kaiser s'élève dans le haut- parleur.

— N'ayez aucune réaction devant ce que je ferai. Faites comme si vous vous y attendiez, même si vous êtes choqué.

— Qu'allez-vous faire ? demande Lenz.

— Tout ce qui me semblera approprié à la situation. Et rappelez-moi de lui demander s'il connaît

Marcel de Becque. Nous avons oublié de poser la question à Wheaton.

— Vous avez raison, marmonne Lenz.

A côté de moi, Baxter me glisse :

— Vous avez raté la majeure partie de la réunion de ce matin. Nous avons eu confirmation qu'il y avait un contentieux entre de Becque et Christopher Wingate ; dans le milieu artistique, ce n'était pas un mystère. Quand Wingate a vendu ces portraits qu'il avait promis à de Becque, ce dernier s'est vengé en supprimant une grosse affaire d'investissement dans laquelle Wingate était partie prenante. Nous n'avons pas encore tous les détails.

— J'entends les cris de Gaines d'ici, dit Lenz, qui semble nerveux.

— C'est parti, lâche Kaiser.

Leurs chaussures résonnent sur les marches en bois. Puis une porte-écran claque contre son chambranle et on frappe sèchement à une porte.

— Leon Gaines ! rugit Kaiser. Ouvrez la porte ! FBI !

Un silence, puis un cri indistinct en réponse, qui a tout d'une injure.

— Ça va être coton, commente Baxter.

Le son reconnaissable d'une porte qu'on ouvre violemment emplit le haut-parleur. Puis une voix à l'accent new-yorkais empâtée par l'alcool :

— Qui vous êtes, bordel de merde ? Des grattepapier de la société de financement ? Alors j'ai quelque chose pour vous, tas de cons.

— Je suis l'agent spécial John Kaiser, du FBI. Et c'est moi qui ai quelque chose pour toi, Leon. Un mandat de perquisition. Recule de devant cette porte.

— Le FBI ?

Un silence abasourdi, puis :

— Un mandat ? Pourquoi ?

— Recule de devant cette porte, Leon.

— Qu'est-ce que ça veut dire, mec ? Je suis chez moi, ici.

Une voix féminine assourdie dit quelque chose d'inintelligible.

— Retourne dans la chambre, toi ! hurle Gaines.

— Je t'ai demandé deux fois de dégager de la porte, dit Kaiser. Fais-le maintenant, ou je te fais sortir.

— Eh, pas de problème. Mais d'abord, je veux voir le mandat.

Un bruit d'échauffourée, supplanté par le grognement d'un Lenz atterré, et une plainte de Gaines.

— Qu'est-ce que Kaiser vient de faire ? dis-je en agrippant le rail d'une étagère métallique.

— Il l'a fait sortir, explique Baxter. Comme il a dit qu'il ferait. Avec un ex-taulard, il faut établir sa domination le plus vite possible.

— Nous avons deux options, maintenant, Leon, dit Kaiser d'une voix que j'ai du mal à reconnaître. On peut te parler, ou fouiller ce trou à rat. Pour l'instant, ce que je veux, c'est parler. Si ce que j'entends me plaît, peut-être qu'il n'y aura pas de fouille. Si je n'aime pas ce que j'entends, alors on fouille, et il n'est pas inconcevable qu'on trouve un peu de drogue. Ou un flingue. L'un ou l'autre, c'est un ticket assuré pour le pénitencier…

— De quoi vous voulez parler ?

— D'art.

— De quoi ?

— D'art, Leon. De tes tableaux.

— Oh.

— Onze femmes ont disparu à La Nouvelle-Orléans en un an et demi. Tu es au courant ?

— Ouais. Et alors ?

— Qu'est-ce que tu sais sur ces disparitions ?

— Ce qu'on raconte à la télé.

— Nous avons découvert une série de peintures qui représentent ces femmes portées disparues. Sur ces peintures, les femmes sont nues et elles semblent endormies, ou mortes. Les yeux clos, le teint pâle, tu vois le genre.

— Et alors ?

— La dernière s'est vendue plus d'un million de dollars.

— Et vous trouvez que j'ai l'air d'un mec qui vient de se ramasser un million ?

— Vos peintures révèlent une prédilection pour la violence, intervient Lenz.

— Qui vous êtes, vous, bordel ?

— C'est le Dr Lenz, Leon, répond Kaiser. Tu lui parles poliment, ou bien tu vas avoir ta carte de membre de la fondation Vaseline au pénitencier d'Angola. C'est le seul programme de réinsertion qu'ils connaissent, là-bas.

Gaines ne dit rien.

— L'artiste qui a peint ces toiles ne les a pas signées. Mais nous avons trouvé des poils de pinceau d'un modèle très rare sur certaines d'entre elles. Ça te dit quelque chose ?

Un silence pendant que Gaines cherche à comprendre.

— Les pinceaux de luxe que Wheaton nous a eus, c'est ça ?

— C'est ça.

— Vous avez remonté la piste de ces pinceaux de Hong Kong jusqu'à Tulane ?

— C'est notre boulot, Leon. Nous pouvons remonter la piste de poils pubiens d'un bordel d'Alger jusqu'à ton cul s'il le faut. Je veux quelques réponses. Tu me fais perdre cinq secondes de mon temps, et tu prépares ton voyage vers ta cellule.

Gaines garde le silence.

— Où étais-tu il y a trois nuits, après l'inauguration au musée ?

— Ici.

— Quelqu'un peut confirmer ?

— Linda ! beugle Gaines, et le micro de Lenz grésille.

Un court silence, puis la voix de Kaiser à nouveau :

— Mademoiselle Knapp ?

— Qui la demande ? fait une voix féminine enrouée.

— Je suis du FBI. Pourriez-vous nous dire…

— Dis à ces mecs que nous étions ici après ce truc du musée, coupe Gaines. Ils me croient pas.

— Merde, murmure Baxter.

— C'est vrai, dit la femme. On est revenus directement à la maison. J'en avais ma claque. Ils se prennent tous pour des stars dans ces raouts artistiques. On est restés ici toute la nuit.

— Quelqu'un d'autre peut le confirmer ? insiste Kaiser.

— Non, réplique Gaines. On s'en payait une tranche, vous pigez ?

— Je vois, fait Kaiser d'un ton las.

— C'est tout, dit Gaines pour renvoyer sa petite amie comme il le ferait d'une serveuse.

— Elle te fournit toujours un alibi, Leon ? dit Kaiser.

— Sais pas de quoi vous voulez parler.

— Alors parle-moi de Roger Wheaton.

— Qu'est-ce qu'il a ?

— Pourquoi t'a-t-il pris dans son programme ?

— Roger est un vrai.

— Ce qui veut dire ?

— Il fait son truc, et il se contrefiche de ce que les autres en pensent. Et parce qu'il a fait comme ça toute sa vie, maintenant il est riche et célèbre.

— Tu veux devenir riche et célèbre toi aussi, Leon ?

— Bien sûr.

— Tu aimes bien Wheaton ?

— Pourquoi il faudrait que je l'aime ou que je l'aime pas ? Ce mec peint, c'est tout.

— Tu le respectes ?

— Ce mec est en train de crever, mais il continue à bosser et il ne se plaint pas. Ça, je respecte, oui. Vous avez vu ce qu'il est en train de faire ? Ce truc qui prend toute une salle ?

— Oui.

— Ça le crève, de faire ça. Il a tout un tas de problèmes avec ses articulations. Ses tendons, ou je sais pas quoi.

343

— Il souffre d'enthésopathie, dit Lenz.

— Si vous le dites. Il faut qu'il grimpe à cette échelle et qu'il reste assis là pendant des heures, en se tenant le cou dans une position ! C'est pire que la chapelle Sixtine. Michel-Ange avait des échafaudages, lui, il pouvait peindre allongé, vous saviez ça ? Et les mains de Wheaton… Des fois ses doigts deviennent bleus, mec. *Bleus*. D'abord ils sont blancs, et puis bleus, et des fois même ils noircissent. Il n'y a plus de sang dedans, et il ne peut plus peindre, ni rien faire avec. Il souffre le martyre. Mais lui, il reste assis là et il attend que ça passe. Et puis il se remet au boulot.

— Il est évident que vous le respectez, dit Lenz. Et je vous soupçonne de ne pas respecter aisément autrui.

— Ça, vous avez raison. Roger a vu tout un tas de saloperies pendant la guerre. Il a de la sagesse, et il sait comment la faire passer aux autres. Par l'exemple.

— Et Frank Smith ? interroge Lenz.

Gaines fait mine de cracher.

— Vous n'aimez pas Smith ?

— Frankie est une tantouze de Westchester né avec une cuillère en argent entre les miches. D'ailleurs il marche encore comme s'il avait un gode dans le cul, et chaque fois qu'il ouvre la bouche, c'est pour prêcher.

— Et sa peinture ?

Gaines crache un rire de dérision.

— La série des pédales à poil ? Oh oui, ça c'est très élégant. Vous en avez vu ? Il copie les vieux maîtres pour que ça ait l'air moins porno, et ensuite il refourgue ça à des folles innocentes de New York. Chouette arnaque, il faut lui reconnaître ça. J'essayerais bien de faire la même chose, le problème c'est que j'ai la pénétration anale en horreur. Vous me pigez ? Mais bon, je suis comme ça, moi.

— Et Thalia Laveau ?

Un autre silence, comme si Gaines hésitait à répondre.

— C'est un joli morceau, si vous aimez la viande noire. Ce qui peut m'arriver, à l'occasion. Elle n'a pas l'air d'une négresse, mais c'est dans son sang, sûr. Plus sombre est la baie, plus doux est le jus, pas vrai ?

— Et sa peinture ? demande Kaiser.

— Elle peint les pauvres et les opprimés. Qui veut acheter ça ? Quelques gauchistes friqués de Nouvelle-Angleterre, c'est tout. Elle devrait se remettre à l'effeuillage.

— Elle vous a dit qu'elle faisait des strip-teases pour gagner de l'argent ? demande Lenz.

— C'est une poulette en histoire de l'art de la fac qui me l'a dit. Elle et Thalia se broutent le gazon de temps à autre. Me dites pas que vous étiez pas au courant ?

— Connaissez-vous un certain Marcel de Becque ?

— Jamais entendu ce nom.

— Nous allons devoir prendre quelques photos, annonce Kaiser d'un ton neutre. Notre photographe devrait déjà être arrivée, mais je suis sûr que nous trouverons un sujet de conversation en l'attendant.

Baxter me donne une claque sur le genou.

— Allez-y. Et si ça dégénère, vous mettez les voiles.

Il ouvre la portière et me revoilà sur le trottoir, à longer les maisons miteuses. Je salue les observateurs assis sur les perrons qui vont penser d'après ma mise et mon appareil que je suis ce que j'ai été : une photographe de presse envoyée prendre des clichés d'un cadavre ou d'un nid de dealers.

La peinture verte s'écaille sur les murs de la maison de Gaines, et la porte-écran n'est plus qu'un patchwork orange et noir. J'éprouve une poussée d'adrénaline en saisissant la poignée, mais savoir que Kaiser est armé me rassure assez pour que je toque et que j'entre.

La première chose qui me frappe est l'odeur. Celle de peinture et d'huile de lin qui rendait l'atelier de Wheaton si agréable est ici corrompue par celle de la moisissure, de la bière, de la nourriture pourrie, du tabac et de la marijuana. Kaiser, Lenz et Gaines occupent presque complètement la première pièce, tout en longueur et étroitesse, comme les innombrables masures que j'ai visitées quand je travaillais pour le *Times Picayune*.

— Qui c'est ? grogne Gaines.

Il se produit une césure étrange quand Kaiser et Lenz jaugent sa réaction à ma venue. Je m'oblige à ne pas le regarder en me concentrant sur mon appareil. Par l'objectif, je vois un canapé marron piqueté de brûlures de cigarette et un tapis élimé taché de gouttes de peinture à l'huile. Les murs sont nus, à l'exception d'un Elvis à l'aérographe sur l'un d'entre eux et d'un petit tableau abstrait de bonne facture au-dessus du canapé. Un grand chevalet occupe le coin le plus proche de moi. Il est recouvert par une pièce de toile sale.

— Notre photographe, dit Kaiser avant de désigner le chevalet. C'est votre dernière œuvre ?

— Ouais, répond Gaines, et au son de sa voix je sais qu'il me regarde toujours.

Je me tourne vers lui, et je scrute ses yeux à la recherche d'une trace de reconnaissance. Ce sont deux morceaux de charbon noir enfoncés dans une sclérotique jaune, écarquillés en permanence, comme ceux d'un malade atteint d'hyperthyroïdie, le tout accentué par les cernes sombres qui les soulignent. Ses cheveux noirs retombent en boucles molles sur le front, et une barbe de trois jours hérisse le bas de son visage. Au naturel, sa peau a la pâleur maladive d'un ventre de serpent. Il n'est pas difficile de l'imaginer en train de passer une tondeuse à gazon sur un chat vivant.

— Retire ce chiffon de sur la toile, qu'elle puisse la photographier, ordonne Kaiser.

— Peut-être bien que je n'ai pas envie qu'on la photographie tant qu'elle est pas terminée.

— Peut-être bien que personne ne se soucie vraiment de ce que tu veux.

Kaiser marche jusqu'au chevalet et en ôte le morceau de tissu d'un geste rapide.

Parce que je ne m'attendais à rien de très impressionnant, la peinture de Gaines m'apparaît d'une puissance étonnante. Une blonde aux cheveux raides et au visage dur, assise à une table de cuisine sous la lumière crue d'une ampoule nue. Elle est encerclée par des bols emplis de restes sales de céréales et de sacs de fast-food, et sa chemise est ouverte jusqu'à la taille, dévoilant de petits seins tombants. Ses yeux cernés regardent au-dehors de la toile avec la résignation morne d'un animal qui aurait aidé à construire sa propre cage. Il est difficile d'imaginer qu'un exemple d'art aussi fidèle puisse venir de la créature qui se tient à l'autre bout de la pièce, mais le talent n'est pas octroyé au mérite.

Je fixe le flash sur le Mamiya et commence à mitrailler, en faisant de mon mieux pour ignorer Gaines dont le regard est pareil au contact graisseux de doigts sales sur ma peau. Après une dizaine de clichés, je tourne mon attention vers la petite peinture abstraite sur l'autre mur. Elle est différente du travail de Gaines, mais ce semble être un original. Quelque étudiante en art la lui a sans doute offerte après qu'il a couché avec elle.

— Qui a peint cette toile ? dis-je en la photographiant.

— Roger, répond Gaines.

— Roger Wheaton ? dit Lenz.

— Ouais, fait Gaines en se rapprochant de moi. Je vois bien que mon tableau vous plaît. Vous devriez revenir plus tard, je vous peindrais.

Je lui rirais au nez si la situation n'était pas aussi grave.

— La ferme, fumier de menteur !

Je fais volte-face à temps pour voir la femme blonde de la peinture charger dans la pièce. Ses yeux fous brillent dans son visage hâve, et une marque rouge vif s'étend de sa pommette à son œil et jusqu'à sa bouche, qui au centre vire déjà au sombre.

— Retourne dans la chambre ! aboie Gaines, le poing droit prêt.

Kaiser s'interpose entre lui et la fille, laquelle ne porte qu'une chemise de nuit légère.

— Cet homme vous a molestée, mademoiselle ?

— Il m'a baisée, voilà ce qu'il a fait ! C'est un putain de menteur ! Il m'a dit que j'allais poser !

— Avez-vous posé nue pour lui ?

— Merde, oui, alors ! C'est tout juste s'il accepte que je me mette une fringue. Mais il ne veut pas peindre, il veut juste baiser. Ça et se défoncer, du matin au soir, tous les jours. Et une fois qu'il est défoncé, il ne peut même plus !

— Retourne dans la chambre, bordel de merde ! hurle Gaines en levant le poing.

La fille me dévisage avec un air de défi rageur.

— Le laisse pas te prendre au piège de son regard de dingue, chérie, c'est un raté.

— Qu'est-ce que tu sais, toi ? crie Gaines. Cette femme a de la classe, elle !

L'autre éclate d'un rire aigre.

— Ah ouais ? Alors ça veut dire qu'elle n'écartera pas les cuisses pour un paumé comme toi.

Gaines s'élance vers elle, mais Kaiser fait un mouvement très rapide du pied et soudain Gaines est au sol, les deux mains plaquées sur son genou. La fille part d'un rire hystérique en pointant l'index vers lui.

— Je pense qu'il serait préférable que vous veniez avec nous, lui dit Kaiser.

— N'importe où que j'irai, il me retrouvera, ce salaud.

— Nous pouvons vous trouver un endroit sûr. Un endroit protégé.

— Pour de vrai ?

— Essaie donc, pétasse, grogne Gaines.

Kaiser interroge Lenz du regard.

— Pas de questions ?

Le psychiatre secoue négativement la tête.

— Peut-être bien que je vais venir avec vous, lâche la fille à Kaiser.

Il acquiesce et elle court vers l'arrière de la maison. Après quelques bruits divers elle réapparaît avec un sac à main et une poche en plastique bourrée de vêtements.

— Oubliez ce que j'ai dit tout à l'heure, déclare-t-elle. Je ne sais pas où il était il y a trois nuits de ça. Il devait rentrer après ce truc au musée, mais il ne l'a pas fait.

Au sol, Gaines lève sur elle un regard assassin.

— Eh bien, Leon, dit Kaiser, je crois que tu as un problème. La police de La Nouvelle-Orléans va rester en contact avec toi, m'est avis.

— Une seconde, dit la fille.

Se penchant à côté du canapé, elle ramasse un verre à moitié plein de ce qui ressemble à de la bière éventée. Avec un regard vicieux à Gaines, elle en asperge à la volée la peinture sur le chevalet.

— Voilà tout ce que tu mérites de moi, sac à merde.

Gaines pousse un rugissement de fureur, mais elle file vers la porte d'entrée tandis que Lenz la suit, et je lui emboîte le pas, étonnée de mon désir de quitter cet enfer domestique.

— Eh, la dame aux photos ! me lance Gaines. Vous savez où me trouver, si ça vous démange.

Je me retourne à temps pour voir Kaiser s'accroupir à côté de Gaines, le cachant à ma vue. Tout d'abord je crois qu'il lui murmure quelque chose, mais soudain Gaines pousse un cri suraigu de femme, et la fille éclate de rire sur le perron. Lenz repasse la tête par l'embrasure de la porte et regarde fixement Kaiser qui se redresse, le visage placide, et nous rejoint.

— Que s'est-il passé, bon sang ? demande le psychiatre.

— Je n'ai plus autant de patience que dans le temps, marmonne simplement Kaiser.

Une fois sur le trottoir, il adresse un signe à quelqu'un que je ne peux pas apercevoir. Aussitôt un homme en civil et portant un holster sous son veston remonte la rue au trot. Il confère brièvement avec Kaiser, puis emmène la petite amie de Gaines. Nous nous regroupons tous trois près de la portière ouverte du van, et Baxter lance à ses deux émissaires un regard impatient.

— Qu'en pensez-vous ?

— Ce n'est pas Gaines, dit Lenz.

Baxter se tourne vers Kaiser.

— John ?

— Je ne sais pas.

Lenz fait la grimace.

— Nous avons déjà perdu trop de temps. Allons voir Frank Smith.

— Il a réagi a mon arrivée, je n'ai aucun doute là-dessus, dis-je à mi-voix.

— Comme un chien face à une chienne, dit

Lenz. Ce n'était rien de plus. Vous ne l'avez pas effrayé le moins du monde. Il ne vous avait jamais vue.

Baxter m'observe d'un air songeur.

— Qu'avez-vous pensé de lui ?

— Je sais qu'il est trop évident. Mais il y avait quelque chose en lui qui m'a vraiment fait peur. Comme si toute cette attitude masquait quelque chose d'autre, quelque chose qui m'a révulsée à un niveau complètement différent. Vous comprenez ce que je veux dire ?

— Oui, dit Kaiser. Je l'ai ressenti aussi.

— La qualité de sa peinture m'a étonnée. Il voit vraiment dans les femmes qu'il peint.

— Il avait une peinture de Roger Wheaton chez lui ? demande Baxter.

— En effet, répond Kaiser. Je suis d'ailleurs surpris qu'il ne l'ait pas déjà revendue pour s'acheter ses doses.

— Nous ferions bien de vérifier auprès de Wheaton, pour nous assurer que Gaines ne la lui a pas volée, ajoute Lenz.

— Laissez tomber tout ça, tranche Baxter. La police de La Nouvelle-Orléans est prête à entrer en scène. Ils vont passer son domicile au peigne fin. Est-ce ce que nous voulons ?

— Ils trouveront presque certainement de la drogue ou des armes, dit Kaiser. Nous pourrions l'envoyer à Angola et voir si les kidnappings cessent.

— Vous vous attendez vraiment à ce qu'il y ait d'autres disparitions ? dis-je. Alors que nous sommes si proches du coupable ?

— Nous ne savons pas si nous sommes proches du coupable, dit Lenz. Notre intérêt pourrait pousser un agresseur en série plus conventionnel à ralentir ses activités, mais quiconque est derrière tout ça n'a aucune raison de le faire. D'après ce que nous savons, le peintre est un élément remplaçable dans l'équation. S'ils veulent une autre femme, ils l'enlèveront. Il se pourrait même qu'ils le fassent dans le seul but de nous démontrer qu'ils en sont capables.

Personne ne remet en question l'utilisation du pluriel par Lenz.

— N'arrêtons pas Gaines, propose Kaiser. S'il est impliqué, nous en apprendrons plus en le filant qu'en l'enfermant.

Baxter regarde Lenz, qui acquiesce. Il presse une touche sur la console et parle dans le micro relié à son casque.

— Ed ? Allez-y pour Gaines, mais si vous pouviez éviter de l'arrêter, nous aimerions que vous le laissiez en place… Même fouille, comme convenu, mais laissez-le chez lui… Merci. Je vous vois à la réunion de quatre heures.

Il ôte les écouteurs et se tourne vers moi.

— Prête pour Frank Smith ?

— Il ne peut qu'être mieux que Gaines.

— Plus propre, en tout cas, approuve Kaiser.

Baxter tapote sur le panneau avant, et le van s'engage dans Freret Street et vers l'ambiance nettement plus agréable du Quartier français.

15

— Roger Wheaton vient d'appeler Smith pour le prévenir de notre arrivée, annonce Baxter en ôtant son casque. Les écoutes ont intercepté la communication.

Nous sommes garés de l'autre côté de la rue, face à un magnifique cottage créole situé dans la partie proche du fleuve de l'Esplanade, la limite est du Quartier français. Depuis deux ans, c'est là qu'habite Frank Smith.

— Pourquoi Wheaton ne l'aurait-il pas prévenu ? remarque Kaiser.

— Nous lui avons demandé de ne pas le faire, lui rappelle Lenz.

— Et maintenant nous allons fouiller sa maison de la cave au grenier et l'informer qu'il devra nous procurer des échantillons de peau et de sang pour comparer son ADN à celui retrouvé sous les ongles de la victime de chez Dorignac.

— En fait, cet appel rend Wheaton moins suspect, dit Kaiser. Il n'est pas stupide. Il sait qu'il est sur la liste des suspects, ce qui signifie probablement que son téléphone est sur écoute, mais il a quand même passé ce coup de fil. C'est exactement ce que fait quelqu'un quand il est innocent et qu'il en a ras le bol.

— A moins qu'il ne le fasse pour paraître innocent.

— Pourquoi n'a-t-il pas prévenu Gaines, alors ? dit Lenz.

— Peut-être qu'il ne l'aime pas beaucoup, propose Kaiser d'un ton railleur. Ce serait assez facile à imaginer.

— A-t-il prévenu Thalia Laveau ? demande Lenz.

— Pas encore, répond Baxter. Seulement Smith.

— « J'aime beaucoup Frank », cite Kaiser. C'est ce qu'a dit Wheaton pendant notre entrevue.

— Je me demande s'il n'y aurait pas une liaison homosexuelle entre eux, en ce cas, ajoute Lenz.

— Wheaton ne s'est jamais marié, dit Baxter. Pourquoi ne lui avez-vous pas demandé s'il était gay ?

— Peut-être qu'il ne s'est pas révélé à lui-même, dit Lenz. Je ne voulais pas brûler toutes mes cartouches tout de suite. Nous pourrons être fixés sur ce point autrement.

Kaiser se rapproche de la portière arrière.

— Frank Smith ne fait pas mystère de son homosexualité. Peut-être que lui nous renseignera.

Il se tourne vers moi.

— On se revoit dans quelques minutes.

Avec Lenz, ils sortent du van en refermant la portière derrière eux.

Baxter colle son visage à la petite fenêtre du van.

— La maison n'est pas aussi jolie que je le croyais.

— Vous regardez l'arrière, lui dis-je. La plupart de ces maisons ont leur façade principale à l'intérieur. Certaines donnent sur des cours intérieures, d'autres sur des jardins incroyables, débordant de plantes exotiques.

— John m'a parlé de votre théorie sur la lumière naturelle. Cette maison possède une cour intérieure. Smith est le seul de nos suspects à bénéficier de ce genre de configuration. Wheaton a un jardin qui donne sur l'extérieur, mais non enclos de murs. Eh, regardez-moi ça…

Je plaque ma joue contre la sienne devant la petite lucarne, et mes yeux scrutent l'espace sombre restreint devant moi.

Frank Smith attend Kaiser et Lenz sur son perron. Il est mince et bien fait de sa personne, et son bronzage ressort sur son costume néo-colonial d'un blanc immaculé, en lin ou en soie. Il a de grands yeux vifs et le sourire qu'il arbore est ironique.

— Regardez-moi ce type, marmonne Kaiser dans le micro. Encore un qui se croit plus malin que tout le monde, ça se voit au premier coup d'œil.

— J'ouvre le feu, lâche Lenz.

Transmise par le haut-parleur, la voix de Frank Smith a le ton enjoué d'un maître de maison en pleine réception.

— Bonsoir, messieurs ! Vous êtes les gens du FBI ? Et quand avez-vous prévu l'arrivée de la brigade antigang ?

— Non, monsieur Smith, dit Kaiser entre ses dents, il n'y aura pas de brigade antigang. D'après certains éléments, vous êtes devenu un suspect plausible dans une série de crimes de première importance. Il n'y a aucun moyen d'édulcorer la situation. Nous sommes ici pour vous poser quelques questions.

— Vous ne venez pas me demander un échantillon sanguin ? Un prélèvement d'urine, peut-être ?

— Non. Nous sommes ici pour vous parler.

— Bon, alors sachez que je n'ai pas d'alibi pour le soir où cette femme a été enlevée près de chez Dorignac. J'étais ici, seul, et j'écoutais de la musique.

A travers la lucarne du van, je vois Smith présenter ses deux mains jointes, à l'horizontale, comme pour accepter les menottes.

— Finissons-en, messieurs.

— Nous ne sommes venus que pour parler avec vous, insiste Kaiser.

— Les préliminaires de la police ? demande Smith d'un ton suggestif.

— Nous n'avons aucun contrôle sur la police de cette ville.

— Ah, après toutes ces histoires de corruption, je croyais que vous la manipuliez comme vous vouliez.

A côté de moi, Baxter grommelle :

— Il est plutôt bien renseigné pour un type récemment arrivé en ville.

Il n'y a que quelques années, la corruption de la police et le taux d'homicides étaient en plein boum. Deux officiers de police ont réellement commis des meurtres lors d'un vol, et le chaos qui a suivi a failli transformer la police municipale en un organe fédéral.

— Nous pouvons discuter ici de façon très correcte, dit Kaiser, mais si vous préférez, le car de police vous emmènera au commissariat.

Smith a un rire moqueur.

— Doux Jésus, mais c'est Humphrey Bogart en chaussons ! Pourquoi ne pas passer au salon ? Je vous offre le café.

Des bruits de pas et celui d'une porte qui se ferme résonnent dans le van, puis encore des pas.

— Je vous en prie, mettez-vous à votre aise, dit la voix de Smith.

On entend les ressorts geindre sous le poids du Dr Lenz alors qu'il prend place sur un canapé.

— Juan ? Trois cafés, je te prie.

— *Sí.*

— Ce type a un serviteur, commente Baxter. Merde. A l'époque où j'étais étudiant, c'était un rien différent…

— Monsieur Smith, commence Lenz, je suis Arthur Lenz, expert psychiatre. Et voici l'agent spécial John Kaiser. C'est un profileur psychologue qui travaille pour le Bureau.

— Deux Von Helsing chez moi. Dois-je me sentir flatté ou insulté ?

— Qu'est-ce qu'il raconte ? maugrée Baxter.

— Dans le roman de Bram Stoker, Van Helsing est le professeur qui traque Dracula, lui dis-je.

— On va se marrer, je le sens…

— Pose le plateau ici, Juan. Merci.

Un silence, puis Smith dit dans un murmure

— J'en suis encore à le former. Il a beaucoup à

apprendre, mais il en vaut la peine. Comment prenez-vous votre café, docteur ?

— Noir, s'il vous plaît.

— Pareil pour moi, lâche Kaiser.

On entend tinter la porcelaine, et les ressorts des sièges couinent encore un peu.

— Je ne sais trop par quoi commencer, dit Lenz. Nous…

— Permettez-moi de nous épargner à tous une perte de temps inutile, interrompt Smith. Vous êtes ici à cause de la disparition d'un certain nombre de femmes. Vous avez découvert qu'une série de peintures connue sous le nom de *Femmes endormies* représente ces femmes disparues. Certains indices vous ont menés au programme que Roger Wheaton dirige à la Tulane University. Et maintenant vous interrogez Wheaton et nous tous avant de laisser la police se jeter sur nous et passer au crible notre vie intime. Roger est très irrité, ce qui m'irrite moi aussi. J'aimerais beaucoup entendre de votre bouche les détails de ces prétendus indices concordants.

— Vous parlez comme si vous saviez déjà tout sur les *Femmes endormies*, remarque Kaiser.

— C'est le cas.

— Comment avez-vous été mis au courant de leur existence ?

— Par un ami d'Asie.

— Vous avez beaucoup d'amis en Asie ?

— J'ai des amis partout dans le monde. Des amis, des collègues, des clients, des amants. Il y a trois mois environ j'ai entendu dire que des peintures d'une nouvelle série atteignaient le million de dollars lors de ventes privées. Et puis j'ai appris qu'elles allaient être exposées à Hong Kong. J'ai envisagé d'aller là-bas pour les examiner de mes propres yeux.

— Vous étiez au courant du thème de la série ? interroge Lenz.

— Des femmes nues endormies, c'est ce que j'ai compris dans un premier temps. C'est seulement très récemment que j'ai entendu des rumeurs parlant de la théorie des cadavres.

— Quelle a été votre réaction à l'idée que des femmes avaient peut-être été assassinées pour servir de modèles dans ces toiles ?

Un long silence.

— Je n'ai pas vu les toiles, aussi m'est-il difficile de répondre à cette question.

Lenz boit une gorgée de café. On l'entend par le biais du micro.

— Diriez-vous que la qualité d'une peinture détermine votre jugement concernant les femmes qui pourraient trouver la mort pour la produire ?

— Pour paraphraser Wilde, docteur, il n'existe pas de peinture morale ou immorale. Une peinture est soit bien exécutée, soit mal exécutée. Si la peinture est magnifique, si c'est effectivement du grand art, alors elle se justifie pleinement par sa seule existence. Toute autre considération relative à sa création est secondaire.

— Ce discours me semble familier, dit Kaiser.

— Comment cela ? demande Smith.

— Connaissez-vous un certain Marcel de Becque ?

— Non.

360

— C'est un Français expatrié qui vit dans les îles Caïmans.

— Je ne le connais pas. Mais il y a une certaine ironie dans ce nom.

— Et pour quelle raison ? demande Lenz.

— Emile de Becque était l'expatrié français dans South Pacific, de Michener.

— Fils de pute, siffle Baxter.

Je sens l'embarras de Lenz à travers la retransmission

— Vous avez raison, dit-il. J'avais oublié.

— Peut-être que cet homme a pris l'identité de ce personnage comme pseudonyme ?

— Le père de De Becque s'est installé en Asie du Sud-Est dans les années trente, explique Lenz. Michener a peut-être entendu le nom et l'a donné à un de ses personnages.

— Mais je vais vous donner le nom de quelqu'un que j'ai connu, dit Smith. Ça devrait vous rendre tout fébriles. Christopher Wingate.

Cette fois le silence est plus long.

— Pourquoi mentionnez-vous Christopher Wingate ? demande Lenz.

— Inutile de jouer à ce petit jeu, docteur. J'ai entendu parler de la mort de Wingate. Je savais qu'il était celui qui vendait les *Femmes endormies*. A l'époque, ça ne m'a rien inspiré de particulier. Mais maintenant que ces portraits sont peut-être liés à des meurtres éventuels, je vois sa mort sous un jour différent.

— Comment avez-vous connu Wingate ? interroge Kaiser.

— Un ami commun nous a présentés lors d'une

soirée à New York. J'ai envisagé de lâcher mon agent pour le prendre, lui.

— Pourquoi ?

— Parce qu'il était, en un mot, chaud.

— Je vais vous poser une question quelque peu délicate, dit Lenz. Je vous prie de ne pas vous vexer. C'est très important.

— Je suis sur des charbons ardents.

Lenz est sans doute irrité qu'on se moque ainsi de lui, mais il continue malgré tout du même ton posé.

— Roger Wheaton est-il gay ?

Smith réagit par un petit rire qu'il est difficile d'interpréter.

— Vous lui avez posé la question ?

— Non. Je n'en étais pas sûr, et je ne voulais pas l'offenser.

— Je suis offensé pour lui. Non par le fait d'être gay, mais parce que cette question représente une intrusion dans sa vie privée.

— Quand des gens meurent, la vie privée doit souvent devenir publique. Si vous refusez de répondre à cette question, je devrai la poser à Wheaton. Est-ce là ce que vous voulez que je fasse ?

— Non.

— Très bien.

Après un moment de réflexion, Smith dit :

— Je ne dirais pas que Roger est gay, non.

— Que diriez-vous ?

— C'est un homme complexe. Je ne le connais personnellement que depuis deux ans, et tout ce temps il a été gravement malade. Je pense que sa maladie l'a poussé à se concentrer sur des domaines non sexuels de son existence.

— L'avez-vous jamais vu en compagnie d'une femme ? demande Lenz. Ou avec une femme chez lui ?

— Roger ne « sort » pas. Il est soit chez lui, soit à l'université. Et oui, il reçoit des visites féminines.

— Qui passent la nuit chez lui ?

— Je ne le pense pas.

— A-t-il des amis masculins particuliers ?

— Je me flatte d'être son ami.

— Etes-vous son amant ?

— Non.

— Aimeriez-vous l'être ? enchaîne Kaiser.

— Oui.

— Ecoutez-moi ce gars, fait Baxter. Sans complexes.

— Verriez-vous quelque inconvénient à nous donner votre emploi du temps à certaines dates et heures ? dit Kaiser.

— Je ne crois pas. Mais permettez-moi d'être très franc sur un point précis, messieurs. Je suis prêt à coopérer à cette enquête jusqu'à un certain point. Mais si la police venait à s'immiscer dans ma vie de façon excessive, sans preuve directe contre moi, j'engagerais des actions en justice contre la police et le FBI. J'ai les ressources nécessaires pour lancer de telles poursuites, et avec les événements récents qui ont impliqué la police de La Nouvelle-Orléans, je dirais que mes chances de succès sont plutôt bonnes. Soyez donc prévenus.

Suit un silence qui ne peut être interprété que comme le résultat du choc subi. Je doute que les représentants du FBI soient accoutumés à ce genre de discours de la part d'un individu soupçonné de meurtres en série.

— Il se trouve que je porte un intérêt tout particulier à la psychologie, docteur, continue Smith. Et il se trouve que je sais que le nombre de tueurs homosexuels connus est zéro. Je pense donc que vous rencontreriez quelques difficultés à convaincre un jury que je suis un bon candidat au harcèlement dans cette affaire.

— Nous ne pensons pas nécessairement que le peintre soit le tueur, dans cette affaire, réplique Lenz. Mais nous ne nous intéressons pas à vous en tant que suspect. Vous êtes simplement une des quatre personnes qui ont accès à un type de pinceau spécial dont on a retrouvé des poils sur les portraits des *Femmes endormies*.

— Parlez-moi de ces poils.

Kaiser résume rapidement le lien existant entre la fabrique en Mandchourie, l'importateur à New York et les commandes particulières de Wheaton.

— Il y a tant de questions dans vos yeux, agent Kaiser. Comme de petits vermisseaux qui se tortillent. Vous voulez tout savoir. Comment ça se passe, exactement ? Est-ce que Frank se fait vraiment enfiler ? Change-t-il souvent de partenaire ? Vous avez en tête cette vieille image des bains publics ? J'ai connu ça, oui. Je n'avais que dix-sept ans. J'ai sucé jusqu'à ce que les muscles de mon visage aient des crampes. Est-ce que ça fait de moi un tueur ?

— Mais écoutez-moi ce type ! souffle Baxter.

— Pourquoi habitez-vous dans le Quartier

français plutôt que dans un endroit plus proche de Tulane ? demande Kaiser.

— Le bas du Quartier est un havre pour les gays. Vous l'ignoriez ? Nous sommes peut-être plus nombreux ici que vous. Vous devriez revenir le jour de la Gay Pride pour voir dans quel milieu je vis. Je suis très célèbre, par ici.

— Parlez-nous des autres élèves de Wheaton, dit Lenz. Que pensez-vous de Leon Gaines ?

— Un minable intégral. Roger lui a offert une paire de peintures abstraites en cadeau, petites mais très jolies. Leon en a revendu une deux semaines plus tard. Pour s'acheter son héroïne, j'en suis sûr. Je n'ai pas eu le cœur de le dire à Roger.

— Et la peinture de Gaines ?

— Sa peinture ? raille Smith. La violence possède une certaine authenticité. Mais pour moi Leon n'est qu'un graffiteur. Un gamin qui peint des mots et des symboles grossiers sur un mur. Il cherche désespérément à choquer, mais il n'a pas de perception artistique réelle, si bien que le résultat est plat.

— Et Thalia Laveau ?

— Thalia est une jolie créature. Jolie et triste.

— Pourquoi triste ?

— Vous lui avez déjà parlé ?

— Non.

— Elle a beaucoup souffert dans son enfance, je pense. Elle porte en elle une grande souffrance.

— Et que diriez-vous de ses peintures ?

— Elles sont charmantes. Une sorte de tribut à la noblesse des classes inférieures. Un mythe auquel je ne souscris pas, mais auquel elle arrive à donner vie sur la toile.

— Avez-vous déjà vu un de ses nus ?

— J'ignorais qu'elle en peignait.

— Que pensez-vous de son talent, en tant qu'artiste ?

— Thalia a un don. Elle travaille très vite, probablement parce qu'elle voit au cœur des choses très rapidement. Elle fera son chemin, si elle s'accroche.

— Pourquoi ne s'accrocherait-elle pas ?

— Comme je l'ai dit… Il y a en elle une certaine fragilité. Une fragilité nichée au cœur de la dureté. Comme un nautile caché à l'intérieur de sa coquille.

— Et le travail de Roger Wheaton ? demande Kaiser.

— Roger est un génie, lâche Smith sur le ton de l'évidence. Un des rares que j'aie rencontrés dans ma vie.

— Qu'est-ce qui fait de lui un génie ?

— Vous avez vu ses œuvres ?

— Certaines.

— Vous ne pensez pas que c'est un génie ?

— Je ne m'estime pas qualifié pour porter un tel jugement.

— Eh bien, moi, je le suis. Roger n'est pas comme nous. Ce qu'il peint vient de l'intérieur. Profondément, totalement. Je m'efforce de faire la même chose, et j'aime à croire que parfois j'y parviens. Mais le côté externe est pour moi une partie importante du processus. Je planifie, je recours à des modèles, j'applique une technique rigoureuse.

Je lutte pour capturer la beauté, la figer et en même temps l'animer. Roger n'a pas besoin de modèles, de photographies ni de rien d'autre. Quand il peint, le divin s'exprime tout simplement par son pinceau. Chaque fois que je vois une de ses toiles, j'y découvre quelque chose de différent. En particulier ses peintures abstraites.

— Que savez-vous de cette clairière qu'il peint ? Est-ce un endroit réel ?

— Je suppose que cette clairière existe, ou qu'elle a existé, mais à dire vrai je n'en ai aucune certitude. Je ne pense pas que ça ait de l'importance, d'ailleurs. C'est juste un point de départ, comme une falaise peut être le point d'envol d'un aigle.

— Cette clairière pourrait bien avoir une certaine importance, en relation avec ces crimes, dit Lenz.

— Ne me dites pas que vous soupçonnez sérieusement Roger ? C'est ridicule. C'est l'homme le plus gentil que je connaisse. Et le plus droit.

— Saviez-vous qu'il a tué à plusieurs reprises au Vietnam ? demande Kaiser.

— Je sais qu'il a fait la guerre. Il n'en parle jamais. Mais certainement vous ne considérez pas que tuer au combat soit un meurtre ?

— Non. Mais un homme qui a déjà tué peut le refaire. Peut-être plus facilement que d'autres…

— Peut-être. Avez-vous déjà tué quelqu'un, agent Kaiser ?

— Oui.

— A la guerre ?

— Oui.

— Et dans la vie civile ? Pour accomplir votre devoir ?

— Oui.

— Je m'en doutais. Il y a de la violence en vous. Je la sens. J'aimerais bien vous peindre, un jour.

— Je ne suis pas disponible.

— Vous avez vu des choses terribles, n'est-ce pas ?

— Ce monde n'est pas tendre, Frank.

— N'est-ce pas ? Le Dr Lenz a vu des horreurs, lui aussi, mais elles ne l'ont pas affecté de la même façon. Le mal et la brutalité vous sont une offense. Vous possédez un sens moral très puissant. Vous avez tendance à juger les gens.

— C'est une perte de temps, dit Kaiser d'un ton irrité. Notre photographe devrait arriver d'un moment à l'autre.

Baxter me saisit le coude.

— C'est à vous. Allez.

A l'extérieur du van, je regarde à gauche, puis à droite avant de traverser l'Esplanade, les yeux fixés sur le cottage de Frank Smith. Il présente une façade simple : quatre fenêtres, trois lucarnes et un toit à pignons, avec une porte là où la porte cochère devait se trouver il y a un siècle. Un jeune homme très beau, de type hispanique, vient m'ouvrir. Je lui donne dix-neuf ans. Juan, je suppose.

— ¿ *Sí* ? dit-il.

— Je suis du FBI. Je suis ici pour prendre des photos.

— *Sí*. Suivez-moi.

Il me précède dans l'entrée, et je me rends compte que Frank Smith a transformé cette humble demeure du XIXᵉ siècle en un petit musée où sont exposées antiquités et œuvres d'art. A ma droite s'ouvre une salle à manger luxueuse avec une table Régence, des lustres Empire et une commode française surmontée d'un énorme miroir. Sur le mur est accroché un portrait grandeur nature d'un homme nu dans un fauteuil. Il me semble vaguement familier : l'ossature puissante mais le corps peu musclé, avec un visage pétri d'une noblesse remarquable. La peinture dégage un érotisme languide, avec cette nudité exposée frontalement, et pourrait avoir été exécutée au XVIᵉ siècle.

— ¿ Señora ? dit Juan. S'il vous plaît ?

Quelques pas nous mènent au salon, où les autres sont assis et boivent du café. Cette pièce elle aussi est impressionnante, avec ses paravents en bois exotique et son tapis d'Aubusson de la taille d'une petite piscine. Frank Smith lève les yeux vers moi quand j'entre, et bien que j'aie eu l'intention de me concentrer sur mon appareil photo, je me retrouve à le regarder fixement. Le jeune peintre a les yeux aigue-marine, une nuance que je n'avais encore vue que chez des femmes. Ils illuminent un visage hâlé, au-dessus d'un nez aquilin et d'une bouche sensuelle. Son visage comme son corps offrent une symétrie peu commune, et il semble mince et musclé sous sa tenue de lin blanc. Me remémorant soudain la raison de ma présence ici, je me tourne vers Kaiser.

— Désolée du retard. Que voulez-vous que je prenne ?

— Tout ce qui est de M. Smith ici.

Notre hôte ne m'a pas lâchée des yeux, et j'ai la

conviction troublante qu'il m'a déjà vue auparavant. Moi ou ma sœur. Cette possibilité me serre la
gorge et fait perler la sueur à mon front.

— Le nu dans la salle à manger est de moi,
dit-il.

J'acquiesce et fais de mon mieux pour parler en
une phrase courte :

— Ça ne prendra qu'une minute.

— Je vous demande pardon, fait-il alors. Nous
sommes-nous déjà rencontrés ?

Je m'éclaircis la voix et je jette un coup d'œil à
Kaiser, en espérant presque qu'il va sortir son
arme.

— Je ne crois pas.

— A San Francisco, peut-être ? Y êtes-vous déjà
allée ?

C'est là que je vis lorsque je ne travaille pas.

— Oui, mais pas depuis…

— Mon Dieu, mais vous êtes Jordan Glass !

Kaiser, Lenz et moi échangeons des regards
décontenancés.

— Oui, c'est vous, poursuit Smith. Je ne vous
aurais peut-être pas reconnue, mais avec l'appareil
photo, j'ai eu comme un déclic. Mon Dieu, que
faites-vous ici ? Ne me dites pas que vous êtes
entrée au FBI ?

— Non.

— Alors que faites-vous ici ?

La vérité me vient naturellement aux lèvres

— Ma sœur est une des victimes.

Smith en reste bouche bée un instant.

— Oh, non… Oh, je vois.

Il se lève brusquement comme pour m'étreindre, comme si la tragédie venait de se produire.

— En fait, non, ce n'est pas vrai. Je ne vois rien du tout.

Kaiser pose sur moi un regard brûlant. Je n'étais pas censée dévoiler notre stratagème, bien sûr, mais puisque Smith m'a reconnue, il était inutile de continuer cette petite comédie.

— Nous étions de vraies jumelles, dis-je.

Les yeux de l'artiste s'étrécissent et je vois qu'il relie les éléments entre eux. Il ne lui faut pas longtemps pour comprendre.

— Tout ça n'est qu'un prétexte ! Ils se servent de vous dans l'espoir que votre apparition paniquera le tueur, et qu'il se trahira par sa réaction !

Je reste muette.

Eberlué, Smith secoue lentement la tête.

— Eh bien, je suis heureux de vous rencontrer, en dépit des circonstances. J'adore ce que vous faites. Depuis des années.

— Merci.

— Comment l'avez-vous reconnue ? demande Lenz.

C'est à moi que Smith répond :

— Quelqu'un vous a désignée lors d'une soirée à San Francisco. Je me suis tenu à un mètre de vous pendant une vingtaine de minutes. Vous parliez à quelqu'un, et j'avais envie de vous aborder, mais je n'ai pas voulu m'imposer.

Alors que je dévisage Smith, l'image du portrait dans la salle à manger me revient à l'esprit.

— L'homme de la peinture, dans la salle à manger, c'est bien Oscar Wilde ?

Ses yeux brillent de plaisir.

— Oui. Je me suis inspiré de la photo illustrant la couverture de la biographie d'Ellman pour le visage, et de divers autres clichés de lui pour le reste du corps. Wilde est mon héros.

— J'adore ce cottage, lui dis-je, posant la main sur son bras pour jauger sa réaction.

Visiblement, il apprécie ce geste.

— Vous avez un jardin ?

Smith rayonne de fierté.

— Bien sûr. Suivez-moi.

Sans accorder la moindre attention à Kaiser ou Lenz, il m'escorte jusqu'à la porte d'entrée qui donne sur un mur enclos de murs où foisonnent citrus, rosiers et une glycine tordue certainement aussi vieille que la maison. Un des murs est celui des anciens appartements réservés à la domesticité, qui ont été convertis en une aile supplémentaire du cottage. De l'eau cascade d'une fontaine à trois étages, emplissant les lieux d'un bruissement agréable, mais ce qui me fascine ici, c'est la lumière. Celle du soleil qui tombe doucement à travers les feuillages, d'une clarté parfaite qui me fait penser à celle baignant les *Femmes endormies* de Marcel de Becque.

— C'est très joli, dis-je doucement, en me demandant si ma sœur s'est jamais trouvée étendue, inconsciente ou morte, sur le dallage qui s'étend devant moi.

— Vous êtes invitée quand vous voulez. J'adorerais m'entretenir avec vous. Je vous en prie, n'hésitez pas à venir me rendre visite.

Ma seconde invitation de la journée.

— Je le ferai peut-être.

Un bruit de pas résonne derrière nous.

— Monsieur Smith, déclare Kaiser, nous aimerions que vous ne divulguiez pas la présence de Mlle Glass à La Nouvelle-Orléans.

— Quels rabat-joie ! rétorque Smith en me couvant du regard. Ils ne sont pas du tout amusants, vous ne trouvez pas ?

— Et veuillez ne pas prévenir Thalia Laveau de cette visite.

La colère brille dans les yeux de notre hôte.

— Cessez de me donner des ordres dans ma propre demeure.

Dans le silence embarrassé qui suit, je suis soudain prise de l'envie de partir, de m'éloigner de cet homme qui est peut-être la dernière personne qu'a vue ma sœur.

— Nous devons partir, à présent, dit Lenz.

— Pas de repos pour les méchants, ironise Smith, revenant avec une aisance étonnante à son humour détaché.

Il me prend le bras pour me conduire jusqu'au perron qui fait face à Esplanade Avenue.

— N'oubliez pas, me glisse-t-il. Vous serez toujours la bienvenue ici.

J'acquiesce simplement, et c'est sans un mot à Lenz ou Kaiser que Smith tourne les talons et rentre chez lui, nous laissant tous trois sur le petit perron.

— Raté pour l'élément de surprise, grommelle Kaiser alors que nous traversons la rue entre les véhicules pour rejoindre le van. Qu'est-ce que c'était, cette histoire avec le portrait d'Oscar Wilde ?

— Un tableau magnifique, dit Lenz qui semble préoccupé.

— Smith me fait penser à Dorian Gray, dis-je. Un bel homme amoral, qui ne vieillira jamais.

— Pourquoi amoral ? demande Kaiser. Pas parce qu'il est gay ?

— Non. C'est quelque chose que j'ai senti en lui. Il ressemble à de Becque, sans être tout à fait comme lui. Qu'en pensez-vous, docteur ?

Lenz arbore un sourire étrange.

— Vous savez ce dont personne ne se souvient, à propos de Dorian Gray ?

— Quoi donc ?

— Il a assassiné un homme, puis il a acheté les services d'un chimiste qui est venu chez lui pour faire disparaître le cadavre. Le chimiste a employé des composés spéciaux pour brûler le corps, jusqu'à ce qu'il n'en reste rien.

— Vous plaisantez, dit Kaiser.

— Non. Wilde était en avance sur son époque dans bien des domaines. La théorie du meurtre parfait selon Dorian Gray était : pas de cadavre, pas de preuve, pas de crime.

16

Thalia Laveau habite au premier étage d'un meublé de deux étages près de la Tulane University. Neuf autres femmes et deux hommes résident dans ce bâtiment de style victorien, ce qui constitue un cauchemar pour l'équipe de surveillance de la police de La Nouvelle-Orléans. Sept portes, vingt et une fenêtres au rez-de-chaussée, et deux escaliers d'incendie. Garés dans ce quartier étudiant, nous nous serrons dans le van du FBI comme les agents à l'époque d'Edgar J. Hoover lorsqu'ils épiaient les « agitateurs extérieurs ».

— Le plan est que John mène l'entrevue avec Laveau, explique Baxter à Lenz. Quelqu'un désire changer ça avant qu'on y aille ?

Kaiser et Lenz s'entre-regardent, mais ne disent mot.

— Moi, dis-je.

Les trois hommes se tournent vers moi, déroutés.

— Comment ça ? fait Baxter.

— Je veux y aller seule.

— Quoi ? s'exclament-ils à l'unisson.

— Il s'agit d'une femme, messieurs. Peut-être

d'une femme lesbienne. J'en tirerai deux fois plus que vous.

— Le but n'est pas de tirer quelque chose d'elle, me rappelle Baxter. C'est de savoir si elle vous a vue auparavant, et donc votre sœur. Et puisque personne d'autre n'a semblé vous reconnaître, à l'exception de Smith qui n'a rien fait pour le cacher, cette entrevue peut se révéler critique.

Je le regarde au fond des yeux.

— Vous croyez vraiment qu'une femme est derrière toutes ces disparitions ? Ou seulement impliquée ?

— Laissez-la faire, dit Lenz, ce qui me surprend. Les probabilités que Laveau trempe dans cette affaire sont minces, et ses nus nous en diront probablement plus qu'elle. Mais si Jordan parvient à gagner sa confiance, nous pourrions apprendre quelques détails intéressants sur un des hommes.

— Vous avez vu comment Smith a réagi à ma présence, dis-je à Baxter. Je pense qu'il se serait ouvert à moi si nous avions été seuls. Wheaton aussi.

— Smith a réagi au fait que vous êtes célèbre, remarque Kaiser qui paraît ne pas goûter ma proposition. Pas au fait que vous êtes une femme.

— Si vous y alliez seule, que lui diriez-vous ? demande Baxter.

— Je ne le saurai pas avant d'être face à elle. C'est ainsi que je procède.

Le chef de l'USR paraît tenté d'accepter, mais retenu par ses craintes.

— Bon sang, la responsabilité…

— Quelle responsabilité ? Je suis une citoyenne

libre et indépendante qui va frapper à la porte de quelqu'un. Si elle m'invite à entrer chez elle, où est le problème ?

— Et si elle vous voit et qu'elle panique ? dit Kaiser. Qu'elle vous agresse ? Si elle est mouillée, c'est une possibilité réelle.

— Je ne refuserais pas une arme si vous m'en proposiez une.

Mais Baxter secoue la tête.

— Nous ne pouvons pas vous donner une arme.

— Et une bombe lacrymogène ?

— Nous n'en avons pas ici.

— C'est une mauvaise idée, lâche Kaiser.

— C'est mieux que de vous envoyer, vous et Lenz, fais-je remarquer. Écoutez, je saurai si elle m'a déjà vue dès qu'elle ouvrira la porte. Et je lui dirai que vous êtes là, dehors, tout près. Je lui dirai la vérité. Je suis la sœur d'une des disparues, je cherche des réponses, et le FBI a la gentillesse d'assurer ma protection.

— Laissez-la y aller, dit Lenz. Nous avons besoin de savoir ce que sait Laveau. C'est la meilleure façon de le découvrir.

Il se tourne vers Kaiser.

— Vous n'êtes pas d'accord ?

Kaiser semble sur le point de s'opposer à cette idée, mais il renonce.

— Mettez-lui un micro, et je me tiendrai à l'extérieur de la maison avec un récepteur.

Il pose sur moi l'éclat intense de ses yeux noisette.

— Si vous sentez que ça tourne mal, de n'importe quelle façon, appelez à l'aide. Et quand je dis appeler, je veux dire crier. Pas de codes qui pourraient être mal compris.

— Ça me va, dit Baxter. Allons-y, avant que Laveau ne décide de sortir pour se faire une nouvelle coupe chez le coiffeur.

— Otez le T-4, dit Kaiser à Lenz.

Le psychiatre retire son veston et entreprend de déboutonner sa chemise. Les mouvements de ses coudes nous repoussent contre les parois du van. Baxter décolle la bande adhésive des côtes de Lenz, et Kaiser sourit en voyant le docteur grimacer.

— Elle verra l'émetteur sous ce chemisier, fais-je remarquer en pinçant le tissu léger entre deux doigts.

— Il faudra que vous le portiez sous votre tailleur, dit Lenz en rassemblant le petit boîtier, le micro et le fil dans sa main.

— Vous avez du ruban adhésif ?

Baxter ouvre un tiroir métallique et en sort un rouleau qu'il me tend d'un air un peu gêné.

— L'heure n'est pas à la pruderie, leur dis-je en retroussant mon tailleur. Et je porte des dessous.

— De très jolis dessous, précise le Dr Lenz en découvrant mon slip en soie crème.

— Allez-y, fixez-le.

— Je ne sais pas vraiment comment faire, proteste Lenz.

— Donnez-moi ça, ordonne Baxter.

Il prend l'émetteur de la main de Lenz et, sous la surveillance étroite des deux autres, se penche sur moi et scotche l'appareil et sa petite antenne sur la face interne de ma cuisse, assez haut pour me donner la chair de poule malgré ma déclaration.

378

Quand il a terminé, il me tend le microphone miniature, relié à l'émetteur par un fil très fin.

— Glissez ça sous votre ceinture et faites-le remonter jusqu'à votre soutien-gorge.

— Pourquoi vous ne fermeriez pas les yeux pour cette partie de l'installation, les gars ?

Ils s'exécutent, et je cale le micro entre les bonnets avec la petite pince qui y est attachée.

— Prête ou pas, dis-je doucement, il faut y aller.

Kaiser ouvre la portière arrière.

— Souvenez-vous, dit Baxter. Au moindre doute, donnez de la voix et la cavalerie arrivera à la rescousse.

— Il ne se passera rien.

La maison où loge Thalia Laveau aurait besoin d'un toit neuf et d'une bonne couche de peinture, ce qu'elle a peu de chance de recevoir avant une dizaine d'années. La porte de son appartement au premier étage se trouve face à un escalier de bois branlant attaché à la façade en bardeaux écaillés. Je me tiens à la rambarde en gravissant les marches, car je suis à peu près aussi à l'aise juchée sur ces hauts talons que dans des raquettes. La porte et la cloison autour portent les cicatrices d'années de négligence de la part du propriétaire. Je frappe avec vigueur, et j'attends. Après quelques secondes, je perçois des pas assourdis.

— Qui est-ce ? dit une voix ouatée par le rempart de bois.

— Je m'appelle Jordan Glass. Je souhaiterais vous parler de vos peintures.

Un silence, puis :

— Je ne vous connais pas. Comment avez-vous su où me trouver ?

— C'est Roger Wheaton qui m'envoie.

J'entends des verrous qu'on tire, et la porte s'entrebâille de la longueur d'une chaîne de sûreté. Un œil sombre apparaît, qui m'examine.

— Qui avez-vous dit que vous étiez ?

Ce n'est pas cette femme que mon visage poussera à la confession.

— Mademoiselle Laveau, êtes-vous au courant que des femmes ont disparu à La Nouvelle-Orléans durant ces dix-huit derniers mois ? Deux ont été enlevées à Tulane.

— Si je suis au courant ? Ça fait trois mois que j'ai acheté une arme. Et alors ?

— L'une d'entre elles est ma sœur.

L'œil noir cligne.

— Désolée. Mais quel rapport avec moi ?

— J'ai trouvé des peintures représentant les disparues. Elles étaient exposées à Hong Kong, mais le FBI a découvert des poils de martre très spéciaux coincés dans la peinture, et en suivant cette piste ils sont remontés jusqu'au programme de Roger Wheaton à Tulane.

L'œil s'agrandit, puis cligne deux fois.

— C'est dingue. Des peintures des femmes kidnappées ?

— Oui. Ce sont tous des nus, et la pose donnée aux femmes fait penser qu'elles sont endormies, ou mortes. Mademoiselle Laveau, j'essaie de découvrir si ma sœur est encore en vie ou non, et le FBI m'aide dans ces recherches. Ou plutôt, il me permet de l'aider dans son enquête.

— Et pourquoi ferait-il ça ?

C'est assez bizarre de parler à une porte à peine entrebâillée, mais j'ai pratiqué cet exercice plus d'une fois dans ma vie, et il faut faire avec ce qu'on a.

— Parce que ma sœur et moi sommes de vraies jumelles. Le FBI me fait défiler devant les suspects dans l'espoir que ma vue ébranlera le tueur et qu'il se trahira.

— Ou *la tueuse* ? dit Laveau. C'est bien ce que vous voulez dire ? Que je suis soupçonnée de meurtre à cause de quelques poils de pinceau ?

— Personne ne croit réellement que vous ayez quoi que ce soit à voir dans tout ça, mais du fait que vous avez accès à ces pinceaux spéciaux, le FBI est obligé de prouver votre innocence pour vous écarter de la liste des suspects.

— Et je suppose que vous aimeriez entrer ?

— En effet, si vous acceptez de me parler.

— J'ai le choix entre vous et le FBI, c'est ça ?

— Oui, c'est à peu près ça.

L'œil disparaît, et je l'entends soupirer. La porte se referme, la chaîne cliquette et la porte s'ouvre de nouveau, plus largement. Je me glisse à l'intérieur avant qu'elle ne change d'avis, et elle referme derrière moi.

Face à Thalia Laveau enfin, je me rends compte combien sa photo aussi était trompeuse. Dans les portraits d'elle que j'ai vus la nuit dernière, ses cheveux noirs semblaient très fins et raides, mais leur nature doit être différente car aujourd'hui ils pendent en longues mèches pareilles à des dreadlocks naturelles. Sa peau est aussi claire que la mienne, malgré le sang africain qui coule dans ses veines, mais son regard est d'un noir intense. Elle porte une robe colorée qui semble venir des Caraïbes, et son expression est celle d'une femme bien dans sa peau qui s'amuse des prétentions des autres. Il se dégage de sa personne un parfum d'exotisme, comme si elle était une belle princesse de quelque tribu méconnue.

— Venez donc à l'arrière, dit-elle en désignant l'entrée minuscule d'un geste. Il n'y a pas assez de place ici pour caresser un chat sans avoir sa fourrure dans le nez.

Une voix rauque, dépourvue de tout accent, ce qui m'indique qu'elle a travaillé dur pour se débarrasser de celui de son enfance. Je la suis et nous franchissons le seuil sans porte d'une pièce plus spacieuse.

Je m'attendais à demi à trouver un repaire décoré de rideaux de perles où flotteraient de lourdes volutes d'encens, et je découvre une pièce meublée de façon très conventionnelle, plutôt spartiate. Le canapé qu'elle me désigne est confortable, tandis qu'elle s'assied sur le fauteuil à ottomane. Un gros chat au pelage rayé sort de sous son siège. Il me lance un regard méfiant, puis saute sur les cuisses de sa maîtresse et s'y installe. Laveau ramène ses pieds sous elle et caresse l'animal entre les oreilles. Elle semble parfaitement détendue, et disposée à patienter des heures entières avant que je ne m'explique.

Sur le mur derrière elle est accrochée une peinture de la cathédrale St Louis, dans Jackson Square. Cela me surprend un peu, car cet édifice est sans doute le site le plus peint par les étudiants qui le vendent aux touristes dans Jackson Square. Le tableau semble mal choisi pour orner l'appartement d'une artiste sérieuse, même si le rendu est visiblement supérieur à la production habituelle.

— C'est vous qui l'avez peint ? dis-je.

Laveau part d'un rire bas.

— Frank Smith l'a exécuté, par plaisanterie.

— Une plaisanterie ?

— Je lui ai dit qu'il ne serait jamais considéré comme un artiste de La Nouvelle-Orléans tant qu'il n'aurait pas peint la cathédrale, alors il a pris un chevalet et il est allé travailler sur la place pendant quatre heures. On n'a jamais vu ça. A midi, tous les artistes de l'endroit étaient rassemblés derrière lui comme les enfants derrière le joueur de flûte de Hamelin. Ils n'arrivaient pas à croire à un tel talent.

— Ça lui ressemble bien.

— Vous avez parlé avec lui ?

— Oui.

Soudain inquiète, je tire l'ourlet du tailleur sur mes genoux pour être bien sûre qu'elle ne peut pas apercevoir l'émetteur collé à ma cuisse.

— A qui d'autre ?

— Roger Wheaton. Gaines.

— Vous m'avez donc gardée pour la fin. C'est bon ou mauvais signe ?

— C'est vous que le FBI soupçonne le moins.

Elle sourit, ce qui révèle des dents très blanches et un éclat doré en arrière-plan.

— C'est agréable à entendre. Votre méthode a

donné des résultats ? L'un des autres a-t-il paniqué en vous voyant ?

— Difficile à dire.

Laveau opine, reconnaissant ainsi que je ne peux être totalement honnête sur certains points.

— Vous étiez proche de votre sœur ?

La question me déconcerte, mais je ne vois aucune raison de mentir.

— Pas comme la plupart des sœurs diraient qu'elles le sont. Mais je l'aimais.

— Bien. Quel est votre nom, déjà ?

— Jordan. Jordan Glass.

— J'aime ça.

— Quelles qu'aient été mes relations avec ma sœur, il faut que je découvre ce qui lui est arrivé.

— Je comprends. Vous pensez qu'elle pourrait être toujours en vie ?

— Je n'en sais rien. Vous m'aiderez à le découvrir ?

— Comment le puis-je ?

— En me disant ce que vous savez sur certains sujets.

Elle pince les lèvres entre ses dents, et pour la première fois elle semble mal à l'aise.

— Vous voulez que je vous parle de mes amis, c'est ça ?

— Leon Gaines est un de vos amis ?

Un rictus de dégoût fait réapparaître ses lèvres.

— Puis-je vous appeler Thalia ?

— Oui.

— Je ne vous mentirai pas, Thalia. Après mon départ, la police va venir vous interroger sur ce que vous faisiez les nuits où ces femmes ont disparu.

Aurez-vous des difficultés à donner un alibi pour ces nuits ?

— Je ne sais pas. Je passe beaucoup de temps seule.

— Et il y a trois nuits, après l'inauguration de l'exposition au musée d'art moderne ?

La confusion voile ses yeux.

— Les journaux ont dit que la femme enlevée cette nuit-là n'avait aucun rapport avec les autres.

— Je sais. Mais le FBI a ses propres méthodes de travail.

— Alors… Oh, Seigneur. Il continue d'enlever des femmes. Et vous pensez que je…

— Je ne pense rien, Thalia. Je posais simplement la question, et j'espère que vos réponses convaincront la police de vous laisser tranquille.

— Je suis rentrée directement ici, et j'ai fait un peu de yoga. C'était un soir de semaine, et je ne me sentais pas très bien.

— Quelqu'un vous a vue, ou vous a téléphoné ? Quelqu'un pourrait-il le confirmer ?

Un pli soucieux naît sur son front.

— Je ne m'en souviens pas. Je ne crois pas, non. Comme je l'ai dit, je suis très souvent seule.

J'acquiesce, sans trop savoir comment poursuivre.

— Vous aussi, n'est-ce pas ? dit-elle.

Ma première réaction est de changer de sujet, mais je ne le fais pas. Assise ici, face à cette femme que je n'avais encore jamais rencontrée, je suis frappée par le fait que j'ai été entourée d'hommes depuis mon arrivée de Hong Kong. Il y a bien l'agent Wendy, mais elle est de quinze ans ma cadette, et pour moi c'est presque une enfant. Thalia est plus dans ma tranche d'âge, et j'éprouve un réconfort surprenant à me trouver avec elle, puisant une sorte de soulagement dans la sécurité essentiellement féminine qui plane dans son appartement.

— Oui, moi aussi, dis-je.

— Que faites-vous ?

— Comment savez-vous que j'ai un métier ? Qui vous dit que je ne suis pas femme au foyer ?

— Vous ne vous comportez pas comme une femme au foyer. Et vous n'y ressemblez pas non plus, même avec cet ensemble. La prochaine fois, vous devriez choisir autre chose que des escarpins comme déguisement, à moins que vous n'ayez le temps de vous y habituer.

Je ne peux m'empêcher de rire.

— Ma sœur était mère au foyer. Avant sa disparition, je veux dire. Je suis reporter photo.

— Ça marche ?

— Oui.

Elle sourit.

— Je parie que c'est agréable, non ? Cette reconnaissance de votre valeur ?

— C'est vrai. Vous y viendrez, vous aussi.

— Il m'arrive d'en douter.

Thalia caresse l'échine du chat, et à chaque passage de sa main l'animal ondule sous la pression légère.

— Je vois bien que vous brûlez de me poser des questions. Allez-y. Si l'une d'entre elles me gêne, je vous le dirai.

— Certaines de ces questions sont celles du FBI.

386

Mais si je ne vous les pose pas, ils viendront le faire.

— Je préfère que ce soit vous.

— Pourquoi êtes-vous partie de Terrebonne Parish et allée à New York ?

— Etes-vous jamais allée à Terrebonne Parish ?

— Oui.

Un éclair de surprise passe dans ses prunelles.

— Vraiment ?

— Je suis allée y faire un reportage pour le journal. Il y a longtemps. J'ai passé quelques jours là-bas.

— Alors vous savez pourquoi j'en suis partie.

— Je garde le souvenir de gens qui n'avaient pas beaucoup de biens matériels, mais qui aimaient l'endroit où ils vivaient.

Elle soupire avec amertume.

— Vous n'êtes pas restée là-bas assez long-temps.

— Pourquoi vouliez-vous étudier sous la direction de Roger Wheaton ?

— Vous plaisantez ? C'était une chance insensée. J'ai toujours aimé ce qu'il fait. Quand j'ai été sélectionnée, je n'arrivais pas à le croire.

— Vous lui avez soumis des nus féminins comme exemples de votre production ?

— Oui, répond-elle, et sa main s'élève jusqu'à sa bouche en un geste inconscient : Mes nus font de moi une suspecte, n'est-ce pas ?

— Pour certaines personnes. Pourquoi être passée des nus aux scènes de vie domestique ?

— Je ne sais pas. La frustration, j'imagine. Mes nus ne se vendaient pas, sauf à des hommes d'affaires qui voulaient quelque chose à mettre dans leur bureau. Quelque chose d'artistique avec des seins, vous me comprenez ? Je ne suis pas née pour remplir ce rôle.

— Non.

— Vous avez vu certaines de mes peintures ?

— Non. C'est juste une impression que j'ai à votre propos.

— C'est intéressant.

— Thalia, connaissez-vous un homme nommé Marcel de Becque ?

— Non. Qui est-ce ?

— Un collectionneur. Et Christopher Wingate ?

— Non.

— C'est un grand marchand d'art new-yorkais.

— Alors je ne le connais pas, c'est sûr. Je ne connais aucun grand marchand d'art.

— Et vous ne connaîtrez jamais celui-là. Il a été assassiné il y a quelques jours.

— Il jouait un rôle dans cette affaire ? Les disparitions ?

— C'est lui qui a vendu les portraits des disparues. La série appelée les *Femmes endormies*.

— Pourrais-je en voir une, si vous avez une photo, ou une reproduction ?

— Non, hélas je n'en ai pas.

— Ils sont bons ?

— Les connaisseurs s'accordent pour le dire.

— Et ils se vendent bien ?

— Le dernier a atteint deux millions de dollars.

— Seigneur… dit-elle en fermant les yeux un instant et en secouant la tête doucement. Et la femme sur ce portrait semblait morte ?

— Oui.

— L'acheteur est un homme, évidemment.

— Oui. Un Japonais.

— C'est révélateur, non ?

— De quoi ?

— Une femme morte et nue se vend deux millions de dollars. Vous croyez qu'un autre genre de peinture effectuée par le même artiste atteindrait une telle somme ? Un paysage, ou une œuvre abstraite ?

— Je n'en sais rien.

— Bien sûr que non ! Les toiles de Roger n'atteignent pas ces prix.

— Elles se vendent pourtant très cher.

— Un quart de cette somme. Et il travaille depuis des dizaines d'années.

— Maintenant que j'y pense, vous avez raison. Les premières peintures de cet artiste étaient plus abstraites, et elles ne se sont pas vendues. Le phénomène est apparu avec les portraits où il était clair que les femmes étaient des Occidentales, nues, endormies ou mortes.

Thalia reste immobile, lèvres serrées, comme si elle refusait de s'abaisser à discuter de ce qui la met dans une telle colère.

— Parlez-moi de Leon Gaines. Que pensez-vous de lui ?

— Leon est un porc. Il est toujours à me renifler et à me raconter ce qu'il aimerait bien me faire. Il m'a proposé cinq cents dollars pour poser nue pour lui. Je ne le ferais pas pour dix mille.

— Accepteriez-vous de poser nue pour Frank, pour cinq cents dollars ?

— Pour lui, je poserais nue gratuitement. Mais il ne peint que des hommes.

— Et pour Roger Wheaton ?

Un sourire singulier plane sur ses lèvres, trahissant des pensées intimes qu'elle ne partagera pas.

— Roger ne me demanderait jamais de poser nue pour lui. Après deux ans, il est toujours très réservé. Je crois que je l'intimide. Peut-être est-il attiré par moi, et n'ose-t-il pas franchir une certaine limite personnelle, je ne sais pas. C'est quelqu'un de complexe, et je sais qu'il est très malade. Il n'en parle jamais, mais je lis la souffrance sur ses traits. Un jour je suis entrée dans l'atelier alors qu'il reboutonnait sa chemise, et j'ai vu que sa poitrine était couverte d'hématomes, à force de tousser. C'est dans ses poumons, maintenant, quoi que ce soit. Il éprouve quelque chose pour moi, mais je ne sais pas quoi. Avec moi, il est presque gêné. Je ne serais pas étonnée d'apprendre qu'il possède un nu de moi effectué par un de ses étudiants.

— Il sait que vous êtes lesbienne ?

Tout son corps se tend, et son regard devient ouvertement méfiant.

— Le FBI m'a espionnée ?

— Non. Mais la police, oui. Vous ne les avez pas remarqués ?

— J'ai vu des flics surveiller la maison, quelquefois. Mais j'ai pensé qu'ils étaient des Narcotiques et qu'ils en avaient après les deux types qui vivent ici.

— Non. Mais ils ne s'intéressent à vous que depuis un jour.

Elle paraît soulagée de la précision.

— Le FBI ne cherche pas à savoir si vous êtes

gay ou non. Dans ces affaires, ils dressent systématiquement le profil psychologique des suspects, et ils pensent que cet élément a son importance dans l'ensemble, c'est tout.

Elle a une petite moue, baisse les yeux sur la table basse entre nous, puis me regarde.

— Et vous, pensez-vous que je sois gay ?

— Oui.

Elle sourit et se remet à caresser le chat.

— Je suis étrange. Je n'appartiens à aucune catégorie. J'ai des pulsions sexuelles comme n'importe qui d'autre, mais je ne leur fais pas confiance. Elles me trahissent. Elles me donnent envie d'utiliser le sexe pour me faire remarquer. Alors, quand j'ai besoin de quelqu'un, je vais vers les femmes.

— Et l'amour, la tendresse ?

— J'ai des amis. La plupart sont des femmes, mais il y a des hommes aussi. Vous avez beaucoup d'amis, vous ?

— Pas vraiment. J'ai des collègues, des gens qui font le même travail que moi et qui comprennent les exigences de mon existence. Nous avons des expériences en commun, mais ce n'est pas la véritable chose, si vous me comprenez. Et je passe tellement de temps à voyager qu'il m'est difficile de faire de nouvelles connaissances. J'ai plus d'anciens amants que d'amis.

Elle sourit, et c'est un sourire qui dit toute sa compréhension.

— Il est difficile de se faire de nouveaux amis quand on atteint la quarantaine. Il faut s'ouvrir réellement à l'autre, et ça n'est pas facile. Si vous avez gardé un ou deux amis depuis votre enfance, vous avez de la chance.

— J'ai quitté l'endroit où j'avais grandi, comme vous. Vous avez encore des amis au pays ?

— Une. Elle vit toujours dans le bayou. Nous nous téléphonons de temps en temps, mais je ne suis jamais retournée là-bas lui rendre visite. Vous avez des enfants ?

— Non. Et vous ?

— Je suis tombée enceinte une fois, quand j'avais quinze ans. Par mon cousin. Je me suis fait avorter. Ça m'a suffi.

— Oh, dis-je, et je sens une brusque chaleur envahir mes joues. Je suis désolée.

— C'est pourquoi je déteste cet endroit. Mon père a abusé de moi de temps à autre dès que j'ai eu dix ans, mon cousin plus tard. Ça m'a réellement détruite. Je me suis enfuie dès que j'ai eu l'âge de le faire, mais il m'a fallu longtemps pour l'accepter. En fait, je n'ai jamais vraiment réussi à l'accepter. Je ne peux pas sentir le poids d'un homme sur mon corps, aussi amoureuse que je sois de lui. C'est pourquoi je préfère les femmes. Pour moi, c'est sans risque. Pendant longtemps j'ai cru que je finirais par changer, mais je ne le pense même plus.

— Je comprends.

Elle paraît sceptique.

— Vraiment ?

— Oui.

— Vous avez été abusée sexuellement, vous aussi ?

— Pas de cette façon. Pas par des hommes de ma famille, mais…

Soudain j'ai intensément conscience de Baxter, Lenz et Kaiser dans le van de surveillance, qui enregistrent chacune de mes paroles. J'ai le sentiment de trahir et Thalia et moi-même, et je dois résister à l'envie d'arracher le micro que je porte. Si j'agissais ainsi, Thalia ne pourrait pas comprendre.

— Prenez votre temps, dit-elle. Vous aimeriez boire un thé ?

— J'ai été violée, dis-je à mi-voix, sans croire tout à fait que je viens de prononcer ces mots. C'était il y a très longtemps.

— Le temps n'a pas de signification quand il s'agit de ça.

— Vous avez raison.

— C'était un ami ?

— Non. Je me trouvais au Honduras, pendant la guerre au Salvador. Je commençais dans le métier, à l'époque. J'étais allée photographier un camp de réfugiés avec deux autres reporters de la presse écrite, et nous nous étions séparés. Ils étaient partis sans moi, et il fallait que je retourne en ville par mes propres moyens. Cette voiture est arrivée, et s'est arrêtée à ma hauteur. Il y avait quatre soldats des forces gouvernementales dedans, dont un officier. Ils se sont montrés polis, et souriants. Ils m'ont dit qu'ils me ramèneraient en ville. J'ai toujours été très prudente, mais rejoindre la ville à pied représentait un très long trajet. J'ai accepté de monter avec eux. Deux kilomètres plus loin, ils ont tourné dans un chemin et se sont enfoncés dans la jungle. Assez loin pour que personne ne puisse m'entendre crier. Je le sais, parce que cette nuit-là j'ai crié à en devenir aphone.

— Tout va bien, murmure Thalia. Je suis là, avec vous.

— Je sais. Mais non, tout ne va pas bien. Depuis, rien n'est allé bien. J'ai plus honte de ça que de tout ce que j'ai fait d'autre.

— Vous n'avez rien fait, Jordan. Qu'avez-vous fait ? Vous avez simplement accepté d'être raccompagnée en ville par des hommes qui se proposaient de vous aider.

Des larmes de rage et de dégoût pour moi-même me brûlent les yeux.

— Je ne parle pas du viol. Je parle d'après. Avant de commencer, ils m'ont attaché les mains dans le dos. Je n'avais aucun moyen de me défendre, et ça a duré des heures. A un moment, pendant la nuit, je me suis évanouie. J'ai repris conscience à l'aube. Mes bras étaient engourdis, mais ils m'avaient détachée. J'ai suivi les traces de roues jusqu'à la route, et je suis revenue tant bien que mal en ville, en sang et en pleurs. Je n'ai dit à personne ce qu'ils m'avaient fait. Je me croyais tellement dure, mais je n'ai même pas eu le cran d'aller à l'hôpital. Je me suis dit que si les gens pour lesquels je travaillais apprenaient ce qui s'était passé, ils me feraient revenir avant que je ne comprenne ce qui m'arrivait. Pas pour me protéger, mais parce qu'ils penseraient que je n'étais pas de taille à me débrouiller seule. Vous comprenez ? Je me déteste pour cette peur que j'ai éprouvée. Depuis je suis hantée par l'idée que des femmes ont peut-être été violées après moi, parce que je n'ai pas dénoncé ces soldats.

Thalia secoue la tête au ralenti.

— Il y a probablement eu des femmes avant vous, et d'autres après. Mais c'est terminé, maintenant. Vous vous êtes suffisamment punie. Ces soldats sont morts. Et s'ils ne sont pas morts physiquement, leur âme l'est. Ce qui importe, c'est ce que vous êtes aujourd'hui. C'est la seule chose que vous pouvez changer.

— Je le sais.

— Votre tête le sait, mais pas votre cœur. C'est dans votre cœur qu'il faut que vous le sachiez, Jordan.

— Je sais. J'essaie.

— Vous avez peur pour votre sœur, n'est-ce pas ? Peur qu'elle doive endurer quelque chose de semblable.

— Ou pire.

— D'accord, mais regardez ce que vous faites. Vous faites tout ce qui est humainement possible pour la retrouver. Plus que n'en font la plupart des proches des autres femmes, je parierais.

— Il faut que je sache, Thalia.

— Vous finirez par savoir ma chérie. Vous saurez.

Elle soulève l'énorme chat et le dépose sur le sol, puis se lève, vient à moi et m'aide à me mettre debout.

— Venez dans la cuisine. Je vais vous faire un bon thé vert.

— Je suis désolée. Vous êtes la première personne à qui j'aie jamais raconté ça, et je ne sais pas pourquoi je l'ai fait. Je ne vous connais même pas.

Thalia Laveau place ses deux mains sur mes épaules et me regarde au fond des yeux.

— Vous savez quoi ?

— Quoi ?

— Vous venez de trouver une amie à quarante ans.

Un sentiment étrange, proche de l'absolution religieuse, emplit ma poitrine.

— Et maintenant, venez dans la cuisine, ma fille.

Trente minutes plus tard, descendant l'escalier branlant, j'entends John Kaiser m'appeler dans un murmure, depuis le coin de la maison.

— Par ici, Jordan.

Je n'ai aucune envie de le voir, mais je ne peux pas l'éviter. Quand je tourne l'angle de la bâtisse et que je continue à marcher, il m'escorte.

— Je suis désolé d'avoir entendu tout ça, dit-il. Je suis navré que ça vous soit arrivé.

— Je ne veux pas en parler.

Je dois aller très vite, parce que malgré ses grandes enjambées Kaiser doit forcer l'allure pour rester à ma hauteur.

— Je suis désolé de la façon dont j'ai parlé du viol que Roger Wheaton a interrompu au Vietnam, dit-il.

Le van apparaît, qui roule lentement vers nous le long de la rue.

— Qu'est-ce que vous voulez, Jordan ? Dites-le-moi.

— Je veux rentrer à mon hôtel et prendre une douche.

— Vous êtes en chemin.

— Et je ne veux pas monter dans ce van.

— Je vais faire venir une voiture. J'attendrai avec vous, et je vous déposerai. D'accord ?

Je ne le regarde pas. J'éprouve une colère terrible, irrationnelle contre lui et la conscience qu'il me désire. Il voudrait me prendre dans ses bras, me réconforter, mais il ne le peut pas. Seule une femme que j'étais assez idiote pour croire impliquée dans la disparition de ma sœur pourrait me réconforter, et elle a déjà fait tout ce qu'elle pouvait.

Le van de surveillance s'arrête, et la portière arrière s'ouvre. Kaiser court jusque-là, et revient à la même allure.

— Une voiture est en route. Dans une minute, je vous conduirai à votre hôtel. D'accord ?

Je pose sur lui un regard neutre.

— Thalia ne m'a pas reconnue. Elle ne m'avait encore jamais vue. Ce qui signifie qu'elle n'a jamais vu Jane. Vous avez compris ?

— Oui.

— Bien.

17

A l'hôtel, sous la douche, je finis par perdre la maîtrise de moi-même, et un tourbillon incohérent d'images envahit mon esprit : Wingate essayant de sauver le tableau alors que les flammes lui lèchent les pieds ; des soldats qui me ligotent les poignets dans le dos et me plaquent le visage sur le sol humide de la jungle ; mon beau-frère m'embrassant dans le cou, et essayant de coucher avec le fantôme de sa femme ; de Becque qui m'observe avec un éclat étrange dans les yeux, alors qu'il égrène quelques fragments d'information sur mon père...

Je règle l'eau aussi chaud que je peux le supporter et ferme les yeux sous le jet fumant. Je revois en pensée les quatre âmes singulières que j'ai rencontrées aujourd'hui : un homme mourant, un homme violent, un homme féminin, et une femme blessée. Hier j'avais encore quelque espoir de résoudre cette affaire. J'ai été trompée par la confiance affichée par une poignée d'hommes en leur système et en leurs preuves, par l'illusion de progresser dans l'enquête, par la croyance que le temps apportera immanquablement une réponse. Mais au plus profond de moi je sais que le temps, comme le destin, n'obéit à aucun impératif Que disent ces hommes, à présent, après l'échec de leur grande idée ? Baxter. Lenz. Kaiser. Ils m'ont fait défiler devant leurs suspects et aucun n'a montré le moindre signe de panique.

Un téléphone sonne. Tout d'abord je crois que c'est dans ma tête tant la sonnerie est forte. Puis j'écarte le rideau de douche et je vois l'appareil mural fixé au-dessus de la commode.

— Oui

— C'est John.

— John ?

— Kaiser, précise-t-il, l'air gêné.

— Oh. Que se passe-t-il ?

— Je suis toujours en bas.

— Pourquoi ?

— Nous allons avoir une réunion. Avant l'officielle. Baxter, Lenz, Bowles et moi. Je sais que vous êtes en rogne, mais je me suis dit que vous le seriez encore plus si vous ratiez cette réunion.

— Je suis sous la douche. Cette réunion va être un simple résumé de la situation, non ?

— Je ne pense pas. Je viens d'avoir Baxter sur mon portable. Il m'a dit qu'il avait deux ou trois nouveaux trucs.

— Quels « trucs » ?

— Je ne le saurai pas avant d'être dans le bureau.

Malgré mon envie de vider le minibar et de m'écrouler sur le lit enveloppée de serviettes, je sais qu'il a raison. Je me sentirai encore plus mal si je n'assiste pas à cette réunion.

— Donnez-moi cinq minutes.

Kaiser raccroche, et je me doute de ce qu'il pense : jamais aucune femme de sa connaissance n'a réussi la prouesse d'être prête en cinq minutes alors qu'elle est encore sous la douche.

Il a encore beaucoup à apprendre.

Cette fois nous nous rencontrons dans le même endroit que la première fois : dans le bureau du directeur régional Bowles. Kaiser nous annonce pour la forme en frappant à la porte, et bien que j'entende des voix, le bureau paraît désert. Par l'immense baie vitrée sur ma droite, le lac Pontchartrain semble gris sous le ciel de l'après-midi, avec les quelques voiles qui le parsèment.

En avançant dans la pièce j'aperçois Baxter, Lenz et le directeur régional Bowles qui attendent dans la zone de repos occupant la partie longue du L. Bill Granger serre la main de Kaiser quand il le croise alors qu'il sort, et il me salue d'un petit hochement de tête embarrassé. Visiblement, il a entendu la transmission de l'appartement de Thalia Laveau. Magnifique.

Kaiser et moi nous asseyons côte à côte sur le canapé, en face de Baxter et Lenz. Bowles occupe un fauteuil à ma droite. Aucun ne semble particulièrement réjoui, mais ils n'ont pas l'air aussi abattu que je l'aurais cru. Et ils semblent étonnés de me voir.

— Vous avez fait un boulot de premier ordre aujourd'hui, Jordan, me dit Baxter d'un ton convenu.

— Dommage que je n'aie fait réagir personne.

Il se tourne vers Kaiser.

— Nous avons quarante minutes avant la réunion générale, et je veux l'aborder avec du solide. Pour l'instant, nous avons deux agents dans des avions séparés qui escortent toutes les preuves rassemblées aujourd'hui par la police de La Nouvelle-Orléans vers le labo de Washington. Tout, des peintures aux échantillons d'ADN. Le directeur en personne a ordonné d'accélérer la manœuvre, ce qui signifie une rotation de douze heures pour certains tests, de vingt-quatre à quarante-huit heures pour d'autres. Trois jours pour l'ADN, à moins d'une chance inhabituelle.

— Trois jours ? répète Kaiser. J'aurais été agréablement surpris si vous m'aviez parlé de trois semaines.

— Quelques familles de victimes ont le bras long. Ce qui est une bonne chose pour nous.

Le regard que me lance Baxter semble vouloir m'assurer que le FBI travaille sur tous les dossiers avec une égale ferveur, mais il n'y parvient pas. Tout le monde dans cette pièce sait que si les disparues étaient des prostituées droguées au crack, les indices pourraient attendre des semaines au labo.

— Avant de décider de ce que nous allons faire, dit-il, voyons où nous en sommes. Les entrevues d'aujourd'hui n'ont pas donné les résultats que nous escomptions. Pour quelles raisons ?

— J'en vois deux, dit Lenz. La première, c'est qu'aucun de nos quatre suspects n'est le coupable des meurtres ou le peintre. Cette théorie est unanimement confortée par l'avis de nos experts en peinture. Tous affirment qu'aucun de ces suspects n'a peint les *Femmes endormies*. Deuxième possibilité : un des suspects a effectivement reconnu Jordan, mais il nous a trompés en restant impassible quand elle est apparue.

— Ou elle nous a trompés, lui rappelle Baxter.

— Personne ne nous a trompés, dit Kaiser. Sauf peut-être Frank Smith. Il n'a pas caché sa surprise de voir le visage de Jordan, mais il l'a expliquée en disant qu'il l'avait vue lors d'une soirée, ce qui est une explication virtuellement impossible à vérifier.

Baxter se tourne vers Lenz.

— Qu'avez-vous pensé de Smith ?

— Brillant, talentueux, sûr de lui. Des quatre, il est le plus capable d'avoir tout manigancé.

— Et la première possibilité ? Aucun des deux ne serait notre coupable.

— Les poils de pinceau nous ont menés jusqu'à ces quatre-là, dit Kaiser. J'ai plus confiance dans les preuves matérielles que dans l'avis des experts.

— Ces pinceaux nous ont menés à ces quatre-là et aux cinquante étudiants de licence qui pouvaient y avoir accès, tient à préciser Lenz. Comment allons-nous faire, avec eux ?

— Aucun de ces étudiants n'a été interrogé directement, répond Baxter. A cause de leur âge, et parce que peu d'entre eux seraient assez doués pour avoir peint les *Femmes endormies*, leur culpabilité représente une probabilité faible. De plus, dès que nous commencerons à interroger ces étudiants de licence, les médias se jetteront sur l'affaire. Jusqu'à présent, nous avons eu de la chance.

— Beaucoup de chance, dis-je tranquillement. Je me demande pourquoi.

— Les médias de La Nouvelle-Orléans ne sont pas spécialement agressifs, me dit Bowles. J'ignore pourquoi. Ils pourraient mettre beaucoup plus de pression qu'ils ne le font actuellement.

— Mais une fois qu'ils seront sur le coup, ce sera la frénésie, prédit Kaiser. Et une fois Roger Wheaton impliqué, sans parler des proches parents riches et irrités de certaines disparues, avec leurs avocats, vous aurez droit à la presse nationale.

— N'oubliez pas Jordan, dit Bowles avec un mouvement de tête dans ma direction.

— Oublions les médias pour l'instant, dit Baxter. D'après la police de La Nouvelle-Orléans, aucun de nos suspects n'a fait de difficulté pour accepter le prélèvement d'ADN. Si l'un d'eux avait enlevé la femme de Dorignac, il n'aurait pas été aussi coopératif.

— Si le peintre ne fait que peindre, dit Lenz, et que quelqu'un d'autre s'occupe des enlèvements, le peintre n'aura rien à craindre d'une analyse ADN.

— Même si le peintre se limite à ce qu'il sait faire, remarque Kaiser, il aurait dû être abasourdi de voir apparaître Jordan.

— Exact.

Kaiser s'adresse à Baxter

— Quel est ce nouvel élément dont vous m'avez parlé au téléphone ?

J'aurais volontiers commencé par cette question, mais il faut croire qu'au FBI on a un rythme différent.

— Même si le meurtre de Wingate et l'enlèvement de Dorignac ne sont séparés que par deux heures, dit Baxter, j'ai mis une demi-douzaine d'agents à plein temps sur la vérification des listes d'embarquement et l'interrogatoire des passagers qui ont voyagé entre New York et La Nouvelle-Orléans dans les heures avoisinantes. Ça a fini par payer.

— Qu'est-ce que vous avez trouvé ?

— Une heure après la mort de Wingate, un homme seul a acheté en liquide une place sur un vol JFK-Atlanta, et ensuite, en liquide toujours, une place sur un vol pour Bâton Rouge, mais sur une autre compagnie aérienne.

— Qui était-ce ? dis-je.

Le Dr Lenz croise les jambes et répond, d'une voix un peu pédante :

— Un faux nom, bien évidemment. Il se pourrait que celui qui a tué Wingate se soit déjà trouvé à New York quand vous avez créé l'incident à Hong Kong. Il réduit Wingate au silence, puis il revient au plus vite à La Nouvelle-Orléans pour prévenir son complice. Si vous étudiez le timing, il a pu arriver seulement six heures après l'enlèvement de la femme de Dorignac. Le plan pouvait être de la peindre, mais le type de New York a pris une décision de prudence. La tuer et se débarrasser de son cadavre.

Baxter pose sur le psychiatre un regard aigu.

— C'est une possibilité. Mais qui que soit le type de New York, ou quoi qu'il ait fait après l'enlèvement de la victime de Dorignac, quelqu'un se trouvant déjà à La Nouvelle-Orléans a dû se charger de la kidnapper. Le peintre, probablement.

Quelques secondes de silence s'écoulent, pendant lesquelles chacun réfléchit à l'hypothèse.

— Vous avez obtenu une description du type de New York ? demande Kaiser.

— Très vague. Entre trente-cinq et quarante-cinq ans, musclé, le visage dur. Vêtements passe-partout. C'est probablement le même type qui a fait un doigt d'honneur à Jordan après l'incendie.

— Celui à la casquette ? dis-je, à moitié en plaisantant.

— Il y a autre chose, reprend Baxter. Linda Knapp, la petite amie de Gaines, celle qui a inondé un tableau de bière et qui est partie avec vous… Elle est revenue chez Gaines une demi-heure plus tard. La police de La Nouvelle-Orléans a refusé de la laisser approcher Gaines, mais elle leur a dit que quelle que soit la nuit où il lui faudrait un alibi, elle déclarerait qu'il était à la maison avec elle, à se saouler et à la sauter comme un lapin.

Je me remémore combien cette femme avait semblé furieuse, et pressée de quitter Gaines. Or elle est revenue auprès de lui, et elle est déterminée à le protéger de la police. C'est là un mystère très commun que je n'ai jamais compris, et que je ne suis pas sûre de vouloir percer.

— Knapp est avec Gaines depuis ces dix-huit derniers mois ?

— Non, répond Baxter. Gaines a donné le nom d'une autre fille comme alibi pour les meurtres qui précèdent sa relation avec elle. Nous essayons de la localiser. Quant aux autres alibis donnés, voilà où nous en sommes. D'après les relevés de carte bancaire, Roger Wheaton et Frank Smith étaient tous deux en ville au moment de chaque meurtre. Leon Gaines et Thalia Laveau n'ont même pas de carte bancaire. Les interrogatoires préliminaires de la police de La Nouvelle-Orléans n'ont pas révélé d'alibis réellement solides. Presque tous les kidnappings se sont produits en semaine, entre dix heures du soir et six heures du matin.

— Et pour Smith ? demande Lenz. Il a certainement quelques amants qui ont passé la nuit chez lui et qui pourraient lui fournir des alibis pour au moins un meurtre ?

— Il n'a donné aucun nom, répond Baxter. Peut-être protège-t-il quelqu'un.

— Et Juan ? dis-je. Le majordome, ou quel que soit son rôle ?

— Nous ignorions son existence jusqu'à aujourd'hui. La police de La Nouvelle-Orléans l'interroge en ce moment même. Il a tenté de quitter la maison en douce, mais ils l'ont serré. Il semble qu'il soit du Salvador et qu'il soit en situation irrégulière.

Je comprends maintenant pourquoi il m'a paru familier. J'ai passé pas mal de temps au Salvador, et j'ai vu beaucoup de visages comme le sien.

— Qu'avons-nous d'autre ? veut savoir Kaiser. A propos de ces soldats avec qui Wheaton a servi au Vietnam ? Des codétenus de Gaines ?

— J'ai deux listes, annonce Baxter. Je me suis dit que vous voudriez peut-être vous occuper de celle des vétérans du Vietnam.

Tandis que les hommes règlent les détails, un curieux phénomène se produit en moi. Le paradoxe entre l'opinion des experts et les preuves matérielles a peu à peu décanté quelque part dans mon cerveau.

— J'ai pensé à une troisième possibilité, dis-je calmement.

D'un geste de la main, Kaiser intime le silence aux autres, et tous les regards convergent bientôt sur moi.

— Qu'est-ce que c'est ?

— Et si un des quatre suspects que nous avons vus aujourd'hui était effectivement l'auteur des meurtres, mais qu'il ne savait pas qu'il les commet ?

Personne ne répond. Baxter et Kaiser semblent abasourdis par ma suggestion, mais le Dr Lenz paraît très intéressé.

— Comment en êtes-vous venue à cette hypothèse ? me demande-t-il.

— La vieille théorie de Sherlock Holmes. Une fois exclu tout ce qui est impossible, ce qui reste est la solution, aussi improbable qu'elle paraisse.

— Nous n'avons pas exclu les autres possibilités, rappelle Baxter. En aucune manière.

— Elles ne donnent rien non plus, remarque Kaiser en considérant Lenz pensivement. Qu'en pensez-vous ?

Le psychiatre fait un geste évasif des deux mains, comme s'il étudiait l'idée pour la première fois.

— Vous faites allusion à un dédoublement de la personnalité. C'est extrêmement rare. Beaucoup plus rare que les films et les romans ne le laissent penser au public.

— Durant tout le temps que j'ai passé à Quantico, je n'en ai pas vu un seul exemple, ajoute Kaiser.

— Quand ce phénomène se produit, qu'est-ce qui le provoque ? s'enquiert Bowles.

— Maltraitance sexuelle ou physique sévère pendant la prime enfance, dit Lenz. Exclusivement.

— Que savons-nous de l'enfance de ces trois hommes ? dis-je, en me souvenant que Thalia a confessé avoir été abusée sexuellement pendant cette période de sa vie. Laveau a eu ce genre de problème, nous le savons.

— Pas grand-chose, avoue Baxter. L'enfance de Wheaton est assez obscure. Nous ne disposons que de la biographie standard reprise dans les articles. Rien sur une éventuelle maltraitance, évidemment. Nous savons que sa mère a quitté le foyer familial quand il avait treize ou quatorze ans, ce qui pourrait être le signe d'une forme de maltraitance au sein de la famille, mais nous n'avons aucune précision. Et si les enfants étaient maltraités, pourquoi la mère ne les aurait-elle pas emmenés avec elle ?

— Il faudrait poser la question à Wheaton, dit Kaiser.

— Et pour Leon Gaines ? dis-je. Je suis sûre qu'il a subi des maltraitances.

— C'est indubitable, répond Lenz. Il a passé quelque temps dans des centres d'éducation surveillée, ce qui constitue un indicateur presque certain de mauvais traitements au foyer. Mais le genre de cassure psychologique radicale dont je parle prend ses racines plus tôt dans la vie de l'enfant.

Je regarde Baxter.

— Vous n'avez pas dit que son père avait fait de

la prison pour rapports sexuels avec une mineure ? Une fillette de quatorze ans ?

— C'est exact. Nous ferions bien de creuser un peu plus profond du côté de son père.

— Frank Smith, lance Kaiser. Que savons-nous de son enfance ?

— Famille aisée, lâche Lenz. Pas du genre à dénoncer des maltraitances. J'essaierai d'entrer en contact avec le médecin de famille.

Pendant que nous réfléchissons en silence à toutes ces pistes, le téléphone du directeur régional sonne. Bowles retourne à son bureau, puis fait signe à Baxter de prendre la communication. Ce dernier s'identifie, pose quelques questions que je n'entends pas clairement, puis raccroche et revient auprès de nous, un sourire crispé aux lèvres.

— Qu'y a-t-il ? demande Kaiser.

— Le majordome originaire du Salvador de Frank Smith vient de dire aux inspecteurs de la police municipale que Roger Wheaton a rendu visite à Frank de nuit, plusieurs fois. Il est même resté toute une nuit chez Smith à deux reprises.

Kaiser pousse un petit sifflement bas.

— Sans blague…

— Oui, fait Baxter, et notez ceci : durant ces nuits-là, le majordome dit qu'ils se disputaient. Il les a entendus hurler à travers les murs.

J'ai du mal à accoler cette image avec ce que j'ai vu des deux hommes, mais le Dr Lenz semble plus excité que je ne l'ai jamais vu.

— Il faut que nous les interrogions de nouveau, l'un et l'autre.

— Aucun doute là-dessus, approuve Baxter. Comment les approcherons-nous ?

Lenz se rembrunit mais ne propose rien.

— Je pense que je devrais aller parler à Frank Smith, dis-je d'un ton ferme.

Tous me regardent.

— Seule ? demande Baxter.

— Il m'a invitée à revenir le voir, non ? C'est notre meilleure opportunité de découvrir ce qu'il y a derrière ces visites.

— Elle a gagné la confiance de Laveau, leur rappelle Kaiser. Je suis d'avis de la laisser s'en charger.

Baxter n'a pas l'air enchanté. Du regard, il interroge Lenz qui hausse les épaules.

— Je sais bien que vous préféreriez procéder autrement, mais Smith a vraiment réagi à la présence de Jordan. Nous devons mettre toutes les chances de notre côté.

— Bon, d'accord, soupire Baxter. Jordan ira voir Smith.

— Arthur et moi, nous pouvons aller parler à Wheaton, propose Kaiser. Il serait judicieux de nous arranger pour que leur compagnie téléphonique mette leurs lignes en dérangement. Il ne faudrait pas qu'ils puissent se prévenir de nouveau.

— Ça commence à ressembler à un plan, conclut Baxter. Qu'en dirons-nous au reste des forces mobilisées ?

— Tout, dit Kaiser. Jusqu'ici, ils se sont montrés dignes de confiance. Si nous leur cachons des informations sans raison valable, nous nous pénaliserons nous-mêmes.

— Nous leur parlons aussi de la théorie du dédoublement de personnalité ? demande Lenz.

— Non, décide Baxter. C'est le genre de spéculation exotique dont ils adorent se moquer à nos dépens, alors autant jouer profil bas sur ce point tant que nous n'aurons pas d'autre raison de penser que c'est la bonne piste.

Il me jette un coup d'œil et ajoute :

— Autre chose que la théorie de Sherlock Holmes, au moins.

Le sourire tardif qui tord sa bouche m'apprend qu'il plaisantait.

— Dernières questions ?

Kaiser lève la main comme un écolier docile.

— Ce matin, vous nous avez dit que le programme informatique Argus travaillait sur les photos digitales des *Femmes endormies* abstraites. A-t-on réussi à obtenir des visages identifiables ?

— Ils semblent plus humains, dit Baxter. Mais aucun ne correspond à une victime de meurtre ou à une personne portée disparue depuis à La Nouvelle-Orléans ou dans ses environs.

— Qui s'occupe des comparaisons ?

— Deux agents que j'ai empruntés au contre-espionnage, précise le directeur régional. Des types chevronnés, qui totalisent vingt ans de pratique.

— J'aimerais voir ce que crache Argus, ajoute Kaiser. J'ai étudié un tas de visages de victimes depuis quelques mois.

— Vous arrangez ça, Patrick ? fait Baxter.

Bowles acquiesce.

— Nous vous ferons parvenir un double de

chaque image par e-mail depuis Washington, à mesure que nous les décrypterons. J'espère que vous avez du temps.

Baxter consulte sa montre.

— Il faut y aller.

Se tournant vers moi, il dit :

— Jordan, plus que jamais, nous avons besoin que vous restiez isolée de toute connaissance liée à votre passé ici.

— Aucun problème. Je suis crevée. Je rentre à mon hôtel, je commande à manger au room-service, et ensuite je me mets au lit.

— Faites-vous confiance à votre beau-frère pour taire votre présence ?

— Sans problème.

Son regard s'attarde sur moi.

— J'ai déjà retenu une chambre à côté de la vôtre pour Wendy. Si vous avez besoin d'aide, vous n'aurez qu'à crier.

Je le remercie d'un hochement de tête. Je préfère que Wendy Travis assure ma sécurité plutôt qu'un inconnu, même si je pressens dans sa présence une source potentielle de complications.

Baxter se frappe les cuisses du plat des deux mains et se lève de son siège. Les autres l'imitent avec un bel ensemble.

— Allons parler aux hommes en bleu, dit Baxter.

— En bleu et noir, le corrige Kaiser. L'uniforme de la police de La Nouvelle-Orléans est bleu et noir.

Baxter ouvre la marche en direction de la porte, pour rejoindre le Centre opérationnel d'urgence que je n'ai pas encore vu. Bowles suit, et Lenz vient derrière. Kaiser s'attarde un peu et se débrouille pour se retrouver à côté de moi.

— Alors, vous allez vous coucher tôt ? me dit-il à voix basse.

Je m'arrête à la porte et regarde les autres s'éloigner dans le couloir.

— Oui. Mais peut-être pas pour dormir. Appelez-moi depuis la réception.

Tout en surveillant les alentours, il touche ma main et la presse légèrement. Puis, sans un mot de plus, il part derrière le Dr Lenz. Je lui laisse quelques secondes avant de tourner le coin vers les ascenseurs. C'est là que Wendy m'attend.

18

Je me suis endormie depuis quelque temps déjà quand la sonnerie du téléphone m'arrache au repos. Le téléviseur est toujours allumé, réglé sur HBO, mais le son est coupé. Clignant des yeux dans la lumière, je décroche.

— Allô ?

— C'est moi. Je suis en bas.

Le visage de John Kaiser m'apparaît en pensée.

— Quelle heure est-il ?

— Minuit passé. Largement.

— Bon sang ! La réunion a duré aussi long-temps ?

— La police a interrogé chaque suspect pendant des heures, et nous avons dû tout entendre.

Je me frotte les joues pour ranimer ma circulation.

— Il pleut toujours ?

— Ça a fini par s'arrêter. Vous dormiez, n'est-ce pas ?

— Je m'étais juste assoupie.

— Si vous êtes trop fatiguée, je comprendrai.

Une partie de moi a envie de lui dire que oui, je

suis trop lasse, mais une petite démangeaison entre mon cou et mes genoux m'en dissuade.

— Non, montez. Vous connaissez le numéro de la chambre ?

— Oui.

— Vous pourriez m'apporter un coca ou quelque chose en montant ? J'ai besoin de caféine.

— Normal ou light ?

— A votre avis ?

— Normal.

— Bien deviné.

— J'arrive.

Je raccroche et gagne la salle de bains d'un pas titubant. La désorientation diffuse engendrée par la fatigue m'indique que les derniers jours ont été plus stressants que je ne l'avais pensé. Sans allumer l'éclairage, je me brosse les dents et m'asperge le visage d'eau. Pendant un moment, je me demande si je ne devrais pas me maquiller légèrement, mais ça ne vaut pas le coup. S'il ne m'aimait pas telle que je suis, rien n'aurait dû se passer.

Il va falloir que je fasse quelque chose à propos de cette chemise de nuit de baby-doll, quand même. Cette horreur rose trop courte semble sortie d'une sonorité des années cinquante. Quand je l'ai découverte, je me suis interrogée sur le sens de l'humour de l'agent du FBI qui l'a achetée pour moi, mais elle a sans doute la même chez elle. J'ôte cette curiosité vestimentaire pour passer un tee-shirt blanc et le jean que je portais hier.

Kaiser frappe très doucement à la porte pour ne pas alerter Wendy dans la chambre voisine. Je vérifie que c'est bien lui par l'œilleton et ouvre rapidement la porte. Il se glisse à l'intérieur, me sourit et pose deux canettes embuées sur le bureau. Il en ouvre une qu'il me tend.

— Merci.

J'en bois une longue goulée qui me picote l'arrière de la gorge.

— Fatigué ?

— Très fatigué.

— Comment voyez-vous l'évolution de cette affaire ?

— Pas terrible, avoue-t-il avec une petite grimace.

— Vous croyez que Wheaton et Frank Smith sont amants ?

— Je ne vois pas d'autre raison à ces visites nocturnes.

— N'importe quoi. Des discussions sur l'art.

— Ce n'est pas ce que mon intuition me dit.

— Non, moi non plus. Et qu'est-ce qui se passe entre vous et Lenz ? Il ne veut pas dire grand-chose quand vous êtes là, hein ?

— Depuis qu'il a quitté le Bureau, il a appris qu'on peut être oublié très vite. Il aimerait bien prouver que Quantico n'a plus maintenant que du deuxième choix à sa disposition.

— Il n'a pas été surpris quand j'ai demandé si un des suspects ne pouvait pas assassiner des gens sans en être conscient.

— Il ne l'a pas semblé, non, reconnaît Kaiser en me décochant un regard entendu.

— Et vous ? Cette théorie vous plaît ?

— Non. J'ai du mal à imaginer quelqu'un d'assez perturbé pour organiser onze enlèvements et peindre comme Rembrandt en même temps. Mais je vais creuser cette piste quand même. Essayer de découvrir si un de nos trois suspects mâles a souffert de maltraitance sexuelle dans son enfance.

Ouvrant sa boîte de soda, il en avale une gorgée.

— On va parler boulot toute la nuit ?

— J'espère bien que non.

Je vais ouvrir les doubles rideaux, dévoilant une grande fenêtre qui domine de quatorze étages le lac Pontchartrain, une vue légèrement différente de celle offerte par la baie vitrée du bureau du FBI. Le lac est une mer d'encre à cette heure, à l'exception de la ligne lumineuse de l'éclairage fluorescent qui signale la chaussée s'étirant vers le nord dans la brume. Je reviens m'asseoir au pied du lit. Kaiser ôte sa veste et la pend sur le dossier de la chaise, puis il s'assied à côté de moi, à environ soixante centimètres. Son arme est toujours à sa ceinture.

— De quoi allons-nous parler ? s'enquiert-il.

— Pourquoi ne pas commencer par ce que vous avez en tête ?

Un soupçon de sourire.

— Vous.

— Pourquoi, à votre avis ?

— J'aimerais le savoir. Vous savez comment c'est : il arrive qu'on perde quelque chose, et ce n'est que lorsqu'on ne le cherche plus qu'on le retrouve…

— Oui. Mais parfois, quand ça arrive, on n'en a plus besoin.

— Il s'agit de quelque chose dont tout le monde a besoin.

— Je crois que vous avez raison.

Je sens une chaleur nouvelle en moi, mais une hésitation plus profonde m'empêche de me laisser aller complètement. Je bois une gorgée de soda.

— Je vous ai parlé de certains de mes problèmes avec les hommes. Quand je commence à sortir avec eux. Ils croient avoir envie de moi, mais ils ne veulent pas de la réalité de ma vie.

— Je m'en souviens, oui.

— Je veux savoir, pour vous. Vous n'êtes pas du genre à vous laisser rebuter par les difficultés. Qu'est-ce qui a fait que vous et votre femme vous êtes séparés ?

Avec un soupir, il pose sa canette sur le sol, comme si elle était devenue trop lourde.

— Ce n'est pas parce que j'ai laissé le boulot prendre le pas sur ma vie privée, même si c'est assurément ce que j'ai fait. Si j'avais été médecin, ou ingénieur, elle aurait accepté. Mais ce que je voyais chaque jour, je ne pouvais tout simplement pas le communiquer à quelqu'un qui vivait une existence normale. « Conventionnelle » serait sans doute un terme plus juste. J'en étais arrivé à ce stade où les références communes n'existent plus. Je rentrais après dix-huit heures de boulot passées à regarder des gosses massacrés, et elle se mettait en colère et en voulait au monde entier parce que les nouveaux rideaux du salon n'étaient pas exactement coordonnés à la couleur de la moquette. Plus d'une fois j'ai tenté de lui expliquer ça, mais quand je lui racontais la vérité, sans fard, elle refusait de m'écouter. Qui le voudrait, d'ailleurs ? Elle se défendait en chassant tout ça de son esprit, et elle a fini par me chasser avec.

— Vous lui en voulez ?

— Non. Sa réaction montre qu'elle a un excellent instinct de survie. Il est bien plus sain de ne pas laisser ces choses vous gangrener l'esprit, parce qu'une fois qu'elles sont dans votre tête, vous ne pouvez plus les en faire sortir. Mais vous savez tout ça. Vous avez probablement vu plus d'horreurs que moi.

— Je ne crois pas qu'on puisse quantifier l'enfer. Mais je sais ce que vous voulez dire quand vous parlez de l'impossibilité de l'expliquer. J'ai passé toute ma carrière à essayer de le faire, et je me demande parfois si j'y suis arrivée, ne serait-ce qu'une seule fois. Les images que j'ai saisies sur la pellicule ne traduisent pas la moitié de l'horreur de celles que j'ai en tête.

Les prunelles de Kaiser brillent d'une empathie que je n'avais pas vue dans un regard depuis très longtemps.

— Et donc nous sommes assis là, dit-il, comme deux machines cassées.

Ce que j'éprouve pour cet homme n'est pas une toquade, ou quelque attraction neurochimique qui me pousse à désirer coucher avec lui. C'est une intimité très simple que j'ai ressentie dès la première heure, quand nous avons roulé ensemble dans la Mustang de location. Il y a en lui une aisance, et aussi une lassitude qui m'attirent. John Kaiser a regardé au plus profond des ténèbres, et il est toujours droit, ce qui est quelque chose de rare. Je ne recherche pas la protection chez un homme, mais je sais qu'avec celui-là je me sentirai autant en sécurité qu'il est possible.

— Alors comme ça, vous voulez avoir des enfants, dit-il, reprenant le fil de la conversation que nous avons eue hier soir au Camellia Grill.

Je pense à ma nièce et à mon neveu, et je maudis leur père d'avoir ruiné le bonheur des retrouvailles.

— Oui, j'en veux.

— Vous avez quoi, quarante ans ?

— Mouais. Il ne faudrait pas que je tarde trop.

— Vous avez pensé à la solution de Jodie Foster ? Trouver un donneur qui vous convient ?

— Pas mon genre. Et vous, vous voulez des enfants ?

Il aimante mon regard du sien, qui scintille. Visiblement, il apprécie l'échange.

— Oui.

— Combien ?

— Un par an, pendant cinq ou six ans.

Mon estomac se contracte.

— Je crois que ça m'exclut de la course.

— Je plaisante. Deux, ce serait bien, quand même.

— Je serais peut-être capable de m'occuper de deux enfants.

Après quelques secondes de silence, il lâche :

— Mais de quoi parlons-nous, bon sang ?

— Le stress, peut-être. Nous sommes tous les deux soumis à une pression importante. J'ai déjà vu ce genre de situation déclencher des liaisons. Elles se terminent rarement bien. Vous pensez que c'est ce qui nous arrive ?

— Non. J'ai connu des pressions bien pires sans me tourner vers la femme la plus proche.

— C'est bon à savoir.

Je le regarde au fond des yeux, espérant y lire une réaction instinctive à ce que je vais dire.

— Peut-être devrions-nous passer la nuit ensemble dans ce lit. Si nous sommes toujours dans d'heureuses dispositions au matin, vous pourrez faire votre demande en mariage.

Il éclate de rire.

— Bon sang ! Vous avez toujours été comme ça ?

— Non, mais je deviens trop vieille pour perdre mon temps.

L'image absurde de l'agent Wendy Travis me vient à l'esprit : elle est accroupie sur son lit à côté, l'oreille plaquée à un verre qu'elle a collé contre le mur de cette chambre.

— Si vous êtes monté uniquement pour tirer un coup, je pense que vous aurez plus de chance à côté.

Son sourire s'évanouit.

— Je trouve cette chambre tout à fait à mon goût.

Je pose les coudes sur mes genoux et mon menton sur mes mains, ce qui amène mes yeux à quelques centimètres des siens.

— Sommes-nous dingues ?

— Non. Il y a des moments où l'on sait, c'est tout.

— C'est ce que je pense aussi.

Je laisse ma main droite tomber en avant et toucher sa lèvre inférieure.

— A quoi pensez-vous, là, maintenant ?

— A l'odeur de vos cheveux.

Il tend la main et effleure mes cheveux au niveau de l'épaule, et soudain je regrette qu'ils ne soient pas plus longs, pour lui.

— Je me demande quel goût ont vos lèvres.

— Je vous soupçonne de vous demander plus que ça.

— C'est vrai. Mais il est difficile de penser à la conversation que nous venons d'avoir en guise de prélude.

— Nous sommes tous les deux dans de drôles de métiers. Vous savez ce qu'on dit.

— Quoi donc ?

— « Il faut embrasser l'étrangeté. »

— Qui dit ça ?

— Je ne sais pas. Hunter Thompson, peut-être. Rapprochez-vous et embrassez-moi.

Au lieu d'obéir, il prend mes poignets dans ses mains et me force à me lever en même temps que lui. Mon visage est maintenant au niveau de sa poitrine. Alors il glisse les bras autour de ma taille et me regarde, mais sans m'embrasser. Il plonge dans mes yeux et attire mes hanches contre les siennes, ce qui ne me laisse plus aucun doute sur son désir. Ma peau est brûlante, comme tendue, et le contact de sa peau comme la caresse de l'air frais l'électrisent. Je pense à prendre sa main pour la poser sur un de mes seins quand elle trouve le chemin d'elle-même, comme si mes pensées l'avaient commandée. Il presse doucement, comme pour dire : « Nous y voilà. Nous sommes réels dans cet espace, dans ce moment, et ne sommes-nous pas heureux d'y être ? » Puis il incline la tête et ses lèvres effleurent les miennes. Mon cœur cogne dans ma cage thoracique, comme je m'y attendais, mais c'est si bon de sentir la confirmation de ses instincts.

— Combien de temps avons-nous ? dis-je dans un murmure.

— Toute la nuit.

— Bonne réponse.

Je l'embrasse encore, en ouvrant ma bouche à la sienne. Puis je m'écarte.

— Peut-être que je devrais passer au tutoiement, maintenant.

Ses yeux brillent de pur délice.

— Comme tu voudras.

— Nous allons faire de ce moment quelque chose d'inoubliable. Prêt ?

— Prêt.

— Fais-moi l'amour, John.

Avec un sourire, il me soulève dans ses bras à la façon des mariés dans les vieux westerns, et je sens la force de son corps. Je m'attends à ce qu'il me dépose sur le lit, au lieu de quoi il m'emmène dans la salle de bains.

— La journée a été dure. Tu m'apprécieras mieux après une douche.

— Ou peut-être sous la douche, dis-je en riant.

Il rit lui aussi et me pose sur l'aplat carrelé, puis il ouvre l'eau. La vapeur emplit rapidement la petite pièce, et il ôte ses chaussures.

— Bon sang, j'avais oublié ça.

Le bruit d'une bande Velcro qu'on détache, puis il brandit un petit revolver dans son étui en nylon.

La vue de l'arme fait naître une boule de froid au creux de mon estomac.

— C'est pour toi, dit-il. Un Smith & Wesson calibre 38, poids plume. Tu sais t'en servir ?

— Oui.

— Bien. Je vais le poser sur le bureau.

Quand il revient, j'en suis encore à chasser le poids de sombres souvenirs.

— Tu sais ce que j'aime dans les hôtels américains ? lui dis-je.

— Quoi ? fait-il en posant ses mains sur mes genoux.

— La réserve illimitée d'eau chaude. Tu peux prendre une douche de deux heures si tu en as envie.

— Ça t'est déjà arrivé ?

— Tu peux me croire. Quand je descends d'avion ici après un reportage au Moyen-Orient ou en Afrique, je m'ouvre une bouteille de vin blanc bien frais et je m'assieds sur le sol de la douche jusqu'à être ridée comme un pruneau.

— Eh bien, dans ce cas, je ferais bien de savourer le spectacle que tu m'offres maintenant avant que tu n'arrives au stade du pruneau.

Il prend le bas du tee-shirt dans ses mains et attend que je lève les bras. Je m'exécute en souriant, et il fait glisser le vêtement léger par-dessus ma tête. Puis il déboutonne sa chemise, s'en débarrasse et colle son torse contre le mien. Cette fois c'est moi qui provoque le baiser, et il ne l'interrompt que pour me dire :

— Je crois que l'eau est à la bonne température.

Je me tortille pour ôter mon jean, et je suis

heureuse de n'éprouver aucune timidité face à lui. Je m'avance vers le rideau en plastique. Tout en retirant son pantalon, il me couve d'un regard brillant.

— Tu es très belle, Jordan.

L'accent de vérité dans sa voix est conforté par l'expression de son visage.

— A cet instant, je me sens belle, oui.

Il prend ma main, repousse le rideau et m'aide à monter dans la douche. Bien que je me sois lavée quelques heures plus tôt, le choc du jet chaud est délicieux, et la présence de cet homme avec moi en double le plaisir. Il me savonne le dos, et je lui rends la pareille. Puis nous passons à l'autre côté, beaucoup plus intéressant. J'enserre sa taille de mes bras et je l'attire à moi, ce qui nécessite quelque ajustement de sa part.

— Ça fait longtemps, pour moi, lui dis-je.

— Pour moi aussi.

— C'est ce que Wendy m'a dit.

— Quoi ?

— D'après elle, toutes les femmes de l'antenne du FBI bavent après toi, mais tu n'as cédé à aucune.

— Tu sais ce que j'aime avec les douches dans les bons hôtels ? dit-il avec un sourire taquin. Les pommes sont assez hautes pour que je puisse avoir la tête dessous.

— Je vois. Bien. Es-tu trop grand pour baisser ta tête là où elle pourrait me faire du bien ?

Il rit, se penche et embrasse très doucement un de mes seins, et sa langue est fraîche sur le mamelon dans la vapeur. Ma main descend et je le caresse d'un ongle.

— Es-tu en train d'agoniser de désir ?

— Mmh, gémit-il.

— Parfait.

Alors que le jet chaud éclabousse mon visage et mon cou, une de ses mains se plaque contre mes reins tandis que l'autre part explorer plus bas. Puis il murmure au creux de mon cou, et la vibration se diffuse en moi. Je me laisse aller en arrière, en m'appuyant d'une main au carrelage, et dans cette étreinte exquise je me sens devenir aussi liquide que l'eau. Ses lèvres glissent de mon cou à mon menton, et soudain une sonnerie violente nous pétrifie.

— Alarme incendie ? demande-t-il.

Le son s'éteint.

— Non, le téléphone de la salle de bains.

— Cinquante dollars que c'est Wendy.

Une autre sonnerie, qui se répercute follement dans l'espace carrelé.

Il soupire.

— Tu ferais mieux de répondre.

Je passe la main autour du rideau, l'essuie sur la serviette et décroche le combiné.

— Allô ?

— Jordan ? C'est Daniel Baxter.

J'articule en silence « Baxter » pour John, qui coupe aussitôt l'eau.

— Que se passe-t-il ?

— Euh… John serait-il avec vous ?

— Une seconde, la télé fait trop de bruit.

Je presse la paume de ma main sur le microphone.

— Il veut te parler.

— La batterie de mon portable doit être morte.

— Ou bien tu ne l'as pas entendu. Ce qui signifierait que Baxter a essayé ma chambre en second.

— Il n'est pas stupide, maugrée John.

— Tu veux que je lui dise que tu n'es pas là ?

Il secoue la tête et prend le combiné.

— Qu'y a-t-il, patron ?

A mesure qu'il écoute la réponse, son regard saute ici et là avec une intensité croissante.

— Quand ? demande-t-il.

Il écoute encore un temps, et je vois au changement de son expression que nous ne passerons pas la nuit dans les bras l'un de l'autre. Quelque chose de grave s'est produit.

— J'arrive tout de suite, affirme-t-il. Entendu. Je laisserai Wendy dans la chambre avec elle.

Il raccroche, et la confusion assombrit son regard.

— Alors ? dis-je en luttant contre la crainte qui monte en moi. Ils ont retrouvé les corps ? Ils ont retrouvé ma sœur ?

Il saisit mes mains.

— Non. Thalia Laveau a disparu. Daniel pense qu'elle a été enlevée par le meurtrier.

La nausée roule dans mon estomac.

— Thalia ? Mais elle était sous surveillance !

— Elle s'est débrouillée pour fausser compagnie à nos gars.

— Quoi ?

— Il n'a pas voulu me donner de détails sur une ligne non sécurisée. Je n'en saurai pas plus jusqu'à ce que je sois arrivé là-bas. Bon sang, pourquoi elle ?

Plusieurs réponses me viennent à l'esprit, mais ce qui m'obsède pour l'instant est l'utilisation que vient de faire John de la première personne.

— « Jusqu'à ce que *je* sois arrivé là-bas » ? Et qu'est-ce que c'est que cette histoire, me laisser dans la chambre avec Wendy ?

Il ne cille pas. S'il me répond que je ne retournerai pas avec lui à l'antenne du FBI – que je suis donc tout juste bonne à coucher avec lui, mais pas assez bien pour qu'il m'emmène à une réunion où d'autres personnes ne désirent peut-être pas ma présence –, alors mes lèvres et mes seins seront les seules parties de ma personne auxquelles il goûtera jamais.

— Habille-toi, dit-il. Tu viens avec moi.

Je reste immobile, et lui aussi. Nous sommes nus dans la cabine de douche, l'eau tiède s'écoulant de nos corps, et la révélation de Baxter ne semble pas réelle. Pourtant elle l'est. Et j'ai l'étrange sensation qu'une fois sortis de la douche, il se passera peut-être longtemps avant que nous ne partagions de nouveau un moment d'intimité.

— Ça va aller ? demande-t-il, en caressant ma joue du revers de la main.

— Je suppose que oui. Et toi ? Tu pourras attendre qu'on en revienne à ce stade ?

Il acquiesce, mais son cœur n'est pas dans sa réponse.

— On a trente secondes devant nous ?

Il hoche la tête de nouveau.

— Reste ici.

Sur la tablette près du lavabo se trouvent des échantillons de savon, de shampooing, de baume démêlant et de lotion pour les mains. J'ouvre la lotion et je retourne dans la douche.

— Je vais enfreindre une de mes règles, lui dis-je, mais tu me rendras la pareille plus tard.

Il grogne quand je referme mes mains enduites de lotion sur lui, mais dans les quelques secondes qu'il lui faut pour atteindre le plaisir, ma tête se remplit de l'image de cette femme compréhensive que j'ai rencontrée cet après-midi, cette Sabine artiste et à moitié lesbienne, Thalia Laveau, et mon cœur se gonfle de terreur pour elle, une femme qui a fui son foyer et sa famille pour échapper aux violences sexuelles, et qui est maintenant à la merci d'un homme sans merci, une femme que je ne reverrai sans doute jamais.

Le Centre opérationnel d'urgence, qui jusqu'alors m'a été interdit d'accès, est le cœur de l'enquête de KIDNO. La salle est énorme – plus de trois cents mètres carrés – et occupée par de longues rangées de tables qui font penser à un labo de sciences universitaire de taille héroïque. A chaque table sont assis des hommes et des femmes devant quantité de téléphones dont ceux inutilisés sont étiquetés « non sécurisé » en rouge.

John poste Wendy à la porte et me précède dans la salle. Wendy s'est montrée très calme pendant le trajet en voiture ; quand John a tenté de l'intégrer dans la conversation, elle s'est cantonnée à des réponses brèves et professionnelles. Je suis désolée pour elle, mais nous avons maintenant d'autres sujets de préoccupations que les déceptions amoureuses. Quand John et moi nous approchons des premières tables, une vingtaine de visages se tournent vers nous, puis s'entre-regardent avec ahurissement. La question muette que tous se posent pourrait aussi bien flotter dans l'air en grandes lettres clignotantes : « Qu'est-ce qu'elle fiche ici ? » Mais après quelques secondes, chacun reprend sa tâche.

Face à l'armée de tables se trouve un ensemble d'écrans informatiques surdimensionnés où s'affichent les vues de différents bâtiments. Ce sont les lieux de résidence des quatre principaux suspects, plus le Woldenberg Art Center de Tulane. Je vois une voiture passer au ralenti devant le cottage de Frank Smith, sur Esplanade. Je suis devant des écrans de surveillance couvrant divers endroits de La Nouvelle-Orléans. Dans le coin inférieur droit de chaque écran s'affichent plusieurs heures correspondant aux mouvements et aux appels téléphoniques de chaque personne sous surveillance, ainsi que les diverses activités des services enquêtant sur la disparition de Thalia Laveau. J'ai un peu l'impression de me trouver au quartier général du Big Brother d'Orwell dans 1984.

— C'est donc ça, le Centre opérationnel d'urgence ? dis-je à mi-voix. Où sont Baxter et Lenz ?

— Baxter est ici, répond une voix derrière moi.

— Tout comme Lenz, ajoute le psychiatre.

— Comme des siamois soudés par les hanches, dis-je en me retournant vers eux.

Le chef de l'USR a la tête de quelqu'un qui n'a pas fermé l'œil depuis trente-six heures. Les cernes noirs sont devenus des poches sombres, et il a le teint d'un prisonnier au secret. Il lance à John un regard désapprobateur mais n'émet aucun commentaire déplaisant sur ma présence. Le Dr Lenz s'est changé et rafraîchi depuis cet après-midi. Un agent l'a probablement conduit au Windsor Court où il a pu prendre un thé et des petits pains au lait après avoir fait un brin de toilette en pleine nuit.

— Comment s'y est-elle prise ? demande John.

— Je vais vous montrer, répond Baxter.

Il va parler à un technicien près des écrans de contrôle et revient vers nous. Un des écrans devient presque totalement noir, et nous contemplons maintenant la façade de la maison victorienne où Thalia loue son appartement. C'est la nuit, et une pluie drue rend la scène floue. Sous nos yeux, une femme coiffée d'un chapeau mou et portant un parapluie court hors de la maison et monte dans une Nissan Sentra arrêtée dans la rue tachée de flaques d'eau.

— C'est Jo Ann Diggs, explique Baxter. Une des femmes qui louent une chambre au même étage que Laveau.

La Sentra démarre presque aussitôt, mais elle ne parcourt que quelques mètres avant de stopper brutalement, et de rebrousser chemin en marche arrière. Diggs en ressort, trotte jusqu'à la maison et s'y engouffre. Elle a tout de quelqu'un qui a oublié son sac ou le DVD qu'elle doit rendre au loueur du centre commercial voisin. Une poignée de secondes plus tard, elle réapparaît avec un livre à la main, sprinte jusqu'à la voiture et y monte. La Nissan s'éloigne alors.

— Et là, commente Baxter, c'est Thalia Laveau. Elle l'a donc aidée, conclut John.

— Laveau attendait derrière la porte de son appartement. Elle a pris le chapeau et le parapluie et a couru au-dehors jusqu'à la voiture de Diggs, pendant que cette même Diggs allait s'installer devant la télévision chez Laveau pour donner le change.

— Comment vous en êtes-vous aperçus ? dis-je.

— Un peu plus tôt aujourd'hui, Laveau a appelé une amie du campus et est convenue d'aller la voir chez elle à onze heures du soir. Cette femme vit sur Lake Avenue, à la limite entre La Nouvelle-Orléans et Jefferson Parish. Comme Laveau n'était pas encore là à minuit, l'amie a alerté la police. Qui nous a contactés.

— Cette femme a affirmé que Laveau voulait venir boire un thé et trouver un peu de réconfort auprès d'elle, ajoute Lenz. Mais il est évident qu'il y avait plus que ça dans cette visite. Elle a échappé à notre surveillance pour protéger l'identité de son amante.

— Peut-être n'étaient-ce pas les rapports sexuels entre elles deux qu'elle cherchait à dissimuler, dit John. Laveau pourrait être impliquée comme peintre uniquement. Les interrogatoires menés aujourd'hui par la police auraient pu l'effrayer assez pour qu'elle décide de filer. En arrangeant une visite chez cette autre femme, puis en la ratant, elle nous mènerait ainsi à en conclure qu'elle est à son tour devenue une victime.

Baxter va prendre la parole, mais l'exaspération me fait intervenir la première :

— Vous autres, les hommes, vous avez besoin d'une femme dans votre équipe vingt-quatre heures sur vingt-quatre.

— Pourquoi donc ? demande Lenz.

— Pour arrêter de penser avec ce qui pend entre vos jambes. Je retourne à mon hôtel. Vous n'avez pas la moindre chance de retrouver Thalia avec ce genre de raisonnement.

— John, dit Baxter, Arthur n'a pas formulé d'hypothèse. Laveau a bien déjoué notre surveillance pour protéger cette femme. Elle est gay mais très soucieuse de discrétion. Toutes deux entretiennent une relation amoureuse depuis longtemps. Seules ses craintes pour Laveau l'ont poussée à nous révéler la vérité. Elle peut fournir un alibi à Thalia non seulement pour la victime de Dorignac, mais aussi pour au moins cinq des autres enlèvements.

Le désarroi et l'impuissance me submergent, et j'ai grand-peine à contenir mes larmes.

— Je suis désolé, dit John. Je ne peux pas m'empêcher de penser de cette façon. C'est une habitude, le raisonnement logique.

— Ce n'est pas toi, lui dis-je.

Ni Baxter ni Lenz ne parle, et je ne saurais dire si c'est à cause de mes larmes ou parce qu'ils sentent l'intimité nouvelle entre John et moi.

— Je pense qu'il vaut mieux que je parte.

Je passe devant eux et me dirige vers la porte, mais Baxter me hèle :

— Jordan ! Que feriez-vous à notre place ? Pour retrouver Thalia ?

Je m'arrête, fais volte-face, mais sans revenir vers eux.

— J'envisagerais ce qui est le plus probable. Un de vos suspects mâles désire Thalia depuis le début. Les interrogatoires l'ont ébranlé. Il a perdu son sang-froid. Il sait que ce n'est plus qu'une question de temps avant qu'il ne soit démasqué. Face à l'inévitable, il décide qu'il n'a rien à perdre à assouvir ses fantasmes sur Thalia.

— Tous trois sont sous surveillance constante, fait remarquer Lenz.

— Thalia n'a pas eu beaucoup de mal à vous échapper.

Avec un soupir, Baxter se tourne vers John.

— Frank Smith dînait dans un restaurant au moment où Laveau a quitté son domicile, et il y est resté par la suite. Ce ne peut pas être lui.

— Wheaton et Gaines ?

— Gaines était dans son taudis sur Freret. A propos, nos experts nous ont dit que son van n'a rien révélé. Pas de sang, de cheveux, de fibres, rien. Comme s'il avait été nettoyé à la vapeur il y a un jour ou deux.

John prend une mine soupçonneuse, mais son esprit poursuit sur son idée précédente.

— Et Wheaton ?

— Wheaton est en train de peindre au Woldenberg Center.

— Et la remarque de Jordan, sur la lumière naturelle ? Avons-nous des photos aériennes de toutes les cours et tous les jardins intérieurs de cette ville ?

— C'est tout simplement impossible, répond Baxter. Cette ville s'étend sur plus de quatre cents kilomètres carrés, au bas mot. La maison des meurtres – ou des peintures, je suppose – pourrait se trouver n'importe où dans cette zone, et achetée sous un nom que nous ne pouvons pas relier à l'un des suspects.

— Le peintre n'aurait certainement pas envie de parcourir trente kilomètres chaque fois qu'il veut travailler sur un portrait. C'est dans la nature humaine. Il ne voudrait pas rouler plus que le strict nécessaire.

— Ça paraît logique, approuve Lenz.

— Wheaton et Gaines habitent à moins d'un kilomètre et demi de l'université. Frank Smith vit à la limite du Quartier français. Faisons des clichés aériens de chaque pâté de maisons de ces zones, et ajoutons-y le Garden District. Ensuite nous chercherons les cours fermées où le peintre pourrait profiter d'une bonne exposition à la lumière naturelle.

— Les feuilles ne sont pas encore tombées des arbres, remarque Baxter. Nous pourrions rater une centaine de cours dans le seul Quartier français.

— Alors il faut se procurer les plans des architectes ! rétorque John. Des agents devraient déjà être en train d'éplucher le cadastre et les titres de propriété pour chacune de ces zones. Nous dénicherons peut-être un lien avec un des suspects.

Baxter survole du regard le Centre opérationnel, et deux dizaines de visages étonnés retournent en hâte à leur travail.

— Je crois que c'est tout ce que nous avons, dit-il. En dehors des visites nocturnes de Wheaton chez Frank Smith.

— Et nous nous en occuperons dès la première

heure demain matin, dit John d'un ton sans réplique.

Je crois bien qu'il a envie de revenir avec moi à l'hôtel.

Et je serais assez pour lui pardonner ses pensées tordues à propos de Thalia Laveau.

Mais Daniel Baxter a d'autres projets pour lui.

— John, vous allez assurer la coordination avec l'unité de surveillance aérienne. Si vous commencez à passer des coups de fil maintenant, vous pouvez avoir les zincs en l'air dès l'aube.

Cette tâche pourrait être menée à bien par quelqu'un d'autre, c'est 'évident, et John voit clair dans l'intention de Baxter. Il opine avec lassitude, puis me lance un coup d'œil de regret.

— A quelle heure irons-nous parler à Wheaton et à Smith ? dis-je.

— Soyez ici à huit heures, me répond Baxter. L'agent Travis vous conduira.

L'informalité du « Wendy » a disparu. Visiblement, Baxter prévoit des conflits possibles découlant de l'intimité entre John et moi.

— Huit heures. Entendu.

J'ai une envie soudaine de déposer un baiser sur la joue de John, mais il s'évanouirait certainement de gêne si j'agissais ainsi, et je lui épargne cette épreuve.

— Si vous voulez que ces photos vaillent la peine, dis-je à Baxter, vous devriez faire décoller vos avions cette nuit, et les faire équiper d'appareils thermographiques. La brique et la pierre offriront des différences de température suffisantes avec les arbres et la végétation pour rendre toute dissimulation végétale inopérante. Vous pourrez refaire les mêmes prises de vue demain matin avec des pellicules sensibles aux infrarouges, pour souligner les détails. Vers neuf heures vingt, le soleil devrait être à un angle de trente degrés sur les deux horizons, sans trop de nuages. C'est le meilleur moment de la journée.

Pendant que les trois hommes fixent sur moi des regards stupéfaits, je leur lance :

— Bonne nuit, les gars.

Et je marche vers la porte près de laquelle Wendy m'attend.

19

Après la pluie, La Nouvelle-Orléans semble fumer dans le matin. Malgré les premiers signes de l'automne, l'humidité flétrit les cols amidonnés presque instantanément. Par ce matin humide, le Dr Lenz a finalement décidé que j'assisterais à la deuxième entrevue avec Wheaton. Quand j'arrive à l'antenne du FBI, le bâtiment est assiégé par les médias. Peu avant les premiers bulletins d'information, le shérif de Jefferson Parish a annoncé aux journalistes que son service, en collaboration étroite avec le FBI, a identifié des suspects sérieux dans la série de kidnappings qui frappe la ville depuis plus d'un an. La disparition de Thalia Laveau a déjà déclenché une nouvelle vague de panique à travers la ville.

L'entretien de ce matin ne se tiendra pas au Woldenberg Art Center de Tulane, où nous avions précédemment rencontré Wheaton. Aujourd'hui, nous nous garons devant la résidence temporaire de l'artiste – sur Audubon Place, une voie privée proche du campus de Tulane. Audubon Place est fermée par une grille de fer massive flanquée d'un corps de garde, dans la plus pure tradition des blockhaus de la Seconde Guerre mondiale, et les demeures imposantes qui la bordent écrasent de leur luxe même celles de St Charles Avenue, que croise d'ailleurs Audubon Place. Celle où loge Roger Wheaton est la propriété d'un ancien étudiant de Tulane devenu richissime qui vit à l'étranger depuis deux ans. C'est une maison magnifique qui, avec le terrain qui l'entoure et sa situation, doit coûter dans les deux millions de dollars. Mais nous sommes à La Nouvelle-Orléans. A San Francisco, elle vaudrait neuf millions.

John, Lenz et moi avançons ensemble vers la porte d'entrée. Avant que nous l'ayons atteinte, Roger Wheaton apparaît sur le perron. Il porte un pantalon de pyjama bleu, un sweat-shirt au logo de Tulane, ses lunettes à double foyer et ses sempiternels gants de coton blanc.

— Je vous ai aperçus par la fenêtre, dit-il alors que nous gravissons la volée de marches. J'ai vu les infos à la télévision, il y a une heure. Thalia a vraiment disparu ?

— J'en ai peur, répond John. Pouvons-nous entrer ?

— Bien sûr.

Wheaton nous précède dans le vestibule puis dans un salon de réception magnifiquement aménagé. Avec sa longue silhouette, son bas de pyjama et ses cheveux trop longs, il semble incongru dans le fauteuil luxueux où il prend place. Seuls ses gants blancs s'accordent à la pièce, lui donnant l'apparence d'un fêtard à peine réveillé et assez dégrisé pour avoir ôté son smoking après un bal de Mardi gras, mais encore trop enivré pour avoir pensé à retirer ses gants. Hélas, ces gants ne sont pas un accessoire de style ; ils forment une protection bien légère et inutile contre le froid. John et moi prenons place sur le canapé qui fait face à l'artiste, tandis que Lenz s'installe dans un fauteuil à notre droite.

— Eh bien, je vous souhaite le bonjour à nouveau, me dit Wheaton quand je m'assieds.

Son visage exprime un chagrin muet.

— Allez-vous prendre d'autres photos aujourd'hui ?

— J'aimerais que ce soit le cas. Vous êtes un sujet de rêve.

— Nous venons de travailler sur une autre affaire, déclare Lenz. L'agent Travis était avec nous, et nous ne voulions pas la laisser dans la voiture.

L'agent Travis ? Pourquoi suis-je ici, en réalité ? Lenz cherche-t-il à tester encore une fois les réactions de Wheaton à ma présence ?

— Messieurs, dit l'artiste, pensez-vous que Thalia a été enlevée par le ravisseur des autres femmes ?

— Oui, dit John. Nous le pensons.

Avec un soupir, Wheaton ferme les yeux.

— J'étais très en colère hier, à cause de cette invasion de ma vie privée. La police m'a causé un désagrément considérable, et ils ne se sont même pas montrés polis. Mais tout cela semble de bien peu d'importance à présent. Que puis-je pour vous ?

John questionne Lenz du regard, et le psychiatre prend les rênes de l'entrevue :

— Monsieur Wheaton, nous avons appris que

vous aviez rendu plusieurs longues visites au domicile de l'un de vos étudiants, Frank Smith.

Le visage de Wheaton se ferme. C'est visiblement la dernière chose qu'il s'attendait à entendre.

— C'est Frank qui vous a dit ça ?

Lenz choisit d'éluder.

— Nous avons également appris que vous vous êtes violemment disputé avec lui à plusieurs occasions. Nous aimerions beaucoup connaître les raisons de ces visites, et celles de ces disputes.

Wheaton détourne la tête, l'air incrédule. Tout désir de nous aider semble l'avoir déserté, s'il n'est pas anéanti par le dégoût.

— Je ne puis vous aider à ce sujet.

John et Lenz échangent un regard rapide.

— Tout ce que je puis vous affirmer, c'est que ces visites n'ont aucun rapport avec les crimes sur lesquels vous enquêtez. Et vous devrez me croire sur parole.

Je ne doute pas que nombre de suspects refusent de répondre aux questions du FBI, mais il est difficile d'imaginer qu'ils le fassent avec autant de sincérité et de douceur. Je me sentirais presque gênée d'insister. Pas Lenz.

— Je crains que dans les circonstances présentes votre parole ne suffise pas.

Wheaton décoche au psychiatre un regard assez dur pour nous rappeler son passé de combattant.

— Je comprends l'urgence de la situation, dit-il avec calme. Mais je ne puis répondre à cette question.

John accroche mon regard comme pour

quémander mon aide, mais je ne vois pas comment inciter l'artiste à des révélations.

— Monsieur Wheaton, dit Lenz, croyez bien que, personnellement, je déteste devoir importuner un homme de votre stature avec des questions indiscrètes. Cependant le contexte est d'une très grande gravité. Et je peux vous assurer que toutes les réponses que vous nous ferez resteront strictement confidentielles.

C'est bien sûr un mensonge éhonté. Wheaton ne répond pas.

— Je suis psychiatre, reprend Lenz, avec une foi apparente dans le poids énorme de cette déclaration. Et je ne crois pas que ce que vous taisez soit de nature à provoquer la moindre honte.

L'artiste braque sur moi ses yeux clairs et dit :

— Quelle est la véritable raison de votre présence ici ?

— Je suis photographe de profession, monsieur Wheaton, mais je ne travaille pas pour le FBI. Et mon nom n'est pas Travis. Ma sœur est une des victimes du ravisseur. Elle a disparu l'année dernière et depuis, je suis à sa recherche.

La surprise desserre l'étau des lèvres de Wheaton.

— Je suis vraiment désolé. Comment vous appelez-vous ?

— Jordan Glass.

— Jordan Glass. Eh bien, mademoiselle Glass, et avant que je ne prie ces messieurs de partir d'ici, laissez-moi vous affirmer que si j'avais des informations susceptibles d'aider ces femmes, je n'hésiterais pas une seconde à vous les communiquer. J'espère que vous me croyez.

Je le crois, et je le lui dis.

John me lance un regard noir.

— Monsieur Wheaton, dit-il, je comprends votre volonté de préserver votre intimité. Mais il se peut que vous déteniez des informations dont vous n'avez pas qualification pour estimer l'importance.

Wheaton contemple le plafond et laisse ses mains gantées tomber de chaque côté du fauteuil.

— Vous êtes en train de dire que je pourrais détenir des informations qui prouveraient que Frank Smith est derrière ces disparitions, et que je n'en saurais rien ?

— C'est possible.

— Non, ce n'est *pas* possible. Frank ne peut avoir aucun rapport avec ces crimes, assène Wheaton, le visage empourpré par la colère et le regard rivé à celui de John. Quoi qu'il en soit, et parce que Mlle Glass m'a fait prendre conscience des enjeux terribles de cette affaire, je vais vous dire quelque chose qui me trouble depuis notre dernier entretien. J'ai hésité jusqu'à maintenant, parce que Leon fait un coupable trop idéal. Il est souvent déplaisant, mais je pense qu'il a eu une enfance très dure, et parfois il en résulte ce genre de comportement.

C'est tout juste si Lenz ne se lèche pas les babines.

— En ces quelques occasions où j'ai réuni tous mes étudiants diplômés, que ce soit à l'université ou ici, j'ai observé que Leon faisait des remarques déplacées à Thalia. Il se permettait aussi de la toucher sans y avoir aucunement été autorisé.

— Quel genre de remarques ? demande John.

— Des remarques d'ordre sexuel, et très explicites. Des choses comme : « Tu dois savoir bien le faire à la mode cajun, Mama. » Ça a l'air ridicule, n'est-ce pas ? Mais c'est le style de remarque que Leon lui a fait. Je l'ai vu tenir des propos similaires à des étudiantes en licence. Mais avec Thalia, il y avait plus que cela. Un jour je l'ai aperçu qui l'attendait près de sa voiture. C'était il y a plusieurs semaines, à la tombée de la nuit.

— Que s'est-il passé ?

— Elle l'a éconduit avec sa fermeté habituelle. Thalia est une très belle femme, et elle semble habituée à repousser ce genre d'avances.

— Elle est repartie en voiture seule, ce jour-là ?

— Oui. Je pense que Leon la harcelait parce qu'il savait qu'elle posait nue pour une classe d'étudiants en peinture. Pour lui, c'était une sorte d'appel sexuel.

Cela ne m'étonne pas de lui, en effet.

— Vous souvenez-vous de quoi que ce soit d'autre qui ait eu lieu entre eux ? demande John. Quelque chose d'étrange, d'inhabituel ?

Wheaton paraît rechigner à continuer sur ce terrain.

— A deux ou trois reprises, alors que je quittais le centre, j'ai vu Leon qui suivait Thalia à travers le campus.

— De près, ou à distance ?

— Assez loin pour éviter d'être repéré trop aisément. Comme s'il avait l'intention de la suivre pendant longtemps. C'est peut-être une supposition erronée de ma part. Il se peut qu'ils se soient tous deux dirigés vers l'université.

— Mais ce n'est pas l'impression que vous avez eue, dit Lenz.

— Non.

— Vous avez bien fait de nous en parler, lui affirme John.

— Je l'espère. J'accorde beaucoup d'importance au droit à l'intimité, comme je l'ai déjà amplement démontré.

Wheaton se penche légèrement en avant. Et, comme si ce simple mouvement martyrisait les cartilages de ses genoux, il se lève.

— Et maintenant, messieurs, à moins que vous n'ayez *un autre* mandat dans votre manche, je dois vous prier de partir. J'ai du travail.

L'artiste croise les bras, et les gants blancs disparaissent derrière ses biceps.

— Une fois de plus, j'ai horreur de devoir insister, dit Lenz, mais nous sommes dans le flou sur quelques points biographiques de votre vie.

Les sourcils de Wheaton se haussent d'un coup sous l'effet de la consternation.

— Les interviews publiées en disent très peu sur vos origines, au-delà d'un certain point, mais nous savons, par exemple, que vous avez grandi dans une région rurale du Vermont, Windham County. Votre père était fermier ?

Wheaton laisse échapper un soupir irrité.

— Et trappeur.

— Que piégeait-il ?

— Des castors, des renards. Il a essayé de faire un élevage de visons, mais sans succès.

— Le père de Thalia Laveau était lui aussi trappeur, si je ne m'abuse ?

— Oui. Nous avons échangé quelques anecdotes sur ce sujet.

— Pourriez-vous nous en relater certaines ?

— Pas aujourd'hui.

— Nous savons également que votre mère a quitté le domicile familial quand vous aviez treize ou quatorze ans.

Wheaton paraît prêt à jeter Lenz dehors sans ménagement.

— Je me rends compte de ce que cela peut avoir de douloureux, continue le psychiatre, mais nous avons besoin de savoir. Pourquoi est-elle partie sans emmener ses enfants ?

Wheaton déglutit et regarde le sol devant lui.

— Je n'en sais rien. Mon père pensait qu'elle avait rencontré un autre homme et qu'elle s'était enfuie avec lui. Je n'y ai jamais cru. Il n'est certes pas impossible du tout qu'elle soit tombée amoureuse d'un autre homme. Pour être franc, mon père était assez déplaisant, beaucoup trop grossier pour ma mère. Mais jamais elle ne m'aurait laissé, enfin… ne *nous* aurait laissés.

J'ai la gorge serrée. Pressé sans merci par Lenz, Roger Wheaton exprime ma plus grande peur et mon plus grand espoir.

— Je pense qu'elle s'est mise dans une situation de vulnérabilité, dit l'artiste, et qu'il lui est arrivé quelque chose de grave. Et soit mon père ne nous en a jamais rien dit, soit personne ne savait qui elle était réellement. Si elle se dissimulait sous un autre nom pour vivre avec quelqu'un – à New York par exemple –, je peux comprendre que ça se soit passé ainsi.

— Votre père était-il « déplaisant » au point de maltraiter votre mère ? demande Lenz.

— Selon les critères actuels ? C'est indubitable. Mais on était dans les années cinquante, et au milieu de nulle part.

— Vous a-t-il maltraités, vous et vos frères ?

— Bah, une fois encore, selon les critères d'aujourd'hui, oui. Il nous frappait avec la lanière de cuir de son rasoir, avec des baguettes de bouleau, tout ce qui lui tombait sous la main.

— Et la maltraitance sexuelle ?

Le soupir de l'artiste dit tout le mépris qu'il éprouve pour le psychiatre.

— Rien de la sorte, fait-il avant de s'essuyer le front d'un revers de sa main gantée. Et maintenant, j'insiste vraiment pour que vous partiez.

Lenz lance une dernière question en se mettant debout

— Monsieur Wheaton, accepteriez-vous de nous dire simplement si vous êtes homosexuel ? Cela éviterait de fouiller plus avant dans votre vie, d'importuner vos amis, etc.

Wheaton semble s'affaisser sous le poids de la question.

— La réponse sera de pure forme, je le crains. Ma maladie m'a rendu impuissant depuis plus de deux ans, dit-il en toisant Lenz. Vous êtes satisfait ?

Puis il me regarde, et la fierté blessée qu'exprime son visage me fait baisser les yeux.

— Merci du temps que vous nous avez consacré, dis-je avant que Lenz ne le harcèle encore, en reculant vers l'entrée. J'apprécie beaucoup votre honnêteté au sujet de Thalia. Ce que vous nous avez appris aidera peut-être à retrouver Thalia et ma sœur.

Wheaton s'avance et prend ma main entre ses deux gants blancs.

— Je l'espère sincèrement. Y a-t-il réellement quelque espoir qu'elles soient toujours vivantes ?

— L'espoir est mince. Mais il existe.

Il hoche la tête.

— Un jour peut-être, je trouverai le moyen d'expliquer pourquoi je ne pouvais répondre à l'autre question. Alors vous saurez que j'ai fait tout ce que je pouvais faire. J'ai beaucoup d'affection pour Thalia. C'est une âme blessée. Appelez-moi si vous avez envie de parler, ou si vous désirez prendre d'autres photos. J'aimerais peindre votre portrait. Nous pourrions faire un échange.

— Je croyais que vous ne peigniez que des paysages ?

— J'étais un assez bon portraitiste, dans le temps, dit-il avec un petit rire. Ce qui m'a permis de survivre en mangeant des soupes aux pois cassés et des raviolis en conserve.

— Comment se présente votre peinture ? La dernière *Clairière* ? Elle semblait presque terminée quand je l'ai vue.

— J'y suis presque. Encore un jour, deux peut-être. Le président a dû fermer la galerie. La rumeur a circulé que j'avais presque terminé, et toutes sortes de gens viennent pour y jeter un œil.

Des journalistes, des étudiants, des collectionneurs. Bientôt j'accrocherai le dernier panneau de toile dans le cercle, et il faudra escalader un échafaudage et redescendre par une échelle pour se trouver au centre de la toile. Ce sera un soulagement d'achever cette œuvre.

— J'aimerais que vous me peigniez, un jour. J'aimerais voir comment vous, vous me voyez.

— Frank ferait un portrait plus professionnel, mais il n'est pas impossible que je vous voie plus honnêtement que lui.

John et Lenz observent Wheaton comme si chacun de ses gestes et chacune de ses paroles étaient autant de fragments d'un code secret.

— Eh bien, merci, lui dis-je, et je lui serre doucement la main.

— Merci à vous, ma chère.

Wheaton s'écarte de la porte afin que John et Lenz puissent passer dans l'entrée.

— Au revoir, messieurs.

Le Dr Lenz voudrait serrer la main de l'artiste, mais celui-ci recule d'un pas et l'arrête d'un sourire crispé. Un moment plus tard, nous sommes tous trois au-dehors de nouveau, et nous marchons vers la voiture du FBI garée dans la rue.

— Il vient de nous envoyer au diable, commente John.

— En douceur, approuve Lenz. Mais il a désigné Gaines, c'est certain.

— Alors qu'il n'a rien dit hier. Je me demande pourquoi.

— Il vous a dit pourquoi, dis-je avec irritation. Il n'aime pas parler des affaires personnelles des gens. Même quand il s'agit de ce trou du cul de Gaines. Il sait que le FBI va transformer la vie de Gaines en enfer à cause de ce qu'il vous a dit.

— Oui, laisse tomber Lenz, soudain très pensif. Il le sait.

— Qu'avez-vous pensé de ses réponses au sujet de sa mère ? demande John.

Lenz reprend son ton de professionnel pour répondre.

— Il ignore pourquoi elle est partie, mais il ne peut pas l'accepter parce qu'elle aimait son amant plus que ses propres enfants. Quant à la maltraitance… Je ne sais pas. La négation est un comportement d'adaptation classique. Sans une autre entrevue avec lui… Il faudra que je réfléchisse à la chose.

John ouvre la portière avant et me la tient. Il me regarde droit dans les yeux.

— J'espère que tu auras plus de chance avec Frank Smith.

— Ma chance, je me la fabrique.

— Je te crois, dit-il en souriant. Ils ont mis hors service les téléphones de Smith, le fixe et son portable. Cette fois, Wheaton ne pourra pas le prévenir. Tu veux toujours y aller seule ?

— Absolument.

— Direction le Quartier français, alors.

Le sparadrap maintenant l'émetteur T-4 au creux de mes reins m'irrite la peau quand je gravis les marches qui mènent au perron du cottage créole sur Esplanade pour frapper à la porte de Frank Smith. De l'émetteur, un fil court le long de mes côtes jusqu'au microphone accroché au V de mon soutien-gorge. Cette fois, ce n'est pas Juan mais le propriétaire des lieux en personne qui m'ouvre. Frank Smith sourit largement, découvrant les dents blanches d'une enfance aisée, et s'appuie contre le chambranle de la porte avec une grâce languide.

— Visite de courtoisie ? Ou affaire d'Etat ?

— J'aimerais pouvoir vous donner la première réponse, mais ce serait mentir.

Les sourcils soigneusement épilés de Smith s'arquent juste ce qu'il faut.

— Eh bien, alors, je crois que je ne suis pas à mon domicile actuellement.

Son numéro de charme de vedette de cinéma commence à m'exaspérer.

— Vous avez regardé la télévision ce matin ?

— Non.

— Alors peut-être avez-vous lu le *Times Picayune* ?

— J'ai pris un long bain, et ensuite j'ai bu un excellent café dans le jardin. C'est là le résumé de ma matinée. Pourquoi ?

— Puis-je entrer ?

Il plisse ses yeux verts.

— Ne me dites pas qu'il en a enlevé une autre.

— Thalia Laveau.

Smith paraît ne pas comprendre.

— Quoi, Thalia ?

— C'est elle qu'il a enlevée. La nuit dernière.

Pour la première fois, je vois Frank Smith perdre la maîtrise de lui-même.

— Je peux entrer, s'il vous plaît ?

Il fait un pas de côté. Plutôt que d'attendre qu'il me précède dans le salon, je traverse la maison et

451

sors dans le jardin intérieur. La fontaine qui emplissait les lieux de son bruissement est maintenant éteinte, et un merle est perché sur le niveau supérieur. Il y a une petite table en fer forgé sous la glycine au tronc noueux, et c'est là que je m'assieds. Smith prend la chaise en face de moi. Dans son pantalon de marque et son polo bleu roi, il ressemble moins à un peintre qu'à un modèle, mais l'intelligence qui brille dans ses prunelles est indéniable.

— Comment Thalia a-t-elle pu être kidnappée alors qu'elle était sous surveillance ? demande-t-il sans préambule.

— Qu'est-ce qui vous fait croire qu'elle était sous surveillance ?

— Je le suis bien, moi. Où sont vos copains du FBI, aujourd'hui ?

— Ils travaillent.

— Mais ils vous ont envoyée ici. Pour me demander quelque chose. Parce que je vous ai répondu hier.

— C'est moi qui ai exigé de venir seule.

Il soupèse la validité de mon affirmation.

— Donc, je suis toujours suspect. Que voulez-vous savoir ?

Je lui explique sans m'étendre que le Bureau sait que Roger Wheaton a passé de nombreuses soirées ici, et aussi que lui et Smith se sont disputés à certaines de ces occasions, si ce n'est toutes.

— Je m'interrogeais sur l'absence de Juan ce matin, dit Smith. Je suppose qu'ils ont menacé de le renvoyer au Salvador ?

— J'ignore ce qu'ils ont fait, Frank. Je suis

désolée. Et je n'aime pas du tout venir fouiner dans vos affaires intimes. Mais c'est une question de vie ou de mort. Thalia est peut-être encore en vie, et nous essayons de la sauver.

— Vous le croyez vraiment ?

— Qu'elle pourrait être vivante ? Oui.

— J'en suis heureux. Mais ce que vous me demandez n'a rien à voir avec ça.

— C'est aussi ce que Wheaton a répondu.

Smith tourne les mains paumes vers le ciel, comme pour dire : « Question suivante ? »

— Ecoutez, il me semble qu'il ne peut exister que quelques raisons bien innocentes de ne rien dire. La première, Wheaton est gay, et vous avez une liaison.

— Et la deuxième ?

— Je ne vois pas de deuxième explication. La drogue, peut-être. Mais je crois que la première est la bonne.

Smith arbore maintenant un sourire suffisant.

— Et si elle l'est, l'admettre est la manière la plus rapide de faire sortir le FBI de votre vie. Ils se contrefichent totalement de vos pratiques sexuelles, ou de celles de Wheaton. Ce qui les préoccupe, ce sont les autres possibilités.

— Comme ?

— Comme la possibilité que vous soyez impliqué dans une conspiration ayant pour objectif de produire les *Femmes endormies*.

— Ridicule.

— C'est aussi mon avis. Mais je ne dirige pas le FBI. Allons, Frank. Qu'y a-t-il ? Roger Wheaton est gay ?

— Vous lui avez posé la question ?

— Il l'a éludée.

— Quoi d'étonnant à cela ?

— Pourquoi l'éluderait-il ?

— Roger a grandi dans un coin rural du Vermont. Il a cinquante-huit ans, pour l'amour du Ciel. Il est d'une tout autre génération.

— Vous êtes en train de me dire qu'il est gay ?

— Bien sûr qu'il l'est.

Bien sûr qu'il l'est...

Smith suit d'un ongle soigné les volutes taillées dans le plateau en fer forgé.

— Il redoute simplement le genre d'attention qu'attire une célébrité quand on apprend qu'elle est gay.

— Lui et vous êtes amants ?

Sa moue furtive pourrait être de regret.

— Non.

— Alors comment savez-vous qu'il est gay ? Il vous l'a dit ?

— Roger s'est enfui à New York quand il avait dix-sept ou dix-huit ans. Comment croyez-vous qu'il a survécu ? Certainement pas en vendant ses toiles.

— Vous voulez dire qu'il a vendu son corps ?

— Nous nous vendons tous, que ce soit le corps ou autre chose. Imaginez cet adolescent séduisant et talentueux, qui trimballe ses peintures sans originalité dans toutes les galeries. Il se fait remarquer, mais pas pour ses toiles. Avant longtemps, les vieilles reines se sont battues pour lui offrir un endroit où vivre et travailler. Elles ont pris soin de lui jusqu'à ce qu'il s'engage dans les Marines.

— Vous semblez en savoir beaucoup plus sur lui que n'importe qui d'autre.

— Roger m'a confié ces choses parce qu'il savait que je comprendrais. Et je vous les rapporte afin que vous fassiez tout ce que vous pouvez pour que le FBI le laisse tranquille. Sa vie est assez dure sans eux.

— Tout à fait d'accord avec vous. Je le ferai. Mais je ne vois pas complètement clair, là. Si ces visites étaient de nature amicale, à propos de quoi vous disputiez-vous ? Ces cris ?

Smith secoue la tête.

— Je ne peux pas répondre à ça. Le FBI ne doit pas savoir.

— Bon sang, Frank ! Je ne leur donnerai pas de détails. Je leur dirai simplement que j'ai la conviction que ces disputes et ces visites ne signifiaient rien.

— Je ne peux pas.

Emplie de frustration, mais comprenant aussi que Smith rechigne à violer l'intimité de Wheaton, je me penche en avant, dégage le pan arrière de mon chemisier du jean, et arrache la bande adhésive médicale de mes reins. Quand l'émetteur tombe contre le dossier en fer forgé de la chaise, j'imagine la panique de Daniel Baxter dans le van de surveillance, à l'extérieur. J'espère qu'il aura assez de bon sens pour ne pas faire irruption ici l'arme au poing.

— Je coupe la transmission, dis-je d'une voix forte. Ne venez pas.

Smith pousse un hoquet de surprise quand je passe la main dans mon chemisier pour en retirer le petit micro, attaché au soutien-gorge, débrancher le fil et poser l'émetteur sur la table entre nous. J'éteins le boîtier.

— Nous ne sommes plus en direct, Frank. C'est uniquement entre vous et moi.

Il semble prêt à me jeter hors de chez lui.

— Ecoutez-moi, dis-je avec toute la conviction que me confère ma propre souffrance. Ma sœur a deux enfants qu'elle aime plus que sa propre vie. Elle a été enlevée en pleine rue par un prédateur dont on ne sait rien, et elle est probablement en train de pourrir lentement dans les marais, en ce moment même. Il y a onze autres femmes dans la même situation qu'elle, et l'une d'elles est une amie que vous avez dit apprécier et admirer. Les aiguilles de l'horloge se rapprochent de la fin pour Thalia. Est-ce une intrusion dans la vie privée que le FBI sache que Roger Wheaton est gay ? Oui. Est-ce une tragédie ? Non. Si vos disputes n'ont rien à voir avec l'affaire criminelle, tous les efforts fournis par le FBI pour en connaître la raison sont du temps perdu. Vous voulez que ce temps perdu coûte la vie à Thalia ?

— Je pense que vous exagérez mon importance.

— Conneries ! Le FBI n'a pas beaucoup d'éléments sur lesquels enquêter, et ils ne lâcheront pas celui-là tant qu'ils ne l'auront pas compris. Dites-moi la vérité à propos de ces disputes, et si la raison est anodine, je leur dirai de vous foutre la paix une bonne fois pour toutes.

Smith ferme les yeux, inspire longuement, puis souffle lentement avant de soulever les paupières.

Et je lis alors dans ses prunelles que cet homme n'accorde pas facilement sa confiance.

— Vous me donnez votre parole que vous n'irez pas révéler ce que je vais vous dire au FBI, si c'est sans rapport avec leur enquête ?

— Bon sang, vous voulez que je jure et que je crache ? Je ne leur dis rien qu'ils n'aient pas besoin de savoir pour aider à retrouver ma sœur. J'ai même du mal à les supporter. Mais ils représentent le seul espoir de ces femmes et de leur famille.

Smith soupire, son regard se perd vers les anciens quartiers réservés aux esclaves qui forment maintenant un mur de son jardin. Une faible odeur de citron parvient à mes narines.

— C'est simple, dit-il enfin. Roger veut que je le tue.

Une chaleur subite passe sur mon visage.

— Quoi ?

— Sa maladie s'aggrave jour après jour. Elle a déjà atteint ses poumons, et ses autres organes vitaux. La fin sera... très désagréable. Il veut mon aide quand le moment viendra.

De honte, je souhaiterais me dissoudre dans l'air. Soudain tout devient clair, et les réticences de Wheaton en particulier. Si le souhait de l'artiste de voir abréger ses souffrances arrivait aux oreilles de la police, cela pourrait empêcher Frank de risquer sa liberté pour son ami, quelle que soit sa position.

— Vous comprenez, maintenant ? demande-t-il.

— En partie. Mais pourquoi ces disputes ? Vous avez refusé de l'aider ?

— Exactement. J'ai pensé que Roger était peut-être motivé par une dépression clinique. Je me suis dit qu'il avait encore tout un tas de peintures merveilleuses en lui. Je le pense toujours.

Il pose sur moi un regard las, comme si dissimuler la vérité ne valait plus le coup.

— Mais il m'épuise, honnêtement. Il m'a montré son dossier médical, sans parler de son corps, et je commence à comprendre la gravité de la situation. L'assistance au suicide vous vaut dix ans dans cet Etat, ce n'est donc pas une décision que je peux prendre à la légère.

— Je comprends.

— Ah oui ? dit Smith sans chercher à cacher son scepticisme.

Un souvenir affreux me traverse l'esprit.

— J'ai vu un combattant afghan demander à son frère de l'achever pour éviter d'être capturé. Il avait été blessé pendant un raid sur un poste avancé soviétique. La confusion était totale, des gens couraient partout dans la nuit, les soldats soviétiques criaient, les Afghans hurlaient des malédictions, et il y avait ce pauvre type, très maigre, à moitié mort de faim, qui avait reçu une balle dans la hanche. Il était incapable de marcher, et les autres ne pouvaient pas le transporter à travers les montagnes. Il a supplié son frère de le tuer, mais le frère en était incapable. Les autres étaient rassemblés près de la piste et discutaient. Les Soviétiques se rapprochaient. Finalement un cousin est revenu et a tranché la gorge du blessé pendant que les autres priaient. J'ai entendu le cousin sangloter en remontant dans les montagnes.

— Quelle histoire encourageante !

— Désolée. Je voulais seulement… Je sais que

c'est très dur. Comment voulait-il que vous l'aidiez ? Avait-il une méthode en tête ?

— A quoi ça vous servirait de le savoir ?

— Je ne sais pas. Je suis curieuse, je suppose.

— L'insuline.

— L'insuline ?

— C'est une façon très paisible de partir, m'a-t-il dit. Il a fait des recherches. Avec l'insuline, c'est le sommeil, puis le coma, et enfin la mort. Le problème, c'est que parfois on ne meurt pas. On a seulement des lésions cérébrales.

— C'est pourquoi il avait besoin de votre aide ?

— Oui. Il voulait que je lui trouve une drogue qui stoppe son cœur après le coma. C'était après que je lui ai dit que jamais je ne lui passerais un sac plastique sur la tête pour le regarder devenir bleu.

— Bon sang. D'accord. Je dirai au FBI qu'ils aboient sous le mauvais arbre.

— Merci, dit Smith en s'efforçant de sourire. Voulez-vous quelque chose à boire ? Un café ? Un bloody mary ?

— Un verre ne me ferait pas de mal, mais il faut que je parte.

Je me lève et ramasse l'émetteur, le micro et le fil.

— Ecoutez, le shérif de Jefferson Parish a laissé filtrer aux médias que nous avons des suspects. Il n'a pas donné de nom, mais mieux vaut que vous vous y prépariez. Trouvez une chambre d'hôtel, par exemple.

— C'est ce que je vais faire, oui, dit Smith après une moue d'irritation. Juste après avoir appelé mon avocat pour qu'il s'apprête à poursuivre le gouvernement jusqu'au bout.

459

Il se lève, me prend par le bras et m'accompagne dans la maison. Alors que nous passons devant la salle à manger, je jette un dernier coup d'œil au portrait d'Oscar Wilde.

— J'aime vraiment cette toile.

— Merci.

Smith tend la main vers le bouton de la porte, mais je l'arrête en plaquant le bras qu'il tient contre mon flanc.

— Frank, dites-moi une chose. Les poils de pinceau ont mené le FBI à quatre suspects : vous, Roger, Thalia et Gaines. Thalia est hors de cause. Si vous aviez à désigner Wheaton ou Gaines, qui choisiriez-vous ?

— C'est une blague ? Leon était sous surveillance quand Thalia a été enlevée ?

— Oui.

— Hum… Bah, Roger aussi, bien sûr ?

— Bien sûr.

Une dernière pensée me vient, que je me dois de formuler :

— Wheaton vous a-t-il jamais parlé d'avoir été abusé sexuellement dans son enfance ?

Smith souffle sèchement, avec colère.

— J'ai une bonne raison de vous poser cette question, je vous le jure.

— Il ne m'a jamais rien dit de semblable. Et si votre prochaine question est : « Est-ce que vous avez souffert d'abus sexuels dans votre enfance », ma réponse est : « Allez vous faire foutre. » D'accord ?

Il ouvre la porte dans un mouvement brusque et s'écarte largement.

— Revenez me voir bientôt...

Tandis que je sors dans la lumière pâle du soleil et le décor de feuilles jaunies et humides d'Esplanade, la porte se referme sur moi. Cela fait longtemps que je ne me suis pas sentie aussi déprimée. S'immiscer dans la vie intime de quelqu'un n'a jamais été mon truc. Par essence, tout photo journalisme est une forme d'exploitation du réel, mais dans la photographie, l'acte d'invasion est édulcoré par la vitesse merveilleuse de la lumière, qui permet à l'intrus de rester à distance. Pas de questions génantes ni de silences malaisés : simplement le déclic de l'appareil.

Je tourne vers le fleuve Mississippi et me mets à marcher. Je sais que la conduite intérieure du FBI avec à son bord Baxter, Lenz et John va arriver à ma hauteur d'une seconde à l'autre. Ils seront furieux que j'aie cherché à aider Smith, et ce sera très bien ainsi. J'en ai marre d'être un pion dans cette enquête en forme d'impasse. Je me sentirais sans doute autrement si les entrevues de ce matin avaient révélé une piste, un indice, mais elles n'ont rien donné.

Le ronronnement discret du moteur annonce mon escorte. La voiture se rapproche du trottoir sur ma gauche et, puisque je ne m'arrête pas, continue de rouler à ma hauteur. Baxter abaisse la vitre du côté passager, et je vois que c'est l'agent spécial Wendy Travis qui conduit. Sa présence m'indique que John a les mains liées pour la journée, et qu'on me laissera sous la garde vigilante de la jeune femme.

461

— Pourquoi avez-vous interrompu l'enregistrement ? demande Baxter.

— Vous savez pourquoi, dis-je en regardant droit devant moi.

— Que vous a-t-il raconté ?

— Il m'a convaincue que les visites de Wheaton n'ont strictement aucun rapport avec l'affaire.

Baxter jette un coup d'œil vers la banquette arrière, où sont assis Lenz et John. Puis il reporte son attention sur moi.

— Vous pensez être la plus à même d'en juger ?

— Je suis aussi à même d'en juger que n'importe lequel d'entre vous.

Il se retourne encore, et je suis sûre qu'il dit à John d'user de son influence sur moi pour me faire parler. Baxter n'apprécie peut-être pas que je fréquente son profileur, mais il ne voit aucun inconvénient à exploiter ce lien. J'espère que John aura le bon sens de ne pas lui céder.

La voiture stoppe, la portière arrière s'ouvre, et John en descend. Il me rattrape. Ses yeux luisent d'inquiétude.

— Qu'est-ce que tu veux faire ? me murmure-t-il. Quoi que tu dises, je ferai en sorte que ça se produise.

— Je veux marcher.

— Tu veux de la compagnie ?

— Non.

— Tu penses que Wheaton et Smith sont innocents tous les deux, n'est-ce pas ?

— Oui.

— Très bien. Je vais retourner à l'antenne pour étudier les photos aériennes des jardins intérieurs.

462

Appelle si tu as envie de parler. Wendy a un portable.

J'aurai de la compagnie, après tout.

John applique une légère pression des doigts sur mon avant-bras, puis il fait signe à Wendy, qui sort de la voiture. Elle porte son tailleur habituel, mais la veste n'est là que pour cacher son arme. Je résiste au besoin idiot de sortir quelque chose de spirituel. Elle ne fait que son boulot, et du mieux qu'elle peut. Elle règle son pas sur le mien, deux mètres derrière moi, et la voiture nous dépasse et s'éloigne. Je vois John se retourner sur la banquette arrière. Son regard est indéchiffrable.

20

Alors que je marche sur le trottoir ombragé par les chênes d'Esplanade, l'agent Wendy à quelques mètres derrière moi, mon esprit est assailli par un tourbillon d'images que je n'ai nul désir d'analyser. Mon estomac est la proie d'une nausée insidieuse née au moment où le Dr Lenz a forcé Roger Wheaton a avouer que sa maladie l'avait rendu impuissant depuis des années. L'aveu par Frank Smith de la supplique désespérée de Wheaton n'a fait qu'aggraver les choses. L'impact de mes chaussures sur le trottoir m'offre une distraction métronomique, et je me concentre sur ce rythme.

D'Esplanade, je tourne dans Royal Street, qui plus loin devient le centre du marché des antiquités du Quartier français ; ici, dans la partie proche du fleuve, ce n'est qu'une artère paisible bordée de maisons et d'entrepôts aux volets clos. J'ai passé beaucoup de temps à parcourir ce quadrillage de rues quand j'ai emménagé ici à dix-sept ans, pour apprendre à connaître un monde immédiatement plus louche et plus exotique que celui quitté dans le nord du Mississippi. Vingt ans plus tard, l'apparence, les odeurs et les sons restent inchangés. Les balcons en fer forgé ouvragé chargés de fougères et de drapeaux ornent les façades de bâtisses pastel, pas aussi joyeuses que celles qu'on trouve dans les Caraïbes, mais agréables à leur façon imposante. Des effluves du pain en train de cuire et du gombo mis à mijoter flottent en provenance de St Philip Street ; des cris lancés dans le patois urbain de La Nouvelle-Orléans se heurtent au français rapide et précis parlé par des touristes au coin dUrsulines.

A trois pâtés de maisons sur ma gauche, au-delà de Decatur Street et de la digue, le Mississippi roule ses eaux sur lesquelles de grands navires oscillent, plus hauts que les toits des immeubles. Je me sens attirée dans cette direction, mais comme l'eau est contenue par le quai à l'extrémité d'Ursulines, je reste dans Royal et je continue d'un pas d'habituée. Mon oreille me confirme ce que je sais depuis longtemps : je suis le niveau de la mer, et je marche dans un monde dont l'existence n'est que provisoire ; un ouragan touchant la terre déverserait le lac et le fleuve dans le Quartier français, comme dans un bol géant, et les eaux recouvriraient tout, des hommes de Lucky Man jusqu'aux pièges à touristes de Bourbon Street, ne laissant plus apparaître que les flèches de la cathédrale, Andy Jackson sur son cheval, et les mouettes criaillant occupées à décrire des cercles autour des tours électriques.

A St Philip j'oblique sur la gauche, vers le fleuve. Derrière moi, le staccato des chaussures plates s'accélère comme Wendy presse le pas pour rester à la même distance. Les notes d'une *slide guitar* s'échappent de l'entrée du BabyIon Club, et à chaque mètre parcouru le Quartier devient plus commerçant. Je passe maintenant devant des restaurants et des pubs, de petits hôtels. Mais il y a toujours un porche prolongé par un tunnel qui donne sur une cour isolée de la rue, où plane la promesse des rendez-vous de minuit et des soirées masquées. Je frissonne en prenant subitement conscience que les *Femmes endormies* ont peut-être été peintes dans une de ces cours. Comme il est étrange de penser que la nuit dernière, alors que les gens ici buvaient, riaient, faisaient l'amour et dormaient, des avions du gouvernement sillonnaient le ciel au-dessus de la ville, prenant des photos thermiques de tous les bâtiments, à la recherche d'un jardin assez discret pour qu'on y peigne une femme morte sans être dérangé.

Jeanne d'Arc m'attend sur la place de France, îlot de béton au milieu de la circulation. Elle est assise très droite sur un cheval doré, brandissant un drapeau doré contre les nuages gris, monument imparfait dédié à une femme qui a outrepassé ce que les puissants de son temps considéraient être sa place ; un monument honnête la montrerait sur le bûcher. Wendy s'est rapprochée de moi, car soudain nous sommes englouties dans une marée humaine, vague après vague de touristes et de voitures et de marchands du French Market proposant café, légumes et souvenirs curieux. Je peux sentir le fleuve à présent, une odeur boueuse, fétide, portée par la brise fraîche. Je me glisse entre deux grosses colonnes crème, gravis au trot une volée de marches en pierre, et je contemple bientôt un petit parking sur la digue et les bômes d'un cargo dont la ligne de flottaison peinte en rouge oscille au niveau de mes yeux.

— Où allons-nous ? demande Wendy.

— Le fleuve. Il y a une chaussée sur la jetée, de l'autre côté des rails de tramway.

— Je connais. Le Moonwalk.

Elle reste à côté de moi tandis que je marche jusqu'au petit arrêt de tramway à Dumaine, avant de traverser les rails et d'escalader la jetée pour atteindre le passage pour piétons en brique. Ici le fleuve est très large, et ses eaux semblent hautes pour cette période de l'année, une immensité gris-brun qui sépare La Nouvelle-Orléans d'Alger. Les remorqueurs fendent sa surface à une vitesse surprenante, et les mouettes plongent et virevoltent autour d'eux. Nous marchons vers Jackson Square, et au loin j'aperçois les hôtels et les magasins de Canal Place, le bâtiment du vieux Trade Mart, l'Aquarium of the Americas, et les ponts jumeaux qui s'élancent par-dessus la berge ouest.

Nous ne sommes pas seules sur cette piste piétonne. Il y a des touristes bardés d'appareils photo, des joggers coiffés d'écouteurs, des musiciens des rues avec leur étui à guitare ouvert plein de petite monnaie, et des vagabonds qui essaient d'attirer l'attention des passants pour obtenir une pièce. Chaque fois que nous les approchons et les dépassons, je sens Wendy se contracter à côté de moi, puis se détendre.

En contrebas, sur la droite, se trouvent les rails de tramway et le parking qui s'étend sur toute la longueur du Quartier ; sur notre gauche, la pente de la digue qui grimpe sur quinze mètres vers l'eau, un mur de terre bordé de *riprap*, ces gros blocs rocheux gris que le génie civil utilise pour contrôler l'érosion naturelle. Le bois flottant s'agglutine au *riprap* à la limite des eaux, et tous les quarante mètres environ se tient un pêcheur avec sa canne, attendant que ça morde.

— Wendy, vous vous rappelez l'énorme scandale qui a touché le FBI quand on a appris que les gens du labo avaient donné des témoignages sur des preuves fausses ? Cette histoire de résultats maquillés pour donner au procureur les éléments à charge qu'il désirait ?

— Oui ? répond-elle avec curiosité.

— Il n'a pas été prouvé que nombre des analyses hautement technologiques menées par le Bureau n'étaient pas aussi précises qu'on le disait ?

— Dans certains cas, oui. Mais Louis Freeh a fait une priorité de corriger tout ça. Vous pensez aux poils de martre des pinceaux ?

— Je me demande si les quatre personnes que nous harcelons ont vraiment quelque chose à voir avec cette affaire.

— Dans cette affaire, le labo n'a pas cherché à obtenir un résultat défini à l'avance, Jordan. Ils ont juste découvert un type rare de poil de pinceau, et une des rares livraisons de ce produit était à La Nouvelle-Orléans.

Sa réponse est solide, et cela me rassure un peu. Je perçois ma propre respiration, alourdie par la fatigue, mais Wendy parle avec la même aisance que si nous étions attablées devant un bon déjeuner.

— Je n'ai jamais travaillé sur une affaire de

meurtre, dit-elle. Mais j'ai une confiance totale en John et en M. Baxter.

J'acquiesce, bien que ma confiance soit beaucoup moins complète. Au bord de l'eau, là, en bas de la pente rocailleuse, un homme barbu de stature imposante lève les yeux vers nous sur notre passage. Il est assez éloigné pour que Wendy ne se tende pas, mais je sens qu'elle pourrait dégainer son arme en moins d'une seconde.

— Comment était Thalia Laveau ? dit-elle.

— Très gentille. Elle a eu une enfance difficile. Son père et son cousin ont abusé sexuellement d'elle.

— Beurk.

— Mmh.

— Elle était gay ?

— Elle l'est toujours, du moins je l'espère.

— Seigneur, oui, dit Wendy en rougissant un peu. Je ne voulais pas dire…

— Je comprends.

Nous continuons de marcher et elle semble s'enfermer dans ses pensées. Puis elle dit, tout à trac :

— Je ne veux pas vous offenser, ni rien de semblable, mais pendant l'entrevue avec Laveau, je vous ai entendue dire que vous aviez été violée naguère. C'est vrai ?

Je sens la colère jaillir en moi, à l'idée que cette histoire fait sans doute le tour des bureaux à l'antenne du FBI, mais il est difficile d'en vouloir à Wendy, dont la curiosité semble faire partie d'une quête sans fin pour s'améliorer.

— C'est vrai.

— Je vous admire sincèrement pour avoir réussi

à le dire, sachant que les gars vous entendaient par le micro.

— Ça s'est passé il y a très longtemps.

— Ça vous semble être il y a très longtemps ?

— Non.

Elle hoche la tête.

— C'est ce que je me suis dit.

— Avez-vous jamais eu ce genre de problème ?

— Pas à ce point. Un joueur de baseball s'est montré vraiment trop entreprenant sur la banquette arrière de sa voiture, pendant mes études. J'ai attendu qu'il sorte l'objet du délit, et je le lui ai fait amèrement regretter.

— Bien joué.

— Mouais. Mais dans un cas pareil, quand quelqu'un vous enlève en pleine rue, qu'il a planifié le viol…

— Nous ignorons si les victimes ont été violées, lui fais-je remarquer.

— Eh bien, oui, c'est vrai, sauf pour la femme enlevée chez Dorignac.

Une chaleur désagréable monte en moi.

— Pour les autres, je ne me permettrai pas d'établir une corrélation, poursuit Wendy. Nous n'avons aucune preuve irréfutable que notre homme est l'auteur de ce meurtre.

Ses paroles me figent sur place.

— La femme enlevée chez Dorignac a été violée ?

Wendy semble un peu déroutée par ma réaction.

— Eh bien, ils ont retrouvé du sperme en elle. Elle venait peut-être d'avoir un rapport consenti, bien sûr, mais je crois que dans ses conclusions le pathologiste penchait pour le viol.

Une goutte de pluie vient s'écraser sur mon visage alors que je me tiens là, immobile dans la brise. Jusqu'à maintenant, je pensais que la police avait effectué des prélèvements d'ADN sur les suspects pour les comparer avec les fragments de peau retrouvés sous les ongles de cette victime. Mais ils avaient mieux que cela. En me tournant vers la gauche, j'aperçois la ligne grise de l'averse qui progresse à travers le fleuve, poussée par le vent, ridant les eaux comme une armée de soldats invisibles venant des plages d'Alger.

— Je viens de faire une gaffe, hein ? dit Wendy. Ils ne vous en avaient rien dit.

— Ils ne m'en avaient rien dit.

— Je suppose qu'ils ne voulaient pas que vous souffriez encore plus, à cause de votre sœur et tout ça.

Ma colère naissante est supplantée par la douleur qu'engendre en moi la trahison de John. Comment a-t-il pu me taire cette information ? Puis vient l'image de Jane accablée par la terreur du viol…

— Bon sang, je suis dans la panade, là, murmure Wendy.

Mais au lieu de me demander de garder mon calme, elle ajoute :

— Ils auraient dû vous mettre au courant.

Je reprends mon chemin sur le passage pour piétons, malgré la pluie qui est d'ailleurs légère et sans doute passagère, si mes souvenirs de La Nouvelle-Orléans sont bons.

— Il pleut, vous savez, remarque Wendy.

— Oui.

Touristes et joggers pressent l'allure, mais les pêcheurs restent fidèles à leur poste, sachant que ce ne sera sans doute qu'une courte ondée.

Un concert de grincements métalliques derrière nous fait presque sursauter Wendy, mais c'est seulement le tramway. En quelques secondes il nous dépasse et s'arrête de l'autre côté de Jackson Square. Sur notre droite se dresse le toit orange foncé du Café du Monde, et l'odeur du café et des beignets frits balaie la digue. La salive emplit ma bouche et mon estomac vide se rappelle douloureusement à moi.

— Réflexe pavlovien, dis-je doucement.

— Nous pourrions aborder un sujet personnel un instant ? demande Wendy d'une voix hésitante.

— Je croyais que nous le faisions.

— Un autre sujet…

Je devine ce qui va suivre. Et je redoute les questions qu'elle va poser.

— Bien sûr.

— Je pense que John en pince pour vous.

— C'est vrai.

— Et c'est réciproque ?

— Oui.

Alors qu'un homme de grande taille coiffé d'une casquette vient vers nous, je la sens se crisper et attendre qu'il nous croise. Une fois qu'il s'est éloigné, elle regarde par-dessus son épaule jusqu'à ce qu'il soit à bonne distance.

— Eh bien, il me plaît, à moi aussi, ça, vous le savez déjà. John le sait aussi, je crois. Je veux dire, il faudrait qu'il soit aveugle pour ne pas s'en être rendu compte. Quand je ressens quelque chose pour quelqu'un, je ne suis pas vraiment subtile pour le cacher.

— Personne ne l'est, quand c'est vraiment fort.

— Je suppose que je ne suis tout simplement pas le genre de femme qu'il attend, dit-elle, d'un ton remarquablement détaché. Bon, je sais qu'il m'aime bien, mais… Vous savez ce que je veux dire.

— Je sais ce que vous voulez dire. Ce n'est jamais facile, ce genre de situation.

— Bah… Ce qu'il y a de bizarre, c'est que je ne suis même pas jalouse de vous. Si c'était une autre femme du Bureau, je le serais probablement.

Elle shoote dans un caillou.

— Qui est-ce que j'essaie de tromper ? Bien sûr que si, je le serais. Je me comparerais à elle et je me demanderais ce qu'elle a que je n'ai pas. Mais vous, vous êtes différente.

Devant nous, un peu sur la droite, un guitariste assis sur un banc joue un blues. Une femme se tient debout à côté de lui, protégeant le musicien et l'instrument avec son parapluie. Un petit groupe de badauds écoute avec un plaisir visible.

— Sans doute pas aussi différente que vous le pensez, lui dis-je. Je ne suis qu'une femme.

— Non, vous êtes différente, insiste-t-elle. Tant de femmes que je connais, professionnellement, luttent continuellement pour se faire respecter. Elles sont tellement conscientes de la façon dont on les traite, elles veulent tellement être respectées qu'elles n'utilisent que soixante-dix pour cent de leur cerveau dans le travail. Parfois je me sens comme elles. Mais vous, vous faites juste ce que vous avez à faire, comme si vous n'y pensiez jamais. Vous vous attendez à être respectée, simplement, et vous l'êtes.

— Je suis plus âgée que vous. J'ai beaucoup plus de kilomètres au compteur.

— C'est ça, dit-elle. Pas l'âge, mais les kilomètres. Le fait que vous êtes allée aux quatre coins du monde, que vous avez couvert des guerres, des situations extrêmes. Vous avez vu le combat. Je n'ai encore jamais vu John ou le directeur régional se comporter comme ils le font avec vous. Avec une autre femme, je veux dire. Pas même avec les adjointes du directeur régional.

— Vous y arriverez. Mais ça n'a rien d'un moment critique, vous verrez. Un jour on se rend simplement compte qu'on participe au jeu, au lieu d'en être spectatrice. On est dedans, et il n'y a plus moyen d'en ressortir, même si on le désire.

— Je serai contente quand ce jour arrivera.

— Ne soyez pas trop pressée.

— Parfois je repense à Robin Ahrens. Elle a été le premier agent féminin du FBI à être tuée en service commandé. C'est arrivé en 1985. Ils essayaient de stopper la voiture blindée d'un voleur et la situation a dégénéré. Elle a été abattue par un agent qui l'a prise pour le suspect.

— Vous êtes curieuse de savoir à quoi ça ressemble, l'action, n'est-ce pas ?

— Je crois que oui. Je veux dire, je fais quand même partie du Groupe des interventions spéciales.

Forcément, on s'interroge sur ce que c'est, en vrai.

— L'histoire de Robin est un exemple typique. Le combat, c'est la confusion totale dès le premier coup de feu. Tous les vétérans vous le diront. Souvenez-vous de votre entraînement, et n'essayez pas de jouer les héroïnes. C'est la règle d'or, dans ces situations.

— Je veux juste faire mon boulot, dit Wendy. Sans commettre d'erreur ni blesser ou tuer quelqu'un d'innocent.

— Ça ne vous arrivera pas. Votre vie sentimentale est bien plus compliquée que votre boulot ne le sera jamais.

Elle rit, mais c'est un rire teinté de tristesse.

— Vous avez sans doute raison. Bah, de toute façon, je sais que John est attiré par vous, et c'est comme ça. Inutile de vous dissimuler devant moi.

Je me demande si je serais capable de ressentir la bonté naturelle et désintéressée qui s'épanche de cette femme. Sans doute pas. J'effleure son avant-bras.

— Merci, Wendy. Et je n'ai pas encore couché avec lui, si vous vous posez la question.

— Je ne vous le demandais pas, dit-elle très vite, avant de se mordre la lèvre. Même si je me posais peut-être la question. Un peu.

Nous rions en chœur, et soudain la journée ne semble plus aussi grise, ni la pluie aussi froide. J'adresse un petit signe au guitariste en guise de compliment, et nous arrivons sur la place d'artillerie et Jackson Square. En face de Decatur, les attelages pour touristes attendent, les chevaux stoïques sous l'averse, tandis qu'à côté d'eux un vendeur ambulant brandit des saucisses chaudes sous le petit auvent de sa carriole entourée de vapeur. Sur St Ann, les tables de diseuses de bonne aventure s'alignent sur le ciment, et les artistes de rue cherchent à attirer le regard du chaland avec les portraits de Barbra Streisand, de Duke Ellington, des Beatles.

— La pluie ne faiblit pas, constate Wendy. Peut-être devrions-nous appeler une voiture.

— Dans une minute.

Sur notre gauche, de larges marches basses en bois mènent directement au fleuve.

— Descendons à la vieille Jax Brewery. Pour prendre un bon café.

Wendy accepte d'un hochement de tête, mais je vois bien que cela ne l'enchante guère. J'accélère l'allure tout en refrénant de mon mieux ma colère contre John. La pluie a dispersé la foule des promeneurs, mais deux hommes arrivent vers nous, un jeune avec un jean crasseux et une barbe en broussaille, et quelques mètres derrière lui un homme vêtu d'un pantalon kaki et d'un polo. Instantanément sur le qui-vive, Wendy épie le barbu, puis jette un coup d'œil derrière elle quand l'inconnu nous dépasse. Pendant qu'elle le suit du regard, l'homme au polo lève le bras droit à l'horizontale, et le nickel poli luit sous la pluie.

Je pousse un cri d'alarme vers Wendy, et avant que le son de ma voix ne s'éteigne elle est campée devant moi, sa main volant sous le pan de sa veste vers l'arme dans son holster.

La détonation explose et roule sur la digue, et

quelque chose de chaud et d'humide asperge mon visage. Wendy semble tituber sur place, puis elle s'écroule à la renverse sur le sol de brique, avec le même bruit sourd qu'un sac de sable. Mon chemisier blanc est éclaboussé d'une fine brume rouge. Le sang de Wendy. Des cris s'élèvent du parking, et je sens plus que je ne vois les gens qui se jettent au sol.

L'homme au polo se rue sur moi, l'arme braquée sur ma poitrine, et m'agrippe le bras de sa main libre.

— Bouge ton cul ! crie-t-il, en me tirant vers les rails de tramway. Bouge !

Je suis hypnotisée par la vue de Wendy qui gît sur le dos, les yeux grands ouverts fixés sur le ciel, une grosse bulle de sang aux lèvres. Mon agresseur lui tire dessus une fois encore, dans le torse. Elle n'émet aucun son, ne tressaute même pas.

D'une saccade je tente de dégager mon bras, mais il abat violemment la crosse de son arme sur mon front, et le monde n'est plus qu'un trou noir pendant un instant.

— Bouge-toi ou je te tue maintenant !

Des pensées qui s'entremêlent : sa force terrible ; son manque total d'hésitation pour tuer Wendy, comme John l'avait prédit ; la conscience que ce n'est pas une agression fortuite, qu'il a abattu Wendy pour m'enlever, qu'il me veut vivante ; que c'est lui, le kidnappeur, le fumier qui a enlevé ma sœur. Il n'est plus question de le traquer. C'est lui qui m'a traquée. Et il m'a eue.

Alors qu'il me traîne vers les rails, je remarque un homme dans le parking qui ne s'est pas aplati sur le gravier du sol. Il a les deux bras levés devant lui, dans notre direction, et je commence à me baisser quand je reconnais John Kaiser.

— Jordan ! crie-t-il. A terre !

Je me laisse tomber de tout mon poids, mais mon ravisseur me maintient devant lui comme un bouclier. John se déplace vers la gauche, pour trouver un angle de tir, mais je suis dans sa ligne de mire. L'autre vise John et presse très vite la détente, à trois reprises. John se tourne de profil pour offrir une cible réduite, mais son mouvement se poursuit et il s'écroule.

— Un flic de moins, dit la voix à mon oreille tandis que le canon du pistolet se colle à ma tempe. Bouge.

Il veut aller dans le parking. Je ne peux pas le laisser m'embarquer dans une voiture. Je repense soudain au pistolet que John m'a donné, mais il est dans son holster, inutile, dans la Mustang de location garée devant les bureaux du FBI. La seule arme à ma disposition est ce que je sais : cet homme ne veut pas me tuer ici. Il a en tête une fin beaucoup plus exotique. Je lance le coude en arrière, dans ses côtes flottantes, et je suis récompensée par un craquement sec et un hurlement de douleur. Son bras desserre son étreinte une seconde, je m'en dégage et je cours en arrière, vers Wendy et son arme. Mais en m'approchant d'elle je m'aperçois qu'elle est couchée sur le holster coincé dans le creux de ses reins. Si je m'arrête pour retourner son corps, il me rattrapera. Nulle part où fuir sauf vers le fleuve, aussi je m'élance vers les marches en bois qui descendent vers la berge. J'approche de la première quand une détonation claque derrière moi.

— Ne me force pas à te buter !

Au sommet de l'escalier, je forme une cible aussi idéale que les silhouettes de canard dans un stand de tir à la foire. Et impossible d'atteindre l'eau d'un bond. Il me faudra attendre une meilleure occasion.

Faisant volte-face, je le vois marcher vers moi, pistolet levé, ses yeux sombres étincelants. Il me semble un peu plus âgé que moi, avec quelques traces de blanc dans les cheveux et un visage buriné. Je ne l'ai encore jamais vu, mais je reconnais le feu sombre dans ses prunelles, venu d'endroits que je préférerais oublier.

— On va à ma bagnole, lâche-t-il. Si tu résistes, je te loge une bastos dans la colonne vertébrale. Tu deviendras aussi molle qu'une poupée de chiffon, et je devrai te porter, mais tu seras encore bien chaude et accueillante entre les cuisses, et tu feras toujours une jolie image pour le patron.

La conviction glacée dans sa voix me paralyse, balayant toute émotion autre que la terreur. Il me saisit le bras pour me faire traverser de force le chemin de promenade.

A trente mètres de là, John est affalé sur le ventre et tente en vain de se mettre à genoux. Quand nous passons à sa hauteur, mon agresseur lui tire dessus une fois, comme il l'a fait avec Wendy. Ce cauchemar m'écrase physiquement, et mes membres me semblent soudain peser des tonnes…

— Jooordan !

Le cri me stoppe net, et en une fraction de

seconde je comprends qu'il vient de la gorge de Wendy. Je tourne la tête et je la vois allongée sur le ventre mais redressée sur les coudes, son pistolet serré dans ses deux mains, les yeux brillants à travers le sang et la pluie. Un bras décrit un arc de cercle autour de moi pour la viser, mais je le repousse d'un geste et me jette aussi loin que possible de l'homme.

Une flamme orange jaillit du canon de l'arme de Wendy.

Un grognement rauque s'élève à côté de moi. Mon agresseur chancelle, puis relève son arme. Celle de Wendy crache une nouvelle fois. Hurlant de rage et de douleur, il fonce vers elle, aveuglé par la haine. Wendy tire encore mais le rate, et lui aussi se met à tirer balle après balle. Il la manque quatre fois, puis la tête de Wendy est violemment rejetée en arrière. Je pousse un hurlement parce que je ne veux pas y croire, mais je sais au plus profond de moi qu'elle est perdue.

L'homme pivote lentement vers moi, car il est blessé et ses mouvements deviennent patauds. Le sang macule son polo à la poitrine et à l'épaule. A vingt mètres de distance, il lève son arme et la pointe sur moi. J'ai les yeux pleins de larmes, et je vois bien qu'il a abandonné son plan initial. Maintenant, il veut me tuer.

Le pistolet tremble, se stabilise, puis vole vers le ciel tandis que le tonnerre éclate derrière moi et se répercute au loin. Je tournoie sur place pour découvrir John agenouillé au bord de la digue, son automatique calibre 40 braqué dans une immobilité absolue.

— Couche-toi ! me crie-t-il.

Je plonge sur le chemin, et John vide son chargeur méthodiquement. Les détonations roulent sur le fleuve, et les échos des premières se mêlent aux dernières. Quand je relève la tête, mon agresseur a disparu.

Le vacarme des tirs se dissipe et je me mets à ramper vers Wendy, dans l'espoir qu'il n'est pas encore trop tard. J'arrive enfin auprès d'elle. Les cheveux à l'arrière de son crâne ne sont plus qu'une masse de sang et de matière cervicale, et mon cœur se sert devant la réalité. C'est la première chose que j'ai apprise dans un hôpital militaire de campagne : une matière grise apparente signifie que le blessé ne s'en sortira pas.

— A terre ! crie John. A couvert !

Je dépose un baiser sur les cheveux de Wendy, puis je me lève avec effort. Je marche d'un pas de somnambule jusqu'au sommet de l'escalier en bois. L'homme au polo est debout mais plié en deux en bas des marches. Le souffle heurté, il cherche à s'appuyer à un pieu en bois. Alors que je l'observe sans la moindre once de pitié, sa main lâche le pieu et il choit tête la première dans le fleuve.

Après un moment il réapparaît à la surface et flotte sur place, sa bouche s'ouvrant et se refermant comme un poisson tiré au sec. Puis il pivote lentement sur lui-même et le courant se saisit de lui. Je n'éprouve aucune urgence à le sauver, mais alors qu'il est emporté le long de la berge, je me rends compte que si le flcuve l'engloutit nous ne connaîtrons peut-être jamais son identité, nous ne retrouverons jamais Thalia, ou Jane, ou n'importe laquelle des autres. Et nous ne saurons jamais ce qui leur est arrivé.

Enjambant la chaîne, je m'efforce de rester à sa hauteur en courant parmi le *riprap* traître. Cheminer sur les rochers gris sans se tordre une cheville n'est pas chose aisée, et le flot le charrie rapidement, d'autant qu'il se rapproche du plus fort du courant. Il est déjà à six mètres de la rive, et il s'en éloigne de plus en plus.

— Au secours ! crie-t-il, et je vois la panique emplir ses yeux. Je ne peux pas respirer !

Ses poumons s'emplissent sans doute de sang. Il pourrait se noyer lui-même avant que le fleuve ne l'avale. Je ne peux pas plonger pour le secourir : il risquerait de m'entraîner vers le fond sans même le vouloir.

— Je vous en prie ! crie-t-il encore. Je n'arrive pas à rester à la surface !

— Va au diable !

J'ai hurlé cette imprécation alors que j'ai besoin de le sauver.

Il est à huit mètres du bord maintenant, et tourne en cercles lents dans une attraction irréversible. Il lance encore quelque chose que je ne peux saisir. Quand son visage se retrouve en face de la berge, il répète la phrase.

— Ta sœur est vivante !

Une décharge d'adrénaline incendie mes veines, et je dois lutter de toutes mes forces pour ne pas me précipiter vers lui. C'est ce qu'il espère, bien sûr. Il ment, forcément. Pourtant je lui crie :

— Où est-elle ?

— Aide-moi ! Je peux la sauver ! Je t'en prie !

— Dis-moi, d'abord !

Sa tête glisse sous la surface, pour la crever un instant plus tard. Je rejoins tant bien que mal la limite de l'eau, où un gros morceau de bois flottant est coincé entre les rochers. C'est une longue branche patinée par les flots.

— Jordan ! hurle une voix lointaine, celle de John, au sommet de l'escalier. Ramène-le avec la branche !

Je saisis cette gaffe improvisée et j'y mets toutes mes forces, mais il semble impossible de la libérer des rochers. Chaque seconde entraîne l'homme un peu plus en aval, et le sort de ma sœur s'éloigne avec lui. Je ne pourrais sauver ce salaud qu'en plongeant moi-même, et ce serait de la folie. De bons nageurs se noient dans le Mississippi, même sans quelqu'un qui veut les tuer.

Soudain, sans réfléchir, ma main ouvre le zip de ma ceinture banane et sort le Canon automatique que j'ai utilisé dans le musée de Hong Kong.

Je pointe l'objectif sur l'homme en train de se noyer et je prends une photo, puis je saute de rocher en rocher sans penser à ce que risquent mes os pour essayer de me rapprocher de lui. Mais le courant l'emporte, à présent. Il est à douze mètres du bord et tournoie lentement en s'éloignant. Quand son visage réapparaît, je prends trois clichés en rafale, puis je cours sur les rochers en espérant une autre occasion. Il est déjà à quinze mètres du bord. Sa tête s'enfonce dans l'eau pour la dernière fois.

Haletante, exténuée, je me détourne du fleuve et

remonte avec précaution sur la digue. John est assis au sommet de l'escalier, à cinquante mètres de moi, un téléphone portable à la main. Le hululement croissant des sirènes me parvient du Quartier français. Pendant que je trotte vers l'endroit où il se trouve, John pose le téléphone sur le sol et resserre sa ceinture qu'il a passée en garrot à sa cuisse.

— Tu es touché à la jambe ? dis-je.

C'est visiblement très douloureux. Il acquiesce et désigne le bas des marches d'un mouvement de menton.

— Descends pour voir si tu peux retrouver son arme. Il l'a peut-être laissée tomber. Pour les empreintes.

Je m'exécute et j'examine chaque centimètre carré du bois décoloré des marches jusqu'à la dernière, mais pas d'arme. En revanche il y a du sang, en grande quantité.

— Regarde dans les rochers qui affleurent au bord.

On n'a pas surnommé le Mississippi le « Grand Boueux » sans raison. On ne voit pas à travers ses eaux. Je m'agenouille et tâtonne sur toute la longueur de ma première marche immergée, sans succès. La deuxième est tapissée de boue. Je me déplace sur le côté, j'explore en aveugle les rochers sous la surface, une fois encore sans résultat. Je ressors la main de l'eau quand je me fige. Gisant entre deux rochers dans une flaque d'eau huileuse, un téléphone portable. En le ramassant, je constate qu'il est maculé de sang.

— Tu as quelque chose ? me crie John.

Tenant l'appareil par sa courte antenne, je remonte l'escalier.

— Le fils de pute, grogne John.

— Il est toujours allumé, lui dis-je en consultant l'écran à cristaux liquides empli d'eau.

— Doucement…

Il me prend le téléphone par l'antenne et le brandit devant ses yeux.

— Et merde ! Il vient de s'éteindre !

— Tu peux quand même relever les empreintes ?

— Possible. Mais ce qu'il nous faut surtout, c'est la mémoire. Cet appareil va partir en avion pour Washington. N'en parle à aucun flic en tenue. Attends les gars de la Criminelle.

Il désigne la digue en direction du Quartier français, où deux membres de la police montée coiffés de casques blancs guident leurs chevaux à travers les voies de tramway.

Je m'assieds auprès de John, et dès que je suis immobile, je me mets à frissonner de la tête aux pieds. Je serre mes mains l'une contre l'autre avec force, pour faire cesser leur tremblement.

— Wendy est morte, dis-je doucement.

Il hoche la tête.

— Elle s'est jetée devant moi.

— Je l'ai vue faire. Elle a fait son boulot. C'était une fille bien.

— Ce n'était pas « une fille ». C'était une héroïne. Et elle adorait le sol que tu foulais.

— Je sais. Bon sang

— Elle mérite une médaille. Pour sa famille.

— Evidemment.

— Dis-moi, qu'est-ce que tu fichais ici ?

John soupire mais ne me regarde pas.

— Je ne le sentais pas de te laisser te promener dans le Quartier français comme ça. Je savais que tu étais bouleversée après ta visite chez Frank Smith, et j'ai toujours eu le sentiment que tu courais un plus grand danger que les autres ne le supposaient. Je savais aussi que tu n'avais pas pris ton arme.

Je presse sa main entre mes doigts.

— Je suis heureuse que tu sois aussi para-noïaque.

— Que t'a dit ce type, en bas ?

— Il a dit que Jane était vivante.

John pose sur moi un regard dur.

— Tu l'as cru ?

— Je ne sais pas. Ce que je sais, c'est que ce n'était pas Roger Wheaton, Leon Gaines ou Frank Smith. Et il a dit autre chose, John.

— Quoi ?

— Que s'il devait me tirer une balle dans la colonne vertébrale pour me maîtriser, je serais tou-jours chaude et accueillante entre les cuisses, et je ferais encore une jolie image pour le patron.

Le visage de John pâlit.

— Il a dit ça ? « Pour le patron » ?

— « Pour le patron », oui.

— Bordel de merde…

Le claquement des sabots sur les briques se rapproche. John extrait son porte-cartes de son pantalon et l'ouvre pour montrer sa carte du FBI.

— Tu m'as menti, John.

— Hein ?

— La victime de Dorignac a été violée, et tu le savais. Ils ont trouvé du sperme en elle.

Il ne dit rien pendant quelques secondes, puis :

— L'autopsie n'a pas été catégorique pour ce qui est du viol.

— Tu as dû demander à son mari à quand remontait son dernier rapport avec elle, non ?

Il laisse échapper un soupir résigné.

— D'accord, il y a sans doute eu viol. Je ne voulais pas t'infliger ça en plus de tout ce que tu endures déjà. En particulier avant les entrevues. Je ne voulais pas que tu souffres sans raison, et personne ne voulait que tu sois furieuse contre les suspects au point de ne pas pouvoir te conduire en professionnelle.

— Je comprends. Mais ne me cache plus jamais rien.

— Entendu.

— Rien, John.

— J'ai compris.

Les chevaux s'arrêtent devant nous. Deux policiers – un Blanc, un Noir – nous toisent sans aménité, l'arme pointée.

— Mains en l'air ! Tous les deux.

John brandit sa carte bien en vue.

— Agent spécial John Kaiser, du FBI. Cette scène de crime doit être isolée en attendant l'arrivée du groupe d'intervention. J'ai été blessé par balle et je ne peux pas marcher, alors occupez-vous-en.

21

Ce qui a suivi la mort de Wendy est pour moi très embrouillé maintenant, alors que l'ascenseur me mène au troisième étage de la forteresse du FBI en bordure du lac Pontchartrain. Pendant que John passait quatre-vingt-dix minutes en salle d'opération, je suis restée assise dans la salle d'attente avec assez d'agents spéciaux armés jusqu'aux dents pour avoir l'impression d'être la première dame du pays. Daniel Baxter et le directeur régional Bowles sont venus ventre à terre de l'antenne du FBI, mais uniquement pour faire sentir leur présence à John et aux médecins. Ils sont très vite repartis pour diriger la traque du cadavre du tueur et régler une centaine d'autres détails, me laissant seule avec les images de Wendy luttant et mourant pour me sauver, son sang m'éclaboussant, et la voix de mon agresseur à mon oreille : « Si je te tire une bastos dans la colonne vertébrale, tu seras toujours chaude et accueillante entre les cuisses… » Par chance, un de mes nouveaux protecteurs est une femme qui m'a apporté un chemisier de rechange de sa voiture. Elle a enveloppé le mien dans un sac au cas où il serait demandé comme preuve. Mais me débarrasser de ce vêtement n'a rien fait pour adoucir ce cauchemar éveillé où j'ai plongé.

John est sorti de l'intervention chirurgicale sans problème, mais le médecin n'a pas voulu le laisser partir avant vingt-quatre heures. John l'a remercié, puis il a pris la béquille déposée dans sa chambre et il est sorti en claudiquant de l'hôpital. Supposant que j'étais son épouse, ou quelque proche du blessé, le chirurgien m'a instamment recommandé de prendre soin de sa jambe. J'ai promis tout ce qu'il voulait, puis j'ai rejoint John qui m'attendait dans une voiture du FBI.

« Où va-t-on, monsieur ? » a demandé le jeune agent derrière le volant.

Sur un plan purement technique, lui et John sont de même rang, mais en temps de crise une hiérarchie naturelle s'instaure.

« L'antenne du FBI, a répondu John. Sans tarder. »

Baxter, Lenz et le directeur régional Bowles nous attendent dans le bureau de Bowles. Ils ont passé les dernières heures au Centre opérationnel d'urgence, mais le bureau de Bowles est équipé d'un fauteuil en cuir avec une ottomane où John pourra étendre sa jambe blessée.

— Comment va, John ? s'enquiert Baxter pendant que je l'aide à s'asseoir.

— Un peu raide, mais ça ira.

Baxter acquiesce comme j'ai vu des officiers le faire quand un combattant dont on a besoin ment au sujet de sa blessure. Personne ne va dire à Kaiser de prendre du repos.

— Comment vous sentez-vous, Jordan ?

— Je tiens le coup.

— Je sais que ça n'a pas été facile d'être témoin de ce qui est arrivé à Wendy.

Je commence par garder le silence, mais je ressens très vite le besoin de dire quelque chose.

— Il faut que vous le sachiez, elle a fait tout ce qu'il fallait. Le premier type qui venait vers nous avait l'air beaucoup plus suspect, et il a détourné son attention. Quand le type au polo a sorti son arme, elle s'est jetée devant moi en dégainant. Personne n'aurait pu faire mieux. Personne.

Les mâchoires de Baxter se crispent et dans ses yeux, le chagrin le dispute à la fierté.

— C'était la première affaire où je perdais un agent de la main d'un criminel en série, dit-il à voix basse. Maintenant j'en ai perdu deux. Il est inutile de le dire, mais je vais le dire quand même. Nous n'aurons pas de repos tant que chaque fumier impliqué ne pourrira pas dans une cellule de haute sécurité ou ne sera pas mort.

— Amen, dit le directeur régional Bowles. J'ai une centaine d'agents en bas, prêts à bosser vingt-quatre heures sur vingt-quatre. Wendy avait beaucoup d'amis.

— On n'a toujours pas repêché le corps ? demande John.

— Non. Les gardes-côtes et des plongeurs sous contrat effectuent les recherches, mais le Mississippi est sans pitié. Des types tombent des barges tout le temps sans qu'on retrouve jamais leur cadavre. Il nous faut accepter l'éventualité qu'il en soit de même pour celui-là.

— Et le téléphone portable ?

— Aucune empreinte.

— Pas d'empreinte sur un portable ? Comment est-ce possible ?

— Il a été entièrement nettoyé. Il le portait quasiment désinfecté. Notre homme prenait des précautions extrêmes. Il a dû se dire que s'il perdait le téléphone pendant l'enlèvement, des empreintes mèneraient très vite à une identification. Pour les bonnes nouvelles : si nous retrouvons le corps, nous aurons un nom en un rien de temps.

— Et la mémoire ?

— Le service scientifique de Quantico vient de réceptionner le portable. Ils disent que si le court-circuit n'a pas grillé la puce, nous pourrions avoir de la chance. Nous devrions recevoir leur rapport d'un instant à l'autre.

Baxter pianote du bout de ses doigts joints.

— Et les photos ? dis-je.

— C'est notre meilleure nouvelle pour l'instant. Elles étaient floues, mais exploitables. L'université d'Arizona a produit une définition correcte de la meilleure, et elle passe sur les chaînes télé locales depuis deux heures. Trois appels jusqu'à maintenant, mais ce n'est pas fini. Le *Times Picayune* sortira la photo dans son tirage du matin.

— Eh bien, grogne à moitié John, nous avons obtenu le résultat recherché. Nous avons paniqué quelqu'un. Il y a eu du retard dans la réaction, et elle a été beaucoup plus violente que ce que nous attendions.

— Ouais, approuve Baxter.

— Et l'arme du tueur ?

Baxter fait la moue.

— Le fleuve est gros en ce moment, et le courant puissant. De plus, le fond du Mississippi est sablonneux en certains endroits, et l'eau passe dedans jusqu'à une certaine profondeur. Les objets lourds s'y enfoncent en quelques secondes. Nous faisons des efforts considérables, mais une fois encore, il ne faut pas entretenir trop d'espoirs. Il faut pourtant que nous retrouvions ce corps. Alors nous pourrions étudier les liens possibles avec Wheaton, Gaines ou Smith.

— Où étaient les trois mousquetaires pendant ces événements ? demande John.

— Tous présents et surveillés. Wheaton peignait au centre. Il s'y trouve depuis que vous lui avez parlé ce matin. Après que Jordan l'a quitté, Smith est allé déjeuner à Bayona, puis il a fait des courses dans un magasin d'ameublement, et ensuite il est rentré chez lui. Il est actuellement en compagnie d'un charmant jeune homme que nous n'avons pas encore identifié.

— Et Gaines ?

— Lui et sa petite amie se sont réveillés à dix heures du matin, heure à laquelle ils ont commencé à boire. Ensuite ils se sont disputés. Ils ont arrêté assez longtemps pour faire l'amour, puis ils se sont écroulés tous les deux. Depuis, ils dorment.

— Aucun d'entre eux n'a passé de coup de fil suspect ? s'enquiert John d'une voix où perce la frustration. Ou essayé de contacter quelqu'un ?

— Rien.

— Bordel, marmonne Bowles. Moi je dis que nous devrions dire aux flics de La Nouvelle-

Orléans de les serrer et de les faire transpirer un peu, jusqu'à ce qu'un des trois craque.

— Je crains justement que ce ne soit ce qu'ils fassent, rétorque Baxter. A ce stade, nous n'avons pas plus de moyens de pression sur eux qu'hier. Il faut identifier le tueur et établir ce qui le relie à un des trois.

Le chef de l'USR souffle bruyamment et son regard passe de Lenz à John.

— Dites-moi à quoi vous pensez. Tout ce qui vous passe par la tête. Intuition, ondes psychiques, pressentiment, quoi qu'il vous vienne. C'est le moment ou jamais. Alors ?

Pas plus John que Lenz ne semble enclin à prendre la parole, aussi Baxter pointe l'index sur le psychiatre.

— Allez, Arthur, lancez-vous.

Silencieux jusqu'à maintenant, Lenz se penche en avant sur le canapé.

— Je vois un paradoxe dans cette affaire. Ce qu'a dit l'agresseur de Jordan pourrait indiquer que les victimes précédentes ont été violées par notre homme, puis confiées à l'artiste pour être peintes. Et pourtant nos experts en peinture affirment que les *Femmes endormies* n'ont été réalisées ni par Wheaton, ni par Smith, ni par Gaines. Si vous analysez ce qu'a dit l'agresseur, cela n'exclut pas totalement qu'il soit lui-même le peintre.

J'ai envie de bondir.

— Je ne crois pas qu'un homme capable de peindre les *Femmes endormies* choisirait l'expression « jolie image ». Mais quand il m'a dit : « Tu ferais encore une jolie image pour le patron », il pouvait aussi parler de l'acheteur potentiel, et non du peintre.

— Marcel de Becque, dit John. Ce type est au centre de cette histoire. J'ignore de quelle manière. Peut-être que deux ou trois gars partagent les goûts de ce taré. Je ne sais pas.

L'impatience de Baxter est telle qu'elle pourrait tout aussi bien crépiter autour de lui comme de l'électricité statique.

— Je ne peux pas croire que ce soit tout ce que nous avons !

— Et l'idée du dédoublement de personnalité avancée par Jordan ? demande John. Nous n'avons rien obtenu de Wheaton ou de Smith pour ce qui est de la maltraitance sexuelle quand ils étaient enfants, mais l'idée me poursuit. Est-il possible qu'un artiste souffrant de dédoublement puisse peindre dans deux styles complètement différents ? Sans que ce soit détectable ? Je veux dire, jusqu'à quel point ces deux personnalités peuvent-elles diverger ?

Lenz joint les doigts de ses deux mains en cloche et se laisse aller contre le dossier de son siège.

— Elles peuvent diverger suffisamment pour avoir des manifestations physiques très différentes. Il existe des cas de dédoublement dûment constatés où une des personnalités avait besoin d'un traitement cardiaque pour vivre, et non l'autre. L'une peut nécessiter des lentilles correctrices et pas l'autre, ou des traitements médicaux différents. Et il y a nombre de manifestations moins évidentes.

— Continuez, le presse Bowles.

— Je vous parle de cas médicalement authentifiés, dit Lenz d'un ton docte. Voyons... Deux peintres complètement différents habitant le même corps ? Théoriquement, c'est possible. Mais compte tenu de l'importance de cette affaire, du nombre de victimes, de la complexité exceptionnelle des stratagèmes que la personnalité dominante devrait mettre en œuvre pour dissimuler ses actes à l'autre...

— Une minute, l'interrompt John. Toutes les personnalités secondaires ne savent pas forcément ce que fait la dominante ?

— Exact. En général, une des personnalités, dite dominante, sait tout, alors que les autres restent partiellement dans le noir.

— Bordel, souffle Baxter.

— C'est une théorie fascinante, dit Lenz, mais elle confine au pur fantasme. L'image que les gens ont de cette soi-disant « double personnalité » vient de *Dr Jekyll et Mr Hyde*. Cette construction littéraire développe l'idée du Mal absolu masqué par une apparence publique positive. Mais cliniquement parlant, ce n'est pas ainsi que le dédoublement de personnalité se manifeste. Il ne s'agit pas d'un personnage public aimable cachant une intelligence diabolique. Plutôt de fragments pathétiques de personnalité, la plupart se manifestant comme des enfants perturbés, arrêtés dans leur développement normal à l'âge où ils ont subi des sévices sexuels. La personnalité dominante est celle qui est la plus apte à supporter le stress extrême. Rien de plus.

John acquiesce.

— Beaucoup d'agresseurs en série, parmi ceux que nous avons arrêtés et interrogés, avaient subi des sévices sexuels durant leur enfance.

— Et combien souffraient de dédoublement de la personnalité ? demande Lenz.

— Aucun.

Lenz arbore le sourire d'un maître d'échecs qui a mené son adversaire dans un piège.

— Avant de considérer sérieusement cette théorie, je pense que nous devrions congédier nos experts en art et en prendre d'autres.

— Oui, faisons ça, dit John d'un ton sec. Nous n'arrivons à rien avec ceux qui travaillent pour nous actuellement. Bon sang, tout le monde dans cette histoire en sait plus qu'il n'en dit. Les suspects, de Becque, et même nous.

— Wingate en savait beaucoup, lui aussi, leur dis-je. Je l'ai senti.

Baxter me fixe d'un regard sévère.

— Avez-vous changé d'idée ? Etes-vous prête à nous dire quelle explication Frank Smith a donnée pour les visites de Wheaton, ou pour leurs disputes ?

Je revois Smith lorsqu'il m'a avoué le souhait de Wheaton qu'il l'aide à en finir.

— Non. Sur ce point-là, il faudra me faire confiance.

— La raison que vous nous cachez a-t-elle un effet sur leur psychologie ? demande Lenz. Voilà qui pourrait revêtir de l'importance.

— Cette raison n'a rien de particulièrement original. C'est un sujet sur lequel des gens normaux se disputent facilement.

Un téléphone sonne sur le bureau de Bowles. Le directeur régional répond, puis tend le combiné à Baxter.

— Les services techniques de Quantico.

Le chef de l'USR se lève et prend la communication, mâchoires crispées dans la perspective de mauvaises nouvelles. Il écoute, et son visage reste impassible.

— Compris, dit-il après un moment. Oui, je comprends.

— Quoi ? dit John quand il raccroche.

Baxter s'appuie des deux mains sur son bureau.

— C'était un téléphone portable volé, qui a été reprogrammé. Aucun moyen de remonter à notre tueur par ce biais-là. Mais les services techniques ont sauvé la puce. Ils ont extrait les numéros enregistrés. Celui de Marcel de Becque figure parmi eux.

Alors que John frappe la paume de sa main de son poing, en signe de victoire, l'image du vieux Français immobile devant la baie vitrée me revient, alors qu'il me parlait de mon père et de ses jours de gloire au Vietnam.

Baxter presse une touche de son téléphone.

— Centre opérationnel d'urgence ? Baxter à l'appareil. Dites-moi où se trouve de Becque en ce moment.

Nous nous rasseyons en silence pendant que Baxter attend la réponse. Son visage devient livide.

— Quand ?... Contactez la Direction générale de l'aviation civile et les légations étrangères. Ensuite rappelez-moi.

Il raccroche et se frotte vigoureusement le menton d'une main.

— Il y a maintenant six heures, le jet privé de De Becque a quitté Grand Caïman. Le pilote a transmis un plan de vol pour Rio de Janeiro, mais il n'y est jamais arrivé. De Becque peut être n'importe où, à l'heure qu'il est.

— Nom de Dieu, grommelle John.

Avant que quiconque puisse faire un commentaire, le téléphone de Bowles sonne de nouveau. Baxter enclenche le haut-parleur.

— Ici Baxter.

— Nous avons le chef Farrell en ligne pour vous.

— Passez-le-moi.

— Daniel ? dit une voix à l'accent afro-américain prononcé.

— Bonjour, Henry. Quoi de neuf ?

— Nous venons de recevoir un appel au sujet de la photo diffusée à la télé. Une veuve de Kenner affirme avoir loué une chambre à ce type. Elle en mettrait sa main à couper. Elle dit qu'il a donné Johnson comme nom, et qu'il n'est presque jamais en ville. Il se prétend représentant de commerce. L'adresse est 221 Wisteria Drive ; c'est du côté sud de l'Interstate 10, juste à côté de l'aéroport. A Jefferson Parish.

Même le visage de joueur de poker de Baxter laisse transparaître son excitation pendant qu'il griffonne l'adresse sur un bloc-notes.

— Le shérif a déjà envoyé du monde là-bas ?

— Il n'est pas encore au courant. Je me suis dit

qu'il valait mieux vous appeler en premier, les gars.

Baxter lève les yeux vers le plafond comme pour remercier le ciel.

— L'unité du médico-légal est prête à partir. Nous nous occuperons des questions de juridiction.

— Bonne chance, Daniel. La dame s'appelle Pitre.

— Nous vous sommes redevables sur ce coup, Henry.

— Je vous le rappellerai le moment venu. Bonne chance.

Baxter raccroche et regarde le directeur régional.

— Il y a cinq ans, aurions-nous reçu ce coup de fil ?

— Pas l'ombre d'une chance. Farrell est sans concession. Il a viré ou mis derrière les barreaux des centaines de flics durant ces cinq dernières années.

Baxter enfonce une touche de l'interphone.

— Médico-légal, dit une voix féminine.

— 221 Wisteria Drive, Kenner. L'unité au complet.

— Sirènes ? Le grand jeu ?

— Non, mais grouillez-vous. Nous vous retrouverons là-bas.

— Nous sommes partis.

Mme Pitre habite au cœur d'un dédale de rues qui s'étend au nord des pistes du Moisant International Airport de La Nouvelle-Orléans. Pendant que Baxter, Lenz, John et moi passons à vitesse réduite devant de petites maisons standardisées, un jet à l'atterrissage survole à basse altitude notre Crown Victoria dans un rugissement d'enfer qui fait trembler le sol.

— Chouette coin, remarque Baxter, qui conduit. On pourrait tirer une balle dans la tête de son voisin sans que personne n'entende la détonation.

— Une idée à retenir, raille Lenz, assis à côté de lui.

Baxter jette un coup d'œil vers la banquette arrière.

— Désolé, Jordan.

— Ne vous excusez pas de dire la vérité.

John glisse la main sur la banquette et la pose sur la mienne.

— Nous y voilà, annonce Lenz. Le 221.

C'est un pavillon de banlieue classique. Quand nous nous engageons dans la petite allée, je vois le toit d'un garage à deux étages derrière. Ce bâtiment en bardeaux semble avoir été ajouté ultérieurement, et pas par un charpentier très doué. Les murs ne sont pas d'aplomb, et le toit est menacé par les branches d'un orme que l'on aurait dû couper avant d'entreprendre la construction.

Baxter éteint le moteur lorsqu'une femme, cigarette à la bouche, sort par la porte du garage en agitant un trousseau de clés. Bien qu'elle approche la soixantaine, elle porte un caraco ajusté et un short bleu moulant qui révèle des jambes sillonnées de varices.

John tend la main vers la poignée de la portière.

— En piste.

— Prenez votre béquille, lui conseille Baxter. Il va y avoir des escaliers.

— Au diable la béquille, rétorque John, confirmant ma théorie selon laquelle la vanité chez l'homme est aussi puissante que la versatilité chez la femme.

— Vous n'avez pas traîné, je dois dire, fait Mme Pitre d'une voix éraillée par le tabac. Je craignais qu'il ne se pointe avant vous.

Elle tend la main droite.

— Carole Pitre. Veuve. Depuis que mon mari est mort en mer, il y a quatre ans.

— Agent spécial John Kaiser, répond celui-ci en lui serrant la main. M. Johnson ne reviendra pas, madame.

— Comment vous savez ça ? Il est reparti en tournée ?

— Non.

Elle incline la tête de côté et dévisage John.

— Qu'est-ce qu'il a fait, à propos ? Pourquoi vous le recherchez ? La police a dit que c'était un fugitif recherché au niveau fédéral, mais ça ne m'apprend rien, à moi.

— C'est tout ce que nous pouvons divulguer à ce stade, madame.

Mme Pitre se mordille la lèvre inférieure et considère John encore un peu. Elle décide de ne pas insister.

— Qu'est-ce que vous avez à la jambe ?

— Accident de ski.

— Ski nautique ?

Dans un couinement de pneus, le Suburban de l'unité du médico-légal se gare dans l'allée derrière notre voiture.

— Qui c'est, ça ? demande Mme Pitre en tournant la tête. Ils sont avec vous ?

— Les experts scientifiques, madame.

— Comme dans le procès d'O. J. Simpson ?

— En effet.

— J'espère qu'ils sont meilleurs que ceux de Los Angeles, alors.

— Ils le sont. Madame Pitre, nous…

— Vous voulez monter dans sa chambre.

Alors que les portières du Suburban claquent, un deuxième véhicule identique stoppe derrière le premier. Aucun des deux ne porte le sigle du FBI, mais à y regarder de plus près, on peut voir les gyrophares bleus et la sirène dans la calandre.

— Madame Pitre, M. Johnson vous a-t-il présenté une pièce d'identité quand il a emménagé ?

— Bien sûr que oui. Je le lui ai demandé, évidemment ! Depuis que Ray n'est plus là, je suis prudente, moi. Le monde est rempli de cinglés, vous savez. Qu'ils soient blancs ou noirs, de nos jours c'est du pareil au même, un cinglé c'est un cinglé. Vous n'êtes pas d'accord avec moi ?

John paraît un peu dérouté par le style hyperactif de Mme Pitre.

— Quel papier vous a-t-il montré ?

— Sa carte d'électeur, figurez-vous.

— Une carte de Louisiane ?

— Non. De New York City. Son permis de conduire aussi était enregistré à New York, d'ailleurs.

— Il vous l'a montré ?

— Comment je saurais ça, sinon, d'après vous ?

— Bien sûr. Y avait-il une photo sur son permis ?

— A quoi il serait bon sans photo, son permis ? Pas trop mal comme homme, soit dit en passant. Le visage guère souriant, mais quand on a vécu un peu, on n'a plus tellement envie de sourire. Ce n'est pas vrai ?

— Madame Pitre, nous aimerions monter dans son appartement, à présent. C'est cette pièce au-dessus du garage ?

— Deux pièces avec salle de bains. Ray l'a construit pour Joey après que nous lui avons offert cette batterie. On ne pouvait plus supporter le vacarme dans la maison. Je ne sais pas s'il était doué, mais je peux vous dire qu'il réveillait les morts.

— Je vois. Vous permettez que nous y montions seuls ? Nous préférons voir les lieux au calme.

Mme Pitre n'est pas ravie de la demande, mais après un moment elle lui tend le trousseau de clés.

— J'exige un reçu pour chaque chose que vous emporterez. Quand même.

— Bien évidemment, dit John qui se tourne vers moi et m'attire à l'écart : je monte jeter un coup d'œil rapide avec Daniel et Lenz. J'aimerais bien que tu viennes, mais le médico-légal n'apprécierait pas.

— Pas de problème. Vas-y.

John va parler au chef de l'unité du médico-légal, qui lui confie un paquet de sacs en plastique pour les indices. Puis lui, Lenz et Baxter gravissent l'escalier à l'intérieur du garage. Mme Pitre se rapproche insensiblement de moi.

Elle doit imaginer qu'une femme lui donnera plus de détails, aussi vais-je me réfugier dans la voiture du FBI.

Le rugissement d'un jet fait trembler le véhicule et m'ébranle jusqu'aux os, et je me demande comment Mme Pitre n'est pas devenue complètement folle, au lieu de simplement un peu excitée. Alors que je me prépare à une longue attente, John redescend en boitant.

— C'est à cause de ta jambe ? dis-je en sortant pour me précipiter vers lui.

— Non.

Il a un sac plastique à la main. Il l'agite en direction du chef du médico-légal, et plusieurs techniciens se hâtent vers le garage, avec leurs sacs et leurs mallettes.

— Qu'est-ce que c'est ? Qu'as-tu trouvé ?

— Notre type savait que nous allions venir. L'endroit a été nettoyé de fond en comble, exactement comme le portable. Nous n'avons trouvé que des restes de nourriture à emporter : biscuits, chips, petits gâteaux, steaks hachés. Il devait porter des gants quand il a acheté tout ça. Mais, disposées sur le plan de travail dans la cuisine, il y avait une série de photos soigneusement alignées.

Un frisson désagréable parcourt mes épaules.

— Les victimes ?

— Oui.

— Combien ?

— Onze. Pas la femme de Dorignac, ni Thalia.

— Donc ce n'est pas lui qui a enlevé la victime de Dorignac, dis-je tandis que mes yeux tombent sur le sac en plastique opaque. Qu'est-ce que c'est ?

J'ai la poitrine serrée, soudain. Avec une mimique embarrassée, John m'effleure le bras de la main.

— La photo de Jane. Si tu te sens en condition de le faire, j'aimerais que tu me dises où elle a pu être prise.

— Fais voir.

Il hésite, puis ouvre le sachet et en sort la photo. C'est un tirage en noir et blanc d'un cliché pris au téléobjectif. La profondeur de champ est tellement médiocre que je ne parviens pas à distinguer l'arrière-plan, mais Jane est nette. En tricot sans manches et jean, elle regarde vers l'objectif, probablement sans le voir. Elle a une expression plus intense qu'à l'accoutumée, ses yeux plissés comme les gens disent que sont les miens lorsque je suis concentrée. J'étudie l'image à la recherche d'un détail révélateur qui pourrait me donner un indice sur ce qu'il est advenu d'elle, et subitement mon cœur se serre et ma peau devient glacée.

— Ça va ? demande John en me saisissant par les épaules. Je n'aurais pas dû te la montrer.

Quand il me touche, je me rends compte qu'il tremble. Sa jambe blessée le supporte à peine.

— Regarde ses bras, John.

— Qu'est-ce qu'ils ont de particulier ?

— Pas de cicatrices.

— Quoi ?

J'ai la tête qui tourne, tout en sachant que je me tiens parfaitement droite.

— Quand elle était petite, Jane a été attaquée par un chien.

— Un chien ?

La photo se met à trembler entre mes doigts à mesure que l'évidence se fait en moi. J'ai vu cette photo auparavant. Mais la copie que je tiens en main n'est pas un tirage : c'est une copie imprimée sur du papier photo. Refoulant mes larmes, je presse le rectangle de papier contre mon cœur et je ferme les yeux.

— Attention, me prévient John. Il y a peut-être des empreintes.

— Regardez ! s'exclame le Dr Lenz par-dessus l'épaule de John. Il y a quelque chose d'écrit au dos.

John se penche pour étudier le verso de la photocopie.

— C'est une adresse : 25590 St Charles.

— L'adresse de Jane Lacour, dit Lenz.

— Il y a aussi un numéro de téléphone.

— 758 1992 ? dis-je.

— Non, répond John d'une voix douce. C'est un numéro à New York. Il faut le tracer immédiatement.

Il veut me prendre la photo, mais je repousse sa main, retourne le papier et je lis le numéro : 212 555 2999.

— Je connais ce numéro…

— A qui est-il ? veut savoir John.

— Une seconde…

J'essaie de me souvenir. C'était dans les brumes du scotch et du Xanax.

— Oh, mon Dieu… C'est celui de la galerie de Wingate. Christopher Wingate. J'ai composé ce numéro dans l'avion qui me ramenait de Hong Kong.

— Nom de nom, marmonne John. Voilà tout le monde dans le coup. Wingate, ton agresseur, et de Becque. Tous étaient en relation.

— Le numéro de téléphone de Wingate au dos de la photo d'une des victimes, réfléchit Lenz à haute voix. Ça pourrait signifier que c'est Wingate qui a sélectionné Jane Lacour.

— Comment l'aurait-il pu ? rétorque John. Il n'avait pas mis les pieds à La Nouvelle-Orléans depuis des années.

— Ce n'est pas Jane qu'il a choisie, dis-je dans un murmure. C'est moi.

22

La route sur digue qui traverse le lac Pontchar-train est une sorte de pont long de quarante kilo-mètres dont le revêtement en béton vibre sous la circulation, comme un mantra qui me replierait sur moi-même, toujours plus profond vers le mael-ström ténébreux de mes peurs et de ma culpabilité. Quelque part de l'autre côté de ce lac peu profond, parmi la floraison de constructions causée par la fuite des Blancs de La Nouvelle-Orléans, se trouve la maison de John Kaiser. Il est lui-même assis à côté de moi, dans la Mustang de location. Il a incliné et reculé son siège au maximum pour pouvoir allonger sa jambe blessée.

Trente secondes après qu'il a lu le numéro de téléphone de Christopher Wingate au verso de ma photographie, la jambe de John s'est dérobée sous lui et il s'est écroulé dans l'allée de Mme Pitre. Baxter lui a ordonné d'aller à l'hôpital, mais John a plaidé qu'il était seulement un peu fatigué, qu'il aurait dû utiliser la béquille et qu'il devait retourner à l'antenne du FBI pour travailler sur les nouveaux liens entre le tueur, Wingate et Marcel de Becque. Baxter lui a donné le choix : aller à l'hôpital ou rentrer chez lui pour la nuit. John a opté pour la seconde solution, mais alors que nous récupérions la Mustang dans le parking de l'antenne, il a appelé les bureaux et demandé à ce qu'un agent lui descende un épais dossier contenant tous les tirages améliorés des *Femmes endormies* générés par le système Argus. Il est comme moi lorsque je dois partir couvrir un conflit : impossible à arrêter.

L'image qu'il a sortie du sachet en plastique flotte dans mon esprit comme le symbole de la culpabilité. J'ai situé la photo, à présent. Elle a été publiée dans plusieurs journaux importants il y a deux ans, quand j'ai remporté le North American Press Association Award. Wingate devait avoir accès à certaines banques de données contenant ce portrait. Il l'a imprimé sur du papier de qualité photographique et l'a envoyé à son complice de La Nouvelle-Orléans.

— Tu veux qu'on en parle ? propose John en m'effleurant le genou du bout des doigts.

— Je n'en suis pas sûre.

— Je sais ce que tu penses, Jordan. Eprouver la culpabilité du survivant est normal, mais c'est mauvais. Tu obliges tout à correspondre à un résultat prédéterminé. Et le résultat que tu recherches est que Jane est morte à cause de toi. J'ignore pourquoi tu veux ressentir cette culpabilité, mais ce n'est pas ce qui s'est passé.

Je crispe les doigts sur le volant en tentant de me contrôler.

— Je ne veux pas de cette culpabilité.

— J'en suis heureux. Parce que ce serait vraiment le merdier.

Je serre le volant encore plus fort, mais ça ne change rien.

— Tu veux appeler pour voir s'ils ont comparé les écritures ? Si ce n'est pas celle de Wingate, j'admettrai que j'ai été paranoïaque. Mais si c'est bien son écriture, alors nous saurons que Wingate a envoyé ou donné mon portrait au tueur.

John sort son portable, contacte l'antenne locale et demande à parler au service scientifique.

— Jenny ? John Kaiser. Vous avez du nouveau de New York à propos de cette écriture ?... Et qu'ont-ils dit ?... Je vois. Ils sont sûrs à cent pour cent ?... Bon. Merci.

Il éteint son appareil, puis laisse aller sa tête en arrière avec un soupir.

— Qu'y a-t-il ?

— Le numéro de téléphone inscrit au dos de ta photo est bien de l'écriture de Wingate.

Un vide creuse mon estomac, et je frappe le volant du plat de la main.

— C'est ça. Quelqu'un hors de La Nouvelle-Orléans m'a choisie pour être la victime numéro cinq, et c'est à cause de moi que Jane est morte.

Il pince les lèvres et secoue la tête.

— Si je devais désigner un coupable, je dirais de Becque.

— Et s'il avait passé commande de moi, John ? De la même façon qu'on passe commande d'un tableau ? Il me connaissait depuis des années. Il dit à Wingate qu'il me veut comme modèle du prochain portrait, mais comme je voyage tout le temps, Wingate trouve un biais plus facile pour contenter de Becque. Et il enlève Jane à ma place.

— Il y a une grosse faille dans ta théorie.

— Le fait que Wingate n'avait pas le portrait de Jane en sa possession. Facile : Wingate l'a vendu au plus offrant. D'où leur contentieux.

— Je voulais parler de la coïncidence. Toutes les autres victimes habitent La Nouvelle-Orléans. Mais pour une raison inconnue, de Becque te choisit, toi, une globe-trotter domiciliée à San Francisco, comme victime numéro cinq. Pour satisfaire cette commande, Wingate décide de te substituer ta sœur jumelle. Et cette victime de substitution se trouve résider justement dans la même ville que toutes les autres ? Statistiquement, c'est impossible.

Un élancement diffus naît à la base de mon crâne. Je baisse une main pour ouvrir mon sac banane et y prendre mon flacon de pilules.

— Qu'est-ce que c'est ?

— Du Xanax.

— Des tranquillisants ?

— Rien de très extraordinaire.

— Le Xanax est un cousin chimique du Valium.

— Je le sais. Ecoute, j'ai besoin de me calmer un peu.

Par la vitre de sa portière, il contemple le lac, mais il n'entend pas laisser tomber le sujet.

— Tu en prends souvent ?

Je fais sauter le bouchon, laisse tomber deux comprimés dans le creux de ma main et les avale aussitôt.

— Ça a été une très mauvaise journée, d'accord ?

J'ai vu Wendy mourir sous mes yeux. Je t'ai vu te faire tirer dessus. Un type a tenté de m'enlever, et je viens de découvrir que je suis responsable de la mort de ma sœur. Tu pourras me mettre en désintoxication demain.

Il tourne la tête vers moi, et ses yeux noisette disent toute son inquiétude à mon endroit.

— Tu fais ce que tu penses devoir faire pour traverser cette épreuve. Je m'inquiète simplement pour toi. Et pour moi. Nous avons encore un quart d'heure de route. Tu ne vas pas t'endormir, promis ?

Je ris.

— Ne te fais pas de souci pour ça. Deux de ces trucs te mettraient KO, mais ils ont à peine un effet sur moi.

Il me dévisage un très long moment, puis regarde de nouveau la chaussée devant nous.

— Tôt ou tard, tu vas franchir le mur, Jordan. Nous allons retrouver ces femmes. Toutes ces femmes.

Tôt ou tard. Il vaudrait mieux que ce soit bientôt. Tard, c'est comme l'horizon, qui recule autant que vous avancez.

John habite un pavillon de banlieue aux allures de petit ranch dans une rue flanquée de vingt autres répliques exactes de son domicile. *America homogena*, renforcée par les conventions acceptées par tous. Les pelouses sont entretenues, les façades repeintes fréquemment, les véhicules garés dans les allées propres et récents. J'arrête la Mustang, puis je l'aide à s'extraire de la place passager.

Comme nous sommes entre nous, il utilise la béquille. Sa progression est lente, mais il serre les dents et continue de marcher.

Sous l'auvent pour voiture, il compose un code de sécurité sur un clavier mural et ouvre, à l'arrière, la porte qui donne sur la buanderie, laquelle donne sur une cuisine d'un blanc immaculé.

— Il est visible que tu ne fais jamais la cuisine, fais-je remarquer.

— Ça m'arrive pourtant.

— Tu as une aide, alors.

— Une femme de ménage vient ici une fois par semaine. Mais dans l'ensemble, je suis quelqu'un d'assez soigneux.

— Je n'ai encore jamais rencontré « quelqu'un d'assez soigneux » avec qui j'aie envie de passer la nuit.

Il rit, puis grimace.

— A dire vrai, j'ai dormi sur un lit de camp au bureau depuis que Baxter m'a annoncé ta découverte à Hong Kong.

— Ah.

Au-delà du plan de travail de la cuisine se trouve le coin repas meublé d'une table à plateau de verre, et une grande arche donne sur un salon bien meublé. Tout semble être à la place qui lui est dévolue, et seules deux revues abandonnées sur la table basse suggèrent la présence d'un occupant. La maison semble avoir été nettoyée en vue d'être proposée à la vente, pour ne pas dire qu'elle ressemble à une maison-témoin destinée à vendre ses répliques voisines à de jeunes mariés.

— Où est ton désordre personnel ? dis-je, tandis

que la vague chaude du Xanax balaie doucement
mon mal de crâne.

— Mon désordre ?

— Tu sais bien : tes bouquins, tes cassettes
vidéo, le courrier déjà lu, les trucs que tu achètes
sur un coup de tête au supermarché ?

Il hausse les épaules, et affiche une moue
étrangement mélancolique.

— Pas de femme, pas d'enfants, pas de
désordre.

— Cette règle ne s'applique pas à tous les
célibataires de ma connaissance.

Il s'apprête à répondre mais une autre grimace
de douleur l'en empêche.

— Ta jambe ?

— Elle se raidit vite. Je vais juste m'installer sur
le canapé. Je peux très bien regarder les photos
d'Argus là.

— Je pense que tu ferais mieux de te reposer un
peu avant de commencer ça.

Il boitille jusqu'au canapé en s'appuyant sur la
béquille, mais au lieu de l'aider à s'y asseoir, je lui
prends la main et l'attire vers le couloir.

— Je n'ai pas envie de dormir, proteste-t-il en
tirant sur ma main.

— Nous n'allons pas dormir.

— Oh.

Sa résistance cesse, et je le mène vers la porte
entrouverte au bout du couloir, par laquelle on
aperçoit le pied d'un meuble en merisier. Comme
le reste de la maison, la chambre est impeccable, le
lit fait. D'après la mise assez décontractée de John,
je m'étais imaginé que ce sanctuaire intime serait le

capharnaüm secret de la maison. Peut-être ne faut-il voir dans ce goût de l'ordre qu'une manière de se protéger.

Il va s'asseoir sur le lit, mais je l'en empêche et rabats les draps d'abord. Une fois qu'il sera à l'horizontale, les analgésiques feront effet et il se passera un bout de temps avant qu'il ne se sente assez en forme pour se relever.

— J'ai besoin de m'asseoir, dit-il d'une voix tendue.

Tandis que je lui maintiens le haut des bras, il se laisse aller doucement en arrière et s'assied sur le bord du matelas, avant de basculer et de poser sa tête sur l'oreiller avec un grognement.

— Ça fait mal ?

— Ça ne fait pas du bien. Mais ça va quand même.

— Voyons si nous pouvons améliorer ça.

Je me débarrasse de mes chaussures avant de grimper sur le lit et de me positionner à califourchon sur lui avec mille précautions.

— Et comme ça, c'est douloureux ?

— Non.

— Menteur.

Me penchant en avant, je caresse ses lèvres avec les miennes puis je me redresse de quelques centimètres, pour attendre qu'il réagisse. Ses mains glissent de mes hanches à ma taille, puis il me rend mon baiser, avec une douceur insistante qui me rappelle la passion ressentie sous la douche la nuit dernière. Une vague chaude de désir se déroule en moi ; combinée à l'effet du Xanax, elle conjure les

515

images ténébreuses qui montent dans un bouillonnement sale de mon subconscient.

— Je veux oublier, dis-je dans un murmure. Juste pendant une heure.

Il acquiesce et attire mes lèvres sur les siennes, et il m'embrasse tandis que ses bras remontent dans mon dos. Après un moment il mordille mon cou, mon oreille, et la chaleur se transforme en une envie assez pressante pour que je me tortille dans l'inconfort. Je suis ainsi. Je passe un jour, une semaine ou un mois sans prêter attention aux besoins de mon corps, et soudain il est là, omniprésent, et la conscience que j'ai alors de ses désirs me met presque mal à l'aise tant elle est intense. Mais mon désir est bien plus profond que celui de la chair. Depuis un an je vis avec une sensation de vide croissante qui menace de plus en plus de m'engloutir.

— Tu as quelque chose ? dis-je dans un murmure.

— Dans la commode.

J'abandonne ma position sur lui, me lève et vais jusqu'à la commode.

— Tiroir du haut, indique-t-il.

Je reviens vers lui et je m'arrête au bord du lit pour le regarder. Il me contemple avec de grands yeux. La base de mon crâne m'élance encore, mais beaucoup moins douloureusement. Je donnerais beaucoup pour un massage des épaules, mais il n'est pas en état de me rendre ce service. D'après ce que le médecin nous a dit, il n'est d'ailleurs pas en état de quoi que ce soit de ce que j'ai en tête. Mais je le soupçonne de se sentir prêt à quelques extras.

— Ça va ? demande-t-il.

Je lui souris et commence à déboutonner mon chemisier. Le soutien-gorge que j'ai mis ce matin est scellé dans un sac à indices, au fond de la soute d'un avion qui file vers Washington, et l'agent qui m'a prêté des affaires pour me changer n'avait pas de soutien-gorge dans son coffre. Quand le vêtement glisse de mes épaules, la respiration de John devient imperceptible.

J'ôte mon jean et ma culotte, puis je me remets à califourchon sur lui, à l'endroit exact où j'étais auparavant. Alors qu'il lève les yeux vers moi, je vois le pouls qui bat à la base de son cou. D'un doigt, je touche ses lèvres.

— Il y a cinq minutes seulement je me sentais au plus bas. Je pensais que nous allions venir ici et faire l'amour violemment, pour exorciser nos démons juste le temps de nous endormir. Mais ce n'est pas ce qui va se passer.

— Non, je sais.

— Tu me rends heureuse, John.

— Ça me fait plaisir. Parce que toi aussi, tu me rends heureux.

— Seigneur, on se croirait dans un mauvais film.

Il éclate de rire.

— Les bons moments semblent toujours sortir d'un mauvais film, dit-il en me caressant la joue. Je sais que tu es en morceaux à l'intérieur, surtout après avoir vu cette photo. Je ne…

— Chut. C'est comme ça. La vie se manifeste au milieu de la mort. J'estime que j'ai de la chance de t'avoir trouvé, et nous en sommes là. Tu aurais pu mourir aujourd'hui. Moi aussi. Et nous n'aurions jamais su à quoi ça ressemble.

— Tu as raison.

— Viens. Nous le méritons.

Il caresse mon ventre, et la tiédeur de sa main me fait frissonner. Du menton, il désigne sa jambe.

— Je ne suis pas vraiment au top de ma forme.

— Tu parles encore très bien.

— Et ?

— Une partie critique de toi-même est toujours en ordre de marche.

Il secoue la tête, s'esclaffe.

— Tu n'es pas timide, n'est-ce pas ?

— J'ai quarante ans, John. Je ne suis plus une girl-scout. Et tu es toujours mon débiteur, depuis l'hôtel.

— Moi qui me demandais pourquoi tu ne m'avais pas déshabillé…

Je lui souris.

— Chaque chose en son temps.

— Comment allons-nous faire ?

— Je vais te rendre les choses plus faciles.

Je me courbe, saisis la tête de lit et glisse en avant sur sa poitrine, puis je me redresse sur les genoux. Sans hésiter il pose les mains sur mes hanches et me tire à lui, pour m'embrasser avec légèreté. Un frisson de chaleur parcourt ma peau, et je me cale sur lui.

— Ça va ? demande-t-il.

— Ne parle pas. Continue juste à faire ce que tu viens de faire.

Il obéit, et après moins d'une minute je sais que ça ne prendra pas longtemps. J'ai appris il y a des années que le truc n'est pas de se concentrer sur l'atteinte de l'orgasme, mais d'être en compagnie de quelqu'un avec qui on se sent parfaitement à l'aise. Alors on peut fermer les yeux et laisser aller le monde, et on est transportée vers les sommets sans fournir le moindre effort. Je me sens à l'aise avec John depuis le tout premier instant, et ce n'est pas différent maintenant. Il sait où je veux aller et comment m'y emmener, et je suis heureuse de le laisser faire. J'enfouis mes doigts dans ses cheveux et je le colle à moi, et il grogne de plaisir.

Un fourmillement subit, et un film de transpiration recouvre ma peau du cuir chevelu aux orteils. La tension grandit peu à peu en moi, et mes cuisses se tétanisent et tremblent. Je me tiens immobile sous ses baisers insistants, tandis que ses mains glissent sur mes côtes et enveloppent mes seins, et je le sens qui me presse d'atteindre le plaisir, de ses coups de langue obstinés, le premier pareil au dernier, le suivant un détonateur qui me catapulte dans une autre dimension, où toutes mes terminaisons nerveuses chantent et où chacun de mes muscles frissonne de lui-même. Un instant tout devient blanc, puis cette blancheur se mue en vagues qui se dissipent en couleurs douces, suivies de la réaction physique, les frémissements et le halètement qui lui font savoir qu'il atteint le but. Il hausse la tête et couvre mon ventre de baisers très légers. Alors je glisse sur sa poitrine et je le serre très fort contre moi.

— Mmm. Je crois qu'en fait je pourrais m'endormir, maintenant.

— Mmh ?

L'expression inarticulée de la consternation.

Je lui chatouille l'estomac, puis ma main s'aventure plus bas.

— On dirait que quelqu'un a besoin d'attentions spéciales avant qu'on puisse s'endormir.

Il simule la nonchalance, mais ça ne trompe personne.

Je déboucle sa ceinture et ouvre son pantalon, puis j'essaie de placer le préservatif d'une seule main.

— C'est comme toi quand tu apprenais à dégrafer un soutien-gorge quand tu étais adolescent, non ?

Il s'esclaffe.

— Tu te débrouilles très bien.

— Voilà. Tout va bien.

Il prend mon visage entre ses mains, le baisse vers le sien et m'embrasse à nouveau, doucement malgré son désir. Par jeu je lui mordille la lèvre inférieure, pour le voir se désespérer, mais il continue de m'embrasser. Très vite je comprends ce qu'il semble déjà savoir : je le veux en moi aussi violemment qu'il veut me pénétrer.

— Tu gagnes, lui dis-je en glissant plus bas sur lui.

— Tout va bien ? demande-t-il encore une fois.

— Tout ira très bien dans une minute. Prends ton temps.

— Je surveille le décompte, fait-il, les yeux brillants. Pas facile de rester immobile maintenant.

Il pose les mains sur mes cuisses et s'introduit lentement en moi. J'ai le souffle coupé. Puis il commence un mouvement de va-et-vient d'une lenteur qui me rend folle. La seule sensation de son sexe en moi suffit à brouiller mes pensées. Je n'ai pas fait l'amour depuis presque un an, et j'ai l'impression de guérir enfin d'une sorte d'amnésie physique. Se sentir tellement entière et éprouver le besoin de l'être plus encore, se sentir immensément vulnérable et en même temps épanouie, tout cela me revient dans l'étreinte de ses mains puissantes et le mouvement de flux et de reflux qui nous unit.

Je sais qu'il est heureux, mais je sens aussi qu'il se retient. Qu'au fond il me considère encore comme un être fragile.

— Je ne suis pas un vase de porcelaine, John.

— Je le sais.

— Tu penses à ce que j'ai dit à Thalia.

Il ralentit ses mouvements, puis les arrête.

— Tu ne peux pas prétendre que ça ne fait pas partie de toi. Que tu es complètement étrangère à ça.

— Je n'y suis pas étrangère. Je suis au-dessus. Est-ce que ça te pose un problème ?

— Absolument pas. Je me faisais simplement du souci pour toi, c'est tout. Je veux prendre soin de toi.

— Alors fais-le.

Je reprends notre rythme, mais il a toujours l'air incertain. Il n'existe qu'un moyen de surmonter cet embarras, et il consiste à l'arracher à ses idées préconçues. C'est un risque, mais j'ai le sentiment que je dois le prendre.

— Lenz t'a-t-il parlé de ma liaison avec mon

professeur ? dis-je, sans le quitter des yeux ni cesser de le chevaucher au ralenti.

— Non. Mais j'ai vu quelque chose dans ses notes.

— Il t'a montré ses notes ?

— Elles étaient sur la table, dans la salle de conférence, répond-il, et il semble troublé, à présent. J'y ai juste jeté un œil.

— Réflexe naturel, c'est ça ?

— Je suis enquêteur. Curieux par nature.

— Et qu'as-tu pensé de ce que tu as lu ?

— Je ne juge personne tant qu'on ne fait de mal à personne.

— Bien. Parce que j'étais vraiment amoureuse de lui.

— Je suis désolé de ce qui s'est passé.

J'arque le dos, et John ferme les yeux et pousse un grognement qui vient du fond de sa poitrine.

— Tu sais ce qui me plaisait particulièrement dans notre relation ?

— Quoi donc ?

— Quand j'allais en cours après avoir passé la nuit précédente avec lui, ou après l'avoir vu le matin, juste avant, personne ne savait. Mais moi, moi je savais. Je le sentais encore en moi. Je me sentais marquée, tu comprends ? Je lui appartenais.

— Ça ne te ressemble pas. Vouloir appartenir à quelqu'un. A n'importe qui.

— Ce qui prouve que tu me connais mal. On n'en fait pas de plus indépendante que moi, pas vrai ?

Je me campe bien droit sur lui avant d'entamer de lentes rotations du bassin.

— Mais tu sais quoi ?

— Quoi ? dit-il d'une voix rauque.

— Quand nous serons ensemble depuis assez longtemps pour que l'Agence fédérale de la santé ou un autre organisme sanitaire nous rassure, tu sais ce que je veux ?

— Quoi ?

— Je veux que tu me remplisses. Je veux que tu marques ton territoire chaque jour, pour que je puisse toujours te sentir en moi.

— Enfin, Jordan…

Crispant mes muscles, je plante les paumes de mes mains sur sa poitrine et je pousse. Il gémit d'un plaisir ineffable, ses yeux agrandis cherchent les miens pour y découvrir tout ce que je suis en l'espace de quelques secondes. Vanité du mâle. Mes neurones seuls prendraient des années à sonder. Il se mord la lèvre contre la douleur dans sa jambe et saisit mes poignets dans ses mains. Alors je lui murmure :

— *Maintenant tu me vois.* Et je te vois, *toi.* Je sais ce que tu veux… Comment tu le veux. Je suis adulte, John. Tu peux faire ce que tu veux. Tout ce que tu veux.

Enfin il se laisse aller, rejetant l'homme qui me voit comme quelqu'un à protéger pour devenir celui qui me désire sans entrave. Ses mains volent jusqu'à mes hanches, me tirant vers lui tandis qu'il se rue en moi, sans plus se soucier de mes sensations ou de sa jambe, voulant uniquement me pénétrer aussi profondément que les limites physiques le permettront, pour me faire sienne. Le lit, qui tout à l'heure grinçait seulement, martèle maintenant le mur. La lampe de chevet tombe sur le plancher et explose. Rien de tout cela n'a d'importance. J'agrippe la tête de lit de toutes mes forces et je le maintiens cloué au matelas jusqu'à ce qu'il crie et soit secoué de spasmes que vous penseriez propres à tuer un homme, alors qu'ils le ramènent à la vie, haletant et en sueur. Puis il s'écroule sur l'oreiller. Je m'affale à côté de lui.

— Bon Dieu, souffle-t-il, hors d'haleine.

— Je sais.

— Tu es incroyable.

— Pas vraiment.

— Comment te sens-tu ?

— Comme toi tu te sens envers moi. Tu penses que tous les hommes ont droit à ce traitement ?

— Je ne savais pas.

— Eh bien, maintenant tu sais.

Il a un sourire béat.

— Je t'aime, Jordan.

— Vas-y doucement. Tu es encore en état de choc.

— Je crois que tu as raison. Je n'ai pas… Je veux dire, je ne me suis pas senti comme ça depuis…

— Depuis ?

Il cligne des yeux, les fixe sur le plafond.

— J'allais dire : « Depuis le Vietnam. »

La douce euphorie où je baignais s'évanouit.

— Tu as couché avec des Vietnamiennes là-bas ?

— Comme tout le monde.

— Elles étaient belles ?

— Certaines.

— Différentes des autres femmes ?

— Que veux-tu dire ? Au lit ?

— Oui… Mais pas seulement ça. Je ne sais pas. Comme ce qu'a dit de Becque. Comme cette Li, la femme que nous avons vue aux Caïmans. Est-ce qu'elles te rendaient amoureux d'elles ?

Il regarde dans ma direction, mais son esprit est à des milliers de kilomètres de cette chambre.

— Je l'ai beaucoup vu arriver. Les gens d'ici pensent que c'est parce que les femmes vietnamiennes sont beaucoup plus soumises que les femmes américaines, mais ce n'est pas ça. Simplement, elles – et quand je dis « elles », je ne parle pas des filles des villes, celles des bars, mais des vraies Vietnamiennes –, elles ont quelque chose de très naturel. Elles étaient très réservées, et en même temps très ouvertes pour certaines choses. C'est séduisant sans chercher à l'être. J'ai connu un type qui a déserté pour être avec une de ces femmes.

— Et je viens de te faire te sentir comme elles te faisaient te sentir ?

— Pas tout à fait. Seulement pour l'intensité, dit-il en effleurant ma joue. Tu penses à ton père, n'est-ce pas ?

— Oui.

— Tu te dis que peut-être il t'a laissée sciemment ?

J'opine, incapable de formuler mes craintes à voix haute.

— Je ne suis pas comme ton père, Jordan.

— Je sais. Tu es comme les hommes qu'il a photographiés.

— Que veux-tu dire ?

Il y a une tache d'humidité au plafond de la

chambre. Cette maison n'est pas parfaite, finalement.

— Ils étaient plus réels que lui. Il semblait les rendre réels, les amener à exister par l'intermédiaire de son appareil photo. Et d'une certaine façon, c'est ce qu'il faisait. Comme moi je le fais. Nous rendons certaines choses réelles pour le reste du monde. Mais le reste du monde n'a pas vraiment d'importance. Les photos de mon père n'ont pas rendu ces soldats éternels, contrairement à ce que quelqu'un a écrit. C'est ce que ces soldats ont fait qui les a rendus éternels. Et quoi qu'ils aient fait, je pense que la même chose se reproduit quelque part aujourd'hui encore. Tout. Tout ce qui s'est passé là-bas se reproduit, tout le temps. Tu dois penser que je tiens des propos complètement dingues. C'est ce qui arrive quand on séjourne trop longtemps sur la côte Ouest, n'est-ce pas ?

— Ça ne me paraît pas dingue. Ce que tu as vu et fait au Vietnam, pour moi ça ne s'est jamais arrêté. Tu sais pourquoi je ne souffre pas de cette fameuse « névrose post-traumatique » ? Parce qu'il n'y a rien de « post » là-dedans. C'est simplement une chose avec laquelle je vis. Quelquefois elle est plus présente, quelquefois moins.

— Dis-moi une chose, John. La vérité. Penses-tu que mon père soit impliqué dans tout ça ?

Son regard est direct et sincère quand il répond :
— Non.

— Mais tu l'as pensé.

— Je me suis posé la question, c'est tout. Je ne comprends toujours pas ce qui se passe. Mais si ton père était impliqué, d'après moi ce ne pourrait être que par le biais de De Becque, d'une façon ou d'une autre.

— Mais tu ne le crois pas.

— Non.

— Sur quoi te bases-tu pour avoir cette opinion ?

— Mon instinct. Mes tripes.

Je pose la main sur son estomac plat et dur.

— Elles ne sont pas trop apparentes.

— Je suis heureux que tu n'aies pas perdu le sens de l'humour.

— C'est toujours le même choix : en rire ou en pleurer, dis-je en frottant lentement ma paume sur son abdomen. Pourquoi ne dormirais-tu pas un peu ?

— Impossible. Pas avec Thalia quelque part dans la nature. Je n'arrive jamais à dormir dans ce genre de situation.

— Tu veux que je te fasse du café, ou quelque chose ?

— Du café me ferait du bien, oui.

— Tu n'as pas faim ? Tu as quelque chose au frigo ?

— Tu sais cuisiner ?

Je ris.

— La plupart des plats étrangers qu'on bricole autour d'un feu de camp. Mais je ne crois pas qu'il y ait une fille du Mississippi qui ne puisse concocter un petit quelque chose.

— Il y a des blancs de poulet au congélateur.

— Du riz dans les placards ? Quelques oignons ?

— C'est probable.

— Jambalaya, alors.

Je dépose un baiser sur la pointe de son menton avant de quitter le lit.

— Tu veux bien m'apporter le dossier contenant les photos d'Argus, s'il te plaît ?

— Je trouve qu'elles pourraient attendre, mais oui, je te les apporte.

Je prends la grosse enveloppe sur la table basse et reviens la lancer sur le lit à côté de lui.

— Tu en as déjà examiné combien ?

— Je ne sais pas. Jusqu'à ce qu'ils aient réglé la sensibilité du programme, j'avais sous les yeux vingt versions différentes du même visage avant qu'elles ne deviennent reconnaissables entre elles.

— Prends ton temps. Jambalaya et biscuits, ça arrive.

Je repasse dans la cuisine et je me mets à la tâche. Mais j'en suis encore à passer les blancs de poulet sous l'eau chaude quand la voix de John retentit dans le couloir. Quelque chose dans son intonation me fige, la main sur le robinet. Je cours jusqu'à la chambre, l'imaginant le visage bleui, épuisé par nos ébats.

— Je connais cette femme, dit-il en agitant une feuille de papier alors que je franchis le seuil de la pièce.

— D'où ?

C'est le portrait d'une jeune femme blonde de dix-huit ans peut-être. Elle est comme l'esquisse de l'adulte qu'elle deviendra. Ses traits n'ont pas encore acquis la définition qui signera sa personnalité.

— C'est une des personnes portées disparues sur lesquelles tu as travaillé ?

— Non. Je l'ai vue il y a des années, à Quantico.

— Tu veux dire que tu la connais *personnellement* ?

Il a une petite mimique d'impatience.

— Non, non. Chaque année, des policiers de la ville et de l'Etat passent à Quantico. C'est une partie du programme de notre Académie nationale. La plupart d'entre eux ont sur les bras une même affaire depuis des années, un cas qu'ils n'ont pas pu résoudre ou qui les obsède. Parfois, c'est un simple meurtre isolé. En général, il s'agit de deux ou trois assassinats qu'ils pensent reliés entre eux, sans en avoir la certitude. Un inspecteur de police m'a montré une photo de cette femme à Quantico.

— Un inspecteur de La Nouvelle-Orléans ?

— C'est ça qui est bizarre. Je crois qu'il était en poste à New York. C'était vraiment une affaire curieuse.

Une agitation singulière s'est emparée de moi.

— Ça remonte à quand ?

— Il y a dix ans, peut-être un peu plus. Tu te souviens, au Camellia Grill, quand je t'ai dit que je travaillais sur quelque chose ? J'ai dit que si ça évoluait comme je l'espérais, je t'en parlerais ? Eh bien, c'est peut-être bien ce qui vient d'arriver.

— Comment ça ? De quoi parles-tu ?

— Le plus jeune de nos quatre suspects, c'est Frank Smith, qui a trente-cinq ans. Les agresseurs en série ne se réveillent pas comme ça, un jour, dans la force de l'âge, pour se mettre à tuer les gens. L'unité de Baxter a étudié les crimes similaires non résolus qui se sont produits dans les lieux de résidence passés de nos quatre suspects. Le Vermont, d'où vient Wheaton. Terrebonne Parish, où Laveau a grandi. Ces deux-là étaient faciles. Mais il restait New York, pour Smith et Gaines. Sans parler du complice possible. En fait, les quatre suspects ont un lien avec New York. Mais quand on parle de personnes disparues, ce qui est le cas de cette jeune femme, puisqu'on n'a jamais retrouvé de corps, on parle de milliers de victimes à New York, même si on ne remonte que sur quelques années. L'ordinateur central de la police est censé établir ce genre de liens, mais les flics ne sont pas toujours très disposés à collaborer, et plus tu cherches loin dans le passé, pire c'est. Mais je me suis dit : « Et s'il y avait des homicides non résolus à New York qui présentaient une ou deux similarités avec cette affaire ? »

— Par exemple ?

— Des femmes enlevées devant des épiceries, sur des parcours de jogging, ce genre de choses, kidnappées dans la rue sans laisser la moindre trace, sans témoin, rien. Une façon professionnelle de procéder qui pourrait les relier entre elles, sans qu'il y ait pour autant des similarités frappantes chez les victimes.

— Tu as vérifié ça ?

— J'ai contacté quelques flics de New York que j'avais connus au programme de l'Académie, et je les ai priés de fouiner dans leurs vieux dossiers. C'est un grand service que je leur demandais là, mais je n'avais, pas d'alternative.

— As-tu parlé à celui qui t'a montré la photo de cette jeune femme ?

— Non, il est à la retraite, maintenant. Et personne ne m'a rappelé. Mais cette femme…

— Tu te souviens encore d'elle ?

— Je te l'ai dit, j'ai la faculté de ne pas oublier certains visages. Cette fille était jeune et jolie, et elle est restée dans ma mémoire. Dans celle de cet inspecteur aussi, d'ailleurs. C'était une de ses informatrices, maintenant que j'y repense. Tu pourrais m'apporter le téléphone ?

Ce que je fais aussitôt. A l'antenne régionale du FBI, il demande à parler à Baxter.

— C'est John, dit-il. Je crois que nous avons un coup de chance… Un gros coup de chance. Il faut que le bureau de New York assure la liaison avec la police municipale.

Je m'assieds sur le bord du lit et examine le portrait généré par le système Argus. C'est une image étrangement non humaine, et qui pourtant semble assez vraie pour avoir fait resurgir un souvenir vieux de dix ans chez John. J'adresse un remerciement muet au photographe qui m'a révélé l'existence d'Argus.

— Jordan ? dit John en coupant la communication. Sais-tu ce que ça signifie ?

— Que ma sœur n'est pas la victime numéro cinq. La personne qui est derrière tout ça a commencé à enlever des femmes il y a plus de dix ans. A New York.

Il serre mon bras.

— Nous sommes tout près, maintenant. Tout près.

23

Je suis étendue dans la baignoire de John, dans l'eau chaude jusqu'au cou, un plaisir que j'ai obtenu en bouchant l'orifice du trop-plein avec des sacs en plastique. Les briques de verre au-dessus de moi sont lentement passées du noir au bleu avec l'arrivée de l'aube, et bien que je ne me sente pas reposée, je suis assurément moins éreintée qu'hier.

La nuit dernière est passée dans un tourbillon confus, où l'exultation s'est mêlée à des moments de pure déprime. L'identification par John de la photo Argus a décidé Baxter, qui a harcelé les équipes de nuit de la brigade criminelle new-yorkaise et obtenu leur coopération immédiate. Le résultat ne s'est pas fait attendre : grâce aux photos améliorées par le système Argus des portraits abstraits des *Femmes endormies*, les inspecteurs de New York ont réussi à identifier six des huit victimes jusqu'alors sans nom dans le dossier KIDNO.

Le reste est venu de lui-même. Entre 1979 et 1984, un tueur en série enlevant ses victimes a opéré dans la région de New York sans que personne n'établisse de liens entre plus de trois de ses crimes. Ses victimes étaient des prostituées et des auto-stoppeuses, deux catégories qui ne figurent pas dans les priorités de la police de New York. La signification de cette découverte est aussi simple que terrible : le peintre des *Femmes endormies* n'a pas commencé la série de portraits deux années plus tôt à La Nouvelle-Orléans, mais il y a plus de vingt ans, à New York.

Les ramifications se révèlent plus complexes. Tout d'abord notre suspect le plus jeune, Frank Smith, n'avait que quinze ans à l'époque. Si cette donnée seule ne l'exonère pas totalement, elle écarte un peu l'enquête de sa personne. Deuxièmement, aucune *Femme endormie* n'a été vendue à l'époque des meurtres de New York. Troisièmement, pourquoi un tueur en série aurait-il fait huit victimes pour cesser soudain ses forfaits ? D'après l'expérience de John, seules la prison ou la mort peuvent empêcher un tueur en série de poursuivre son œuvre. Mais la question principale demeure : pourquoi, après avoir cessé, le meurtrier reprendrait-il son horrible activité quinze années plus tard ? A-t-il été enfermé pendant tout ce temps, pour ressortir à la fin de sa peine libre et aussi avide de victimes qu'auparavant ?

John a bu café sur café afin de combattre l'effet des analgésiques ; assis sur le canapé, il a échafaudé une théorie après l'autre pour tenter de trouver une cohérence entre ces nouveaux paramètres et l'affaire de La Nouvelle-Orléans. Trop épuisée pour lui être d'aucune aide, j'ai pris trois Xanax et je me suis mise au lit.

Le sommeil est venu très vite, mais aussi les rêves. Tous les événements chaotiques survenus ces sept derniers jours ont eu le temps de macérer dans mon subconscient, et ils sont remontés à la surface avec une violence terrifiante. Je n'ai pas gardé de souvenirs de la plupart des images qui ont déferlé dans mon sommeil, mais l'une d'elles reste parfaitement claire : je me tiens au centre du chef-d'œuvre circulaire de Roger Wheaton, une toile qui n'est pas du tout une toile, mais un monde de forêt, de terre, de ruisseau et de ciel. Entre les racines tordues des arbres, des visages grimaçants me regardent : Leon Gaines, ses yeux étincelant d'un désir lubrique ; le tueur mystérieux sur la digue ; et, gambadant entre les arbres tel un magnifique démon, Frank Smith, nu, qui pourchasse Thalia Laveau, laquelle s'efforce d'empêcher sa robe blanche de tomber alors qu'elle court. La scène tournoie autour de moi comme un cauchemar de Jérôme Bosch et je reste là, pétrifiée, tandis que le sol sous mes pieds s'écoule comme un ruisseau, et, reflété dans l'eau de ce ruisseau, je vois le visage de mon père.

Ce rêve s'est bientôt déversé dans un autre dont je n'arrive pas à me souvenir.

Durant la nuit, John s'est mis à m'embrasser. J'ai commencé à me réveiller, mais quand j'ai reconnu son visage, les battements de mon cœur ont ralenti et ma peur s'est estompée. Je me suis assurée qu'il s'était protégé et je l'ai attiré sur moi. Je l'ai laissé aller doucement en moi jusqu'à ce qu'il frémisse et s'écroule. Je me suis endormie avant qu'il ne roule sur le côté, et une fois de plus j'ai été happée par une descente en spirale dans des ténèbres traversées d'éclairs.

Le téléphone n'a cessé de sonner une bonne

partie de la nuit, et même sous sédatif je l'ai vaguement entendu, redoutant de mauvaises nouvelles. Les appels ont cessé vers quatre heures, et John a sombré dans un sommeil profond. Maintenant, avec l'arrivée de l'aube, ils reprennent. J'aimerais laisser John se reposer, mais pas question que je sorte de ce bain délicieux pour parler à un inspecteur de la criminelle du Queens.

Après trois sonneries, les ressorts du lit gémissent et une voix enrouée annonce : « Kaiser ». Puis, au bout de quelques secondes :

— Quand ?... Où ?... Bon, j'arrive.

Après dix secondes de bruits de draps maladroitement repoussés et de grognements de douleur, John entre en boitant dans la salle de bains, les cheveux ébouriffés mais le regard alerte.

— L'équipage d'un remorqueur vient de repêcher le cadavre de ton agresseur dans le fleuve, huit kilomètres en aval de l'endroit où il a disparu.

La violence de la poussée d'adrénaline qui m'envahit alors me donne presque le vertige. Je sors de la baignoire et saisis une serviette.

— Baxter envoie par hélico une équipe du médico-légal pour prendre les empreintes digitales du mort. Ils seront de retour au bureau avant que nous n'ayons franchi la chaussée.

— Comment va ta jambe ?

— Elle est toujours là. Habille-toi. Nous allons faire connaissance avec l'individu qui a essayé de te kidnapper.

Café en main, Baxter et Lenz sont dans la salle des ordinateurs quand nous arrivons à l'antenne du FBI. Trois techniciens coiffés de casques et assis devant une rangée de terminaux surveillent le flot ininterrompu de données qui s'y affichent, tandis qu'au-dessus d'eux deux grands écrans couleur retransmettent toutes les vues possibles des alentours de l'immeuble.

— Vous avez dû enfreindre quelques limitations de vitesse pour être ici aussi vite, commente Baxter à mon adresse, mais il décoche un clin d'œil à John. Il y a cinq minutes, l'hélico, a rapporté les empreintes ici. Elles sont déjà dans le FICED.

Le FICED, comme John me l'a expliqué en chemin, c'est le fichier informatique central des empreintes digitales, une base de données contenant près de deux cents millions d'empreintes identifiées.

— Nous avons obtenu la priorité absolue, explique Baxter. Si la bécane trouve une correspondance, nous l'aurons immédiatement.

— Quand j'ai commencé mes consultations, dit le Dr Lenz, on faisait ce boulot avec les fiches anthropométriques.

— Où est le corps ? demande John.

— En route pour la morgue d'Orleans Parish. Apparemment, il porte quatre blessures par balle.

— Monsieur ? dit une technicienne en levant les yeux vers Baxter. Nous avons une correspondance à cent pour cent.

Elle fait glisser la souris et clique sur une icône. Sur son écran couleur, une empreinte énorme se place en surimpression parfaite avec une autre.

— A qui est ce doigt ? dit Baxter alors que nous nous pressons derrière la jeune femme.

Cette dernière clique de nouveau et un dossier criminel s'affiche. Dans le coin supérieur droit apparaît la photo, en plus jeune, de l'homme qui a abattu Wendy sur la jetée hier.

— Conrad Frederick Hoffman, lit la technicienne. Statut : criminel condamné. Né à Newark, New Jersey, en 1952.

Autour de moi, les trois hommes se sont figés.

— Quel était le crime ?

— Meurtre.

— Où a-t-il purgé sa peine ? demande John.

— Sing Sing. Etat de New York.

Jamais je n'ai entendu un silence aussi lourd de sens. Comme s'ils parlaient d'une seule voix, les trois hommes disent :

— Leon Gaines.

— Les dates d'entrée et de sortie de Gaines à Sing Sing, ordonne Baxter. Vite.

Pendant que la jeune femme cherche sur son écran, John tapote sur l'épaule du technicien assis devant la console voisine et lui glisse :

— Demandez à l'ordinateur central de sortir ce qu'il a sur Leon Isaac Gaines. Je veux les dates exactes de ses séjours à Sing Sing.

— Hoffman a passé quatorze ans en prison pour meurtre, annonce la technicienne. De 1984 à 1998.

— Leon Isaac Gaines, dit à son tour son collègue. Deux condamnations purgées à Sing Sing, la première de 1973 à 1978, la seconde de 1985 à 1990.

— Le fumier, souffle John. Ils se sont trouvés là tous les deux pendant cinq ans. Ils se sont forcément connus. Et tous les deux étaient dans la nature quand les meurtres se sont produits à New York.

— Il arrive que les pièces du puzzle s'emboîtent, lâche Baxter. Retournons au Centre opérationnel. Il faut entrer en contact avec le directeur de Sing Sing. Et avec tous les détenus présents à cette époque que nous pourrons retrouver. Pas seulement les proches de Leon Gaines. Et tous ceux qui participaient à l'atelier artistique de la prison.

John décroche un téléphone voisin.

— Le Centre opérationnel d'urgence, je vous prie. L'unité de surveillance.

Il regarde Lenz, qui semble lire dans ses pensées.

— Ici John Kaiser. Où se trouve Leon Gaines en ce moment ?... Qu'est-ce qu'il fait là-bas ?... Vous le filez ?... Combien d'hommes et de voitures ?... Faites décoller l'hélico. Je veux qu'il soit impossible de le perdre quand il ressortira… Exactement. Et sa petite amie ?... D'accord.

— Où est Gaines ? interroge Baxter dès qu'il raccroche.

— Il vient d'arriver au supermarché Kenner. Il n'est pas un peu tôt pour aller faire ses courses ?

— Bah, c'est un ivrogne et un drogué, et il vient de se lever après avoir dormi douze heures.

Le chef de l'USR se place derrière les deux techniciens et pose une main sur l'épaule de chacun.

— Merci beaucoup. Vous avez fait un excellent boulot.

Le geste semble un peu outré, mais quand nous quittons la salle, les deux techniciens se tiennent un peu plus droit sur leur siège.

Quarante-cinq minutes plus tard, nous sommes rassemblés dans le bureau du directeur régional du FBI. Une heure d'appels téléphoniques à Sing Sing n'a pas encore donné les résultats escomptés. Personne n'a été capable d'établir une relation personnelle entre Conrad Hoffman et Leon Gaines, même si tous deux ont passé cinq années dans la même prison et pendant la même période.

— Nous avons trois options, dit Baxter. La première, arrêter Gaines maintenant et l'interroger. La deuxième, l'interroger mais sans l'arrêter. La troisième, attendre d'avoir plus d'informations.

Incrédule, je m'écrie :

— Vous ne pouvez pas attendre ! Vous avez déjà perdu trop de temps. Thalia Laveau est peut-être en train de mourir quelque part en ce moment même !

— Je pense que Thalia Laveau est déjà morte, laisse tomber Lenz sans me regarder. Et même si ce n'est pas le cas, Gaines ne sait peut-être pas où elle se trouve. S'il est simplement le peintre dans cette conspiration, je veux dire.

— Vous la croyez morte ? dis-je en me levant à moitié de mon siège. Qui accorde la moindre foutue importance à ce que vous pensez ? Combien de fois avez-vous eu raison depuis une semaine ? Une fois ?

Les quatre hommes restent éberlués, mais je ne peux contenir plus longtemps ma colère.

— En ce moment, Thalia se trouve là où toutes les *Femmes endormies* ont été peintes. Dans la maison où sont perpétrés les meurtres, comme vous l'avez dit. La maison possédant ce jardin intérieur. La maison que vous n'arrivez pas à localiser. Et si ce peintre est Leon Gaines, Thalia attend un artiste qui ne viendra jamais, parce qu'il sait que nous le surveillons. Elle pourrait agoniser pendant que Gaines déambule dans les allées de ce supermarché, en rêvant de la peindre et en se moquant de nous !

— C'est vrai, reconnaît John avec calme. Mais Gaines ne peut pas nous aider à sauver Thalia sans admettre qu'il est complice dans une série de meurtres. Et tant que nous n'en savons pas plus, nous ne pouvons pas lui offrir l'immunité. Les familles des victimes nous crucifieraient en place publique. Aussi dure qu'elle soit, c'est la situation actuelle : nous n'avons aucun moyen de forcer Gaines à parler. Aucun moyen légal, en tout cas.

Un silence lourd suit cette déclaration, et Baxter se hâte de le briser :

— Six heures. Pendant six heures, nous creusons toutes les pistes possibles, le moindre indice qui nous vient de Sing Sing. Epluchez le passé de Gaines dans ses moindres détails pour voir si nous n'avons pas laissé passer quelque chose. Je veux que nous décortiquions sa vie. Si nous découvrons quelque chose que nous pouvons utiliser contre lui, alléluia. Sinon, nous lui tombons dessus à bras raccourcis et nous tentons de le faire parler par la pression.

— Vous voulez bluffer un ancien taulard ? marmonne Lenz.

— Nous n'avons pas d'autres options ! aboie Baxter, perdant pour une fois son calme professionnel.

Dans le silence abasourdi qui suit, je demande :

— Et sa petite amie ? Linda Knapp ?

— Eh bien ? fait Baxter.

— Si nous pouvions la persuader de lâcher Gaines, il se pourrait qu'elle se rétracte sur les alibis qu'elle lui a fournis. Elle l'a fait une fois.

— Pour revenir aussitôt auprès de lui, me rappelle John. Parce qu'elle sait qu'il la battrait comme plâtre si elle ne le faisait pas.

— Pour l'instant, elle est seule chez eux, dit Lenz d'un ton pensif, en me regardant. Gaines est au supermarché…

— Nom de Dieu, jure Baxter qui comprend seulement maintenant ce que le psychiatre a déjà saisi depuis un moment. Jordan, vous avez bien failli vous faire tuer hier. Ça ne vous suffit pas ?

— Hoffman est mort. Gaines n'est pas chez lui. Mettez-moi un micro et amenez-moi là-bas, que je voie la fille. Si Gaines prend le chemin du retour, venez frapper à la porte et je sortirai en quatrième vitesse.

Baxter n'est pas convaincu, mais le directeur régional ne semble pas avoir d'objection à formuler, et John sait qu'il vaut mieux pour lui ne pas intervenir à ce stade. J'insiste donc :

— Vous savez bien qu'une femme a beaucoup plus de chances de la convaincre que n'importe lequel d'entre vous.

— Beaucoup de nos agents sont des femmes, rétorque Baxter.

— Aucune ne connaît cette affaire aussi bien que moi. Aucune n'a une raison personnelle d'agir. Knapp le sentira chez moi.

— Elle a raison, dit John. Nous ne retournerons pas la compagne de Gaines contre lui avec quelques phrases raisonnables. Et puis, Knapp connaît déjà Jordan.

Son regard capture celui de Baxter avec une sombre intensité.

— C'est tout ce que nous avons, Daniel.

— Bordel de merde, maugrée Baxter, levant les bras au ciel en signe de reddition. Allons là-bas avant que Gaines n'ait rempli son chariot.

Baxter et le Dr Lenz sont recroquevillés dans le van de surveillance garé à un pâté de maisons du domicile miteux de Gaines, dans Freret Street. Je suis dans ma Mustang, à l'arrêt derrière le van. Le 38 de John est sanglé à ma cheville sous mon jean. John se penche à ma portière et désigne mon pied.

— Tout est en ordre ? demande-t-il, conscient que Baxter et Lenz peuvent m'entendre.

— On peut y aller.

Voyant l'inquiétude sur son visage, je glisse la main sous mon corsage et plaque le gras de mon pouce sur le micro.

— Je n'en aurai pas besoin, dis-je en parlant de l'arme.

— C'est justement dans ces moments-là qu'on en a besoin, murmure-t-il. Comme l'appareil photo dans ta banane.

Il pose une main sur mon avant-bras.

— Je n'ai jamais vu de femme qui soit une tueuse en série, mais nous connaissons le cas de femmes qui ont aidé ce genre de barjots à accomplir des meurtres horribles. Même des tueurs en série. Et Linda Knapp correspond à ce type de profil. Image d'elle-même dépréciée, dominée par un homme violent et grossier…

— Je vais seulement lui parler, John. Si elle fait mine de m'agresser, je lui tire dessus, promis. Maintenant laisse-moi y aller, avant que Gaines ne revienne.

Ses doigts pressent la chair de mon bras, puis il s'écarte de la voiture. Avec un petit signe à son adresse, j'engage la Mustang dans la rue.

Le voisinage de Gaines offre un triste spectacle en ce début de matinée. J'ai le sentiment que même les personnes âgées se lèvent tard. Je monte sur le trottoir en face de la maison de Gaines et coupe le contact. Je reste assise un moment sans bouger. Je ne veux pas donner l'impression que je me précipite. Comme une actrice qui se prépare à tourner sa scène, je laisse mon esprit évacuer les soucis du présent, et je fais remonter à la surface les émotions enfouies en moi. Mes craintes pour Jane, le poids de l'absence de mon père, l'humiliation imprimée en moi par le viol – toutes choses que j'exècre, mais qui maintenant peuvent devenir mes alliées.

Les marches craquent quand je les gravis jusqu'au perron. L'équipe de surveillance a dit que les photos prises par les appareils à image thermique montrent que Knapp est toujours couchée. J'ai envisagé de l'appeler d'abord, mais tout le monde a jugé que cela lui donnerait une trop belle occasion de refuser de me voir. Avant que le doute ne m'assaille, je frappe à la porte. Trois fois. Sèchement.

Il n'y a pas de réponse, aussi je frappe encore, assez fort pour me faire mal aux articulations des doigts.

— Allez, dis-je à voix basse.

Elle ne vient pas voir qui est à la porte.

— Elle est peut-être en pleine overdose là-dedans, dis-je au micro attaché à mon soutien-gorge.

Me hissant sur la pointe des pieds, je jette un regard par la partie vitrée de la porte, qui s'ouvre haut dans le battant. A l'intérieur, c'est toujours la caverne sombre et déprimante dont j'avais tellement hâte de sortir l'autre jour. Des vêtements sales et des emballages de pizzas jonchent le sol. Le chevalet se dresse sur la gauche de mon champ de vision, aussi nu qu'un squelette maintenant. Sur la droite, un mur nu qui plus loin devient le mur du couloir. Sans prévenir, l'appréhension électrise ma nuque et me donne la chair de poule.

Quelque chose cloche.

Qu'est-ce que je vois ?

— Mauvaise question, dis-je à voix basse, et l'appréhension se transforme en anxiété.

La bonne question est : « Qu'est-ce que je ne vois pas ? » La petite œuvre abstraite de Roger Wheaton, qui était accrochée sur le mur de droite. Elle ne s'y trouve plus. Pourquoi Gaines l'a-t-il décrochée ? La voix de Frank Smith résonne de façon irréelle dans mon crâne : « Roger lui a offert une paire de peintures abstraites en cadeau, petites mais très jolies. Leon en a revendu une deux semaines plus tard. Pour s'acheter son héroïne, j'en suis sûr. » Gaines a emporté la peinture parce qu'il va la revendre. Pour acheter de l'héroïne ? Ou pour financer sa fuite ?

Je referme la main sur le bouton de la porte que

j'essaie d'ouvrir. Elle est fermée à clef ou au verrou, mais sous ma poussée le vieux panneau de bois tremble mollement contre le chambranle. Un gamin de huit ans l'ouvrirait d'un coup de pied. Bien sûr, si je fais ça, Daniel Baxter risque de me faire sortir de la maison si vite que je n'aurai même pas le temps d'atteindre la chambre.

Je saisis fermement le bouton de porte à deux mains, j'appuie de l'épaule contre la porte et je pousse. Bois et métal craquent, même sous le poids très relatif de mes soixante-cinq kilos. Plaquant une cuisse contre l'obstacle, je recule le buste, puis je heurte le panneau de l'épaule. La porte cède avec un bruit sourd.

— Salut, Linda, dis-je, surtout pour les agents dans le van. Je voudrais vous parler, si ça ne vous dérange pas trop.

Une odeur d'excréments me prend à la gorge. J'ai un mouvement de recul involontaire, car je sens aussi la mort, mais mon cerveau m'affirme que si les caméras thermiques voient Linda Knapp au lit, c'est qu'elle est vivante. Ou qu'elle était encore vivante très récemment, corrige une petite voix intérieure.

Un mot de moi et les hommes entassés dans le van investiront la maison, mais si je le prononce, je perdrai toute chance de questionner Linda Knapp seule à seule. Il se peut qu'elle dorme, tout simplement. Et que cette puanteur provienne de WC bouchés.

Je me baisse et sors le 38 de John de son étui de cheville. Puis je traverse vivement la première pièce, en tenant l'arme à deux mains. Je regarde devant moi, sans me concentrer sur un objet particulier, aux aguets du moindre mouvement, comme un soldat britannique m'a jadis appris à faire.

Le couloir étroit se referme sur moi, et je sens la claustrophobie qui me guette. Un peu plus loin sur la droite, il y a une porte ouverte. Je m'avance courbée en deux, et je passe la tête par l'embrasure. Il n'y a pas de lit, juste un matelas posé à même le sol, qui disparaît presque sous les couvertures empilées et les vêtements sales. La pièce semble vide, quoique la porte d'un placard soit entrebâillée dans le coin opposé à la porte. Elle *semble* vide – mais les caméras thermiques disent qu'elle ne l'est pas.

Quand je me redresse, les couvertures sur le lit révèlent soudain une forme reconnaissable. Une forme humaine. Sans quitter des yeux la porte du placard, je m'approche du matelas en trois pas rapides, me penche et rabats les couvertures hors du lit.

L'odeur me fait presque vomir, mais ce que je vois est encore plus atroce. Une femme et là, au centre du matelas. Elle est bâillonnée avec du ruban adhésif et enveloppée dans une couverture. Le côté de son visage disparaît sous une croûte de sang coagulé, et un œil ouvert fixe le plafond sans le voir.

— John ? dis-je dans un souffle. John, j'ai besoin d'aide. Venez, vite !

La femme sur le lit est Linda Knapp. La ligne sèche de sa mâchoire et sa chevelure blonde me le confirment. M'accroupissant à côté d'elle, je pose deux doigts sous le maxillaire pour tenter de sentir le pouls à sa carotide. Je détecte des battements très faibles.

Aussi doucement que je le peux, je retire le ruban adhésif de sa bouche et de ses narines. Soudain la petite maison se met à trembler sous la charge de pas masculins, et une voix tonne :

— Agents fédéraux ! Lâchez vos armes !

John et Baxter font irruption dans la chambre, l'arme au poing, mais il n'y a personne sur qui tirer.

— Elle est vivante ! Elle a besoin d'une ambulance ! Vite !

Pendant que Baxter passe les ordres par radio et que John vérifie le placard, le Dr Lenz se précipite vers le lit, se penche et examine la femme.

— Grave traumatisme crânien, diagnostique-t-il en un instant. Il l'a frappée avec quelque chose de lourd.

John désigne une lampe sans abat-jour qui gît sur le sol, l'ampoule brisée. Son pied carré et visiblement pesant est maculé d'une substance sombre et poisseuse.

— Arrêtez Gaines immédiatement, ordonne Baxter par radio. Il est présumé armé et très dangereux, mais essayez de ne pas l'abattre. Confirmez dès que c'est fait.

— Il l'a enveloppée dans une couverture électrique, constate Lenz. Pour conserver une température proche de celle du corps humain. Même si elle était morte, nous aurions mis du temps à remarquer quoi que ce soit.

Il relève la paupière close de Knapp, puis la laisse retomber doucement sur le globe oculaire.

— Tout ça n'a pas de sens, dit John. On ne frappe pas sa petite amie à mort pour ensuite aller faire des courses au supermarché.

— La peinture n'est plus là, dis-je d'une voix blanche. Celle que Wheaton lui a offerte. Il a dû l'emporter pour la vendre.

— Il se prépare à prendre la tangente, dit John.

La radio de Baxter crachote :

— Monsieur, ici l'agent Liebe. Mes hommes à l'intérieur ont perdu le contact visuel avec le suspect il y a deux minutes. Nous sommes en nombre dans le magasin, maintenant, mais ça grouille de monde. Je pense que peut-être...

— Bloquez toutes les issues ! ordonne Baxter. Personne n'entre ni ne sort.

24

Le supermarché Kenner est au bord de l'émeute.
Quand nous sommes arrivés, toutes sirènes hurlantes, j'ai noté que le parking était à moitié
occupé, mais vide de tout client, et bien que nous
soyons entrés par l'issue réservée aux livraisons à
l'arrière, le grondement bas d'une foule en colère a
filtré à travers les portes de service. Dans les douze
minutes qui nous ont été nécessaires pour atteindre
le supermarché, deux agents se faufilant entre les
clients bloqués là et quatre fouillant les allées et les
cabines d'essayage n'ont trouvé aucun signe de
Leon Gaines, bien que sa voiture soit toujours sur
le parking.

Dans la salle de vidéo surveillance située à
l'arrière du bâtiment, un pan de mur composé
d'écrans montre les vues des rayons alimentées par
trois douzaines de caméras disséminées dans le
plafond du magasin. Baxter présente sa carte au
responsable de la sécurité, puis demande au technicien en poste de revenir dans les enregistrements
trois minutes avant que l'agent Liebe n'annonce
avoir perdu le contact visuel avec Gaines.

— Qu'a fait ce type ? demande le responsable.

— Fugitif dans une affaire fédérale, dit John. C'est tout ce que nous pouvons vous révéler.

— Je ne pense pas que nous puissions légalement retenir les clients à l'intérieur du magasin. La société pourrait être poursuivie.

Baxter se détourne un instant des écrans et le toise.

— Votre magasin a été bouclé par le gouvernement fédéral. Vous n'avez aucune raison de vous inquiéter.

— Voilà Gaines, annonce John, qui regarde par-dessus l'épaule du technicien.

Sur l'écran, Leon Gaines pousse un chariot dans l'allée du rayon quincaillerie. Il porte un tee-shirt blanc sale, un jean noir et une barbe de trois jours. Ses cheveux noirs bouclés sont emmêlés, et il se déplace avec une sorte d'énergie nerveuse tressautante, comme un drogué impatient de trouver sa dose. Son chariot contient un carton de lait, un paquet de petits pains ronds, quelques articles de toilette et un exemplaire de la revue *Hot Rod*. Après dix secondes, il sort de l'écran.

La radio de Baxter grésille.

— Agent Liebe, monsieur. Nous venons d'être contraints d'arrêter un homme… d'un certain âge. A l'entrée principale.

Le Dr Lenz émet une sorte de gloussement bas.

Baxter porte la radio à ses lèvres.

— Gardez le périmètre clos.

— Montrez-nous les caméras qui couvrent les issues, dit John.

— Vous ne voulez pas le suivre avec les autres caméras de ce secteur ? s'étonne l'employé.

— Seulement les issues.

Deux ensembles de portes vitrées coulissant automatiquement apparaissent sur les écrans, ainsi que la grande issue de service à l'arrière.

— Passez à la vitesse normale.

Nous voyons des gens entrer et sortir du supermarché hommes et femmes, jeunes et vieux, blancs et noirs. Certains clients s'arrêtent à l'accueil pour prendre un autocollant à apposer sur un produit qu'ils ramènent.

— Arrêtez le défilement ! dit soudain John.

— Qu'y a-t-il ? dit le technicien en s'exécutant.

Du bout de l'index, John tapote la silhouette d'une femme brune qui franchit les portes automatiques.

— Remarquez sa taille, en comparaison avec celle de cette autre cliente.

Son doigt glisse jusqu'à une blonde figée à l'entrée ; elle fait presque une tête de moins que l'autre. Puis il revient à la première.

— Je crois que c'est Gaines.

Baxter se penche sur l'écran et plisse les yeux.

— Bon sang, vous avez raison. Il s'est rasé, a mis une perruque et pris un sac à main. Et il est passé comme une fleur entre nos hommes.

— Il avait certainement apporté un rasoir électrique à piles, commente Lenz.

Baxter se redresse et s'adresse au chef de la sécurité :

— Vous pouvez laisser partir tout le monde.

— Il est dans la nature depuis quinze minutes, au minimum, dit John. Il peut se trouver n'importe où, maintenant.

— Nous sommes à moins de deux kilomètres de l'aéroport international, réfléchit Baxter à haute voix, avant de lancer dans sa radio : Liebe, tout votre groupe se rend à l'aéroport. Mais passez ici auparavant.

— Bien, monsieur.

Baxter désigne l'image de Gaines sur l'écran et s'adresse au technicien :

— Vous pourriez me faire un tirage papier de cette « femme » ?

— Aucun problème.

— Tirez-m'en vingt exemplaires. Et vingt de lui avec l'apparence qu'il avait dans le rayon quincaillerie. Un agent du nom de Liebe va venir les chercher… John, retour au bureau ?

John fait les cent pas devant le mur gris, comme si marcher pouvait lui donner la clé de la situation.

— Nous devrions laisser un de nos hommes dans le parking. Dans une minute, un client va se mettre à crier qu'on lui a volé sa voiture pendant qu'il était coincé à l'intérieur. Dès que nous connaîtrons la marque, nous pourrons faire décoller tout ce que nous avons.

Une sonnerie assourdie se fait entendre dans la pièce. John sort son portable de sa poche.

— Ici Kaiser… A l'instant ?… Passez-le-moi…

Puis, à Baxter :

— Roger Wheaton vient d'appeler le bureau et a demandé à être mis en communication avec moi. Il dit qu'il s'agit d'une urgence.

— Wheaton ? s'étonne Lenz.

— Allô, dit John en couvrant son oreille libre et en se détournant de nous pour se concentrer sur ce qu'il entend. Oui, monsieur, c'est John Kaiser… Pouvez-vous sortir du bâtiment ?... Je comprends. Pouvez-vous les faire sortir ?... Ecoutez-moi, monsieur Wheaton. Si vous ne pouvez pas les faire sortir, sortez, vous. Vous n'êtes pas responsable d'eux… Nous arrivons. Mettez-vous en sécurité et attendez-nous.

John se retourne vers nous.

— Gaines vient d'assommer Roger Wheaton dans son bureau du Woldenberg Art Center. Gaines prétend être victime d'un coup monté du FBI, et dit qu'il a besoin d'argent pour quitter le pays.

— Il est armé ? demande Baxter.

— Oui. Wheaton a proposé à Gaines de le conduire à sa banque pour retirer de l'argent, mais il a dit que son portefeuille et ses clés étaient restés en bas, dans la galerie où il peint. Gaines lui a dit que s'il n'était pas de retour dans les deux minutes il prendrait des étudiants en otages et qu'il commencerait à les tuer. Il y a actuellement entre cinquante et soixante-dix étudiants disséminés dans le bâtiment, et ils ignorent ce qui se passe. Wheaton est descendu en hâte dans un autre bureau et nous a téléphoné.

— Pourquoi pas à la police ? dit Lenz. Et pourquoi demander à vous parler en particulier ?

— Il a dit qu'il ne voulait pas que Gaines soit abattu à la première occasion. En fait, il s'inquiète pour ce fumier.

— Moi non plus, je ne veux pas qu'il soit abattu, dis-je sèchement. C'est peut-être la seule personne au monde qui sait où sont les femmes.

553

Baxter sort son portable et appelle un numéro préenregistré.

— Baxter. Passez-moi le directeur régional Bowles. Tout de suite.

Il regarde John.

— Il nous faut un hélico… Patrick ? Leon Gaines est au centre artistique de Tulane, et il a certainement des otages. Combien d'hélicos avez-vous en l'air maintenant ?… Bien, envoyez-les tous les deux au-dessus du parking du supermarché Kenner. Et vous devriez alerter les autres services, qu'ils sachent qui dirige les opérations à Tulane…

Baxter repousse le paquet de photocopies que le technicien lui tend et se tourne vers John.

— Nous aurons deux hélicos dehors dans trois minutes. Allons-y.

Quand on fonce au-dessus de La Nouvelle-Orléans à cent quatre-vingts kilomètres à l'heure, on comprend pourquoi on la surnomme la Ville-Croissant. Les anciens quartiers occupent une grande courbe du Mississippi, dont les grandes rues se fondent dans le méandre ou suivent le tracé. Aujourd'hui, les eaux du fleuve ont la couleur de l'ardoise à cause du ciel gris et chargé, mais une grande coulée de lumière solaire au sud dévoile le brun-rouge habituel de la ville.

John et Baxter sont montés dans l'hélicoptère de tête, le Dr Lenz et moi dans le second. Au-dessous de nous, Audubon Park s'étire au nord jusqu'à St Charles Avenue, et plus au nord encore de cette artère débute le jardin rectangulaire qu'est la Tulane University. Alors que le premier appareil tourne au-dessus d'un terrain de golf et descend vers Tulane, une impression de déjà-vu écrasante couvre mon visage et mes mains de sueur. Je suis arrivée dans bien des villes de cette façon, accrochée à un espar avec mes appareils photo pendus au cou : Sarajevo, Maputo, Karachi, Bagdad, San Salvador, Manague, Panamá. La liste est sans fin, mais la ville qui s'étend sous moi est celle où j'ai commencé ma carrière, et je suis frappée de constater que je risque aussi de la terminer ici. Si tel devait être le cas, j'accepte le risque. L'île de verdure paisible au-dessous de nous est le théâtre d'une situation désespérée, mais dans sa résolution réside la réponse au mystère qui me hante depuis plus d'un an.

Dans le cockpit, la radio grésille tandis qu'un agent au sol, dans les bureaux de l'antenne, guide le pilote vers sa zone d'atterrissage grâce à un plan détaillé de l'université. L'appareil descend assez brutalement pour que j'en aie l'estomac retourné, et je me demande si cette approche ne rappelle pas le Vietnam à John et Baxter. Au centre d'un quadrilatère de pelouse se trouvent deux voitures de police, tous gyrophares allumés, à côté d'un hélicoptère Huey d'un vert olive terne. J'ai vu plusieurs de ces appareils sur la base de la Garde nationale contiguë à l'antenne régionale du FBI. Les commandos d'intervention qu'il transportait probablement ont déjà dû se déployer sur le terrain.

Alors que je scrute les alentours pour les repérer, nous plongeons vers le sol et le pilote redresse au dernier moment pour nous poser à une trentaine de mètres de l'hélico de tête. John en saute et court vers nous, tandis que Baxter se dirige vers les policiers de La Nouvelle-Orléans qui l'attendent.

— Mauvaises nouvelles ! me crie John quand je descends et trotte vers lui, pliée en deux. Gaines retient un homme en otage dans un bureau, au deuxième étage. Il s'est montré à la fenêtre un pistolet collé à la tempe du pauvre gars. Le groupe d'intervention a installé son poste de commandement sous les arbres, face au bâtiment.

Baxter nous rejoint en courant.

— Allons-y, John !

— Qui est le négociateur ? s'enquiert le Dr Lenz qui apparaît soudain.

— Ed Davies, lui répond John ; c'est un bon.

— Ce n'est pas une situation standard, dit Lenz à l'attention de Baxter. Il ne s'agit pas d'un mari à la dérive ou d'un flic suicidaire. C'est très certainement à un tueur en série que nous avons affaire. Vous savez que…

— Je sais ce que vous voulez, Arthur, rétorque Baxter avec brusquerie. Nous en discuterons avec le commandant du groupe d'intervention.

— Parlez-en à Bowles, dit Lenz. C'est lui qui le veut.

Baxter part en courant vers un bâtiment massif, sur le côté nord de la pelouse, que je reconnais : le Woldenberg Art Center. John et moi suivons, avec Lenz derrière, qui ahane déjà. J'aurais dû identifier le centre depuis le ciel, avec ses trois grandes verrières dans le toit au-dessus de la galerie où l'immense peinture circulaire de Roger Wheaton attend son premier public. Vu sous cet angle, le bâtiment ressemble à deux énormes boîtes de brique hautes de deux étages séparées par une section de plain-pied bordée d'arcades. Si ma mémoire ne me fait pas défaut, les deux parties les plus imposantes abritent les salles de cours, les studios et les bureaux, tandis que la section basse est occupée par la galerie d'art. Gaines doit donc se trouver dans une des deux sections latérales.

Plus nous nous approchons et plus il est difficile de voir la construction dans son ensemble. Des chênes vénérables aux branchages envahissants bordent la route devant, masquant la plupart des fenêtres. Sous l'un des arbres, un groupe d'hommes en tenue de combat noire frappée en jaune des trois lettres majuscules « FBI » sont accroupis autour de ce qui semble être une carte. John les atteint le premier et s'adresse aussitôt à l'un d'eux. Baxter compose un numéro sur son portable, le Dr Lenz à côté de lui. Je m'approche pour écouter le chef du commando résumer la situation à John. C'est un homme grand et moustachu d'une trentaine d'années. Son gilet pare-balles porte le nom « Burnette ».

— Gaines est toujours au deuxième, dit-il. Il garde le canon de son arme sur la tempe de son otage quand nous pouvons l'apercevoir, mais la plupart du temps nous en sommes empêchés par les stores vénitiens. Il n'y a pas de point élevé où poster des tireurs d'élite. Nous allons donc en envoyer un dans le Huey, qui fera du sur-place à une certaine hauteur. Ce n'est pas une très bonne solution, mais tant que nous n'avons pas un échafaudage, c'est le seul moyen d'avoir un angle de tir sur ce bureau. Nous avons déjà deux gars sur le toit, avec le matériel de descente en rappel. Ils peuvent descendre et entrer en fracassant une fenêtre, mais ça ne me convient pas. Nous avons déjà récupéré et évacué une quarantaine d'étudiants jusqu'ici, mais il peut en rester une vingtaine au même étage que Gaines, certains dans des studios individuels. Il a barricadé la porte principale. Ces gosses ignorent peut-être complètement le danger qu'ils courent, et il se peut aussi qu'ils soient otages de Gaines.

— Vous avez établi le contact avec Gaines ? demande John.

— Une secrétaire vient de communiquer le numéro du bureau à Ed. Il appelle en ce moment.

Burnette désigne un homme habillé en civil de l'autre côté de l'allée, qui justement empoche un portable et vient vers nous au trot.

— Il veut qu'un de nos hélicos le transporte à l'aéroport, annonce le négociateur. Il exige qu'un avion l'y attende et l'emmène au Mexique. J'ai tenté d'amorcer le dialogue, mais il a raccroché. Ce type m'a tout l'air d'un dur. Et malin, avec ça. Ça pourrait prendre un bout de temps.

Baxter se campe devant Burnette.

— Le directeur régional Bowles vient de désigner le Dr Lenz comme négociateur pour cette affaire. Il m'a également choisi comme commandant de l'intervention. Aucun problème si vous voulez vérifier.

Le chef du commando décline l'offre d'un mouvement de tête.

— Ça me va, dit-il. Vous êtes de Quantico, n'est-ce pas ?

— Exact.

Ed le négociateur semble sur le point de protester quand soudain quelqu'un s'écrie :

— Le voilà !

Au deuxième étage, coincé entre la fenêtre et un store, vient d'apparaître Roger Wheaton. Son visage tout en longueur est pressé contre la vitre, et on aperçoit le canon d'un pistolet sur son oreille.

— Bon sang, marmonne John. Je lui avais dit de sortir.

— Il veut jouer les héros, dit Lenz. Exactement comme au Vietnam.

— Appelez ce bureau et passez-moi votre téléphone, dit Lenz au négociateur avant de se tourner vers Burnette. Dites à vos tireurs de baisser leur arme.

— Exécution, appuie Baxter.

Tandis qu'Ed compose le numéro, le chef du groupe d'intervention dit :

— Monsieur Baxter, mon tireur d'élite peut faire sauter ce pistolet de la main de Gaines. Il est capable de le faire d'ici. Je l'ai vu le faire deux fois dans des situations plus tendues.

— Non, cette option n'est pas envisageable pour l'instant. Nous ignorons si Gaines n'a pas d'autres armes là-haut.

— Oui, allô ? dit Lenz. Leon ?... Ici le Dr Arthur Lenz… J'étais chez vous l'autre jour… Oui. Je suis ici parce que je sais que vous avez besoin de parler à quelqu'un qui n'est pas lié par les règles normales… C'est exact. Certains cas sortent de l'ordinaire, et c'est ce qui se passe aujourd'hui.

Quand je lève de nouveau les yeux vers la fenêtre, Wheaton a disparu.

Lenz baisse la voix

— Un hélicoptère n'est pas hors de question, Leon. Mais tout a un prix. Vous le savez. C'est ainsi que le monde fonctionne… Il peut vous sembler que vous détenez toutes les cartes. Vous pensez savoir quelles sont vos priorités. Il y a douze familles qui se soucient beaucoup plus de vous voir recevoir une injection létale qu'elles ne se soucient du sort d'un artiste mourant dont vous ne raccourciriez la vie que de quelques mois.

Ed le négociateur paraît prêt à arracher le téléphone de la main de Lenz, mais Baxter lève une main pour le calmer.

— Leon, reprend le psychiatre d'un ton irrité. Ecoutez-moi. Vous…

Un petit claquement me parvient aux oreilles.

— Détonation ! crie un membre du commando.

— Ne faites rien, ordonne Baxter.

— Restez en position, lance Burnette. Mais tenez-vous prêts.

— Embarquez un tireur dans le Huey, décide Baxter. Qu'on l'équipe d'une lunette de visée à imagerie thermique. Il faut voir à travers ces stores.

Tandis que Burnette court vers le chêne, une femme crie dans la direction du centre artistique. Puis la porte extérieure de l'aile des studios s'ouvre d'un coup et une douzaine d'étudiants s'en échappent comme s'ils fuyaient un incendie. Derrière eux vient un homme de grande taille aux mains gantées de blanc, qui court avec effort.

— C'est Wheaton ! dis-je dans un cri, et je m'élance vers lui.

Des hommes du commando se précipitent pour prendre en charge les étudiants. John me dépasse en claudiquant et saisit Wheaton par le bras. L'artiste a la bouche et le nez en sang.

— Ça va ? lui demande John. Vous avez été touché ?

— Non, répond Wheaton en toussant. Nous nous sommes battus, et Leon m'a frappé avec l'arme. Il aurait pu m'abattre, mais il ne l'a pas fait. Je ne pensais pas qu'il le ferait. C'est pourquoi j'ai tenté ma chance.

— Nous avons entendu une détonation, dit John d'une voix tendue. Quelqu'un a été blessé ?

— Le coup est parti quand nous nous battions, mais il n'a tiré sur personne.

— Il est seul là-haut, maintenant ?

— Non. Il a enfermé deux étudiantes dans un bureau voisin, et il a mis un canapé devant la porte. Je savais que je ne pouvais pas les sauver, mais j'ai pensé pouvoir évacuer certains des studios en sortant.

Soudain il me reconnaît.

— Oh… Bonjour.

— Je suis heureuse que vous n'ayez rien.

— Nous allons faire venir une ambulance, lui dit John en le guidant vers le poste de commandement. Mais nous avons besoin de tous les renseignements que vous pourrez nous donner.

— C'est Sarah ! Oh, mon Dieu !

Le cri de l'étudiante est plus perçant qu'une sirène. J'aperçois une jeune fille brune dont le visage est collé contre la vitre au deuxième étage. Le canon d'un pistolet lui écrase la tempe.

— Evacuez ces étudiants ! crie Baxter aux hommes du commando.

John assied Wheaton sous un chêne, et un agent portant des gants en caoutchouc vient nettoyer le sang du visage de l'artiste. Baxter, le chef du commando et moi nous rassemblons devant eux.

— Avez-vous vu d'autres armes que ce pistolet ? demande John.

Wheaton prend le tampon de gaze de la main de l'agent et essuie lui-même le sang sur ses lèvres.

— Non. Mais il a un sac avec lui.

— Un sac… répète John en me regardant. Je n'ai pas vu de sac dans son chariot au supermarché.

— Sous la revue, peut-être ?

Un son rythmé et puissant ricoche contre la façade du centre artistique. Le Huey s'élève pour rester suspendu en l'air à cinquante mètres de la fenêtre derrière laquelle Gaines retient son otage. L'exécution pure et simple va bientôt devenir une option très envisageable.

John hausse la voix pour se faire entendre dans le vacarme du rotor :

— Gaines vous a-t-il dit quelque chose qui prouverait sa culpabilité dans les enlèvements ?

— Non, répond Wheaton, et ses cheveux gris volent quand il secoue la tête.

— A-t-il mentionné Thalia Laveau ?

— Il a prétendu ne rien savoir à son sujet. Il dit que c'est un coup monté par vous contre lui. Il a dit : « Ces salauds ont besoin d'un pigeon, et c'est moi. » Il voulait de l'argent liquide. Il a emporté une peinture que je lui avais offerte, dont il espère tirer le plus possible.

— Sait-il que vous avez prévenu le FBI ?

— C'est probable, répond Wheaton dont les mains gantées tremblent, plus de frustration que de peur, je le sens. Mais il fallait que je remonte. Si j'avais essayé de faire sortir tout le monde, il m'aurait entendu, il aurait risqué de paniquer et de faire n'importe quoi. Leon se comporte comme s'il contrôlait la situation, mais au fond de lui-même il est très instable. Le plus sûr était de me proposer à lui comme otage.

— Il fallait du cran pour le faire, dit John.

— Non. Leon ne veut abattre personne, agent Kaiser. Il est mort de peur. Si vous lui laissez une porte de sortie, il la prendra.

John semble sceptique.

— Monsieur Wheaton, la nuit dernière ou ce matin, Leon a battu sa petite amie si violemment qu'elle est maintenant dans le coma. Il l'a bâillonnée et laissée pour morte.

Une expression de tristesse envahit le visage de l'artiste.

— Seigneur... J'avais rencontré cette jeune fille, dit-il, et la tristesse se mue en inquiétude. Ce n'est toujours pas une raison pour l'abattre. Il est acculé. Laissez-le sortir, et arrêtez-le plus tard.

Je décide d'intervenir

— Gaines est peut-être la seule personne au monde à savoir où se trouve Thalia Laveau, ou ma sœur et les autres.

Par-dessus son épaule John jette un coup d'œil à

Lenz, qui compose avec irritation un numéro sur le téléphone portable.

— Un résultat ?

— Il ne répond pas.

L'étonnement envahit les traits de John, puis il sort son propre portable de sa poche. Il a dû sentir la sonnerie plus qu'il ne l'a entendue.

— Allô ? crie-t-il en enveloppant le récepteur de sa main libre en coupe. Merci. Je vous rappelle dès que nous en savons plus.

Il rempoche son appareil et s'adresse à Baxter

— Linda Knapp a repris conscience à l'hôpital. Elle a dit qu'elle avait menacé de dire la vérité sur les alibis de Gaines, et que ça l'avait rendu fou furieux. Elle ignore où il se trouvait les nuits des enlèvements.

— Quelqu'un pourrait-il m'aider à me lever, je vous prie ? demande Wheaton. Il se peut que je sois malade.

Baxter remet l'artiste sur pied. Wheaton tient parole, se plie en deux et vomit sur la pelouse.

— Désolé, dit-il en s'essuyant la bouche d'un revers de manche.

— Une ambulance arrive, lui dit Baxter.

— Je vais bien. Vraiment. Mais je crois que je ne tiens pas à voir ce qui va se passer.

Avec une grimace, John tire de nouveau le portable de sa poche.

— Qu'y a-t-il ?... Quoi ?... Diffusez un avis de recherche dans toute la ville. Non, dans tout l'Etat. Et gardez-moi informé.

— Que se passe-t-il ? veut savoir Baxter.

— L'équipe de surveillance a perdu Frank Smith.

— Quoi ?

— Il est allé voir des antiquités au centre des conventions et a disparu.

— Merde ! Mais qu'est-ce qui se passe, John ?

— Je ne sais pas. Mais nous ferions bien de reprendre la main très vite, dit-il avant de lancer à Wheaton : Un de nos hommes va vous ramener chez vous.

— Je vais marcher un peu, pour m'éclaircir les idées.

Le Dr Lenz vient tapoter le bras de Baxter.

— Gaines vient de me dire que si nous ne posions pas un de nos hélicos sur le toit du centre artistique d'ici cinq minutes, il tuerait cette fille et jetterait son corps par la fenêtre. Il affirme qu'il a un autre otage là-haut.

— Vous avez dit qu'il y avait deux filles, n'est-ce pas ? demande John à Wheaton.

Ce dernier acquiesce, puis oscille sur place.

— Je le tiens, dis-je à John. Je t'en prie, n'oublie pas que Gaines est sûrement le seul à savoir ce que nous voulons savoir.

John se penche vers moi.

— Reste bien en vue.

Tandis que j'emmène Wheaton, John s'adresse à un groupe d'hommes du commando d'intervention qui gardent un souvenir beaucoup trop ému de leur collègue Wendy Travis pour être objectifs dans la situation présente :

— Ç'a risque d'être chaud. Je veux que chacun d'entre vous…

Wheaton s'est éloigné de moi de quelques pas et avance sans but le long de l'allée. Je le rattrape.

— Leon a réellement laissé cette fille pour morte ? demande-t-il.

— J'ai cru qu'elle l'était jusqu'à ce que je sente son pouls.

Il s'immobilise et contemple l'aile occupée par les studios d'art.

— Ils ne vont pas nous écouter. Ils vont le tuer.

— Ils ne sont pas aussi nerveux que vous le pensez.

— Peut-être pas Kaiser. C'est d'ailleurs pour cette raison que je l'ai contacté, lui. Mais les autres... J'ai vu ça au Vietnam. Mettez assez d'armes et de soldats dans une situation semblable, et quelqu'un tirera.

— J'espère que non. Mais nous avons dit ce que nous devions dire. Trouvons un endroit où vous pourrez vous asseoir.

Le son d'un mégaphone roule sur la pelouse. Le Dr Lenz parle à Gaines.

— Je crois qu'il a cessé de répondre au téléphone, dis-je.

— Je ne veux pas voir ça, maugrée Wheaton. Je vais rentrer chez moi.

— Vous n'êtes pas en état de conduire. Je vais demander à un policier de vous ramener.

— Je vais bien, je vous l'affirme. Mais mes clés sont restées dans la galerie, avec mon sac, et je ne crois pas que ce policier acceptera que j'aille les chercher.

Du doigt il indique la section basse du bâtiment, où un agent du FBI se tient devant les arcades de l'entrée. Les clés de Wheaton se trouvent loin de Leon Gaines.

— Je vais aller lui parler. Restez ici.

— Merci. Elles sont sur le sol, au centre de la salle. Juste à côté de mon sac.

Au trot je traverse la pelouse et fais signe à l'agent en arrivant sous l'arcade.

— J'ai besoin de récupérer des clés pour un des otages. Elles sont dans la galerie.

— Personne n'entre, rétorque-t-il.

— Vous avez une radio. Appelez John Kaiser.

L'agent lève son talkie-walkie et passe l'appel.

— Où est Wheaton, Jordan ? demande John d'où il se trouve, à quarante mètres de là.

Avec des gestes exagérés, je désigne la pelouse, où Wheaton est assis.

— Accompagnez-la à l'intérieur, ordonne-t-il à l'agent. Mais ne laissez pas Wheaton rentrer chez lui pour l'instant. Ramenez-le au poste de commandement. J'envoie un agent avec lui. Nous ignorons où est passé Frank Smith, et je ne veux pas que quelqu'un d'autre soit kidnappé. Assez de surprises.

— Compris, dit l'agent, dont l'expression s'adoucit tandis qu'il m'ouvre la porte. Je suis l'agent Aldridge, à propos.

J'entre dans la galerie, et mon regard est attiré par les vitraux Tiffany que j'avais remarqués lors de ma première venue ici.

— Par ici, dis-je à Aldridge en le précédant.

Je repousse la porte en contreplaqué qui masque la galerie aux visiteurs trop curieux. Le panneau d'accès à la toile circulaire est toujours ouvert. Je vais y pénétrer, mais Aldridge passe devant moi en hâte.

— Wow, souffle-t-il, impressionné.

L'éclairage électrique est éteint dans la galerie, mais la lumière cascade par les baies vitrées du toit, baignant le chef-d'œuvre de Wheaton dans un halo bleuté. Comme dans mon rêve de la nuit dernière, la clairière semble vivante, les branches et les racines des arbres me donnent même l'impression de pousser quand je les fixe des yeux.

— C'est immense, s'émerveille Aldridge.

— Voilà le sac, lui dis-je en désignant le fourre-tout en cuir posé au centre d'une grande bâche de protection déployée sur le sol.

— Merde, grogne l'agent en baissant les yeux sur ses chaussures. Regardez-moi ça…

La bâche autour de ses pieds est tachée de peinture encore humide.

— C'est de la peinture à l'huile ? me demande-t-il.

— Je crois, oui.

— Merde. Il faudra au moins…

Une détonation assourdissante résonne dans le bâtiment, dont l'écho se disperse au bout de quelques secondes. L'arme au poing, Aldridge s'est aussitôt rapproché de moi pour me protéger.

— C'était à l'extérieur, lui dis-je. Un coup de fusil. Donnez-moi votre radio.

De sa main libre, il me la tend.

— Jordan Glass appelle John Kaiser. John ! C'est Jordan !

Il y a un grésillement de parasites, puis la voix

déformée de John me parvient par la radio, comme s'il parlait en gravissant en hâte un escalier.

— Ils ont été obligés de l'abattre, Jordan. Nous ne savons pas encore s'il est mort. Nous montons. Il ne peut pas arriver là où tu es. Ne bouge pas pendant cinq minutes, puis demande à l'agent de t'accompagner jusqu'au poste de commandement.

— D'accord. Sois prudent !

John ne répond pas.

— Si c'est Jimmy Reese qui a tiré, l'autre est mort, dit Aldridge.

Il soulève un de ses pieds et étudie la peinture d'un bleu vif qui macule la semelle de sa chaussure.

— Je me demande ce qui s'est passé, soliloque-t-il. Le type a sans doute paniqué et a agité son arme.

Je suis incapable de parler. Ce que savait Gaines est mort avec lui, et une partie de moi aussi. Tout ce que j'espérais tant apprendre a été anéanti par la balle d'un tireur d'élite. J'ai les jambes en coton. Je tombe à genoux, et m'oblige à respirer profondément.

— Eh, ça ne va pas ?

— Donnez-moi juste une minute.

— Bien sûr. Eh ! s'écrie Aldridge en braquant son arme vers l'ouverture dans la toile circulaire.

Roger Wheaton vient d'apparaître, et son visage est le masque de l'angoisse.

— Ils l'ont tué, dit-il. J'ai entendu Leon hurler par la fenêtre, et j'ai marché jusqu'à un endroit d'où je pouvais le voir. Un tireur lui a logé une balle dans la tête.

— Du calme, dis-je à Aldridge. Ce sont ses clés que nous sommes venus chercher.

L'agent du FBI baisse son arme.

— John dit que Gaines est peut-être encore en vie, dis-je sans grande conviction.

Wheaton secoue mollement la tête, tend un bras et effleure le tronc d'un arbre sur la toile de son gant taché de sang.

— Oh ! lance Aldridge. Le gars qui a peint ça n'aimerait sûrement pas que vous le touchiez. Ce n'est pas encore sec.

— Je ne pense pas qu'il s'en formalise, dit Wheaton avec un sourire triste.

— C'est lui qui l'a peint, dis-je à l'homme du FBI.

— Oh. Euh, j'aime beaucoup, vous savez.

— Merci.

— Mais pourquoi portez-vous des gants ?

— Pour protéger mes mains.

— Je croyais que vous aviez terminé la peinture, dis-je à Wheaton en posant les paumes de mes mains sur le sol pour me redresser.

— Il y a toujours des retouches de dernière minute. C'est terminé, maintenant.

Mes paumes sont humides. Je les retourne et découvre la peinture jaune et rouge qui les macule, des couleurs aussi vives que le bleu sur les chaussures d'Aldridge. Une telle quantité de peinture ne peut être le résultat d'un pinceau qui goutte. Wheaton a certainement peint le sol, raison pour laquelle il a déployé cette bâche. Il n'était pas satisfait de simplement entourer le spectateur d'un grand cercle boisé. il a voulu représenter aussi le sol de la forêt.

— Est-ce que j'ai abîmé quelque chose ? dis-je en lui montrant mes paumes. Vous allez faire le plafond aussi ?

Le visage de Wheaton s'assombrit quand il comprend que j'ai fait une trace sur son œuvre.

— J'en ai un peu sur les semelles de mes chaussures, moi aussi, dit Aldridge. Vous n'auriez pas dû nous envoyer chercher vos clés alors que ce n'était pas encore sec.

— Restez où vous êtes, recommande Wheaton. Tous les deux.

Sur la pointe des pieds, l'artiste traverse la bâche selon un chemin complexe, comme un soldat marchant dans un champ de mines qu'il vient de poser. Arrivé à côté d'Aldridge, il prend la main de l'agent et le guide vers moi, puis il nous escorte tous les deux vers le bord de la bâche, et me sourit.

— Vous avez découvert ma petite surprise. Je pensais que ce serait déjà sec.

— Puis-je regarder ?

— Je suppose que oui.

Le talkie-walkie d'Aldridge grésille et la voix de John retentit dans la salle.

— Daniel ? C'était un TD. L'otage n'a rien, elle descend.

— Compris, répond Baxter.

— Qu'est-ce qu'un TD ? dis-je.

— Tir décisif, explique Aldridge. La cible a été abattue.

— Je vous l'ai dit, ils lui ont tiré en pleine tête, dit Wheaton qui soulève un coin de la bâche. Jordan, vous voulez bien prendre l'autre coin, pour que nous la retroussions ensemble ? Si vous voulez toujours le voir, bien sûr.

Gagnée par une déprime diffuse, je m'exécute.

Maintenant, on marche tous les deux d'un même pas. Lentement, avec précaution.

Tandis que je me déplace, la bâche se décolle du sol comme un emballage qu'on retire d'un gâteau d'anniversaire.

— Oh, bon sang, tout est raté, dit Aldridge. Vous avez mis cette bâche dessus bien trop tôt.

— Merci d'exprimer l'évidence, lâche Wheaton.

A mi-parcours, je m'arrête, stupéfiée par les images sur le sol. Elles n'ont aucune similitude avec la peinture sur le cercle de toiles autour de nous. Ce sont des visages humains lumineux, qu'on dirait tracés par une main d'enfant, directement sur le plancher. De grandes courbes de rouge, de jaune et de bleu, qui se mélangent là où elles se touchent.

— On dirait de la peinture exécutée avec les doigts, dis-je à mi-voix.

— C'est bien cela. Pensez à ce que diront les critiques ! exulte Wheaton. Je suis impatient de voir la tête qu'ils feront.

Mais je ne pense pas aux critiques. Je pense au grand X tracé à côté de chaque visage, aux longs cheveux qu'ils ont tous, à leur bouche ouverte dans un grand cri muet. J'ouvre la mienne pour parler, mais aucun son n'en sort.

— C'est bizarre, dit Aldridge. Vous êtes le gars qui a peint ça…

Du doigt il montre les magnifiques arbres près de son épaule, puis le sol.

— … et puis vous avez peint *ça* ?

Wheaton touche l'agent du FBI au bras, et quelque chose émet un craquement sec tandis qu'un éclair bleu jaillit. Aldridge s'écroule sur le sol en se tordant comme un épileptique en pleine crise.

L'artiste se tourne vers moi, et le visage du vieillard paisible a disparu. Une intelligence autre me contemple par ses yeux : froide, calculatrice, sans peur.

— Je ne suis pas celui qui a peint ça, déclare-t-il en désignant la *Clairière*. Cet homme-là est presque mort.

Avec la lenteur des cauchemars, je tâtonne sous la jambe droite de mon jean pour saisir le pistolet que John m'a donné, mais Wheaton tire la bâche d'un coup sec et mon pied droit s'envole sous moi, me jetant au sol.

Alors que ma main se referme sur la crosse du 38, une guêpe géante me pique à la nuque et mes bras se mettent à tressauter spasmodiquement. La pièce se brouille, disparaît, puis revient. Je me sens monter vers les baies vitrées du toit, et je me demande si je suis en train de mourir jusqu'à sentir que je me déplace latéralement. Alors je comprends que Wheaton me porte dans ses bras.

Il longe la toile circulaire en s'éloignant du panneau ouvert, et je me demande s'il pense qu'il peut simplement entrer dans sa propre peinture. Mais à quelques centimètres des arbres peints avec un soin méticuleux, il se courbe et me dépose sur le plancher. Puis il sort un couteau de sa poche, et d'un seul geste, fend la toile de haut en bas, avant de me soulever de nouveau et de passer par la déchirure comme un fantôme traverse un mur.

25

La conscience me revient avant la vision. Je sais que je suis vivante parce que j'ai froid, horriblement froid, et que je suis trempée. Je tremble de tout mon corps. Je veux toucher mon visage, mais mes bras refusent d'obéir ; mes jambes aussi. En fournissant un effort considérable je parviens à bouger les hanches, et une douleur subite irradie dans ma jambe. La torture de la circulation sanguine reprend. Je consacre toute mon énergie à ouvrir les yeux, mais ils ne s'ouvrent pas. Mon odorat fonctionne bien, cependant. La puanteur de l'urine, forte et âcre, flotte autour de moi. La terreur s'insinue dans ma poitrine comme un rat cherchant à se frayer un chemin hors d'un sac.

« Arrête », dit une voix dans mon esprit, et je me raccroche désespérément à son écho. C'est la voix de mon père.

« Ne panique pas, dit-il.

— Mais j'ai tellement peur…

— Tu es vivante. Et tant qu'il y a de la vie, il y a de l'espoir.

— Reste avec moi, Papa.

« — Pense à des choses joyeuses, continue-t-il. La lumière viendra bientôt. »

Mes pensées sont ouatées par le brouillard de la confusion, mais à travers cette brume j'aperçois des taches de lumière. Je vois une petite fille assise derrière un pupitre dans une salle emplie d'autres pupitres. A côté d'elle est assise une autre fillette, identique à elle dans les moindres détails. Une de ces petites filles, c'est moi. Je me sens plus garçon que fille. Mon livre préféré est *L'Ile mystérieuse*. Je commande mes livres dans un catalogue peu épais que l'institutrice distribue à chaque élève de la classe. *Emile et les détectives. Croc Blanc.* Nous n'avons pas beaucoup d'argent, mais quand il s'agit de lecture, ma mère ne regarde pas à la dépense. Je peux en commander autant que je veux. Je m'assieds ici jour après jour, et j'attends que mes livres arrivent. Mes livres. Il faut un mois, parfois plus, mais quand enfin ils sont là, quand l'institutrice ouvre le grand carton et donne leur commande aux élèves, en pointant les titres sur une liste posée sur son bureau, je rayonne de bonheur. Je n'ai jamais la dernière robe à la mode, ni la plus jolie, mais c'est toujours moi qui repars avec la plus grande pile de livres. De petites éditions de poche qui sentent bon l'encre d'imprimerie. Je pose ma joue contre leur couverture fraîche, déjà ravie des histoires qu'ils renferment, et je sais que les autres filles se demandent ce que je peux bien aimer autant dans ces livres.

C'est ainsi que j'ai découvert *L'Ile mystérieuse*. C'est l'histoire de quatre hommes qui cherchent à s'évader d'un camp de prisonniers, pendant la guerre de Sécession, dans un ballon gonflé à l'air chaud. Une tempête les entraîne au-dessus de l'océan, et ils s'écrasent près d'une île inhabitée. Leur première tâche est de survivre, et ils y parviennent admirablement. Un des prisonniers découvre un grain de blé au fond d'une de ses poches, et c'est ainsi qu'ils obtiennent leur première récolte. Un ancien ingénieur apporte l'irrigation à leurs champs. L'histoire est une fable qui magnifie l'indépendance, ce qui me convient parfaitement. Moi, j'ai ma mère et ma sœur jumelle, mais mon père est absent. Pas mort, mais parti au loin prendre des photos pour les revues.

Il y a une carte dans *L'Ile mystérieuse*. Quelque chose d'assez topographique, tracé à la main, qui montre une île telle qu'on la découvrirait du ciel. La plage. La crique.- Le volcan avec ses cavernes cachées. Une forêt de palmiers, parcourue de ruisseaux. Je pourrais presque y voir les naufragés, faisant de leur mieux pour survivre en se servant de leur bon sens, de leurs talents naturels. J'ai commencé à dessiner mes cartes à moi. Dans la marge de mes cahiers de texte, au verso des dessins ronéotypés qu'on vous donne à Thanksgiving : le Pèlerin ou l'Indien, qu'ensuite on colorie au crayon, après avoir reniflé avidement le papier légèrement mauve et encore humide. Quand nous avons fini le coloriage, l'institutrice ramasse les dessins et les colle en ligne au-dessus du tableau noir. Il y a toujours quelqu'un qui est bien resté dans les limites des traits noirs, ou qui a ajouté des ombres très jolies, ou souligné le dessin d'un épais trait de crayon noir taillé en biseau avec l'ongle.

Mais moi je sais – ce que même la maîtresse ignore – qu'au dos de mon Pèlerin il y a tout un monde, une île dessinée avec les plus infimes détails qu'un gros crayon rouge Eagle autorise, un monde où j'ai passé les trente dernières minutes avant de colorier à la va-vite, avec mes Crayolas, ce Pèlerin qui semble si seul.

Sans prévenir, mes paupières papillonnent et mes mains se ferment en deux poings. Quelque chose se produit dans mes muscles. Une voix me dit de garder les yeux clos jusqu'à en savoir plus sur ma situation, mais le désir de lumière est trop puissant.

La vision revient dans un déluge de nuages tourbillonnants, des volutes de blanc sur du gris. Peu à peu, les nuées se dissipent pour dévoiler le visage de Thalia Laveau. La splendide artiste sabine est assise en face de moi, immergée jusqu'à la poitrine dans une étendue d'eau jaunâtre. Sa tête repose mollement sur un demi-cercle d'émail blanc. Ses yeux sont fermés, sa peau est si pâle qu'elle en paraît presque bleutée, et elle est nue. Moi aussi, je suis nue. Entre nous, seulement un robinet à l'ancienne. Nous nous trouvons dans une baignoire.

J'essaie de tourner la tête, mais les muscles de mon cou refusent d'obéir à l'ordre donné par mon cerveau. Je devrai donc me contenter de ce que je peux voir dans la position présente. Le mur en face de moi est en verre. Le toit également, de longs triangles de verre brillant qui s'épanouissent en étoile à partir d'un étrésillon serti dans un mur de brique au-dessus de moi et sur ma gauche. A travers le verre j'aperçois le ciel, que gagnent insensiblement les ombres du crépuscule. Sur ma gauche, au-delà des pales translucides effilées, le ciel est bleu. A ma droite, violet. Je suis face au nord.

Ne bougeant que les yeux, je suis le verre en direction du bas, jusqu'à environ un mètre vingt au-dessus du sol, où il rencontre un mur de brique. Je me trouve dans une serre quelconque. Une serre équipée d'une baignoire. Au-delà du mur vitré foisonnent des plantes et des arbres tropicaux, derrière lesquels s'élève un haut mur de brique. Je suis presque persuadée que je rêve quand j'entends le bruit assourdi de pas qui se rapprochent.

— Enfin de retour parmi nous, dit une voix masculine. Ajoutez un peu d'eau chaude, si vous avez froid.

Le timbre me semble familier, mais je ne parviens pas à l'identifier. Je reconnais le raffinement de la voix de Frank Smith, mais en plus grave. Grâce à un effort surhumain je réussis à tourner la tête vers la gauche et une scène tellement singulière se dévoile alors à mes yeux que j'en reste sans voix.

Roger Wheaton est campé derrière un chevalet de peintre, et il travaille avec fièvre sur une toile que je ne peux voir. Il est nu à l'exception d'une pièce de tissu nouée autour de sa taille et qui retombe entre ses cuisses, comme ces artistes de la Renaissance aimaient à représenter Jésus dans leurs crucifixions. Le corps de Wheaton est étonnamment musclé, mais son torse est strié de plaies et d'hématomes comparables à ceux que j'ai vus en Afrique sur les malades atteints de pneumonie en phase terminale.

Ma première tentative pour parler se solde par un râle. Mais quand revient la salive, j'arrive à articuler

— Où suis-je ?

En un sens, c'est une question purement rhétorique. Je suis dans un endroit que onze femmes ont occupé avant moi. Douze, si l'on compte Thalia. Je suis dans l'atelier du peintre. Je suis une des *Femmes endormies*.

— Vous ne pouvez pas bouger, n'est-ce pas ?

Comme je ne réponds pas, Wheaton approche et ouvre le robinet d'eau chaude. Tout d'abord je frissonne encore plus, puis une chaleur bienvenue enlace mes hanches et mon ventre. Il retourne à son tableau, me laissant glisser dans la baignoire pour m'écarter du jet qui devient brûlant.

— Où suis-je ?

— Où pensez-vous être ? dit Wheaton, dont le regard va continuellement de moi à la toile et de la toile à moi.

— La maison des assassinats, dis-je.

Il semble ne pas m'avoir entendue.

— Thalia est-elle morte ?

— Pas cliniquement.

Je m'efforce de maîtriser ma peur.

— Qu'est-ce que ça signifie ? Elle est sous sédatif ?

— De façon permanente.

— Quoi ?

— Regardez-la.

L'impression d'horreur irréelle qui s'est infiltrée en moi quand j'ai vu Wheaton se métamorphose en une peur purement animale, mais je m'oblige à observer Thalia. L'eau du bain arrive à mi-hauteur de ses seins, qui de ce fait flottent et paraissent plus vivants que leur propriétaire. Je ne décèle aucune blessure visible sur son corps. Un de ses bras repose mollement dans l'eau, et sa main est ridée comme un pruneau. L'autre bras pend hors de la baignoire. En jetant un coup d'œil par-dessus le rebord, je me rends compte que ma peur a tout juste commencé à gravir les échelons qui mènent à la terreur. Une perfusion blanche est fichée dans son poignet, et maintenue en place par du ruban adhésif médical. Du cathéter, un tube transparent remonte de la base d'un support en aluminium jusqu'à la poche en plastique accrochée à son sommet. Cette poche est vide, plate.

— Qu'y avait-il dans la poche ? dis-je en luttant pour maîtriser mon élocution.

Le pinceau de Wheaton se fige dans l'air, puis s'abat sur la toile à petites touches répétitives.

— De l'insuline.

Je ferme les yeux, et me revient en mémoire la description faite par Frank Smith du projet de suicide de Wheaton : avec l'insuline, c'est le sommeil, puis le coma, et enfin la mort. Le problème, c'est que parfois on ne meurt pas. On a seulement des lésions cérébrales…

— Elle n'éprouve aucune douleur, dit-il, comme si cela atténuait la situation.

En vain j'essaie de lever la main droite pour refermer le robinet.

— Qu'est-ce qu'il y a avec mes bras ?

Wheaton m'ignore, et le pinceau danse sur la toile à une vitesse surprenante. Une impulsion tardive me pousse à retourner la main. La gauche. Le mouvement paraît prendre une éternité, mais enfin, sur la face externe du poignet, je vois le petit tube en plastique qui entre dans ma veine. J'essaie de l'arracher, mais je n'ai pas assez de contrôle sur mes muscles.

Index dressé, Wheaton me sermonne

— Votre poche contient du Valium. Et un relaxant musculaire. Mais ceci peut être modifié très facilement. Aussi, je vous prie de ne pas déranger l'installation.

Du Valium ? Ma médication favorite, après le Xanax…

— J'avais estimé que vous resteriez inconsciente pendant encore une heure au moins.

Soudain Wheaton se redresse, puis pivote un peu sur lui-même, comme s'il regardait son reflet dans un miroir, ce qui est précisément le cas. Sur ma droite, entre la baignoire et le mur, est appuyé un large miroir, du même modèle que ceux utilisés dans les salles de danse. Wheaton ne peint pas seulement Thalia et moi : il fait son autoportrait.

— Que peignez-vous ?

— Mon chef-d'œuvre. Je l'ai appelé *Apothéose*.

— Je croyais que la peinture circulaire à la Newcomb Art Gallery était votre chef-d'œuvre.

Il a un rire bas, comme si c'était là une plaisanterie dont lui seul goûtait tout le sel.

— C'était son chef-d'œuvre à lui.

En esprit je revois les visages peints avec les doigts sur le plancher, sous la bâche, dans la galerie. Des représentations primitives, enfantines. Puis Wheaton qui me transporte, enjambant le corps de l'agent du FBI étourdi. « Je ne suis pas celui qui a peint ça… »

— C'est ma dernière, dit-il.

— Dernière quoi ?

Il me coule un regard sournois que jamais je n'aurais imaginé voir chez le Roger Wheaton rencontré il y a quelques jours.

— Vous savez bien, fait-il d'une voix chantante.

— La dernière des *Femmes endormies* ?

— Oui. Mais celle-là est différente.

— Parce que vous êtes dedans ?

— Entre autres raisons.

— Vous ne portez pas vos lunettes, dis-je, réfléchissant tout haut.

— Elles n'étaient pas à moi.

— A qui étaient-elles ?

Il me lance un regard dédaigneux, avant de répondre

— C'étaient celles de Roger. La mauviette. La pédale.

Mon estomac se révulse au ralenti. Mon Dieu. Deux profileurs du FBI et un psychiatre s'assoient autour d'une table pour se creuser la tête, mais c'est la photographe qui voit clair…

Dédoublement de la personnalité. Des fragments du cours donné par le psychiatre hautain me reviennent. L'image que les gens ont de cette soi-disant « double personnalité » vient de *Dr Jekyll et Mr Hyde*. Mais cliniquement parlant, ce n'est pas ainsi que le dédoublement de personnalité se manifeste. Bienvenue dans mon cauchemar, docteur Lenz. Qu'a-t-il dit d'autre ? Que cette schizophrénie était toujours causée par des sévices physiques ou sexuels graves subis pendant l'enfance…

— Si vous n'êtes pas Roger Wheaton, dis-je prudemment, alors qui êtes-vous ?

— Je n'ai pas de nom.

— On doit bien vous connaître sous un nom, quand même…

Un sourire étrange.

— Quand j'étais petit, j'ai lu *Vingt Mille Lieues sous les mers*. J'adorais le personnage du capitaine Nemo. « Nemo » signifie « Personne ». Vous le saviez ?

— Oui.

— Voyager sous la surface des océans du monde, pour tenter de guérir l'homme de ses obsessions autodestructrices. J'ai moi-même parcouru certains de ces océans. Mais j'ai appris la vérité bien plus tôt que Nemo. L'homme ne peut être guéri. Il ne désire pas être guéri. Seul un enfant peut exprimer la pureté inhérente à la nature humaine, et déjà le monde l'écrase de tout son poids, sa corruption et sa crasse, sa violence.

Wheaton se mord la lèvre, dans une expression étrangement puérile.

— Je ne suis pas certaine de comprendre.

— Vraiment ? Vous vous souvenez, quand vous n'étiez qu'une petite fille ? Vous avez cru aux contes de fées, n'est-ce pas ? Et vous vous rappelez le choc éprouvé chaque fois qu'un de ces contes de fées était détruit par la réalité ? Pas de Cendrillon. Pas de Père Noël. Votre père n'était pas parfait. Il n'était même pas bon. Il voulait les choses pour lui-même, uniquement. Que votre mère soit enfermée derrière une porte verrouillée. Il voulait… d'autres choses encore. Des choses douloureuses pour vous.

Des sévices physiques ou sexuels graves subis pendant l'enfance…

— Et il n'y avait pas de Prince charmant prêt à vous enlever pour vous emporter dans son château, n'est-ce pas ? dit Wheaton dont les yeux brillants ne quittent plus la toile. Tous ces petits prétendants ne désiraient qu'une seule et unique chose, pas vrai ? Vous, ils ne s'en souciaient pas. Pas cette douce petite personne qui vivait dans votre cœur, en secret. Non, ils voulaient juste se vider en vous, ils auraient fait n'importe quoi pour ça, pour vous utiliser et ensuite vous ignorer, vous jeter comme une ordure.

Wheaton s'énerve, et je ne tiens pas à ce qu'il devienne encore plus instable qu'il ne l'est déjà. Il est grand temps de changer de sujet.

— J'ai vraiment très chaud, maintenant.

Il fronce les sourcils, irrité, mais après quelques secondes il vient fermer le robinet.

— Comment suis-je arrivée ici ? dis-je alors qu'il repart vers sa peinture.

Dans le sillon très marqué entre les muscles de son dos, les vertèbres saillent sous la peau comme une échelle.

— Vous ne vous souvenez pas ? s'étonne-t-il en reprenant son pinceau. Vous étiez consciente, pourtant. Fouillez votre mémoire, pendant que je termine votre œil. Et essayez de ne pas bouger.

En effet, je me remémore quelques bribes. Des éclairs de lumière, des accès de vertige. Un ciel gris, des bulles de verre, un pont de tubulures blanches, une longue chute.

— Le toit. Vous m'avez fait sortir en passant par le toit.

Wheaton s'esclaffe, guilleret.

— Mais il y avait des agents du FBI postés là.

— Pas après que Leon a été abattu. Ils voulaient tous voir leur tableau de chasse. Il y a une passerelle de tuyaux qui va du centre d'art au gymnase. Elle enjambe une allée qui n'est pas bien large, mais la franchir avec une femme sur mon dos m'a donné quelques sensations, je dois dire.

— Comment avez-vous réussi une telle chose ? Vous êtes malade.

Le dédain ourle ses lèvres.

— Ce diagnostic est actuellement sujet à révision. Roger était faible. Je suis fort.

Que raconte-t-il ? Il n'est plus malade ? Qu'a dit Lenz à propos du dédoublement de personnalité ? « Il existe des cas de dédoublement dûment constatés où une des personnalités avait besoin d'un traitement cardiaque pour vivre, et non l'autre. L'une peut nécessiter des lentilles correctrices et pas l'autre... »

— Pourquoi ne suis-je pas comme Thalia ?

— Parce que je veux vous demander quelque chose, répond-il sans cesser de peindre.

— Quoi ?

— Vous êtes une jumelle. Une vraie jumelle.

— Oui.

— J'ai fait le portrait de votre sœur.

Oh, mon Dieu...

— J'ai vu ce portrait, dis-je à voix haute.

— J'ai lu quelques ouvrages concernant les jumeaux. Le sujet m'intéresse. Et je trouve qu'il y a là un thème logique dans l'histoire de leur enfance. Maints jumeaux partagent une proximité qui frôle la télépathie. Ils racontent des histoires remarquables : précognition de désastres, pressentiment d'un décès, conversations silencieuses quand ils se trouvent dans la même pièce. Vous et votre sœur avez fait l'expérience de ces choses dans votre enfance ?

— Oui, dis-je, puisque c'est la réponse qu'il veut entendre. C'est arrivé.

— Vous voulez savoir si votre sœur est vivante ou si elle est morte, n'est-ce pas ?

Je ferme les yeux pour réprimer les larmes, mais elles coulent quand même.

— Vous ne le savez pas déjà ?

Malgré mes yeux noyés je vois qu'il m'observe avec intensité. C'est un test. Il veut savoir si je connais le sort de Jane. Il teste mon affirmation de capacités paranormales.

— Eh bien ? demande-t-il. Vivante ou morte ?

Alors que j'essaie de lire en lui, je me trouve soudain projetée dans mon propre passé, dans cette rue de Sarajevo, à l'instant où le monde s'est effacé, quand j'ai senti mourir une partie de moi. En dépit de tous mes espoirs par la suite, malgré le coup de téléphone venu de Thaïlande, j'ai su alors que Jane était morte.

— Morte, dis-je dans un murmure.

Wheaton a une petite moue et reprend son œuvre.

— J'ai raison ?

Il incline la tête de côté, comme pour dire : « Peut-être que oui, peut-être que non… »

— Pourquoi vous intéressez-vous tellement aux jumeaux ?

— Ce n'est pas évident ? Deux personnalités partageant le même code génétique ? Sous cet aspect, les jumeaux sont exactement comme moi.

Je ne sais que répondre. Il est clair qu'il est allé très loin dans cette direction, et je ne peux que chercher à déceler des indices de ce qu'il veut entendre.

— Quand vous êtes venue à la galerie, la première fois, avec Kaiser. J'ai su que c'était un signe. Envoyé par qui, je n'en ai aucune idée. Mais c'était un signe, indubitablement.

— Un signe de quoi ?

— Le signe qu'une moitié peut très bien survivre sans l'autre.

Ses paroles me frappent comme un pieu qu'on m'enfoncerait dans le cœur. Même si je savais que c'est la réalité, cette confirmation anéantit une fraction essentielle de mon esprit.

— Elle est morte ?

— Oui, répond Wheaton. Mais vous ne devriez pas vous en faire. Elle est bien mieux maintenant qu'elle n'était de son vivant.

— Quoi ?

— Vous avez vu mes peintures. Les *Femmes endormies*. Vous comprenez, certainement ?

— Comprendre quoi ?

— Le but. L'objectif que visent ces peintures.

— Non. Je n'ai jamais compris.

Wheaton abaisse son pinceau et me fixe d'un regard incrédule.

— La libération. J'ai peint la libération.

— La libération ? Mais de quoi ?

— De l'enfer.

Son visage est celui d'un religieux s'efforçant d'expliquer la Sainte Trinité à un sauvage.

— L'enfer ?

— La féminité. L'enfer d'être une femme.

Un moment plus tôt, j'étais assommée par le chagrin. A présent, quelque chose de dur se propage dans mon sang. Le désir de savoir, de comprendre.

— Je ne comprends pas de quoi vous parlez.

— Mais si, vous comprenez. Vous vous efforcez avec une telle constance de vivre comme un homme. Vous travaillez sans relâche, de façon obsessionnelle. Vous ne vous êtes pas mariée, vous n'avez pas eu d'enfants. Mais ce n'est pas une issue viable. Pas à la fin. Et vous apprenez cela peu à peu, n'est-ce pas ? Chaque mois, cette petite graine en vous hurle pour être fertilisée. De plus en plus fort. Votre ventre est douloureux du désir d'être plein. Vous avez laissé Kaiser se servir de votre corps, non ? Je l'ai vu le matin où vous êtes revenue avec lui, à Audubon Place.

Donc je ne me trouve pas à Audubon Place. Non, bien sûr que non. Si j'étais là-bas, j'aurais déjà entendu la cloche du tramway de St Charles.

— Vous voulez dire qu'en tuant ces femmes, d'une certaine manière, vous les libérez de leurs souffrances ?

— Bien évidemment. La vie d'une femme est la vie d'une esclave. Lennon l'a dit : « *Woman is the nigger of the world* » – la femme est le nègre du monde. De la prime enfance au dernier souffle, on se sert d'elle, encore et toujours, jusqu'à ce qu'elle ne soit plus qu'une coquille vide, exténuée, brisée par les enfantements et le mariage, les corvées ménagères et...

Wheaton secoue la tête comme s'il était trop en colère pour expliquer encore l'évidence, puis il trempe la pointe de son pinceau dans la peinture et revient à sa toile.

Différentes voix résonnent dans mon esprit. Marcel de Becque me racontant que les Occidentaux combattent la mort alors que les peuples orientaux l'acceptent, une acceptation représentée dans les *Femmes endormies*. La voix de John : « Le meurtre en série est un meurtre sexuel ; c'est axiomatique. » Le Dr Lenz, expliquant que la mère de Wheaton a quitté le foyer quand il n'avait que treize ou quatorze ans, sans qu'on connaisse les détails de sa fuite. Lenz harcelant l'artiste sur ce sujet lors de la deuxième entrevue, et Wheaton éludant ses questions. Tout tourne autour de ça – les portraits, les meurtres, tout – sa mère. Mais je ne vais pas l'interroger à son propos tant que je n'aurai pas la conviction que je peux survivre à ces questions.

— Je comprends cela, lui dis-je, les yeux fixés sur Thalia toujours inerte. C'est pourquoi j'ai vécu ma vie de cette façon...

Comment cet homme peut-il voir une libération dans l'horreur qu'il a infligée à Thalia ?

— Mais la peinture que vous exécutez maintenant doit avoir un thème différent, non ?

589

Il acquiesce, et sa main part à droite, puis à gauche, ses yeux guidant chaque coup de pinceau avec une précision fulgurante.

— C'est mon émergence, explique-t-il. Ma libération de la prison de la dualité.

— De Roger, vous voulez dire ?

— Oui, fait-il, et de nouveau ce sourire étrange passe sur ses lèvres. Roger est mort, maintenant.

Roger est mort ?

— Comment est-il mort ?

— Je m'en suis débarrassé, comme un serpent se débarrasse de sa mue. Cela a exigé un effort étonnamment important, mais il fallait le faire. Il voulait me tuer.

Maintenant c'est la voix de Frank Smith que j'entends en esprit, quand il me confie que Wheaton voulait son aide pour se suicider.

— Roger est allé voir Frank Smith pour lui demander son aide, n'est-ce pas ?

Les yeux de Wheaton se posent sur moi. Il s'efforce de jauger l'étendue de ce que je sais.

— C'est exact.

— Pourquoi aller le voir, lui ? Pourquoi pas Conrad Hoffman, plutôt ? Votre assistant ? Hoffman a installé cet endroit pour vous, non ?

Wheaton me considère comme si j'avais trois ans d'âge mental.

— Roger ne connaissait pas Conrad. A part lors de ce premier spectacle, qu'il a très vite oublié. Vous ne comprenez pas ?

Je n'arrive pas à digérer les informations assez vite.

590

— Roger sait-il, enfin : savait-il que vous existez ?

— Bien sûr que non.

— Mais comment vous êtes-vous dissimulé à lui ? Avez vous exécuté tout cela sans qu'il en ait jamais conscience ?

— Ce n'est pas bien difficile. Conrad et moi avons installé cet endroit, et c'est ici que je travaille.

— C'est ainsi que vous avez procédé, à New York ?

Les yeux étrécis, il me dévisage. Le regard d'un loup.

— Vous êtes au courant, pour New York ?

— Oui.

— Comment ?

— Un programme informatique a amélioré la définition des visages représentés dans vos premières peintures, et un agent du FBI a identifié une des victimes représentées.

— Kaiser, je paricrais.

— Oui.

— C'est un malin, celui-là, hein ?

Je l'espère. Tandis que Wheaton continue de peindre, j'évalue les chances qu'a le FBI de me retrouver. Ils savent ce qui s'est produit, à l'heure qu'il est, bien sûr. John et Baxter. Lenz. La police de La Nouvelle-Orléans. Ils ont également compris que Gaines n'était pas le tueur. Ils ont découvert la peinture faite avec les doigts par Wheaton sur le parquet de la galerie, ils ont trouvé l'agent Aldridge. Mais qu'est-ce qui pourrait guider John jusqu'ici ? Les photos infrarouges ? Les avions du FBI ont couvert tout le Vieux Carré et Garden

District. Ils disposent maintenant d'un nombre défini de maisons ayant un jardin enclos. Au service du cadastre, des dizaines d'agents fouillent les archives à la recherche d'un indice liant un de ces endroits à Roger Wheaton ou Conrad Frederick Hoffman. Incluront-ils dans leurs recherches les maisons possédant une serre ? Oui. John n'écartera aucune possibilité. Nous avons parlé de maisons ayant des fenêtres dans le toit. Tout ce qui permet à la lumière d'entrer à flots sera retenu.

Depuis combien de temps sont-ils à ma recherche ? Sommes-nous au soir du jour où Gaines a été abattu ? Ou le lendemain ? Le surlendemain ? Soudain je me rends compte que j'ai terriblement faim. Et soif.

— Je suis affamée. Vous n'avez rien à manger ?

Avec un soupir, Wheaton lève les yeux vers la verrière pour évaluer la diminution de la lumière. Puis il pose son pinceau et va sur ma gauche, sortant de mon champ de vision. Faisant un effort pour tourner la tête, je le vois plonger la main dans un sac d'épicerie. Il en ressort un paquet plat d'environ vingt centimètres de long. Du bœuf séché. Soudain je me retrouve dans l'allée de Mme Pitre, devant l'appartement au-dessus du garage loué par Conrad Hoffman, là où John a retrouvé les provisions du kidnappeur. Il y avait du bœuf séché.

A côté du sac d'épicerie est posé un autre objet, qui sans doute a appartenu à Hoffman. Une glacière Igloo. Le modèle classique large d'environ quatre-vingt-dix centimètres, assez grand pour contenir deux packs de bières. Ou des poches à

perfusion emplies de solution saline et de narcotiques. Tout dépend du client, je suppose.

Les mains gantées de Wheaton lui posent
quelques difficultés pour déchirer l'emballage du
bœuf, mais il sait que dans mon état actuel je serais
incapable de le faire. Enfin il y parvient et il
s'approche de la baignoire. Fournissant un effort
monstrueux, je lève la main et prends la lanière
brune qu'il me présente.

— Très bien, commente-t-il.

Je fourre la substance poisseuse dans ma bouche.
Quand j'écrase les fibres de bœuf sous mes
molaires, ma langue savoure la graisse exprimée
de la viande. Si seulement j'avais un peu d'eau
pour aller avec ! Je pourrais en prendre du bain
dans le creux de ma main, mais je n'ai pas très
envie de boire de l'urine diluée. Si je recouvre le
contrôle de mes muscles, je boirai au robinet.

— Comment savez-vous que Roger est mort ?

Je n'ai qu'un allié potentiel dans cette pièce, et il
s'appelle Roger Wheaton.

L'artiste part d'un rire bas.

— Vous vous souvenez de la peinture exécutée
avec les doigts sur le parquet de la galerie ?

— Oui.

— C'était son dernier souffle. Son spasme
d'agonie. Une tentative infantile de laisser une
sorte de confession. Pathétique.

— Mais à présent vous n'avez plus besoin de
vos… de ses lunettes ?

— Vous me voyez peindre sans elles, non ?

Oui, mais vous portez toujours vos gants.

— Et vos autres symptômes ?

Wheaton tourne vers moi un regard plein d'assurance.

— Vous êtes tout près de comprendre. Voyez-vous, les tentatives de Roger pour me tuer ne datent pas d'hier. Il essaie de me supprimer depuis très longtemps. Plus de deux ans. La seule différence, c'est que je ne le savais pas.

— Comment ça ?

Wheaton suspend son geste, puis ajoute quelques touches au tableau, très rapidement.

— Les affections auto-immunes sont très mal connues. Sclérose combinée. Dermatosclérose. Lupus. Oh, les médecins comprennent par quel mécanisme ces maladies vous tuent. Mais l'étiologie ? Les causes ? Autant consulter un sorcier. Savez-vous ce qu'est une affection auto-immune ? Un phénomène dans lequel le système immunitaire du corps, qui s'est développé pour protéger le corps des agressions extérieures, entre en dysfonctionnement et attaque lui-même le corps.

Wheaton me lance un regard de triomphe.

— N'est-ce pas un sujet de réflexion ? Comment cette lavette a-t-elle contracté cette affection ? Peut-être que sa culpabilité et le dégoût qu'il éprouvait pour lui-même étaient si intenses, son désir de me tuer si puissant qu'ils se sont manifestés physiquement. Mon affection s'aggrave et régresse durant sa progression, et j'ai remarqué que les phases d'aggravation se produisaient quand Roger était aux commandes. Puis il s'est mis en tête de me tuer, avec l'aide de Frank Smith. Avec de l'insuline. Vous savez ce que cela m'a appris ? Qu'il y avait des fissures dans le mur qui nous séparait. Il commençait à voir dans mon esprit. Et puis vous avez fait irruption dans ma vie. Le miroir d'une femme que j'avais déjà peinte. Une femme qui était morte. Et pourtant son double, son autre moitié était en parfaite santé. Alors j'ai compris. Une vision nouvelle m'est venue, et cette peinture en faisait partie. Je devais me sauver moi-même.

Abasourdie, je le regarde fixement depuis la baignoire. La complexité de sa psychose est incroyable. Née dans l'esprit d'un enfant violenté, elle s'est épanouie dans le creuset formé par la peur de mourir d'un artiste agonisant.

— Etes-vous… Je veux dire, est-ce que ça a marché ? Vous êtes guéri ?

— C'est en train de se produire. Je le sens. Je respire plus aisément. Mes articulations sont moins raides.

— Mais vous portez toujours vos gants.

Un sourire crispé.

— Mes mains sont trop précieuses pour que je leur fasse courir le moindre risque. Et il y a des dommages systémiques, qui prendront du temps pour se résorber.

Il lève les yeux vers la verrière et au-delà le ciel qui s'assombrit.

— Je veux que vous restiez tranquille, à présent. La lumière est presque partie.

— Je resterai tranquille. Mais il y a encore une petite chose que je ne comprends pas.

Il se rembrunit, mais je poursuis :

— Vous dites que vous avez tué les femmes que vous avez peintes pour les libérer de leur enfer.

Pour leur éviter une vie de souffrances et d'escla-
vage. C'est bien ça ?

— Oui.

— Pourtant chacune des *Femmes endormies* a été
violée avant de mourir. Comment pouvez-vous
vous tenir là et m'affirmer que vous leur avez évité
des souffrances quand vous leur avez infligé la pire
chose qu'une femme puisse expérimenter de son
vivant ?

Wheaton a cessé de peindre. Ses yeux étincellent
de colère, mais aussi de confusion.

— De quoi parlez-vous ?

— Conrad Hoffman. Un peu avant de mourir, il
a collé son pistolet sur ma tempe. Il m'a dit qu'il
allait me violer. Il a dit que même s'il devait me
tirer une balle dans la colonne vertébrale, je serais
encore chaude et accueillante entre les cuisses.

Les yeux de Wheaton ne sont plus que deux
fentes.

— Vous mentez.

— Non.

— Alors c'est qu'il essayait de vous intimider,
pour que vous montiez dans la voiture.

Je secoue la tête négativement.

— Je l'ai vu dans ses yeux. Je l'ai senti dans sa
façon de me toucher. J'ai déjà été violée. Je sais à
quoi ressemble le regard d'un violeur.

Etrangement, une expression de compassion
passe sur son long visage.

— Vous avez été violée ?

— Oui. Mais là n'est pas le sujet. La dernière
femme enlevée avant Thalia, celle de Dorignac,
dont le corps a été abandonné dans un canal

d'écoulement. Le médecin légiste a retrouvé du sperme en elle.

Il a un mouvement brusque de la tête, comme s'il esquivait un coup de poing.

— C'était le vôtre ? dis-je doucement.

Il laisse tomber son pinceau et avance de deux pas vers moi.

— Vous mentez.

La prudence recommanderait d'arrêter, mais mon salut repose peut-être dans les racines de ce paradoxe.

— Le FBI est convaincu que vous avez tué la femme de Dorignac. Ils ont calculé l'heure de la mort de Wingate, et ils savent quand Hoffman a pris l'avion pour revenir de New York. Il est impossible que Hoffman l'ait violée.

Wheaton souffle maintenant comme un enfant atteint d'asthme.

— C'est moi qui l'ai enlevée, mais…

Il reste bouche ouverte, incapable de poursuivre.

Il pense vraiment qu'en tuant ces femmes il les épargnait. Mais je ne peux pas l'épargner, lui. Quelque part, enfoui derrière ce regard halluciné, se trouve l'esprit doux de l'artiste que j'ai rencontré plus tôt pendant la semaine.

— Aidez-moi à comprendre, dis-je d'un ton implorant. Un homme qui au Vietnam sauve une fillette de douze ans d'un viol change complètement et aide un pervers à violer des femmes qu'il prétend sauver ?

Le menton de Wheaton s'est mis à trembler. Je porte l'estocade :

— Ce doit être Roger qui a sauvé cette fillette au Vietnam…

— Non ! C'est moi qui l'ai fait !

Je n'ajoute rien. La fissure qui court dans l'esprit de Wheaton le torture plus douloureusement que je ne pourrais le faire avec des mots. Son visage se tord, ses mains tremblent à ses côtés. Dans un spasme il lève la tête vers la verrière et le ciel presque nocturne. Puis il marche jusqu'à la table voisine du chevalet, y prend une seringue hypodermique et revient vers moi. Aucune émotion sur son visage.

La confiance toute récente que j'éprouvais se dissipe instantanément, me laissant en proie à une terreur pure. Si Wheaton veut me faire cette injection, je ne peux rien pour l'en empêcher. Cette évidence me renvoie au Honduras, cette nuit où mon innocence est morte à jamais, quand j'ai appris la plus terrible des leçons de l'existence : on peut hurler, se débattre, supplier qu'on cesse de nous martyriser, cela n'arrêtera pas pour autant. On peut implorer Dieu, papa, maman : ils ne nous entendront pas. Nos cris ne feront naître aucune pitié chez les tortionnaires.

Quand Wheaton passe derrière moi, je sens ma nuque s'électriser, et j'attends la piqûre de l'aiguille. Je rassemble toutes mes forces, et je tourne la tête pour regarder en arrière. Il se tient près du support à perfusion, et injecte le contenu de la seringue dans la poche. Je hurle, aussi fort que j'en suis capable, mais il jette la seringue vide sur le sol et retourne à son chevalet. Mon bras gauche commence à me brûler au niveau du poignet, et des larmes de rage et de désespoir jaillissent de mes yeux. J'inspire l'air à grandes goulées, je m'efforce de combattre ce poison inconnu, mais en quelques secondes mes paupières se ferment, aussi sûrement que des volets roulants qu'un homme abaisse avec un crochet.

26

Cette fois le monde réapparaît sous la forme d'étoiles dans un ciel noir, des étoiles légèrement floues à cause du verre, et je perçois les sanglots d'un homme. Ces pleurs angoissés semblent un écho venu d'une planète lointaine. La planète de l'enfance, me dis-je.

Je frissonne de nouveau, ce qui n'est pas une mauvaise nouvelle. C'est quand on cesse de frissonner que la situation devient grave. Je distingue à peine Thalia à l'autre bout de la baignoire tant il fait sombre. Mais je suis reconnaissante à ces ténèbres. Je me suis trouvée dans bien des endroits où, de nuit, la seule source lumineuse dont je disposais était la clarté des étoiles, et je sais une chose : si je peux voir l'étoile Polaire et l'horizon, alors je peux estimer ma latitude. Pas avec une précision suffisante pour diriger un navire, pas sans un sextant, mais assez pour deviner ma localisation de façon approximative. C'est une des ficelles pratiques que mon père m'a enseignées. « Un atout indéniable pour quelqu'un qui parcourt le monde, a-t-il dit, en particulier si tu es victime d'un détournement de bateau ou de train. » Ce qui lui est arrivé une fois.

Je ne sais pas encore quelle étoile est la Polaire pour l'instant, parce que je n'ai repéré ni la Petite ni la Grande Ourse, qui sont les guides les plus rapides. L'étoile Polaire ne se trouve peut-être même pas dans mon champ de vision. Mais je fais face au nord et je suis entourée de trois côtés et au-dessus par des surfaces vitrées. Ma vision n'est gênée que par les branches d'un arbre. Si je regarde assez longtemps, si je reste consciente assez longtemps, toutes les étoiles bougeront dans le ciel, à l'exception d'une : la Polaire, qui décrit une rotation de deux degrés au-dessus du pôle Nord. Cette lumière constante a guidé bien des voyageurs désespérés, et c'est assurément ce que je suis maintenant.

Mon problème, c'est l'horizon. Je ne peux le voir, à cause du haut mur de brique au-dehors. « Aucune raison de s'en faire, dit la voix de mon père. Tu peux recourir à un horizon artificiel. Le meilleur est un bol empli de mercure que tu poses sur le sol. Le mercure reflète les étoiles remarquablement bien ; il suffit de calculer l'angle entre l'étoile Polaire et son reflet, et de le diviser par deux. » Ça, c'est quand on a un sextant, ce qui n'est pas mon cas. En l'absence du bol de mercure, la surface d'une étendue d'eau peut faire l'affaire, celle d'un bain par exemple. Mais la verrière de la serre provoque une distorsion de la lumière des étoiles suffisante pour que, combinée aux mouvements de l'eau engendrés par la respiration et la circulation sanguine, aucun reflet clair n'existe. « Ce n'est pas la fin du monde, m'affirme mon père. Tu peux deviner où se trouve l'horizon en... »

Les sanglots angoissés ont cessé.

Je sens que Wheaton gît sur le sol quelque part dans la pièce, mais je ne peux pas l'apercevoir. Tandis que je m'efforce de distinguer les objets alentour, je prends conscience d'un fait ahurissant.

J'ai de nouveau le contrôle de mes muscles.

Je me laisse aller en arrière très lentement, et je contemple la ligne argentée du support à perfusion. La poche est vide. Quelle que soit la substance qui paralysait mes muscles, elle ne s'écoule plus en moi. Mais je n'ai toujours pas l'esprit très clair. Il semble s'acharner à se concentrer sur les étoiles et la question de ma position géographique. Certes, cette information est capitale. La Nouvelle-Orléans se situe à peu près sur le trentième parallèle. Si je parviens à vérifier que je suis effectivement sur le trentième parallèle, je peux raisonnablement en déduire que je n'ai pas quitté la ville, que Wheaton ne m'a pas emportée en avion vers quelque maison très éloignée, où les autres victimes m'attendent telle la sculpture vivante que Thalia est devenue. Bien sûr, l'étoile Polaire seule ne m'indiquera pas ma longitude. Tout en étant sur le trentième parallèle, je pourrais tout aussi bien me trouver aux Bermudes, dans les Canaries ou même au Tibet. Mais ces probabilités sont très faibles. Pour moi, le trentième parallèle doit signifier une chance réelle que le FBI viendra me sauver.

La maîtrise retrouvée de mes muscles me fait penser à une autre possibilité : celle de m'échapper. Après avoir fléchi en douceur mes membres ankylosés, j'estime que je pourrai probablement m'extraire de la baignoire. Le problème, c'est

Wheaton. Il est tout proche, même si je ne peux le voir. Est-il assez près pour m'empêcher de fuir cette pièce vitrée ? Il y a sûrement pensé. Mais faut-il vraiment que je sorte de la serre pour sauver ma peau ? Je portais un pistolet attaché à ma cheville avant qu'il ne me terrasse dans la galerie. L'arme doit bien être quelque part. Mais avant de la chercher, ou de tenter quoi que ce soit qui entraînera une prise de risques certaine, je dois savoir à quelle distance il se trouve, et ce qu'il fera quand il entendra du bruit. Je tends le bras droit et j'ouvre le robinet d'eau chaude. Puis j'attends.

Pendant vingt ou trente secondes, l'eau est froide. Puis elle se réchauffe, et une chaleur délicieuse s'écoule sous et autour de moi, ramenant la circulation du sang sous ma peau bleuie. Le bain lui-même ne peut être aussi froid, me dis-je. En tout cas, pas en dessous de la température qui règne dans la serre, que Wheaton doit conserver aux alentours de vingt-deux degrés à cause de ses mains. « Il ne fait pas si froid, me confirme mon père. On perd sa chaleur corporelle trente fois plus vite dans l'eau que dans l'air. Une immersion prolongée peut être fatale. » Sans ajouts réguliers d'eau chaude, Thalia serait déjà morte d'hypothermie.

Le robinet continue de couler, mais Wheaton ne voit pas ce qui se passe. Quand le niveau approche le bord de la baignoire, je ferme l'arrivée d'eau. Je veux me lever, mais une douce vague de ce qui embrume toujours mon cerveau s'oppose à mon intention, et je me laisse retomber contre l'émail. Le sommeil cherche toujours à m'envelopper, et je m'oblige à garder les yeux ouverts, me concentrant sur le ciel qui se modifie peu à peu. L'eau du bain refroidit. Alors que je gis grelottante dans les ténèbres, toutes les étoiles au-dessus de moi tournent lentement dans le ciel. Toutes sauf une. Brillante et immobile, elle est accrochée juste au-dessus du sommet des arbres.

La Polaire.

Il ne me faut que quelques secondes pour calculer où se trouve l'horizon, deviner l'angle entre cette ligne imaginaire et la Polaire, et soustraire ce chiffre à quatre-vingt-dix degrés. La réponse accélère les battements de mon cœur. Trente degrés. Je suis presque certainement à La Nouvelle-Orléans. Si John Kaiser cherche avec assez d'opiniâtreté, il me retrouvera. Cette éventualité me réchauffe plus qu'une baignoire d'eau brûlante. Et cependant… Je ne peux compter sur une aide extérieure.

J'avance une main tremblante et ouvre de nouveau le robinet d'eau chaude, mais cette fois je n'attends pas d'en sentir l'effet bénéfique. Cette fois, je me lève sur mes jambes flageolantes et sors de la baignoire.

Mes muscles ne m'appartiennent pas encore tout à fait, mais ils fonctionnent. La perfusion dans ma main présente un problème, mais le support métallique est équipé de roulettes, et le sol semble être de ciment peint. A pas prudents, je tire le support vers la paroi de verre de la serre. Ce que je découvre est décourageant. Le premier mètre de verre surmontant le mur de brique qui supporte la serre est enchâssé dans une armature métallique en losange. Briser le verre avec un objet assez lourd ne me mènera nulle part. Il y a bien une porte donnant sur l'extérieur, mais elle est solide, et un gros cadenas la condamne.

L'espace qu'occupait mon corps dans la baignoire se comble rapidement. Quelles options ai-je ? Me faufiler dans la maison elle-même et tenter d'éviter Wheaton ? Il a sans doute imaginé cette éventualité. Peut-être est-il allongé sur un canapé dans la pièce voisine, mon pistolet dans la main. L'arme peut également se trouver n'importe où dans cette demeure. Il a sans doute toujours le Taser dont il s'est servi contre moi dans la galerie. Ou un chien. Cela vaut-il le risque d'essayer ? Quand je revois ses yeux alors qu'il hurlait sa négation des viols, cette possibilité me semble aussi risquée que de m'aventurer dans l'antre d'un dragon. Les dragons dorment-ils vraiment ? Si oui, je le crains, c'est d'un sommeil fort léger.

« Réfléchis, me conseille mon père. Que sais-tu qu'il ignore ? Qu'as-tu à portée de main qui pourrait t'être utile ? »

Ce que je sais ? Que je suis plus qu'à moitié habituée au Xanax, qui est un calmant proche du Valium. C'est probablement ma tolérance à ces substances voisines qui m'a permis de me réveiller et de me lever alors que Wheaton me croit encore endormie. Qu'y a-t-il à portée de main qui pourrait m'être utile ? Je ne vois aucune arme. Pas même des pinceaux. La table sur laquelle Wheaton a pris la seringue est totalement nue. Cette pièce est aussi stérile et vide qu'une cellule. Ce qu'elle est. Non, pas complètement vide, me dis-je. Sur le sol près de la baignoire se trouvent la glacière et le sac d'épicerie. Les affaires de Conrad Hoffman.

Je traîne le support de la perfusion dans cette direction.

Le sac est à moitié plein de ces cochonneries que John a découvertes dans l'appartement d'Hoffman. Biscuits, chips, gâteaux, bœuf séché. Je contemple fixement les emballages de ces produits, en sentant l'intense activité que cette vue déclenche dans mon cerveau, mais sans vraiment la comprendre. Lentement, la logique se dévoile à moi. Ce ne sont pas des armes. Ce sont des défenses.

Je plonge la main dans le sac et sans hâte j'ouvre les emballages et sors trois paquets de biscuits et quelques gâteaux moelleux dans leur enveloppe en cellophane. Je place ces derniers entre le pied de la baignoire et le grand miroir grâce auquel Wheaton s'est peint sur son tableau. Je me rends compte que j'ai oublié de regarder où en était la toile. Cette image pourrait me donner des indications précieuses. Mais pas aussi précieuses que cette glacière, me dis-je. Depuis combien de temps est-elle là ? Combien de temps s'est écoulé depuis que j'ai vu Hoffman disparaître dans les eaux tourbillonnantes du Mississippi ? Je me penche sur l'Igloo, récite une prière en pensée et en soulève le couvercle. C'est sombre à l'intérieur, aussi j'y plonge mes mains à l'aveuglette, jusqu'au fond. Elles rencontrent un océan arctique miniature de glace et d'eau gelée, avec des îles flottantes en forme de bouteilles de bière. En quelques secondes la douleur incendie mes mains et remonte le long de mes bras.

Merci, espèce de fumier, dis-je en esprit. Un nouvel espoir gonfle mon cœur, mais je ne peux pas m'attarder ainsi. L'eau tiède caresse mes pieds. La baignoire déborde, et sérieusement. Mais c'est aussi une bonne chose. Le trop-plein effacera les traces humides de mon voyage autour de la pièce, et convaincra peut-être Wheaton que je ne contrôle toujours pas mes facultés. Je referme la glacière, l'attire de trente centimètres plus près du bord de la baignoire, puis remonte dans l'eau presque bouillante.

Je tends la main vers le robinet quand j'entends un bruit dans les ténèbres. Je repose la tête en arrière et ferme les yeux. L'eau continue de couler.

— Qu'est-ce que vous faites ? grogne une voix enrouée par le sommeil.

Sous la surface, je saisis la main de Thalia. Des pas approchent de la baignoire. S'arrêtent.

Wheaton doit être en train de m'observer.

— Magnifique, dit-il.

Ce seul mot envoie un frisson glacé dans mon corps, malgré l'eau trop chaude. Le robinet couine, et cesse de couler. Puis quelque chose entre dans l'eau fumante, et des vaguelettes chaudes viennent s'écraser contre ma poitrine. La main de Wheaton recouvre mon sein gauche, doucement, comme s'il revivait quelque souvenir distant. Je m'oblige à respirer sur un rythme régulier. La main glisse sur mon cœur, s'attarde sur le sang qui bat là, puis descend plus bas encore dans l'eau. Elle couvre mon nombril, s'insinue entre mes jambes.

Une sensation de chute dans le vide me fait presque crier, mais l'engourdissement me sauve. Cette torpeur se diffuse de mon cœur et de mon cerveau, réaction de mon instinct de conservation né dans la jungle du Honduras, une armure neurochimique qui m'aide à tout endurer pour survivre coûte que coûte. Les doigts de Wheaton tremblent dans leur exploration, mais pas moi. Je demeure immobile, j'inspire et j'expire, j'inspire et j'expire. Sa main n'est pas la patte d'une brute, mais celle, indiscrète, d'un adolescent. Les doigts s'emmêlent dans la toison pubienne et s'y crispent avec une obstination enfantine. Dans le silence rompu seulement par le robinet qui goutte, un long gémissement aigu de chagrin s'élève, qui me transperce jusqu'aux tréfonds de l'âme. C'est le cri d'un animal orphelin auprès du cadavre de sa mère. Il résonne dans la salle vitrée, et se termine en sanglot. Puis les doigts s'écartent, se libèrent, et la main disparaît.

Des pas s'éloignent, et je perçois un bruit d'objets qu'on entrechoque dans une pièce voisine. Puis les pas reviennent, cette fois derrière ma tête. La poche de perfusion cliquette sur son support. Il est en train de la changer.

— Bientôt, dit-il d'une voix sifflante. Demain.

Il s'éloigne de nouveau, et mon poignet se met à brûler. Du Valium, me dis-je, alors même que mes paupières veulent se fermer. Pas de l'insuline. L'insuline ne brûle pas. Mais au cas où, je passe une main entre la baignoire et le miroir, ôte le cellophane d'un gâteau et l'avale en deux bouchées, savourant le sucre qui sera ma protection. Puis j'en mange un autre. Ma gorge desséchée rend la déglutition difficile, mais après un regard à Thalia, je m'oblige à en prendre un troisième.

Devrais-je retirer l'aiguille de la perfusion de ma

veine ? Si je le fais, mon sang coulera dans la baignoire, peut-être pendant un temps assez long. Et demain Wheaton le verra et comprendra. Je pourrai toujours dire que c'était accidentel. Sous l'eau, je serre la main de Thalia dans la mienne, et je souhaite de tout mon cœur qu'elle puisse me rendre la pression de mes doigts.

— Nous allons nous en sortir, lui dis-je dans un souffle. Tu vas voir.

« Décroche la perfusion, dit mon père. Lève la main hors de l'eau. A l'air, la plaie coagulera et... »

— Je ne sens plus la main, lui dis-je. Je...

J'essaie d'atteindre la perfusion quand l'obscurité m'engloutit.

Je m'éveille et c'est le grand jour, mais je n'ouvre pas les yeux. Wheaton s'attendra à ce que je reste inconsciente plus longtemps. Pendant une heure je demeure ainsi, paupières closes, à reconstruire mon environnement uniquement par les sons que j'entends. Tout comme hier, Wheaton est debout devant son chevalet, et il peint à coups de pinceau rapides et assurés. De temps à autre le chevalet craque, et les sifflantes douces de sa respiration alternent avec les bruits ténus de ses mouvements. Ceux-ci sont possédés par une urgence inédite, je le sens. Combien de temps encore avant que son œuvre morbide soit achevée ? Combien d'heures avant qu'il ne me transforme en une autre Thalia ?

Il faut que je le ralentisse. Plus longtemps je, demeurerai ici en vie, plus John aura de temps pour me retrouver. Mais je dois aussi me préparer à l'éventualité qu'il ne me découvre pas. Que

Wheaton finisse son œuvre. « Chaque chose en son temps, dit mon père. Fais-le parler. »

Quand le soleil brille notablement plus fort à travers le voile rougeoyant de mes paupières, je simule mon réveil.

— Comment ça se présente ? dis-je.

— Comme il le faut, répond Wheaton d'une voix sèche.

Visiblement, il ne garde pas un très bon souvenir de notre échange de la nuit passée.

Plutôt que d'insister, je me décontracte et m'efforce de ne pas regarder Thalia, qui semble beaucoup plus pâle qu'hier.

Finalement, c'est Wheaton qui rompt le silence :

— J'ai vu un reportage à la télévision ce matin. Si les chaînes locales ne mentent pas sur ordre du FBI, vous m'avez dit la vérité hier. A propos des viols.

Je ne réponds pas.

Un regard rapide dans ma direction, sans qu'il cesse de peindre.

— Conrad violait bien mes modèles.

— Oui.

— Je ferais n'importe quoi pour changer cela. Mais je ne le peux pas. J'aurais dû m'en douter, je suppose. Conrad a toujours eu une maîtrise défaillante de ses pulsions. C'est d'ailleurs pourquoi il a fait de la prison. Mais le viol n'est qu'un symptôme de ce dont je vous ai parlé hier. L'enfer. Si Conrad ne l'avait pas perpétré, quelqu'un d'autre l'aurait fait. D'une manière différente, peut-être. Comme le mari. Ce qui en fin de compte ne change rien. Elles sont bien mieux maintenant, y compris votre sœur.

Wheaton s'écarte de la toile et se contemple dans le miroir.

— C'est pire pour vous qu'elle soit morte, bien sûr, mais pour elle, il n'y a plus de souffrances. Plus de rêve irréalisable, plus d'asservissement.

Si je me mets à penser à Jane maintenant, je ne tiendrai pas le coup.

— Je comprends, à propos de l'enfer. Je comprends pour les *Femmes endormies*. Mais je crois que vous ne me dites pas tout.

Il me jette un regard très rapide avant de revenir à sa peinture.

— Qu'entendez-vous par là ?

— Ces sentiments que vous avez envers les femmes, ils ne vous sont pas venus de nulle part. Ils ont dû être façonnés par les femmes que vous avez connues, dis-je en ayant pleinement conscience qu'à partir de cet instant je dois me montrer très prudente. Peut-être la femme que vous avez le mieux connue.

Le pinceau se fige dans l'air, puis revient caresser la toile.

— Je sais que votre mère a disparu quand vous aviez treize ou quatorze ans…

Il cesse complètement de peindre.

— Je sais ce que c'est. Mon père a disparu quand j'avais douze ans. Au Cambodge. Tout le monde a dit qu'il était mort, mais je n'y ai jamais cru.

Il m'observe, maintenant. Il sait que je dis la vérité, et ne peut résister à l'envie d'en savoir plus.

— Que pensez-vous qu'il soit arrivé ? demande-t-il.

— Tout d'abord j'ai imaginé des tas de scénarios différents. Il avait été blessé et était devenu amnésique. Il était paralysé et ne pouvait pas revenir. Il était retenu prisonnier par des seigneurs de guerre asiatiques. Mais en mûrissant, je me suis rendue compte que toutes ces hypothèses étaient sans doute fausses.

— Vous avez accepté l'idée de sa mort ?

— Non. J'en suis venue à croire quelque chose d'encore plus terrible. Qu'il n'était pas revenu parce qu'il ne voulait pas revenir. Qu'il nous avait abandonnées. Pour une autre femme, peut-être. Une autre famille. Une autre petite fille qu'il aimait plus que moi.

Wheaton acquiesce.

— Ça m'a presque tuée de penser ça. Je me suis creusé la cervelle pour trouver ce que j'avais pu faire qui l'ait mis assez en colère pour qu'il cesse de m'aimer.

— Ce n'était pas votre faute. Votre père n'était qu'un homme.

— Je sais, mais la nuit dernière, j'ai réfléchi, ou plutôt rêvé, de vous. Et j'ai vu une femme. Je pense qu'il devait s'agir de votre mère. Elle tenait un garçon dans ses bras et essayait de lui faire comprendre pourquoi elle devait partir. J'ai voulu lui demander pourquoi elle devait vous abandonner...

Des taches rouges sont apparues sur le visage et le cou de Wheaton, comme cela se produisait chez ma sœur dans les moments d'émotion intense. Il brandit le pinceau dans ma direction comme si c'était un couteau.

— Elle ne m'a jamais quitté ! J'étais la seule chose au monde qui la conservait en vie !

— Que voulez-vous dire ?

Son visage est sujet à d'horribles contractions, comme s'il revivait des moments affreux. Puis il trempe la pointe du pinceau dans la peinture et se remet au travail avec la même application qu'auparavant.

Et c'est alors qu'il se met à parler.

27

— Je suis né pendant la guerre, dit Wheaton, en continuant de peindre avec une assurance absolue. En 1943. Mon père s'est engagé dans le corps des Marines. Il est revenu à la maison après ses classes, et c'est alors qu'il m'a engendré. Enfin, c'est ce qu'il a cru. C'était un homme dur, sans merci, froid. Mère n'a jamais pu m'expliquer pourquoi elle l'avait épousé. Elle disait seulement : « Quand on est jeune, tout a l'air différent. »

— Ma mère m'a dit la même chose plus d'une fois.

— Quand mon père a été incorporé, elle s'est retrouvée seule pour la première fois depuis son mariage. Elle avait déjà deux fils, mais ils n'avaient que quatre et cinq ans. Pour elle, son absence a été une libération. Elle était enfin hors de portée de sa voix agressive, de son insistance impitoyable la nuit, quand elle implorait en vain le plafond et les murs, priant Dieu pour un simple répit. Dieu avait enfin entendu ses supplications. Il lui avait envoyé une guerre pour éloigner son mari d'elle.

Wheaton a un sourire plein d'ironie acerbe.

— Un mois après que mon père a embarqué sur

le transport de troupes qui devait l'envoyer dans le Pacifique, un étranger est venu frapper à la porte pour demander un peu d'eau à boire. Il boitait. Une blessure ou une maladie l'avait rendu infirme, et l'armée ne voulait pas de lui. Il travaillait pour le gouvernement, c'était un des artistes commissionnés par l'Etat, un peintre. Mère est tombée amoureuse de lui dès le premier jour. Elle vénérait la peinture. Son bien le plus précieux était un livre d'art que sa défunte tante lui avait offert. Un énorme ouvrage intitulé. *Chefs-d'œuvre de l'art occidental.* Bref. Le peintre a campé non loin de la maison pendant deux semaines, et puis il est parti. Mère était enceinte. Elle n'a jamais su où il s'en était allé, mais il lui avait confié qu'il venait de La Nouvelle-Orléans. Rien de plus.

Mon Dieu, me dis-je.

— Je suis né deux semaines avant terme, continue Wheaton en tortillant le bout de son pinceau contre sa palette. Ce qui rendait les dates à peu près cohérentes. Cela signifiait que Mère pouvait mentir sur ma paternité et s'en sortir. Du moins pendant un temps.

« Quand mon père est revenu de la guerre, il avait changé. Il avait été capturé par les Japonais, et ils lui avaient fait quelque chose. Il ne parlait presque plus. C'est devenu une sorte de fanatique religieux. Mais il est resté aussi brutal qu'avant, avec elle comme avec nous.

« Très vite il a remarqué que Mère me traitait différemment de mes frères. Elle lui a dit que c'était parce que j'étais légèrement prématuré, et fragile. Il a voulu m'obliger à être comme les autres, mais elle s'est opposée à lui. Après quelque temps, ils sont parvenus à une sorte d'arrangement. Elle m'a acheté une enfance protégée en acceptant de lui être totalement soumise. Tout ce qu'il voulait, il l'obtenait. Sa parole avait force de loi. Durant la journée. Le soir, au lit. C'est seulement quand il était question de moi qu'elle avait son mot à dire.

« Mes frères travaillaient à la ferme et aidaient leur père à poser les pièges quand il n'y avait pas école. Ma vie était différente. Mère m'a enseigné des choses. Elle m'a fait la lecture. Elle a économisé de la menue monnaie pour m'offrir de la peinture et des toiles. Elle m'a encouragé à copier les peintres qu'il y avait dans son livre. Mes frères se sont moqués de moi, mais en secret ils me jalousaient. Ils me frappaient dès qu'ils le pouvaient sans risquer d'être punis, mais c'était sans importance pour moi. En été, Mère et moi passions des jours entiers dans une vieille grange au fond des bois. Nous leur échappions.

Weaton affiche maintenant une expression illuminée.

— La grange avait été construite dans une clairière, au milieu d'arbres centenaires, et il y avait un ruisseau qui coulait non loin. Une partie du toit s'était écroulée, mais nous n'en avions cure. Le soleil formait de grandes cascades de lumière jaune, comme dans les cathédrales gothiques.

— Qu'avez-vous peint dans cet endroit ? dis-je, même si je devine déjà la réponse. Votre mère ?

— Qui d'autre aurais-je pu peindre ? Quand j'ai eu maîtrisé la copie des œuvres que contenait le grand livre, elle s'est mise à apporter des tenues différentes qu'elle prenait à la maison, ou qu'elle avait achetées lors de ses rares passages en ville. Des choses que jamais elle n'aurait montrées à son mari. Des robes en tissu vaporeux, comme celles que les femmes portent dans les tableaux classiques. Heure après heure je peignais, et nous parlions, et nous riions, jusqu'à ce que les puits de lumière commencent à s'estomper. Alors nous nous mettions à chuchoter, et nous attendions jusqu'au dernier moment de revenir dans notre petite maison de misère.

— Que s'est-il passé ? Comment tout cela a-t-il fini ?

Le corps de Wheaton se raidit comme une bande magnétique qu'on arrête. Ses mâchoires bougent, mais il ne prononce aucun son. Puis, lentement, sa main approche le pinceau de la toile.

— Quand j'ai eu treize ans, je suis devenu... curieux de certaines choses. Beaucoup des reproductions du grand livre de Mère étaient des nus, et j'avais envie d'en peindre. Elle a compris la nécessité qui me motivait, mais il a fallu que nous soyons très prudents. Parfois mon père travaillait quelque temps à la minoterie, dans la ville voisine. Alors mes frères allaient poser et relever les pièges à sa place. C'est durant ces périodes qu'elle a posé nue pour moi.

Malgré la froideur de l'eau, je sens la chaleur monter à mes joues. Je sens que nous atteignons le territoire inconnu de l'inceste.

— Vous êtes devenus... intimes ?

— Intimes ? répète sa voix, pareille à un écho

dans une caverne. Nous étions comme une seule et même personne.

— Je voulais dire…

— Vous vouliez parler de sexe, coupe-t-il en levant son pinceau, le visage tordu par le dégoût. Ce n'était pas du tout cela. Il m'est arrivé de la toucher, bien sûr. Pour rectifier une pose. Et elle me disait des choses. Sur ce que devait être l'amour physique, et comment elle espérait qu'il était, quelque part dans le monde, ailleurs. Mais la plupart du temps, nous faisions des projets. Elle répétait que j'avais un don qui me rendrait célèbre un jour. Mille fois j'ai juré que si jamais je partais, je réussirais et je reviendrais la chercher.

Une vision effrayante me vient soudain.

— Est-ce que quelqu'un vous a surpris pendant une de ces séances ?

Wheaton ferme les yeux.

— Un après-midi, c'était au printemps, au lieu d'aller relever les pièges, mes frères nous ont espionnés. Ils nous ont suivis et ont regardé jusqu'à ce que ma mère se mette nue. Alors ils ont couru jusqu'en ville pour aller chercher mon père. Quand il a fait irruption dans la vieille grange, et qu'il l'a vue nue, il est devenu fou. Il s'est mis à hurler des propos incohérents où il était question de courtisanes et de Dieu seul sait quoi d'autre que la Bible fustige. Ma mère lui a crié de sortir immédiatement, mais moi j'ai vu le meurtre dans ses yeux. Il a ordonné à mes frères de m'immobiliser par terre et lui… Lui, il s'est mis à la frapper. Mais au lieu de subir, comme elle faisait d'habitude, elle s'est défendue, et elle lui a lacéré le visage de ses ongles. Alors il a saisi une vieille faux...

Wheaton a plissé les yeux, comme s'il observait une scène très lointaine.

— J'entends encore le sifflement qu'a produit la faux. Et le bruit de l'impact, celui d'une coquille d'œuf énorme qui se brise. Comment elle est tombée. Elle était morte avant de toucher le sol.

Sa voix sonne comme la mienne quand je parle de la « mort » de mon père : un peu plus aiguë, au bord du chevrotement.

— Pourquoi personne n'en a jamais rien su ?

— Parce qu'il n'y avait personne à plusieurs kilomètres à la ronde. Et parce qu'elle n'avait plus aucune famille.

— Et votre père l'a ensevelie ?

— Non.

Non ?

— Et... que s'est-il passé, ensuite ?

Wheaton baisse les yeux, et sa voix n'est plus qu'un murmure presque inaudible :

— Il est venu là où mes frères me maintenaient immobile au sol, il s'est penché et il m'a ordonné de l'enterrer et de retourner ensuite à la maison. Son haleine puait. Il a ajouté que si je disais quoi que ce soit à quelqu'un d'autre, lui et mes frères jureraient qu'ils m'avaient surpris en train de la violer dans cette grange, après sa mort. Je n'avais jamais entendu parler de telles horreurs. J'en ai été pétrifié de terreur. Personne ne me croirait, a-t-il dit. Je serais envoyé dans un centre d'éducation surveillée, où les autres garçons me rosseraient tous les jours et me sodomiseraient le soir venu. Et puis ils sont partis, et m'ont laissé seul avec elle.

— Je suis vraiment désolée, dis-je avec sincérité, mais Wheaton ne m'entend pas.

— Je ne pouvais pas l'enterrer, poursuit-il d'une voix proche de la plainte. Je ne pouvais même pas la regarder. Tout un côté de sa tête était défoncé. Sa peau était pareille à du marbre bleuté. J'ai pleuré jusqu'à ce que mes yeux me fassent mal. Et puis j'ai traîné son corps à la rivière. Je suis retourné chercher sa robe, et je l'ai lavée de la tête aux pieds, j'ai nettoyé le sang et j'ai coiffé ses cheveux de mon mieux. Comme elle aurait voulu être coiffée. Je savais qu'ils risquaient de revenir à n'importe quel moment, mais je n'en avais cure, je venais de comprendre quelque chose. Ses souffrances étaient enfin terminées. Elle était beaucoup plus paisible, dans la mort.

Wheaton pose son pinceau et enfouit ses doigts dans sa chevelure emmêlée.

— Moi, je n'allais pas mieux. Je ne pouvais même pas imaginer de vivre sans elle. Mais elle, elle était libérée. Vous comprenez ?

Je comprends, oui. Je vois comment un enfant brisé a accompli le voyage mental jusqu'à un stade qui l'autorise aujourd'hui à assassiner des femmes en croyant qu'il fait le bien.

— Je suis retourné à la grange, et j'ai fini de peindre la toile que j'avais commencée. Ensuite, dans la lumière du crépuscule, au milieu de la clairière, j'ai peint Mère au repos, en paix. Pour la première fois, je voyais son visage parfaitement détendu. Serein. Pour moi, ce moment a été une épiphanie. Ma naissance en tant qu'artiste. Quand j'en ai eu terminé, j'ai pris une pelle dans la grange et je l'ai ensevelie près du ruisseau. Je n'ai pas marqué l'endroit. Je ne voulais pas qu'ils puissent la retrouver. Moi seul savais.

— Que s'est-il passé, quand vous être rentré ?

Ma question semble effacer toute humanité du visage de Wheaton.

— Durant les quatre années qui ont suivi, j'ai vécu comme un animal. Mon père a raconté aux quelques personnes qui lui ont posé la question que ma mère s'était enfuie à New York. Puis il s'est mis à fouiller dans son passé. Il a fini par acquérir la conviction que j'étais un enfant illégitime. Il avait raison, mais il ne pouvait pas le prouver. Il savait, c'est tout. Il n'y avait rien de lui en moi. Rien. Et j'en remercie le Seigneur. Mais ensuite, ils ont fait subir à Roger des choses que vous ne pouvez tout simplement pas imaginer. Ils l'ont affamé. Ils l'ont frappé. Ils l'ont fait travailler comme un esclave. Le père a donné aux frères aînés la permission de faire de lui tout ce qu'ils voulaient. Ils l'ont brûlé. Coupé. Ils ont introduit des objets en lui. Le père s'est sexuellement servi de lui, pour le punir. Ah, fait Wheaton en secouant la tête d'un air soudain dédaigneux, sans moi il n'aurait pas survécu.

Je repense aux propos du Dr Lenz sur le dédoublement de personnalité. Sévices sexuels dans l'enfance, rupture psychologique radicale…

— Comment avez-vous fait pour protéger Roger ?

— J'ai écouté. J'ai observé. Mon ouïe a acquis

621

une finesse effrayante. J'étais capable de les entendre respirer dans leur sommeil. Si leur respiration changeait, je le savais aussitôt. S'ils sortaient de leur lit, je savais que Roger était en danger. Je lui ai dit quand se cacher, quand se sauver. Quand mettre de la nourriture en réserve. Quand céder, et quand résister. Après un certain temps, j'en suis arrivé à les entendre penser. J'ai vu le désir morbide dans leur esprit, l'image se transformer en intention, l'intention se transmettre par leurs nerfs trop lents de leur cerveau à leurs membres lourds, pour agir. C'est ainsi que Roger a survécu.

— C'est vous qui lui avez dit de fuir à New York ?

Wheaton se remet à l'œuvre, et le pinceau s'agite follement entre ses doigts.

— Oui. Mais la ville n'était pas telle que je l'avais cru. Roger a essayé de peindre, mais il n'a pas réussi à en vivre. Et les gens qui lui ont proposé leur aide… ne voulaient pas vraiment l'aider. Non, ils voulaient s'aider eux-mêmes. Ils lui ont donné à manger, un endroit où dormir, une pièce où peindre. Mais en échange ils ont exigé leur part de chair fraîche. Ils le désiraient, lui. Et il s'est donné à ces gens. Quelle importance ? Ils étaient tellement plus gentils que son prétendu père et ses frères. Pendant quatre ans il a évolué parmi eux, ces hommes au corps mou, vieux, grisonnants, et il a peint en imitant les grands artistes du passé, et en faisant tout ce qu'on lui demandait. Mais il fallait bien que cela change un jour.

Un sourire presque cruel étire ses lèvres.

— Un jour, dans la rue, j'ai saisi ma chance. Je

suis entré dans un bureau de recrutement et je me suis engagé dans les Marines. Un acte rapide, irrévocable. Il n'a rien pu faire. La guerre du Vietnam prenait de l'ampleur, mais avant qu'il comprenne ce qui lui arrivait, Roger s'est retrouvé en route vers les combats.

La fierté étincelle dans les yeux de l'artiste.

— C'est là que je me suis pleinement exprimé. Au Vietnam. Sans moi, il n'était rien. Pendant la journée il traînait ici et là, il plaisantait, jurait et donnait des claques sur les épaules des autres gars, en essayant de faire illusion. Mais à la nuit tombée, c'est moi qui prenais les commandes. Pendant les patrouilles. J'étais capable de sentir des choses qu'il ne pouvait même pas voir. Je pouvais entendre des pieds nus foulant l'herbe à cinquante mètres de distance. C'est moi qui lui ai permis de survivre. Les autres aussi me doivent la vie. On m'a donné des médailles pour ça.

— Et ensuite ? dis-je.

Une part de mon esprit se demande si John, Baxter et Lenz ont trouvé le chemin de ce bâtiment.

— Je suis revenu à New York. Mais j'étais un autre homme. J'ai profité de la loi offrant aux anciens GI des études gratuites, et je me suis inscrit à l'université de New York. Pendant quatre ans, j'ai peint. En dehors des cours, je faisais des portraits pour m'acheter à manger. Je cherchais mon chemin. Et c'est lui qui m'a trouvé. Mon frère encore vivant est mort dans la marine marchande, et la ferme familiale a été mise en vente. Je l'ai rachetée. J'ai d'abord pensé à l'incendier, mais je ne l'ai pas fait, finalement. Chaque jour était pour moi une douce vengeance. Ces pièces qui avaient vu les souffrances de ma mère, Roger les a emplies de couleurs et de lumière. C'est à cette époque qu'il a commencé à peindre la Clairière.

— Et vous, quand avez-vous commencé à peindre ? Les *Femmes endormies* ?

Wheaton a la moue d'un homme qui essaie de se remémorer en quelle année il s'est marié, ou a fait son service militaire.

— En 1978, je crois. Je repartais de New York en voiture, et j'ai vu cette fille près d'un pont, qui faisait du stop pour aller vers le nord. Elle était jeune et jolie, elle ressemblait à une étudiante. Une paumée, vous saisissez ? Une hippie attardée. Je lui ai demandé où elle allait, et elle m'a répondu : « N'importe où s'il fait chaud, mon vieux. »

Wheaton sourit à ce souvenir.

— Je savais exactement ce qu'elle ressentait. J'étais passé par là, moi aussi. Je l'ai amenée à la ferme. En chemin elle s'est défoncée. Elle a avalé des pilules qui l'ont rendue très bavarde. Son histoire était celle que j'avais déjà entendue de la bouche d'un tas d'autres femmes. Un père comme le mien. Une mère incapable de la protéger. Des types qui avaient profité d'elle. A la ferme, je lui ai donné à manger. Elle s'est sentie fatiguée. Je lui ai demandé la permission de la peindre. Elle a hésité, mais pas longtemps. « Tu ne ferais rien de bizarre, toi, tu es trop chou », c'est ce qu'elle m'a dit. Et elle s'est déshabillée. Je l'ai fait poser dans la baignoire.

Entraînée dans une sorte de transe par son récit, je sens une soudaine nausée quand les implications de ses dernières paroles m'apparaissent.

— J'ai peint comme jamais Roger n'a peint. Je maîtrisais totalement la situation, vous comprenez ? C'est moi qui tenais le pinceau. Il travaillait selon ma volonté.

— Mais quelque chose s'est produit... dis-je d'une voix hésitante.

Wheaton pose le pinceau et se masse vigoureusement la main gauche avec la droite.

— Oui. Je n'avais pas encore terminé la peinture quand elle s'est réveillée. J'étais nu. Je ne sais plus comment j'en étais arrivé là, mais cela n'a pas grande importance, n'est-ce pas ? Je me souviens juste que je peignais, nu, et que j'étais en érection. La fille a paniqué.

— Qu'avez-vous fait ?

— J'ai pris peur moi aussi. Elle savait où elle se trouvait. Si elle allait raconter ce qui s'était passé à des gens, Roger risquait de gros problèmes. J'ai essayé de la calmer, mais elle l'a mal pris. Elle s'est rebellée, elle s'est débattue. Elle ne m'a pas laissé le choix. Je l'ai maintenue sous l'eau jusqu'à ce qu'elle arrête de gigoter.

Mon Dieu...

— Et ensuite, qu'avez-vous fait ?

— J'ai terminé le tableau, dit Wheaton sur le ton de l'évidence, en reprenant son pinceau. Elle paraissait si sereine. Beaucoup plus heureuse que lorsqu'elle était montée à bord de ma voiture. Elle a été la première des *Femmes endormies*.

En 1978. L'année où je terminais mes études, Roger Wheaton noyait une junkie en Nouvelle-Angleterre et entamait son voyage sans retour sur la route macabre qui allait le mener à ma sœur.

— Qu'avez-vous fait du corps ?

— Je l'ai enterré dans la clairière.

Evidemment.

— J'ai attendu un an avant d'en prendre une autre en stop. Une fugueuse. Avec elle, tout a été très facile. Et puis, je savais déjà ce que je voulais.

— Et Conrad Hoffman ?

— C'était en 1980. Roger avait une expo à New York, et Conrad Hoffman y est venu. Il a vu dans les Clairières quelque chose que personne d'autre n'avait détecté. Il m'a vu, moi. Ce que j'étais en germe. Il était charismatique, jeune, dangereux. Il s'est attardé après les gens, et nous sommes allés ensemble boire un café. Il n'a pas flatté bassement Roger, comme certains autres. Il avait senti la puissance cachée dans ses peintures. Leur côté ténébreux. Et j'ai alors fait quelque chose que je n'aurais jamais pensé faire.

— Vous lui avez montré vos *Femmes endormies*.

— Exactement. A l'époque, il n'y en avait que deux. Si vous aviez vu son visage quand il les a découvertes. Il a su immédiatement que les modèles étaient morts. Il l'a su parce qu'il avait déjà vu des femmes ainsi. Et quand il s'est détourné des toiles, je lui ai permis de voir mon vrai visage. J'ai laissé tomber le masque.

Comme avec moi, après avoir étourdi l'agent du FBI avec le Taser, dans la galerie.

— Comment Hoffman a-t-il réagi ?

— Il était ravi. Il se délectait. Quand j'ai vu qu'il

comprenait, j'ai senti une puissance irrésistible monter en moi. Et je l'ai possédé.

— Quoi ?

— Je n'étais pas comme Roger, je ne me mettais pas face contre sol pour subir, moi. C'est moi qui contrôlais la situation. Conrad a vu mon génie, et il a voulu le connaître dans son intégralité. Il a été un instrument au service de mon pouvoir.

Remarquant mon effarement, Wheaton ajoute :

— Conrad était bisexuel. Il me l'avait dit dans la voiture. Il y avait pris goût en prison.

— Et ensuite, il s'est mis à vous aider ?

Wheaton peint avec une vitesse presque mécanique, à présent.

— Conrad me procurait les modèles, préparait les cocktails de drogues, faisait ce qu'il fallait pour les garder sous sédation pendant que je travaillais. L'insuline. Il a accompli bien des tâches pour moi.

— Et en récompense, il violait ces femmes.

Le pinceau de Wheaton tremble à peine une fraction de seconde.

— Je suppose que oui. Je doute qu'elles aient été conscientes quand il le faisait.

Et moi je prie pour qu'elles ne l'aient pas été.

— Qu'est-ce qui vous a fait arrêter ? A New York, je veux dire ?

— Conrad a tué quelqu'un dans une bagarre. Il a été condamné à quinze ans. Il m'a dit de ne pas enlever d'autre femme, mais… Je ne pouvais plus m'arrêter. J'ai essayé de kidnapper une fille à New York. Elle a senti le danger, et elle s'est débattue. Elle a hurlé. Je n'ai échappé à la police que de justesse. C'est cet incident qui m'a fait cesser. Conrad

627

m'avait parlé de la prison. Je ne pouvais pas me retrouver là. Ç'aurait été comme revenir dans la maison de mon père.

— Alors vous avez canalisé vos désirs en peignant les *Clairières*. C'est bien ça ? C'est pourquoi elles sont devenues de plus en plus abstraites.

— En effet. Et plus je mettais de moi dans ces toiles, plus Roger devenait célèbre. Mais je voulais que le monde entier voie mon œuvre, mon œuvre pure, et non pas l'image distordue qu'en donnait Roger dans ses peintures abstraites.

— Est-ce pour cette raison que vous avez recommencé à tuer, quinze ans plus tard ?

— Non, dit-il en me lançant un regard direct, très clair. J'étais en train de mourir. Il fallait que j'accomplisse enfin ce pour quoi j'excellais, tant que j'en avais encore le temps.

— Hoffman était ressorti de prison, alors ? Il vous a aidé de nouveau ?

— Six mois après que j'ai appris ma maladie, il a été libéré pour faire de la place à de nouveaux prisonniers. Je m'étais déjà installé à La Nouvelle-Orléans. J'y avais été poussé par un fantasme de jeunesse, l'idée de retrouver mon père biologique. Ou au moins sa tombe. Quelque chose de tangible. Je n'y suis jamais parvenu. Mais oui, vous avez raison, Conrad m'a aidé à me remettre au travail.

— Pourquoi avoir mis ces peintures en vente ? Pourquoi prendre un tel risque ? Vous étiez déjà riche. Célèbre. Respecté.

— Roger l'était, rectifie Wheaton. A sa manière bourgeoise et étriquée. Mais quand les collectionneurs ont découvert les *Femmes endormies*,

628

ils ont reconnu un niveau totalement différent de vérité.

— Comme Marcel de Becque ?

— C'était un parmi d'autres.

— Vous le connaissez bien ?

— Je sais qu'il achète mes œuvres. Rien de plus.

Etrangement, je le crois. Alors comment s'explique le lien entre de Becque, Wingate et Hoffman ? Exploitaient-ils tous cet artiste torturé et sa vision insane ?

— Qu'avez-vous l'intention de faire, maintenant ?

— Je vais partir. Pour vivre comme je l'entends. Ouvertement. L'argent n'est pas un problème, et Conrad a établi de fausses identités pour nous il y a bien longtemps. Juste en cas de nécessité.

— Continuerez-vous à peindre ?

— Si j'en ressens le besoin. Après cette œuvre, je ne pense pas.

— Qu'allez-vous faire de moi ?

— Je vais exaucer votre souhait le plus cher. Je vais vous réunir à votre sœur.

Je ferme les yeux.

— Où est ma sœur ?

— Très près d'ici.

— Très près… en voiture ou à pied ?

— Plus près encore, raille Wheaton.

La voix de John résonne dans ma mémoire, en un écho de notre première rencontre, à Lakeshore Drive : « Ces dernières années, le niveau hydrostatique général a considérablement baissé. Il pourrait les enterrer sous une maison, elles resteraient enterrées. Et au sec. Il lui suffirait de balancer un peu de chaux sur les corps de temps en temps pour éviter les odeurs. »

— Elle est enterrée ici ? Sous cette maison ?

Tandis qu'il acquiesce, son pinceau poursuit son ballet sans la moindre perturbation. C'est plus que je ne peux supporter.

— Les autres femmes aussi ?

— Oui. Votre sœur était un peu différente des autres. Elle a essayé de s'enfuir. Je ne suis pas certain de la façon dont elle s'y est prise, mais elle a atteint le jardin. Conrad l'a rattrapée, mais elle s'est débattue, et il a dû en finir avec elle. Il l'a ensevelie immédiatement. J'ai terminé son portrait en m'aidant d'une simple photographie.

Pour la première fois depuis des heures, la colère me submerge. D'un geste presque vif, j'ouvre le robinet, comme je l'ai déjà fait à deux reprises. Mais maintenant, c'est celui d'eau froide. Wheaton ne paraît rien remarquer.

Alors que je lutte contre les images que ces mots ont fait naître en moi, il pose son pinceau, se masse encore les mains puis consulte une montre posée sur la table près de lui. Avec un grognement bas, il se détourne et passe dans la maison. J'entends quelques sons sourds, puis un murmure. Il téléphone.

Je roule sur moi-même, me mets à genoux dans la baignoire, me penche par-dessus le rebord et attire la glacière à moi. Priant pour que l'eau qui coule couvre le bruit, j'inspire et j'expire par à-coups, pour chasser l'engourdissement, puis je soulève la glacière jusqu'au bord de la baignoire et j'en déverse le contenu à l'intérieur.

Le choc glacé me coupe le souffle. Jusqu'à mes pensées qui me semblent grelotter tant l'eau est froide, mais je n'ai pas de temps à perdre. Trois bouteilles de bière sont tombées dans la baignoire. Je les replace dans la glacière vide, que je repose sur le sol. Une voix monocorde me parvient par la porte ouverte sur ma gauche. J'entends le mot « billet » à plusieurs reprises. Peut-être aussi « départ ».

Seigneur, que c'est froid ! Je ne pourrai pas le supporter très longtemps. Mon cerveau embrumé a presque oublié un élément critique : mes défenses contre l'insuline. Je passe la main entre la baignoire et le miroir, ramasse un paquet de biscuits et déchire l'emballage de mes doigts gourds. Je brise la pâte dure en morceaux que je fourre dans ma bouche et mâche juste assez pour pouvoir les avaler.

Wheaton parle toujours. J'ouvre un autre paquet et gobe deux biscuits de plus.

Des pas.

— « Viens à moi », fais-je à voix basse en m'efforçant d'empêcher mes dents de claquer. C'est ce que disait l'araignée à la mouche.

Quand Wheaton réapparaît, je me rends soudain compte de l'étrangeté de son accoutrement, avec cette bande de lin blanc qui lui ceint les reins. Après deux jours, je m'y étais habituée. Mais en l'entendant parler au téléphone comme une personne normale, c'est un choc. On dirait un homme qui se prend pour Jésus. Un Jésus de soixante ans. Il va se placer devant le chevalet et étudie son œuvre d'un œil critique.

L'eau glacée me semble épuiser ma force vitale, et la douleur est plus intense que prévue. La différence entre la glace et le feu s'estompe très vite.

— La peinture est terminée ? dis-je.

— Hein ? répond-il d'une voix distante. Oh. Presque. Je…

La sonnerie du téléphone l'interrompt. Il paraît dérouté. La sonnerie reprend, faible mais insistante. Après un rapide coup d'œil dans ma direction, il ressort de la serre.

Je résiste à grand-peine à l'envie de sauter hors de la baignoire. « Ouvre le robinet d'eau chaude, dit une voix dans ma tête. Un peu de chaleur ne peut pas… »

Cette fois les pas reviennent sur un rythme précipité. Wheaton surgit dans la serre, le visage taché de rouge à nouveau, mais à présent il tient en main un Smith & Wesson de calibre 38. Celui que John m'a confié.

— Qu'y a-t-il ? Que s'est-il passé ?

— Ils ont raccroché.

Sa voix est un murmure rauque.

— Ça arrive tout le temps…

— Pas ici. Et la communication n'était pas coupée quand j'ai décroché. Ils ont écouté quelques secondes avant de raccrocher.

Je m'efforce de ne rien laisser paraître de l'espoir qui s'épanouit en moi.

— C'était sûrement un enfant. Ou un pervers quelconque.

Wheaton secoue la tête avec vigueur. La conscience animale qui illumine ses prunelles fait peur à voir : un instinct de survie développé à l'extrême.

— Pourquoi proposez-vous toutes ces explications ? demande-t-il. Hein ? Pourquoi ?

— Je ne sais pas. Je…

— La ferme ! s'écrie-t-il, se retournant pour regarder la peinture inachevée avant de pivoter de nouveau vers moi. Il faut que je parte.

— Vous partez ? Où ? Pourquoi ?

— Parfois je sens des choses. Et jamais je ne mets en doute ce que je sens. Cet endroit n'est plus sûr.

J'éprouve un désir brutal de bondir de la baignoire, mais avant que j'aie pu faire un geste, Wheaton me lance :

— Je sais que vous pouvez bouger.

Mon cœur s'arrête.

— Inutile de feindre le contraire. Je n'ai plus de décontractant musculaire. Il faut que je me prépare à partir. Je vais remettre un peu de Valium dans la perfusion. Assez pour vous assommer quelque temps, mais sans vous tuer.

Il semble sincère, mais je sais à qui j'ai affaire.

— Vous mentez. Vous l'avez déjà dit, vous allez me tuer.

— Allons, Jordan. Je pourrais vous abattre d'une balle tout de suite, si je voulais vraiment vous tuer.

— Peut-être sommes-nous trop proches d'autres habitations. Ou bien vous ne supportez pas l'idée de tuer avec une arme à feu. L'insuline vous donne l'illusion d'euthanasier vos victimes.

Un sourire singulier effleure ses lèvres et ses yeux.

— J'ai abattu beaucoup de gens au Vietnam. Ce n'est pas un problème pour moi.

Il s'accroupit à un mètre de la baignoire et me regarde dans les yeux.

— Pourquoi le Valium ne vous fait-il pas d'effet, Jordan ? Vous n'auriez pas une petite accoutumance à ce produit ? C'est cela ?

— Peut-être. Une toute petite.

Il rit. Il apprécie.

— Vous êtes futée, hein ? Une survivante, comme moi.

— Jusqu'ici.

Il se relève, passe dans la pièce voisine et revient bientôt, une seringue dans sa main libre.

— Restez bien sagement où vous êtes. Si vous tentez quoi que ce soit, je me verrai dans l'obligation de vous abattre. Idem si vous débranchez la perfusion.

Il se déplace latéralement et sort de mon champ de vision, et malgré cela je sais très bien ce qu'il fait : se penchant d'aussi loin qu'il lui est possible, il injecte le contenu de la seringue dans la poche d'alimentation. Se peut-il qu'il ait dit vrai à propos du Valium ? Me laisserait-il vivre ? Il ne l'a fait pour aucune autre femme. Elles sont toutes enterrées sous cette maison.

Mon poignet devrait commencer à brûler, mais il n'en est rien. Wheaton réapparaît sur ma gauche et s'accroupit de nouveau, à plus d'un mètre. Il ne dit rien. Il se contente d'observer.

— Vous frissonnez, dit-il après un moment. Comment vous sentez-vous ?

— Effrayée.

— Vous n'avez aucune raison de l'être. Ne vous rebellez pas.

— Me rebeller contre quoi ?

— Le Valium.

— Ce n'est pas du Valium, dis-je, et une vague nauséeuse monte en moi. N'est-ce pas ?

— Pourquoi dites-vous cela ?

— Parce que mon poignet ne brûle pas.

Il soupire, puis a un sourire qui pourrait être de compassion.

— Vous avez raison. On peut faire confiance à une junkie pour connaître sa drogue. C'est de l'insuline. Bientôt tous vos soucis s'envoleront. Sans douleur.

A un mètre vingt en face de moi, Thalia Laveau ressemble exactement à ce qu'elle est : une morte vivante. Je ne veux pas finir comme elle. Je prie pour que Conrad Hoffman ne l'ait pas violée avant qu'elle tombe dans le coma.

— Envie de dormir ? susurre Wheaton, en caressant du pouce gauche le pistolet.

Le sucre que les biscuits ont instillé dans mes veines ne m'octroiera qu'une immunité limitée contre l'insuline, suivant la dose qu'il m'a donnée. S'il ne se rapproche pas plus, je perdrai conscience sans avoir rien pu tenter pour me sauver. A moins que je n'arrache la perfusion. Et alors il m'abattra d'une balle.

— J'ai... envie... dis-je d'une voix pâteuse. Dormir...

— C'est bien, murmure-t-il en regardant au-delà de la baignoire, vers le mur de verre de la serre.

Il semble s'attendre à voir surgir à tout moment des hommes en arme dans son jardin.

L'eau du bain ne me paraît plus aussi froide, et pendant un instant j'en suis heureuse. Puis je comprends : l'insuline affecte déjà mes perceptions. Proche de la panique, je m'ébroue et mes jambes jaillissent hors de l'eau. Le mouvement entraîne un glissement de mon corps sur le fond de la baignoire, et mes fesses se retrouvent entre les cuisses de Thalia. Ma tête disparaît sous la surface.

Il me faut fournir un effort de volonté terrible pour garder la tête sous l'eau, mais c'est ma seule chance de survie, je l'ai compris en un éclair. Je feins de me débattre, comme si je cherchais sans y parvenir à retrouver l'air libre.

Une ombre s'avance au-dessus de la baignoire, qui se densifie en une forme définie. Une tête. Des épaules. Wheaton se penche. Que voit-il ? Une redite de l'agonie vécue par la première femme qu'il ait jamais tuée ? Avec une sensation étrange d'extériorité, j'assiste à mes derniers instants en ce monde à travers ses yeux. Il veut sortir ma tête de l'eau, je le sens, pour m'accorder une mort plus humaine.

En manque d'oxygène et assommée par le froid, je sens mes poumons brûler d'atteindre la surface. Je ne peux plus attendre que Wheaton agisse. J'explose hors de l'eau dans un cri de désespoir, mains tendues comme des griffes. Il écarquille les yeux de terreur, cherchant à reculer. Trop tard : déjà j'ai saisi ses poignets. Avec un rugissement il essaie de lutter, mais ses pieds n'ont pas un appui suffisant sur le sol mouillé pour lui permettre d'utiliser son poids contre moi. De toutes mes forces je plonge ses mains dans l'eau glacée.

Ses yeux s'emplissent de l'incompréhension d'un enfant torturé pour des raisons qu'il ne peut deviner, et ses pieds se dérobent sous lui.

Je tiens bon.

D'autres fragments de sa personnalité passent dans ses prunelles : l'enfant violenté qui pouvait lire les pensées bestiales de son père ; le soldat capable d'entendre les pieds nus de l'ennemi sur l'herbe, à cinquante mètres de distance. Alors que je lutte pour garder ses mains dans l'eau, un de ses poignets tressaute entre mes doigts et une explosion sourde me martèle les tympans. Des volutes de sang tourbillonnent dans la baignoire. Son poignet tourne encore, et mes oreilles sonnent comme des cymbales.

Il tire sous l'eau avec le pistolet.

Je ne ressens aucune blessure, mais cela arrive parfois. Amplifiée par la baignoire, la détonation m'a étourdie, mais je ne lâche pas prise. Le sang rouge bouillonne dans l'eau, comme expulsé en jet d'un tuyau d'arrosage.

Thalia. Un trou dans sa cuisse crache du sang à chaque battement de son cœur. Elle a encore assez de vie en elle pour mourir horriblement. Avec un hurlement de rage, je me cramponne aux poignets de Wheaton alors que le pistolet frappe mes mains presque insensibles au fond de la baignoire.

Quand le silence revient, il nous choque tous deux. Le visage de Wheaton est livide, et ses bras ont cessé de lutter. L'eau glacée a fait son œuvre. Avant de savoir ce que je fais, je lâche ses poignets et rampe hors du bain. Le support de perfusion s'écrase au sol à côté de moi, et le cathéter jaillit de mon poignet, envoyant une giclée de sang sur ma main.

Wheaton se redresse au ralenti, et pendant quelques secondes je crois qu'il a été touché. Mais il ne cherche pas d'appui : il s'évertue à ôter les gants trempés de ses mains agitées de spasmes. Il ressemble à une victime de brûlures qui veut se débarrasser des vêtements collés à sa peau par le feu. Un gant tombe sur le sol humide, puis l'autre, et il lève les mains devant ses yeux, doigts écartés et tremblants. Ils sont bleus. Non pas d'un bleu agréable à l'œil, mais d'un bleu-noir sinistre qui signe la mort des tissus. La bouche de Wheaton forme un 0 et il hurle de douleur.

Le cri brise mon inertie. Je m'écarte en reculant de la baignoire, et me retourne vers la porte qui donne sur la maison. Elle semble à une courte distance, mais quand j'essaie de me mettre à courir, mes jambes flageolent. Je dois m'arrêter, me courber en avant et agripper mes genoux pour rester debout. La panique écrase ma poitrine, et l'air me manque. Est-ce un effet de l'insuline ?

J'ai besoin de sucre. Plutôt que de tenter d'atteindre mes réserves près du miroir, je tombe en arrière, sur les fesses, et je lance une main vers le sac d'épicerie. Wheaton avance sur moi d'un pas lourd. Ses yeux brillent de rage, mais il ne me semble pas représenter une menace bien sérieuse. C'est comme être agressée par un homme dépourvu de mains. Tâtonnant dans le sac en papier, je déballe un gâteau et le fourre dans ma

638

bouche. J'avale la pâte spongieuse sans même la mâcher.

Wheaton fait soudain demi-tour et repart vers la baignoire. Il y cherche quelque chose des yeux, comme un prêtre à qui l'on a ordonné de retirer une relique d'une urne pleine de flammes. Le pistolet. Il rassemble tout son courage pour plonger à nouveau ses mains martyrisées dans l'eau glacée.

Je me griffe l'avant-bras gauche, et le sang coule. La douleur aiguise momentanément mes sens, et dans cet instant de clarté je me force à me remettre debout.

Wheaton s'incline sur le bain et y plonge un bras, jusqu'au coude. Puis il se redresse comme un diable sort de sa boîte, l'arme dans sa main tremblante, et se tourne vers moi.

Le pistolet se relève quand je me rue sur lui, bras tendus. L'arme aboie au moment où mes mains le percutent en pleine poitrine. Il est violemment repoussé en arrière. Ses jambes heurtent le bord de la baignoire et il tombe à la renverse sur la baignoire et contre le miroir. Celui-ci se brise à un mètre cinquante du sol, et les débris de verre cascadent sur nous.

Alors que je me débats pour me relever, Wheaton qui est coincé sous moi m'enfonce le canon de l'arme dans le cou.

— Non, dis-je sur le ton de la supplication, en me détestant d'agir ainsi. Par pitié.

Il sourit d'un air de regret distant, et presse la détente.

Le métal claque sur le métal, sans détonation.

Yeux exorbités, il écarte l'arme pour me frapper

avec, mais dans le mouvement son épaule glisse du rebord en émail et il sombre dans le bain. Il ne crie même pas. Il aspire une grande goulée d'air, et une main noircie vole vers sa poitrine, à la place du cœur. Avant que la pitié ne naisse en moi, je plaque les deux mains sur son front et lui enfonce la tête sous la surface.

Il lutte un peu, mais il n'a plus de force. Je veux le maintenir ainsi, ne serait-ce que pour mettre un terme à ses souffrances, mais je ne peux pas me le permettre. Le sucre dans mon sang pourrait être annihilé par l'insuline avant que je ne m'éloigne de dix pas, et je quitterais cet endroit les pieds devant, avec une étiquette accrochée au gros orteil.

Je me redresse et titube vers la porte derrière le chevalet. Elle donne sur une pièce rectangulaire meublée d'un canapé, d'une télévision et d'une petite table où est posé un téléphone. Je la traverse tant bien que mal, et débouche sur un hall immense qui me sépare de douze mètres d'une grande porte d'entrée en bois très semblable à celle de la maison de Jane, sur St Charles Avenue. J'avance dans cette direction, en me concentrant sur mon équilibre, mais j'ai parcouru à peine les deux tiers de la distance quand mes jambes me trahissent. Je m'étale de tout mon long sur le sol, et je termine contre la plinthe blanche.

Un brouillard étrange ouate mes pensées. Je veux rester allongée sur le bois tendre du parquet et le laisser m'envelopper. Mais de ces brumes naît une image tellement inoubliable que mon cœur se met à battre la chamade : des tombes peu profondes, onze en tout, alignées, de petits monticules de terre dans l'obscurité sous la maison. Cette maison. Sous mes pieds attendent les restes de onze femmes dont les maris, les parents et les enfants prient chaque soir pour savoir ce qu'elles sont devenues. Ma sœur attend avec elles. Et qui elle attend, la question ne se pose même pas. Je n'ai pas encore accompli mon devoir.

Je réussis à me redresser sur les genoux et les mains, et c'est ainsi que j'avance jusqu'à la porte. Alors j'élève la main droite, et je la referme sur le bouton.

Il refuse de tourner.

Dans mon cerveau les quelques cellules encore actives peignent la représentation d'une fenêtre derrière mes paupières closes, mais je n'ai plus aucun espoir d'en atteindre une. Je ne peux aller plus loin.

Je m'entends sangloter, et de nouveau l'indignité de ma supplication me fait honte :

— S'il te plaît… Ouvre-toi…

La porte reste fermée. Une fin pathétique pour une existence plutôt décente. Nue. Seule. Perdue dans un brouillard blanc qui souffle dans un silence insidieux, étouffant le son de mes pleurs, puis le râle de ma respiration. Bientôt tout ne sera plus que blancheur.

Alors que mes oreilles guettent le dernier écho sifflant de ma respiration, un son inhumain transperce ma conscience déclinante comme une hache. Des tambours résonnent, et une cacophonie assourdissante explose, comme le bruit du miroir se brisant dans la serre. Des silhouettes noires d'insectes humanoïdes m'entourent, et leurs voix métalliques résonnent douloureusement à mes tympans. L'une essaie de me demander quelque chose. Ses yeux fixes et ronds sont pleins de ferveur, mais je ne comprends pas ce qu'on me dit.

Un cri de désespoir absolu déchire l'air, et s'étire à l'infini. Il me touche au cœur comme un projectile de chagrin pur, et s'unit à ma peine qui a couvé là si longtemps. Mes mains bougent pour recouvrir mes oreilles, mais le cri s'écrase contre un mur noir, ne laissant plus que des vibrations carillonnantes. Les yeux ronds au-dessus de moi s'écarquillent un peu plus, puis disparaissent, et un visage humain apparaît à leur place.

Celui de John Kaiser.

Il me croit morte. Je le lis dans son regard. Le brouillard m'a presque avalée. Il faut que je le lui dise, je suis toujours vivante. Si je ne le fais pas, il risque de m'enterrer. Au fond de mon esprit, une étincelle de vie clignote encore. Un point lumineux isolé dans un ciel noir. Et de cette étoile vient une voix. Pas la voix de mon père. Une voix de femme.

La voix de ma sœur.

« Parle, Jordan ! Dis quelque chose, bon sang ! »

Deux mots tombent de mes lèvres avec une netteté irréelle, et ils déclenchent une activité frénétique :

— Du sucre…

Puis je me frappe le poignet de la main.

— Du sucre ! dis-je encore, en frappant le trou sanglant laissé par la perfusion, comme un singe sous amphétamines. Sucre, sucre, sucre…

Un ange vêtu de blanc s'incline vers moi.

— Je crois qu'elle veut qu'on vérifie son taux de glucose.

L'étoile s'éteint, et le visage de John s'évanouit.

28

— Jordan ? Jordan ?

La lumière blanche me transperce la rétine, mais j'endure la douleur. Je ne veux plus des ténèbres. Tout, sauf ça.

— Jordan ? Réveille-toi.

Une ombre vient flotter sur mes yeux, qui les abrite de l'éblouissement. Une main. Après un moment, elle se retire et un visage se penche sur moi.

John. Il a les traits creusés par l'inquiétude, et ses yeux sont rouges de fatigue.

— Tu me reconnais ? demande-t-il.

— Agent Kaiser ? C'est bien ça ?

Il ne se départit pas de son expression soucieuse.

— Je te l'ai dit, John, je ne suis pas un vase de porcelaine.

— Dieu merci.

— Wheaton ?

John secoue la tête, avec une moue dépitée.

— Il est arrivé en courant dans l'entrée où tu étais étendue. Il hurlait, et il avait une arme. Il la tenait par le canon, et j'ai crié aux gars du commando d'intervention de ne pas tirer, mais il était déjà trop tard. Il est mort sur le coup.

— TD, dis-je doucement.

— Hein ?

— Tir décisif.

— Oh.

En tournant la tête, je m'aperçois que je suis étendue sur une table, dans ce qui ressemble à la salle de soins d'un service d'urgences. Une perfusion est raccordée à mon bras. Je dois réprimer le réflexe de l'arracher.

— Où sommes-nous ?

— Au Charity Hospital. Ton taux de sucre est revenu à la normale. Les médecins ont dit que tu étais déshydratée, mais ils arrangent ça. L'inquiétude principale concernait ton cerveau.

— Ça a toujours été mon inquiétude principale, à moi aussi.

— Jordan…

— J'ai l'impression d'avoir une gueule de bois carabinée. C'est tout, vraiment.

— Physiquement. Mais à l'intérieur

A l'intérieur. Je tapote d'un doigt le bandage entourant le poignet où était fichée la perfusion de Wheaton.

— A deux ou trois reprises durant la semaine écoulée, mon espoir de revoir Jane en vie s'est ranimé. Mais au fond de moi, je savais qu'elle était morte. Pour Thalia… Après la mort d'Hoffman dans le fleuve, j'ai vraiment cru que nous réussirions à la retrouver saine et sauve.

John ne cille pas, mais son regard s'assombrit.

— Elle est probablement entrée dans le coma

une heure ou deux après avoir été enlevée. Du moment où elle a échappé à notre surveillance et où Hoffman l'a kidnappée, nous ne pouvions plus rien pour elle.

Je hoche la tête avec tristesse.

— Où étais-je gardée prisonnière ?

— A quatre pâtés de maisons du domicile de Wheaton à Audubon Place. Cinq de St Charles Avenue. Un seul de Tulane.

— Bon sang, ils ne manquaient pas de culot. Que se passe-t-il là-bas, maintenant ?

Son regard se durcit.

— Tu es sûre de vouloir l'apprendre ?

— Oui.

— Ils ont sorti deux corps de tombes peu profondes creusées sous la maison, qui est surélevée.

— Jane ?

— On n'a pas encore les identités. Nous sommes en train de rassembler les familles de toutes les victimes dans un hôtel. Nous allons procéder aux exhumations très lentement. Nous ne voulons pas commettre d'erreur.

— Je comprends. Wheaton m'a avoué qu'il avait enseveli les victimes de New York dans une clairière, sur le terrain de la ferme familiale, dans le Vermont.

John ne montre aucune surprise à cette nouvelle.

— Nous travaillons déjà pour obtenir les autorisations là-haut. Les terres rattachées à l'époque à cette ferme sont maintenant en bonne partie occupées par un centre commercial. Il va falloir batailler pour pouvoir creuser au hasard à la recherche des cadavres.

— John, je refuse de rester ici cette nuit.

— Les médecins veulent te garder en observation.

— Je m'en fiche. Tu es du FBI. Fais quelque chose.

Il inspire profondément, puis pose la main sur mon bras.

— Ecoute, il y a quelque chose que tu dois savoir.

— Quoi ? dis-je, la gorge déjà serrée par l'appréhension.

— Nous venons de recevoir un message de Marcel de Becque.

— Hein ?

— Une invitation. C'est la vérité.

— Que veux-tu dire ?

— Il désire te parler. En personne.

— De Becque est ici ? Aux Etats-Unis ?

— Non. Il aimerait te voir chez lui, dans les Caïmans. Il a proposé d'envoyer son jet pour te chercher.

— J'en aurai besoin ?

— Non. Dans cette affaire, des questions sérieuses restent en suspens, et seul de Becque détient les réponses. Baxter nous autorise à prendre le jet du Bureau.

— Quand ?

— Quand tu seras en état.

— Pour un vol de deux heures ? Dis-leur de préparer l'avion. Et va arranger ma sortie avec les médecins. Je ne veux pas m'en occuper.

John a pour moi le regard d'un parent qui sait que son enfant ne cédera pas. Puis il pose la main sur mon épaule, la presse doucement de ses doigts, se penche et me baise le front.

— Je crois que nous allons faire une balade.

Sur la mer des Caraïbes, Grand Caïman est pareille à une émeraude lisse et plate, après les montagnes de Cuba. Notre pilote pose le Lear à l'aéroport voisin de George Town, mais cette fois aucune escorte ne nous attend dans une Range Rover. A la demande du directeur du FBI, le gouverneur des îles a mis à notre disposition une limousine noire dont la calandre est ornée de fanions aux couleurs des Caïmans. Notre chauffeur est un autochtone qui parle un anglais guindé, et il nous conduit aussitôt à la propriété de North Bay.

C'est Li qui nous accueille à la porte. Elle montre toujours cette maîtrise dans le maintien qui m'avait frappée lors de notre première visite.

— Mademoiselle, dit-elle avec une infime inclinaison de la tête. Monsieur. Par ici, je vous prie.

Cette fois nous ne serons pas fouillés. John porte sur lui deux pistolets, le gouverneur en a été prévenu. De Becque également, et il n'a élevé aucune objection.

Li nous précède dans le grand salon à l'arrière de la vaste demeure, là où l'immense baie vitrée donne sur le port. Tout comme la première fois, l'expatrié français à la peau hâlée et à la chevelure argentée contemple la mer. Il me fait penser à un homme possédé d'une nostalgie inextinguible.

— Mademoiselle Glass, annonce Li avant de battre en retraite sans bruit.

De Becque pivote sur lui-même et hoche la tête dans un mouvement gracieux.

— Je suis heureux que vous soyez là, ma chère. Toutes mes excuses pour vous avoir fait venir aussi loin, mais hélas ma situation légale ne me permet pas de vous rendre visite chez vous.

Il avance d'un pas vers nous, semble hésiter.

— J'ai certaines choses à vous dire, que vous devez savoir. Pour mon bien, et pour le vôtre.

Il nous désigne une autre partie du salon.

— Par ici, s'il vous plaît.

John et moi allons nous asseoir côte à côte sur le canapé que nous avons occupé moins d'une semaine auparavant. De Becque reste debout. Il semble mal à l'aise, et il fait les cent pas tout en parlant :

— Tout d'abord, en ce qui concerne les *Femmes endormies*. Je tiens à vous certifier que je n'ai jamais connu l'identité du peintre, ou de son associé. En revanche je connaissais Christopher Wingate, le marchand d'art, et c'est de lui que je veux vous entretenir. Comme vous le savez, je lui ai acheté les cinq premières *Femmes endormies* qu'il a proposées à la vente. Il m'avait également promis la sixième peinture, et je lui ai versé un acompte. C'est alors que Wingate m'a « arnaqué », comme on dit. Il a vendu ce portrait à Hodai Takagi, un collectionneur japonais, sachant pourtant que j'aurais surenchéri sur toute offre de Takagi.

— Pourquoi a-t-il agi de la sorte ? dis-je.

— Pour ouvrir de nouveaux marchés, répond John. Exact ?

— Absolument, approuve de Becque. L'art est

un commerce, après tout. Mais cette peinture m'avait été promise, et j'étais furieux. Je ne suis pas homme à ressasser une injustice bras croisés. Je ne suis pas ce que les psychiatres appellent un « passif... » Désolé, quel est le terme exact ?

— Passif agressif.

— Oui, c'est cela. Il se trouve que j'étais alors au courant d'investissements massifs opérés par Wingate dans un projet touristique dans les îles Vierges. J'ai passé quelques coups de fil, et en très peu de temps M. Wingate a découvert qu'il avait fait un très mauvais placement. Il a perdu presque tout son capital. Je vous ennuie avec mes petites histoires, agent Kaiser ?

— Au contraire, je suis fasciné.

Le Français acquiesce, satisfait, et ses yeux bleus papillonnent.

— Wingate a été furieux du tour que je lui avais joué, et il a voulu se venger. Il faut que vous sachiez qu'il m'avait rendu visite ici même à trois reprises, avant notre différend. Je l'avais reçu à chaque fois pendant plusieurs jours. Il en avait appris quelque peu sur mon parcours. Il s'était assis dans cette pièce. Et il avait vu maints de mes trésors, parmi lesquels ces photographies...

D'un geste large, il désigne le mur où est affichée sa collection de clichés du Vietnam.

— Vous avez vu ces photos vous-mêmes. Certaines, du moins.

Il s'approche du mur et en décroche deux tirages en noir et blanc encadrés, puis il revient vers nous, sans cesser d'étudier les photos.

— Celles-ci n'étaient pas exposées lors de votre

dernière visite. Peut-être aimeriez-vous les regarder ?

Avec un pressentiment étrange, je les prends de la main qui me les présente. La première est un cliché de moi, en fait celui qui est paru partout à chaque fois que je remportais un prix. La seconde est un portrait de Jane, celui, officiel, pris lors de la remise de diplôme à Ole Miss. Mon cœur s'emballe.

— Comment les avez-vous eues ?

Enfin de Becque s'assied sur le canapé face à nous.

— Ecoutez-moi très attentivement, Jordan, dit-il. De par les circonstances qui ont présidé à notre première rencontre, il est certaines choses que je ne pouvais vous dévoiler alors. A présent, la situation n'est plus la même. Vous devez savoir que je connaissais votre père beaucoup mieux que je ne l'ai laissé entendre. Je pense que, peut-être, vous le subodoriez déjà.

— En effet.

— Nous étions très bons amis. J'ai fait ce que j'ai pu pour aider sa carrière, et sa vie.

— Et lui, qu'a-t-il fait pour vous ?

— Il a enrichi mon quotidien. C'est un cadeau sans prix. Mais ce que vous voulez réellement savoir, c'est : « Mon père est-il mort à la frontière cambodgienne ? » Aujourd'hui je peux vous le révéler : non.

— Oh, mon Dieu…

— Ce Khmer rouge lui a bien tiré dessus, en effet. Mais plus tard d'autres l'ont retrouvé, encore vivant. En Asie, une guerre se présente sous de multiples aspects. Les affaires, toujours les affaires. Même avec les communistes, jusqu'à ce qu'ils l'emportent. Jonathan Glass était mon ami, et quand j'ai appris ce qui lui était arrivé, je n'ai ménagé aucun effort pour découvrir ce qu'il était advenu de lui. Sur une période de plusieurs mois, j'ai réussi à négocier sa libération, selon certaines conditions qu'il n'est nul besoin de spécifier maintenant.

— Etait-il gravement blessé ?

— Très gravement. A la tête. Et la blessure s'était infectée.

John me prend la main et la serre fort dans la sienne.

— Ce n'était plus l'homme qu'il était avant cette blessure, ajoute de Becque.

— Savait-il toujours qui il était ?

— Il se souvenait de son nom. Et de certaines choses qui lui étaient arrivées. Pas de tout. Et sa vision avait été touchée. Sa carrière de photographe était irrémédiablement terminée. Quoique je ne pense pas que cela l'ait beaucoup affecté. Ses préoccupations s'étaient réduites à des sujets fondamentaux : manger, survivre, boire…

— Et l'amour ? interviens-je. Est-ce là que vous voulez en venir ? Avait-il quelqu'un d'autre au Vietnam ? Une femme comme Li ?

De Becque a un haussement de sourcils qui signifie « Nous sommes entre adultes, ici, non ? »

— Il y avait effectivement une femme.

— Elle était déjà avec lui quand il a été blessé ?

— Oui.

Je prends une lente inspiration, puis je pose la question la plus difficile :

— A-t-il eu des enfants avec cette femme ?

Les yeux du Français me disent qu'il comprend ma souffrance.

— Non. Pas d'enfant.

Le soulagement balaie mon âme, mais une peur nouvelle s'éveille aussitôt en moi.

— Et se souvenait-il de nous ? De ma mère ? De ma sœur ?

De Becque lève la main tendue à plat et l'incline de droite et de gauche.

— A certains moments oui, à d'autres non. Mais permettez-moi de parler franc. Si vous êtes torturée à l'idée que Jon avait simplement décidé de vous abandonner, et de ne pas revenir en Amérique, alors je vous le dis : vous souffrez sans raison. Il n'était pas en condition de faire une telle chose. Je possédais une plantation en Thaïlande, à l'époque, et c'est là qu'il a fini sa vie, dans une grande simplicité. Il accomplissait des tâches simples, et il a connu des joies simples.

John presse de nouveau ma main dans la sienne, et je lui suis reconnaissante d'être là. Les émotions qui se déversent en moi seraient trop intenses à supporter seule. L'ébahissement que mon espoir secret se révèle fondé. La tristesse de savoir que mon père n'a jamais plus été lui-même après cette blessure, que peut-être il n'a pas gardé un souvenir sensé de moi. Mais bien plus profond encore, un soulagement que les larmes elles-mêmes ne pourraient exprimer. Mon père n'a pas abandonné sa famille. Il n'a pas choisi entre d'autres et nous. Il n'a pas volontairement cessé de nous aimer. Bien que je ne le formule pas, un cri primal, enfantin, jaillit de mon cœur : « Mon papa ne m'a pas quittée. »

Il n'est pas de spectacle comparable à celui de gentlemen confrontés aux larmes d'une dame. John rougit et cherche dans sa veste un Kleenex qu'il n'a pas, tandis que de Becque, en homme de l'Ancien Monde, sort un mouchoir en soie de la poche de son pantalon et me l'apporte.

— Prenez un moment, ma chère, dit-il d'un ton apaisant. Les affaires de famille… Ah, c'est toujours délicat.

— Merci, dis-je, et je m'essuie les yeux avant de me moucher, ce dont aucun des deux hommes ne semble se formaliser. Racontez-moi tout, je vous en prie.

— Je pressens votre prochaine question. Votre père a vécu jusqu'en 1979. Sept années après la blessure qui en toute logique aurait dû l'emporter. Il a eu la chance de pouvoir profiter de ces années.

Sept ans. Mon père est mort quand Jane était étudiante en seconde année à Ole Miss, à l'époque où je suis entrée comme photographe au *Times Picayune*. Avant que je ne puisse réfléchir à la question que je veux poser ensuite, John prend la parole :

— Monsieur, votre récit a commencé avec les filles, pas avec le père. Vous parliez de ces photographies. Et de Christopher Wingate…

De Becque me regarde.

— Si vous vous sentez remise ?

— Oui. Je vous en prie, continuez.

— Donc, vous comprenez la situation ? Wingate m'avait gravement offensé. Il m'avait trompé. Je lui ai alors donné une leçon sur ce qu'il en coûte de trahir sa promesse.

— Nous comprenons.

— Mais Wingate a estimé que nous n'étions pas quittes. Peut-être ne pouvait-il pas se permettre les pertes subies dans les Caraïbes. Quoi qu'il en soit, à son tour il a voulu se venger de moi. Et il a souhaité que certaines personnes sachent qu'il s'était vengé. Afin d'obtenir ce résultat, il s'est mis en tête de me blesser aussi profondément qu'il lui serait possible. Or ce n'est pas tâche aussi aisée qu'il peut paraître. Voyez-vous, je n'ai plus aucune famille, dans le sens ordinaire du terme. Je suis un homme d'affaires, un citoyen du monde. Pas un homme vulnérable. Aussi Wingate a-t-il dû chercher vraiment pour me découvrir une faiblesse.

— Je pense savoir ce qui va suivre, commente John.

— Désirez-vous que je continue ? demande de Becque.

— S'il vous plaît, lui dis-je, en coulant un regard à John pour qu'il n'interrompe plus le Français.

— Wingate était esthète, et pas seulement en ce qui concerne la peinture. Il connaissait fort bien la photographie aussi. Quand il a séjourné ici, il a tout naturellement remarqué mes clichés du Vietnam. Il m'a encouragé à les commenter. J'avoue avoir ce travers d'aimer parler du passé et de ce que j'ai vécu, en particulier après quelques bouteilles de vin. Je sais quand me taire, mais certaines anecdotes peuvent sembler très anodines dans de telles circonstances.

Il pousse un soupir de regret.

— J'ai toujours conservé des photos de vous et

de votre sœur, pour Jonathan. Je les lui montrais, parfois. J'avais obtenu un portrait récent de vous, car vous étiez devenue célèbre. Bref, Wingate était au courant de votre parcours. Il savait qui était votre père, et pourquoi je me souciais de votre bien-être.

— Vous vous êtes soucié de notre bien-être ?

— Pendant une période où il allait mieux, votre père m'a demandé de veiller sur vous. C'était à la fin de sa vie. Vous étiez presque adultes, alors, et j'ignorais que vous rencontriez des difficultés d'ordre pécuniaire. Si j'avais su… Enfin, que valent les mots maintenant ? Après le décès de Jonathan, j'ai appris que vous vous en sortiez très bien, mais que Jane avait grand besoin d'argent pour poursuivre ses études. Je me suis arrangé pour qu'elle n'en manque pas.

Je secoue la tête doucement, éberluée.

— Je n'ai jamais su comment elle avait pu cesser de dépendre financièrement de moi. J'ai cru qu'elle avait obtenu des bourses, ou une aide de ce type.

— Je suis certain qu'elle en a obtenu une, dit de Becque avec un sourire. Mais elle a aussi reçu le soutien de l'oncle Marcel.

— Vous êtes en train de nous dire que Wingate a choisi Jane Lacour comme victime uniquement pour se venger de vous, dit John, incapable de se contenir plus longtemps. C'est bien ça ?

— Je pense que c'est ce qui s'est produit, en effet. Wingate n'a jamais appris l'identité de Roger Wheaton, mais à mon avis il savait d'où venaient les victimes. Je crois qu'il entretenait des liens étroits avec un associé de Wheaton.

— Conrad Hoffman, dit John.

— Peut-être, convient le Français. Quoi qu'il en soit, à cette époque j'en étais arrivé moi aussi à la conclusion que les femmes servant de modèles à ces tableaux étaient enlevées à La Nouvelle-Orléans.

— Vous nous avez dit que vous n'aviez pas la moindre idée de…

— Aucune preuve, rétorque de Becque. Simplement les conjectures d'un vieil homme. Mais j'étais assez intéressé par l'affaire pour surveiller les journaux de La Nouvelle-Orléans, et garder un œil sur ce qui s'y passait grâce à quelques contacts que j'ai là-bas. Très vite, j'ai soupçonné que si un autre kidnapping de femme avait lieu dans cette ville, très bientôt une nouvelle *Femme endormie* apparaîtrait sur le marché.

— Jane a été la victime numéro cinq, lâche John d'un ton froid. Vous aviez déjà des soupçons auparavant ?

De Becque prend soudain l'air très sérieux.

— Souhaiteriez-vous perdre du temps dans un autre débat philosophique stérile ? Je puis vous affirmer qu'un Français n'aime rien autant que cela.

— Non, dis-je pour couper court aux digressions. Dites-nous simplement ce que vous savez.

— Fort bien. Voilà comment je pense que les choses se sont passées. Wingate recherche un moyen de se venger de moi. Un jour, alors qu'il fouille dans sa mémoire, il se souvient de l'histoire que je lui ai narrée à propos du célèbre Jonathan Glass et des deux ravissantes jumelles sur lesquelles je veille de loin : la globe-trotteuse et la belle Sudiste de St Charles Avenue.

J'en suis bouche bée.

— Simple affaire d'association mentale. Bref, une fois qu'il s'est arrêté à cet objectif, une mécanique très simple se met en branle. Il envoie une photographie avec l'adresse à l'associé de Wheaton, demande un service, sans doute assorti d'une belle récompense, et le tour est joué.

John et moi sommes abasourdis.

— C'est ainsi que Jane Lacour, née Glass, devient la seule *Femme endormie* choisie par quelqu'un d'autre que Wheaton ou son associé, conclut de Becque. Du moins, c'est mon avis.

— Avis logique, concède John. Jane Lacour est donc morte parce qu'elle vous connaissait. Comment avez-vous réagi ? Sans trop d'émoi, je suppose.

Les lèvres du Français deviennent une seule ligne mince.

— Vous êtes à la limite de l'offense, jeune homme. Je vous déconseille de poursuivre dans cette voie…

Un sourire tendu, et il ajoute :

— Parce que je surveillais ce qui se passait à La Nouvelle-Orléans, et particulièrement les nouvelles disparitions, j'ai très vite appris celle de Jane. Or j'avais fait un serment à mon vieil ami. Je ne pouvais laisser les choses en l'état sans agir.

— Qu'avez-vous fait ?

— J'ai envoyé un… émissaire pour discuter de l'affaire avec Wingate.

— Qui ? demande John.

— Un militaire à la retraite. Un ami de la période indochinoise. Peut-être avez-vous déjà rencontré le genre d'homme dont je veux parler.

— Quelqu'un de très persuasif ?

De Becque acquiesce sobrement.

— C'est le qualificatif qui convient. Il a très clairement expliqué à Wingate que la mort de Jane Lacour signifierait non seulement celle du marchand d'art, mais aussi de toute sa lignée. Epouse, enfants, parents…

— Arrêtez, dis-je, révulsée. Je ne crois pas vouloir en savoir plus sur ce point.

Notre hôte a un geste d'excuse.

— Je tenais simplement à vous faire comprendre que je n'ai négligé aucun effort.

— Mais cela n'a pas eu beaucoup d'effets, n'est-ce pas ? grince John.

— Une fois mises en branle, soupire de Becque, certaines situations sont difficiles à stopper. Wingate a compris ce qu'il risquait, et il a usé de toute son influence pour convaincre l'associé de Wheaton de relâcher Jane. Ledit associé a accepté d'essayer.

— Il a peut-être essayé, en effet, dis-je en me remémorant ce que Wheaton m'a raconté sur la fin de Jane. Wheaton m'a affirmé que Jane avait tenté de s'enfuir et avait presque réussi. Hoffman ne l'a rattrapée que dans le jardin, et il… C'est là qu'il l'a tuée. Wheaton a terminé le portrait d'après photo.

— Je sais que cela vous bouleverse.

John considère de Becque avec une hostilité non dissimulée, mais le Français l'ignore totalement. Il se rapproche de moi, se penche et me prend la main.

— Préparez-vous, ma chère. J'ai une nouvelle à vous annoncer.

— Quoi donc ?

— Votre sœur est vivante.

Ma main saute de la sienne, comme animée d'une volonté propre.

— Quoi

— Jane est en vie.

— Qu'est-ce que vous racontez ? gronde John. Vous voulez dire qu'Hoffman ne l'a pas tuée ?

— En effet. A entendre ce que Jordan vient de m'apprendre, je dirais que ce Hoffman a laissé Jane s'échapper, puis a menti à Wheaton pour se protéger.

— Si Jane Lacour est vivante, ou a-t-elle passé ces dix huit mois ?

— En Thaïlande, lâche de Becque d'un ton neutre en s'écartant de deux pas. Je possède une plantation là-bas.

— Vous mentez. Même vous n'auriez pu…

— Economisez votre indignation. Je me suis retrouvé dans une situation très difficile. Une femme avait été enlevée. Plusieurs femmes, pour être exact. J'en savais plus que je ne l'aurais dû sur ces événements, dans le sens légal. Normalement, je n'aurais pas dû intervenir. Mais cette femme était spéciale. Je n'avais pas le choix.

— Si ce que vous dites est vrai, vous auriez pu aider à résoudre cette affaire ! Vous auriez pu sauver…

C'est alors que j'explose :

— Je m'en fiche ! Je me fiche de ce qu'il a fait. Tout ce que je veux savoir, c'est s'il dit la vérité.

— C'est la vérité, affirme de Becque avec gravité.

— L'appel téléphonique ? dis-je, radoucie. L'appel de Thaïlande ?

— C'était votre sœur. A l'époque elle buvait, et était un peu à la dérive. Elle venait d'apprendre la vérité sur votre père, et cela l'avait beaucoup perturbée.

— Je veux aller en Thaïlande, lui dis-je. Maintenant.

Le Français frappe dans ses mains par deux fois. Li apparaît dans l'embrasure de la porte la plus éloignée de nous, telle une princesse à la peau mate invoquée par magie. De Becque hoche la tête, et elle s'éclipse.

— Vous m'emmènerez avec vous ? dis-je. Je ne la croirai vivante que lorsque je la verrai.

— Il y a d'autres choses que vous devez savoir, avant cela.

— Oh, Seigneur…

L'image de Thalia Laveau envahit mon esprit.

— Ne me dites pas qu'elle a subi des lésions cérébrales ou…

— Non, non. Mais elle est passée par une expérience traumatisante entre les mains de ce Hoffman. C'était un homme aux goûts très… particuliers.

A présent je comprends ma précognition de la mort de Jane, à Sarajevo : peut-être n'est-elle pas morte physiquement alors. Peut-être que ce que j'ai ressenti était la mort de l'innocence qu'est chaque viol, l'assassinat d'une partie de l'esprit.

— Elle est presque remise, à présent, dit de Becque. Mais elle demeure fragile, par certains côtés. Dans les premiers temps, elle a nécessité beaucoup de soins et d'attention. Plus tard, tout naturellement, elle a exprimé le désir de rentrer chez elle. Je ne pouvais le lui permettre. Pour des raisons légales, comme je l'ai dit, mais aussi parce que je ne souhaitais pas stopper l'œuvre du peintre des *Femmes endormies*. Je ne présente d'excuses à personne d'autre qu'à vous, mais à vous, oui, je présente mes excuses.

— Je vous en prie, emmenez-moi auprès d'elle.

— Vous êtes en chemin, ma chère.

— Jordan, me dit John à voix basse, ne laisse pas ce type te bercer de faux espoirs. C'est un…

Soudain il bondit du canapé et reste immobile, bras ballants, pétrifié de stupeur.

Dans l'embrasure de la porte, de l'autre côté de la grande pièce, vient d'apparaître le sosie de la femme qu'il dit aimer. Jane porte une robe blanche comme celle de Li, et l'Eurasienne se tient auprès d'elle, telle une domestique prévenante. Sans m'en rendre compte, je me retrouve debout. Mes mains se mettent à trembler, et soudain mes paumes sont moites. Mon estomac se liquéfie. Jamais de toute mon existence je n'ai éprouvé de telles émotions, et comment cela se pourrait-il ? Je n'ai encore jamais assisté à une résurrection.

— Espèce de fils de pute, dit John à de Becque d'une voix sourde. Combien de temps encore l'auriez-vous gardée ?

Jane marche vers moi. Ses joues sont roses, et des larmes scintillent dans ses yeux. Li la suit à deux pas, prête à la soutenir si sa protégée venait à défaillir. Ma sœur est plus belle que je ne l'ai jamais vue, plus mince peut-être, mais avec une assurance dans l'expression et le maintien qui n'était pas là auparavant. La voix du Français s'élève dans les aigus au rythme de la dispute qui monte entre lui et John, mais je n'entends pas ce qu'ils disent, seulement le sang qui bat dans mes oreilles. Quand Jane arrive au centre de la pièce, je trouve la force de faire un pas. Puis de courir. Alors que je me précipite dans ses bras, une image surgit de mon passé : un homme de grande taille avec un appareil photo marche sur une route du Mississippi, encadré par deux petites filles ; l'une garde sa main dans celle de l'homme, tandis que l'autre s'élance en avant, les yeux fixés sur l'horizon. L'homme est parti, à présent, mais pas les petites filles.

29

Le soir tombe, et la maison sur St Charles Avenue est identique à ce qu'elle était le jour où Jane est sortie dans sa tenue de jogging, dix-huit mois plus tôt. Mais les gens qui se trouvent à l'intérieur ne sont pas les mêmes. Les fenêtres laissent filtrer un éclairage chaleureux, donnant l'image du bonheur au passant, derrière cette grille en fer forgé et la porte en bois poli, mais c'est une impression fausse. Une femme m'a dit naguère que les foyers heureux avaient un cœur. Cette maison a eu un cœur. A présent il y règne un grand vide.

Jane et moi gravissons les marches du perron ensemble, main dans la main. Après avoir beaucoup discuté, nous sommes convenues que c'était la meilleure chose à faire. Ne pas appeler avant. Ne pas essayer d'expliquer. Pourquoi infliger à Marc et aux enfants une heure ou même une seule minute de confusion ? Et pourquoi laisser Marc la voir le premier, quand c'est indubitablement aux enfants que son absence est la plus cruelle ?

Derrière nous, John attend dans la voiture garée le long du trottoir. Non pas ma Mustang de location, mais une conduite intérieure du FBI qui nous a permis de tous voyager confortablement. Je lui lance un regard, puis je lève la main pour frapper à la porte, mais Jane arrête mon geste en m'effleurant l'épaule.

— Qu'y a-t-il ? dis-je. Ça ne va pas ?

Elle pleure.

— Jamais je n'aurais espéré me retrouver ici un jour. Je n'arrive pas à croire que mes bébés sont à l'intérieur.

— Ils sont là.

Je le sais parce qu'un agent du FBI posté dans la rue nous a prévenus lorsque Marc est rentré. Il est ici, avec les enfants et la bonne, Annabelle. Je prends la main de Jane.

— Ne pense pas trop. Savoure chaque seconde. Tu as une chance incroyable.

Je pourrais en dire plus, mais je m'abstiens. Lui rappeler que onze autres femmes ne retrouveront jamais leur foyer ne ferait que déclencher chez elle cette culpabilité du survivant que je connais si bien. Alors je la serre contre mon flanc et je la garde ainsi, collée à moi.

— Allons-y.

Je frappe vigoureusement la porte avec le heurtoir, et nous attendons.

Après un moment, des pas approchent dans l'immense entrée et s'arrêtent de l'autre côté du panneau de bois massif Le bouton tourne et la grande porte s'ouvre sur Annabelle dans son uniforme noir et blanc.

La vieille femme noire s'apprête à me saluer mais elle se fige, bouche entrouverte. Sa main vole vers sa bouche, s'immobilise en chemin et se met à trembler.

— Est-ce que c'est...

— C'est moi, Annabelle, dit Jane d'une voix légèrement chevrotante.

— Seigneur Jésus. Oh, venez, madame...

Elle prend Jane dans ses bras et l'enlace avec effusion.

— M. Lacour n'est pas au courant ?

— Non. J'ai pensé que ce serait mieux si lui et les enfants nous voyaient ensemble, avec Jordan. Ainsi ils sauront qu'ils peuvent le croire.

Annabelle hoche la tête à plusieurs reprises, toujours sous le coup de l'émotion.

— Je ne le croirais pas moi-même si je ne le voyais pas de mes propres yeux.

Doucement, Jane se dégage de son étreinte.

— Où sont les enfants, Annabelle ?

— Dans la cuisine. Ils attendent que je leur prépare à dîner.

— Comment vont-ils ?

La vieille femme va répondre, mais elle s'interrompt et ferme les yeux pour refouler ses larmes.

— Pas bien, madame. Mais maintenant tout ira mieux. Oui... Oh, Seigneur... Que désirez-vous que je fasse ?

— Où se trouve Marc ?

— Dans son bureau.

— Allons dans la cuisine.

Annabelle prend la main de Jane et la mène à travers l'entrée monumentale. Ses dimensions me rappellent la maison des assassinats de Wheaton, distante d'à peine quelques centaines de mètres, et je me hâte de suivre les deux femmes. Ma sœur regarde en arrière et me fait signe de presser le pas, car elle sait que les enfants ne comprendront réellement qu'en nous voyant toutes les deux.

A l'entrée de la cuisine nous marquons une halte, et Jane murmure quelque chose à la vieille domestique. Celle-ci hoche la tête en silence et passe devant nous. La voix aiguë d'Henry lui demande qui a frappé à la porte, et Annabelle répond d'une voix qui vibre d'excitation :

— Les enfants, vous allez fermer les yeux.

— Pourquoi ? demandent-ils à l'unisson.

— Tante Jordan vous a apporté un cadeau très spécial.

— Tante Jordan est là ? dit Lyn, et l'intonation de sa voix me brise le cœur.

— Vous fermez d'abord les yeux ! ordonne Annabelle. Jamais vous ne recevrez un aussi beau cadeau de toute votre vie, ni l'un ni l'autre.

— Ils sont fermés. s'écrient les petites voix. Tante Jordan ?

Quand Jane prend ma main, je sens la sienne qui tremble. Nous nous entre-regardons, elle acquiesce et nous franchissons le seuil de la cuisine.

Henry et Lyn se tiennent debout, côte à côte, face à la porte, mains pressées sur leurs yeux.

— Tante Jordan ? interroge Lyn qui écarte les doigts pour risquer un coup d'œil.

— Vous pouvez regarder, maintenant, leur dis-je.

Quand leurs mains retombent, les bouches des deux enfants s'ouvrent mollement, et leurs regards font très vite plusieurs allers-retours entre Jane et moi. Puis leurs yeux brillent d'une lumière que je n'ai jamais vue en vingt années passées à parcourir le monde. La lumière de ceux qui sont témoins d'une résurrection.

— Maman ? souffle Lyn d'une voix creuse, en dévisageant Jane.

Jane s'agenouille et ouvre les bras. Henry et Lyn courent se blottir contre le sein maternel. Elle les enveloppe dans une étreinte frissonnante, et en une seconde ses yeux débordent de larmes. Quand enfin les enfants retrouvent l'usage de la parole, ils l'abreuvent de questions, mais leur mère n'est capable que de caresser leurs visages en secouant la tête.

— Que se passe-t-il ? lance une voix de basse dans l'entrée. Annabelle ? Que signifie ce vacarme…

Vêtu d'un costume en crêpe de coton assez prétentieux, Marc Lacour apparaît. Son regard va de moi à la femme agenouillée qui serre ses enfants dans ses bras, et un trouble subit assombrit son visage. Il ne peut voir les traits de Jane, mais quelque chose dans sa silhouette et son maintien lui révèle la vérité. Elle embrasse les enfants encore une fois, puis se relève et se retourne.

Marc recule d'un pas. Il n'en croit pas ses yeux.

— C'est moi, dit simplement Jane. Je suis revenue.

Il hésite puis s'avance, la saisit dans ses bras et la serre assez fort pour lui briser la colonne vertébrale.

— Mon Dieu, balbutie-t-il. Mon Dieu, c'est un miracle.

— C'en est un, oui, dit ma sœur qui tend une main en arrière, vers moi.

Je saisis cette main et je l'étreins, puis je les contourne d'un pas vif et je traverse la cuisine.

— Où vas-tu ? me lance Jane.

D'un mouvement de menton, je désigne la porte d'entrée.

— Il faut que je parle à quelqu'un.

Elle tend de nouveau la main. Quand je la prends, elle articule silencieusement deux syllabes. « Merci. »

Elle libère ma main, et l'instant suivant je marche seule dans la grande entrée. Pendant dix-huit mois Jane a vécu en état de vie suspendue, emprisonnée par un homme qui lui avait sauvé la vie, tel un oiseau solitaire dans une cage dorée. Et tout ce temps, j'ai avancé péniblement dans un tunnel sombre, écrasée par la culpabilité, hantée par cette perte, sentant mes espoirs mourir chaque jour un peu plus. La métaphore de ma vie, en fait : une femme seule perdue dans un tunnel, avec un appareil photo, portant témoignage de ce qui arrive dans le noir, alors même que les ténèbres l'imprègnent. Mais aujourd'hui...

Aujourd'hui j'émerge dans la lumière.

John est adossé à la portière avant de la conduite intérieure, et il scrute mon visage pour deviner comment les choses se sont passées. Je descends les marches, prends ses deux mains dans les miennes et dépose un baiser léger sur ses lèvres.

— On entre ? demande-t-il.

— Non. Ils ont besoin d'intimité.

— Où allons-nous ?

— Nous aussi, nous en avons besoin.

Il me prend dans ses bras et me serre avec force.

— Il est temps de recommencer à vivre, John.

— Tu as raison, il est temps, dit-il tandis que sa main cherche à ouvrir la portière derrière lui. Oui, il est grand temps.

Remerciements

Merci à Aaron Priest, Phyllis Grann, David Highfill et Louise Burke.

Un merci tout particulier au directeur régional du FBI Charles Matthews, du district de La Nouvelle-Orléans, à l'agent spécial Sheila Thorne, à l'agent spécial Bob Tucker, à Ernie Porter, du FBI, à Washington.

Experts médicaux : Dr Jerry Iles, Dr Donald Barraza, Dr Michael Bourland et Dr Noah Archer.

Complices dans le crime : Ed Stackler, Courtney Aldridge, Michael Henry.

Divers : Geoff Iles, Carrie Iles, Madeline Iles, Mark Iles, Betty Iles, Rich Hasselberger, Caroline Trefler, Jim Easterling, Fraser Smith, Christie Iles, Kim Barker.

Tous mes remerciements à tous les représentants de Penguin Putnam qui travaillent si dur depuis le début.

A toute personne que j'aurais omise dans cette liste par inadvertance, mes excuses les plus sincères. Toutes les erreurs sont miennes.

Achevé d'imprimer par GGP Media GmbH, Pößneck
en Août 2005
pour le compte de France Loisirs,
Paris

Composition et mise en pages réalisées
par IND - 39100 Brevans

N° d'éditeur: 43240
Dépôt légal: Août 2005
Imprimé en Allemagne